SEICOLEG
UWCH GYFRANNOL

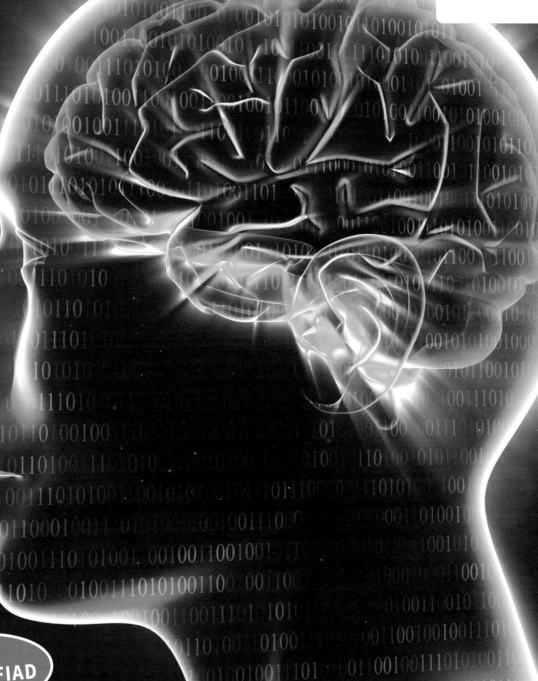

AIL ARGRAFFIAD

wjec cbac

Y Cydymaith Cyflawn ar gyfer CBAC

Cara Flanagan • Lucy Hartnoll • Rhiannon Murray • Jenny Hill

atebol

Y fersiwn Saesneg

Cyhoeddwyd gan Oxford University Press,
Great Clarendon Street, Rhydychen OX2 6DP

Cedwir y cyfan o'r hawliau

© Gwasg Prifysgol Rhydychen 2015

Mae hawliau moesol yr awduron ar y deunydd wedi'i nodi

Hawliau'r gronfa ddata yn eiddo i Oxford University Press

Cyhoeddwyd gyntaf yn 2015

Y fersiwn Cymraeg

Cyhoeddwyd gan Atebol Cyfyngedig, Adeiladau'r Fagwyr,
Llanfihangel Genau'r Glyn, Aberystwyth, Ceredigion SY24 5AQ

Addaswyd gan Atebol a Golygwyd gan Nia Peris ac Eirian Jones

Dyluniwyd gan Owain Hammonds

Ein diolch arbennig i Bethan Lloyd Owen-Hughes, Cai Evans,
Bethan Fletcher a Rhys Jones am eu sylwadau gwerthfawr

Hawlfraint © Atebol Cyfyngedig 2017

Cedwir y cyfan o'r hawliau

ISBN 978-1-910574-86-7

Noddwyd gan Lywodraeth Cymru

www.atebol.com

> Mae'r deunydd hwn wedi'i gymeradwyo gan CBAC ac yn cynnig cymorth safonol i ennill cymwysterau CBAC.
>
> Er iddo fynd drwy broses sicrhau ansawdd CBAC, cyfrifoldeb y cyhoeddwr yn unig yw'r cynnwys.

Ariennir yn rhannol gan Lywodraeth Cymru fel rhan o'i rhaglen gomisiynu adnoddau addysgu a dysgu Cymraeg a dwyieithog.

Ariennir yn Rhannol gan **Lywodraeth Cymru**
Part Funded by **Welsh Government**

CYMRAEG
Byd Addysg
In Education

Lluniau

Hoffai'r cyhoeddwyr ddiolch i'r canlynol am ganiatâd i atgynhyrchu lluniau yn y llyfr hwn.

Adbusters: t.13; **Adrian Raine:** t.19; **Alamy:** t.55 Interfoto, t.117 Pictorial Press Ltd; **Alexandra Milgram:** t.162; **Beck Institute for Cognitive Behavior Therapy:** t.72, www.beckinstitute.org; **Cartoonstock.com:** tt.42, 52, 79, 136; **Corbis:** tt.15, 75 Bettmann, t.38 Bernard Bisson/Sygma, t.53 Sunset Boulevard, t.79 Jodi Hilton/Pool/Reuters, t.162 Hulton-Deutsch Collection; **Dr Bill Swann:** t.115; **Getty Images:** t.51 Yvonne Hemsey, t.59 Hulton Archive/Stringer, t.164 Lee Lockwood; **iLexx:** Llun y clawr; **John Palmer:** t.79; **Jon Kabat-Zinn:** t.93; **L. Brian Stauffer:** t.99, University of Illinois New Bureau; **Mark Stivers:** t.7; **Martin Seligman:** t.91; **Mary Evans Picture Library:** t.16, t.148 Mary Evans/Interfoto Agentur; **Michael B. Frisch:** t.95; **Randy Glasbergen:** t.99, glasbergen.com; **Rex Features:** t.156 Bruce Adams/Solo Syndication; **Science Photo Library:** t.18 Volker Steger, t.18 Frederic Comte, ISM, t.82 Dr Robert Friedland; **Shutterstock:** t.133, aastock, t.120, Aleksey Stemmer, t.54, Alex Mit, t.24, Alien Zagrebelnaya, t.111, Alila Medical Media, t.10, Anastasia Shilova, t.11, Andresr, tt.82, 158, Andrey_Kuzmin, t.48, Andy Dean Photography, t.41, antonsav, t.131, Ariwasabi, t.96, Artistan, t.34, Benoit Daoust, t.81, Bevan Goldswain, t.158, CristinaMuraca, t.119, Daniel Fung, t.127, Denis Cristo, t.108, Dirima, t.65, Dooder, t.101, Everett Collection, t.68, Feng Yu, t.130, Filipe Frazao, t.101, Flashon Studio, t.114, George Dolgikh, t.134, Hirurg, t.135, igor.stevanovic, t.104, Jaimie Duplass, t.39, Jasun, t.28, Jerax, t.122, Johnny Cash, t.5, Kachalkina Veronika, t.62, Ken Wolter, t.19, Kichigin, t.102, Kittichai, t.33, koya979, t.92, Kutlayev Dmitry, t.118, lathspell, t.144, lculig, t.36, Levent Konuk, t.141, LeventeGyori, t.144, Lightspring, t.4, Lissandra Melo, t.160,

LTDean, t.120, luxorphoto, t.155, Mega Pixel, t.129, melis, t.88, Monkey Business Images, tt.6, 138, 140, 150, Odua Images, t.91, Oleg Senkov, t.21, Pakhnyushchy, t.58, PathDoc, tt.54, 60, Pixsooz, t.149, Pushkin, t.78, Rido, t.158, Robert Crum, t.76, Ruth Black, t.125, Sascha Burkard, t.105, sdecoret, t.6, sibgat, t.104, Steven Frame, t.45, Stokkete, t.63, Subbotina Anna, t.105, Terry Eagling Joyce, t.46, Thitisan, t.43, Tomacco, t.84, tommaso79, t.128, totallyPic.com, tt.84, 142, Vepar5, t.113, Vlad Teodor, t.5, VLADGRIN, t.22, Vlue, t.164, Wollertz, t.105, XiXinXing, t.71, Yang Nan, t.8, z0w, t.94; **Statistical Science:** t.159, from R. Sampson and B. Spencer 1999 'A conversation with I. Richard Savage', Statistical Science, 14, t.136; **The British Psychological Society:** t.5; **The Happy Movie:** t.98, www.TheHappyMovie.com; **The Open University:** t.118 Photo by John Oates, © The Open University 2015; **Topfoto:** t.123 © 2004 TopFoto; **UCL department of Psychology:** t.153; **University of Akron/Psychology Archives:** t.57; **Warren Anatomical Museum in the Francis A. Countway Library of Medicine:** t.139.

Gwnaed pob ymdrech i gysylltu â deiliaid yr hawlfreintiau, ond os methwyd â chysylltu ag unrhyw un yn anfwriadol, bydd y cyhoeddwyr yn falch o ddiwygio hynny ar y cyfle cyntaf.

CYFLWYNIADAU

Llyfr Cymreig i 'Nghymro i – Robert George Jones.
Cara Flanagan

I 'nheulu: Dad, Mam, Lee. Yn arbennig i Mam: 'Pe gallwn i fod yn "ddim ond hanner" yr hyn rwyt ti wedi bod i·mi'.
Lucy Hartnoll

Diolch i 'nheulu, yr un iawn a'r un ffug. Byddwch chi'n fy nghynnal ac yn fy herio i bob dydd.
Rhiannon Murray

I Gethin, diolch am dy gefnogaeth a'th chwerthin.
Jenny Hill

Diolchiadau

Diolch o galon i Bawb sydd wedi ein cynorthwyo gyda chynhyrchiad y llyfr hwn – Rob Bircher a Sarah Flynn yn OUP, Carrie Baker a'r tîm yn GreenGate, Katherine Cox a Natalie o'Brien am adolygu'r gwaith. Diolch i bawb.

Cara Flanagan, Lucy Hartnoll, Rhiannon Murray a Jenny Hill

Seicoleg UG CBAC

CYNNWYS

Mae pob pennod ar ymddygiad wedi'i rhannu fel hyn:
- Tybiaethau
- Therapi 1
- Therapi 2
- Tystiolaeth glasurol
- Dadl gyfoes
- Gwerthuso'r ymagwedd
- Gweithgareddau
- Ateb cwestiynau arholiad

ARHOLIAD UG CBAC

Uned 1 Seicoleg: O'r Gorffennol i'r Presennol	1 awr a 30 munud 80 marc 20% o'r cymhwyster Safon Uwch
Pum ymagwedd: Ar gyfer pob ymagwedd: • Tybiaethau • Egluro ffurfio perthynas • Un therapi • Gwerthuso'r therapi • Tystiolaeth glasurol • Gwerthuso'r ymagwedd	
Uned 2 Seicoleg: Defnyddio Cysyniadau Seicolegol	1 awr a 30 munud 80 marc 20% o'r cymhwyster Safon Uwch
Adran A Y dadleuon cyfoes Adran B Egwyddorion ymchwil Adran C Cymhwyso dulliau ymchwil at senario newydd	

ARHOLIAD A2 CBAC

Uned 3 Seicoleg: Goblygiadau yn y Byd Real	2 awr a 30 munud 100 o farciau 40% o'r cymhwyster Safon Uwch
Adran A Astudio ymddygiadau Adran B Dadleuon ym myd seicoleg	
Uned 4 Dulliau Ymchwil Cymhwysol	1 awr a 30 munud 60 marc 20% o'r cymhwyster Safon Uwch
Adran A Ymchwiliadau personol Adran B Cymhwyso dulliau ymchwil at senario newydd	

SEICE

Daw'r gair 'seicoleg' o ddau air Groeg, sef 'psyche' sy'n golygu 'meddwl', 'enaid', 'ysbryd', a 'logos' sy'n golygu 'astudio'. Ystyr lythrennol 'seicoleg', felly, yw 'astudio'r meddwl. Ond wrth i'r ddisgyblaeth esblygu o ran ei chanolbwynt mae'r diffiniadau wedi newid, a dyma drosiad o ddiffiniad modern ohoni:

Astudiaeth wyddonol o'r meddwl dynol a'i swyddogaethau, yn enwedig y rhai sy'n effeithio ar ymddygiad mewn cyd-destun penodol – Oxford English Dictionary.

BETH MAE SEICOLEGWYR YN EI WNEUD?

Mae'n fwy na thebyg i chi ddewis astudio seicoleg am y bydd hi'n fodd i chi ymuno â phroffesiwn diddorol. Er y gall hynny fod yn wir, mae'n wir dweud hefyd y bydd astudio'r rhesymau y mae pobl yn ymddwyn fel y maen nhw yn eich helpu chi mewn unrhyw sefyllfa y dewch chi ar ei thraws, ac nid mewn swydd yn unig!

Ond os llwyddwch chi i gwblhau gradd mewn seicoleg, gallwch fynd ymlaen wedyn i weithio yn un o'r proffesiynau hyn:

- Seicolegydd addysg
- Seicolegydd fforensig (troseddol)
- Seicolegydd clinigol
- Seicolegydd chwaraeon
- Seicolegydd galwedigaethol (mewn gwaith neu sefydliad)

GWAITH I CHI

Rhannwch eich dosbarth yn barau neu'n grwpiau bach.

Dylid rhoi un o'r proffesiynau ar y chwith i bob pâr/grŵp ac fe ddylen nhw ymchwilio i weld beth y mae'n ei gynnwys.

Yna, dylen nhw roi cyflwyniad byr i'r dosbarth.

DISGRIFIAD BYR O HANES SEICOLEG

Er ei bod hi'n anodd iawn nodi'r union ddyddiad y cychwynnodd hanes seicoleg, fe wyddon ni fod y diddordeb yn y meddwl yn mynd yn ôl i'r hen fyd ac i fyd athroniaeth. Ymhell bell yn ôl, tua 400 OC, defnyddiodd yr athronydd blaenllaw, Platon, y syniad o'r 'seice' i ddisgrifio'r meddwl a'r enaid. Wrth astudio Seicoleg Safon Uwch, fe ddewch chi i wybod am rai o'r ymchwilwyr blaenllaw mewn seicoleg fwy 'modern'. Dyma i chi ddyddiadau pwysig ac enwau rhai o'r ymchwilwyr a'u diddordebau allweddol:

1879 – **Wilhelm Wundt** yn sefydlu'r labordy seicoleg arbrofol cyntaf yn Leipzig yn yr Almaen. Ystyrir mai ef yw '**tad seicoleg**' (gweler tudalen 70).

1886 – **Sigmund Freud** yn sefydlu practis preifat yn Fienna yn Awstria ac yn dechrau rhoi therapi i gleifion. Ystyrir mai ef yw **sefydlydd seicdreiddio** (gweler tudalen 30).

1906 – **Ivan Pavlov** yn cyhoeddi ei ddarganfyddiadau ynghylch **cyflyru clasurol** yn dilyn ei arbrawf enwog gyda chŵn (gweler tudalen 50).

1919 – **John B. Watson**, y cyfeirir ato'n aml fel **sefydlydd ymddygiadaeth**, yn cyhoeddi *Psychology from the Standpoint of a Behaviourist* (gweler tudalen 50).

1954 – **Abraham Maslow** yn creu trydydd grym mewn seicoleg – **seicoleg ddyneiddiol** – (gweler tudalen 103) sy'n ymuno â seicdreiddio ac ymddygiadaeth.

1963 – **Albert Bandura** yn disgrifio am y tro cyntaf y cysyniad o **ddysgu drwy arsylwi** yn dilyn ei arbrofion gyda'i ddol Bobo.

1967 – **Ulric Neisser** yn cyhoeddi *Cognitive Psychology* – mae'n disgrifio'i ymchwil fel ymosodiad ar ymddygiadaeth. Cyfeirir yn aml at y 1950au–1970au fel y chwyldro gwybyddol (gweler tudalen 70).

1974 – **Stanley Milgram** yn cyflwyno'i ddarganfyddiadau o'i arbrofion drwg-enwog ynghylch **ufuddhau i awdurdod** (gweler tudalen 162).

1998 – **Martin Seligman** yn traddodi anerchiad y Llywydd i Gymdeithas Seicolegol America ac yn galw am **seicoleg bositif** (gweler tudalen 91).

GWAITH I CHI

Hanes seicoleg

Lluniwch boster 'llinell amser seicoleg' i'r ystafell ddosbarth a defnyddiwch luniau i gyflwyno'r wybodaeth sydd ar y chwith. Gallwch chi ymchwilio i ddigwyddiadau eraill.

Neu

Enwch ffigur o bwys ym maes seicoleg. Lluniwch fywgraffiad byr o'r person hwnnw a chyflwynwch y bywgraffiad i weddill y dosbarth.

GWAITH I CHI

10 peth na wyddech chi am seicoleg

Mae tudalen wedi'i neilltuo i hyn ar wefan y BPS (ewch i www.bps.org.uk a chwiliwch am 'Ten things you might not know' a dewiswch yr eitem gyntaf sy'n cael ei chynnig).

Gweithiwch mewn grŵp bach a dewiswch ffaith ddiddorol. Cynlluniwch a chynhaliwch gyflwyniad PowerPoint byr i roi gwybod i weddill y grŵp am eich ymchwil chi.

GWAITH I CHI

Tuedd rhywedd a seicoleg

Wrth i chi astudio hanes seicoleg, ceisiwch ddod o hyd i seicolegwragedd pwysig. Beth sy'n eich taro chi?

SEICOLEG A MOESEG

Moeseg yw'r safonau sy'n cael eu harddel gan unrhyw grŵp o bobl broffesiynol. Mae gan gyfreithwyr, meddygon ac athrawon i gyd ddogfennau sy'n dweud beth y mae disgwyl iddyn nhw ei wneud yn eu gwaith o ran yr hyn sy'n iawn a heb fod yn iawn. Weithiau, caiff y ddogfen ei galw'n **god moeseg**.

Cymdeithas Seicolegol Prydain

Cymdeithas Seicolegol Prydain (y BPS) sy'n cynghori seicolegwyr ym Mhrydain. Yn yr Unol Daleithiau cewch chi Gymdeithas Seicolegol America (yr APA); yng Nghanada, Cymdeithas Seicolegol Canada (y CPA); ac ati.

Mae'r fersiwn diweddaraf o'r *Code of Ethics and Conduct* (y BPS, 2009) yn nodi pedair egwyddor:

1. *Parch* – Dylai seicolegwyr barchu urddas a gwerth pob person. Mae hynny'n cynnwys safonau o ran **preifatrwydd** a **chyfrinachedd** a **chydsyniad dilys**.

   Dydy twyllo bwriadol (diffyg cydsyniad dilys) ddim ond yn dderbyniol os oes ei angen i ddiogelu unplygrwydd yr ymchwil ac os datgelir y twyll i'r cyfranogwyr cyn gynted â phosibl. Un ffordd o farnu beth sy'n dderbyniol yw ystyried a yw'r cyfranogwyr yn debyg o wrthwynebu, neu o ddangos anesmwythyd, pan **adroddir yn ôl** iddyn nhw. Dylai'r cyfranogwyr fod yn ymwybodol o'r **hawl i dynnu'n ôl** o'r ymchwil ar unrhyw adeg.

2. *Cymhwysedd* – Dylai seicolegwyr gynnal safonau uchel yn eu gwaith proffesiynol.

3. *Cyfrifoldeb* – Mae cyfrifoldeb ar seicolegwyr i'w cleientiaid, i'r cyhoedd ac i wyddor Seicoleg. Mae hynny'n cynnwys amddiffyn cyfranogwyr rhag unrhyw **risg o niwed corfforol neu seicolegol** yn ogystal ag adrodd yn ôl iddyn nhw pan ddaw eu cyfranogiad i ben.

4. *Unplygrwydd* – Dylai seicolegwyr fod yn onest ac yn fanwl-gywir. Mae hynny'n cynnwys rhoi gwybod yn fanwl am ddarganfyddiadau unrhyw ymchwil a chydnabod unrhyw gyfyngiadau posibl. Mae hefyd yn cynnwys tynnu sylw'r BPS at achosion o gamymddwyn gan seicolegwyr eraill.

SUT MAE SEICOLEG YN GYMWYS I CHI?

Wrth i chi astudio Seicoleg Safon Uwch, byddwch chi'n ystyried ymagweddau ac astudiaethau clasurol mewn seicoleg, a'r dadleuon allweddol. Ond efallai y gofynnwch i chi'ch hun sut mae seicoleg yn effeithio arnoch chi a'ch bywyd bob-dydd, a'r hyn y gall ymchwil seicolegol ei ddweud wrthych chi am eich ymddygiadau chi (ac ymddygiadau'r rhai o'ch amgylch).

Ystyriwch y cwestiynau hyn:
- Ydy cael tatŵ a thyllu'r croen yn arwydd o anffurfio'r croen neu o hunanfynegiant?
- Ydy gordecstio'n beth iach i berthnasoedd?
- Ydy rhwydweithio cymdeithasol yn llesol i gyfeillgarwch?

Mae'n siŵr y bydd gennych chi farn sy'n wahanol i un eich cyd-ddisgyblion. Pam, felly, nad ewch chi ati i drafod? Gan fod cyfoeth o ymchwil seicolegol i'r meysydd hynny, efallai y byddwch chi'n awyddus i ddarllen yr ymchwil iddyn nhw a defnyddio seicoleg i ddeall rhagor am eich ymddygiad chi.

Moeseg

Rhaid i seicolegwyr lynu wrth ganllawiau moesegol wrth wneud ymchwil, a thrwy ddilyn y canllawiau hynny dylen nhw sicrhau y caiff y cyfranogwyr eu trin yn foesol. Ymhlith y materion moesegol cyffredin a godir mewn ymchwil mae twyll, cydsyniad dilys, risg rhag niwed, a chyfrinachedd (gweler tudalen 126).

Darllenwch y senarios isod a nodwch y mathau o faterion moesegol a allai gael eu codi:
- Roedd ar ymchwilydd eisiau ymchwilio i ddylanwad grwpiau cyfeillgarwch ar straen mewn pobl ifanc yn eu harddegau. Aeth i sawl ysgol leol a dosbarthu holiaduron i holi ynglŷn â'r materion hynny. Ysgrifennodd yn ôl at y cyfranogwyr a rhoi adborth iddyn nhw am yr astudiaeth.
- Hoffai seicolegydd wybod a yw pobl yn ufudd. Mae'n sefydlu sefyllfa yn ei brifysgol lle caiff y cyfranogwyr gais i roi sioc drydan (ffug) i berson arall pan fydd yr arbrofwr yn eu cyfarwyddo i wneud hynny – ac maen nhw'n credu bod y sioc honno'n real. Mae'r cyfranogwyr yn credu bod hynny'n arbrawf mewn dysgu ac addysgu.

- Mae myfyrwyr seicoleg mewn prifysgol yn gweithredu fel cyfranogwyr yn ymchwil eu darlithwyr i'r gwahanol nodweddion y mae gwrywod a benywod yn chwilio amdanyn nhw mewn partner. Bydd y myfyrwyr yn cyfarfod yn rheolaidd â'u darlithydd i gael eu cyfweld ynghylch amrywiol faterion. Maen nhw'n teimlo na allan nhw beidio â gwneud hynny am eu bod nhw'n awyddus i gwblhau eu cwrs yn llwyddiannus.

Ydy tecstio'n dda i chi? A syniadau eraill
Dewiswch un o'r cwestiynau ar y chwith a thrafodwch ef yn y dosbarth. Gallai'r dolenni hyn eich helpu chi:

www.everydayhealth.com/columns/elizabeth-thompson-womens-wellness/tattoos-body-piercing-self-expression-self-mutilation

www.psychologytoday.com/blog/meet-catch-and-keep/201403/is-constant-texting-good-or-bad-your-relationship

htttp://friendship.about.com/od/Social_Networking/tp/Ways-Social-Networking-Ruins-Friendship.htm

Ymagweddau mewn seicoleg

Y pum prif ymagwedd yw asgwrn cefn eich astudiaethau mewn seicoleg ac mae pum pennod gyntaf y gwerslyfr hwn yn canolbwyntio ar un o'r ymagweddau hynny.

Safbwynt neu farn am ymddygiad pobl yw ymagwedd ac mae'n cynnwys daliadau ynglŷn â'r hyn sy'n achosi ymddygiad, sut gellir newid ymddygiad, a sut gellir ei astudio.

Y PRIF YMAGWEDDAU MEWN SEICOLEG

Dyma amlinelliad byr iawn o'r pum prif ymagwedd.

Mae'r **ymagwedd fiolegol** yn credu bod modd egluro ymddygiad yn nhermau etifeddu nodweddion (genynnau), yn ogystal â ffactorau ffisiolegol eraill (hormonau, cemegion yn yr ymennydd).

Mae'r **ymagwedd ymddygiadol** yn credu bod ffordd person, a'i ymddygiad, i'w priodoli i brofiadau bywyd. Gall person gael gwobr neu gosb am ymddygiad penodol, a hynny sy'n penderfynu sut y bydd yn ymddwyn yn y dyfodol. Gallai pobl hefyd ddynwared yr hyn y maen nhw'n gweld pobl eraill yn ei wneud.

Mae'r **ymagwedd seicodynamig** yn credu mai emosiynau y tu hwnt i'n hymwybyddiaeth ymwybodol sy'n dylanwadu ar ein hymddygiad. Mae'r emosiynau hynny wedi'u claddu yn y meddwl **anymwybodol** o ganlyniad i ddigwyddiadau yn ein plentyndod cynnar, a gall y rheiny fod wedi bod yn rhai trawmatig.

Mae'r **ymagwedd wybyddol** yn credu mai'r eglurhad gorau o ymddygiad yw sut mae person yn meddwl am ei weithredoedd (prosesau meddyliol mewnol). Er enghraifft, os oes disgwyl i gyngerdd fod yn wych, mae'n fwy tebygol y bydd yn wych.

Mae'r **ymagwedd bositif** yn credu y dylen ni astudio'r hyn sydd orau am bobl a sut y gallwn ni ddatblygu nodweddion positif i fyw bywydau cyflawn. Mae'r ymagwedd hon wedi'i gwreiddio yn y gred fod ar bobl eisiau byw'r bywydau gorau y gallan nhw a'u bod yn awyddus i gyfoethogi eu profiadau o garu, gweithio a chwarae.

LOUISA

Person braidd yn 'anghenus' yw Louisa yn ôl ei chyfeillion. Mae hi bob amser yn awyddus i gael cwmni ac yn teimlo'n anghysurus ar ei phen ei hun. Bob nos a thros y penwythnos pan na fydd hi yng nghwmni ei chyfeillion o'r coleg, bydd hi'n treulio amser gyda'i mam neu ei chwaer hŷn neu'n ymweld â chyfeillion. Mae hi'r un fath hefyd mewn perthnasoedd rhamantus – wrth adael un cariad, rhaid iddi ddod o hyd i un arall!

Sut y byddai pob un o'r pum ymagwedd yn egluro ymddygiad Louisa?

Gall yr ymagwedd fiolegol ystyried y teimladau *corfforol* a gaiff Louisa pan fydd hi yng nghwmni pobl eraill – teimladau sy'n gwneud iddi deimlo'n dda ac sydd wedi troi'n ysfa gorfforol. Er enghraifft, caiff **hormon** o'r enw ocsitosin (y cyffur cariad, yn ôl rhai) ei ryddhau pan fyddwn ni'n agos at bobl eraill a bydd hynny'n cryfhau'r cysylltiadau rhwng pobl.

Byddai'r ymagwedd ymddygiadol yn ystyried y *gwobrau* a gaiff pobl o berthnasoedd, boed gorfforol neu seicolegol. Mae bod yng nghwmni pobl eraill yn creu teimladau o hapusrwydd, cyffyrddusrwydd, diogelwch ac ati ac fe ddywedai'r ymagwedd ymddygiadol mai'r **atgyfnerthu cadarnhaol** hwnnw fyddai'n gwneud i Louisa ddal i chwilio am gwmni.

Byddai'r ymagwedd seicodynamig yn ystyried plentyndod Louisa a'r *perthnasoedd cynnar* a ffurfiwyd. Gall ystyried a gafodd Louisa ormod o sylw'n ifanc iawn, a chanlyniad hynny fyddai iddi ddibynnu ar bobl eraill yn ddiweddarach mewn bywyd. Byddai'r ymagwedd hon yn edrych yn ofalus ar yr ymlyniad a ffurfiwyd yn gynnar rhwng Louisa a'i mam ac yn credu y byddai hynny wedi bod yn ddylanwad ar ei pherthnasoedd yn ddiweddarach.

Byddai'r ymagwedd wybyddol wedi ystyried sut mae Louisa'n canfod ac yn dehongli'r perthnasoedd o'i hamgylch. Wrth ddefnyddio'r ymagwedd hon, gallwn ni bwyso'r budd y mae hi'n meddwl ei bod hi'n ei gael o berthnasoedd (e.e. llawer o sylw, cefnogaeth gymdeithasol) yn erbyn y 'gost' iddi (e.e. yr amser a fuddsoddir mewn cyfeillion, cariadon). Os yw hi'n credu bod y manteision yn fwy na'r costau, bydd hi'n parhau â'r perthnasoedd hynny.

Byddai'r ymagwedd bositif yn dweud bod cwmni pobl eraill yn fodd i Louisa fynegi ei nodweddion naturiol a phositif – er enghraifft, caredigrwydd, allgaredd, hiwmor. Mae'n cynnig y cawn ni fwy o foddhad mewn bywyd drwy fynegi a meithrin y nodweddion hynny, o'u cymharu â'r rhai negyddol, ac mai'r cyfan y mae ei angen ar Louisa, felly, yw teimlo'i bod hi'n cael mwy o foddhad o'i bywyd.

GWAITH I CHI

John

Dechreuodd John ddwyn pan oedd yn 10 oed. Ar y dechrau, byddai'n dwyn melysion o'i siop leol ond erbyn iddo fod yn 17 roedd wedi ymuno â gang lleol. Dechreuodd ef ac aelodau eraill o'r gang ddwyn ceir a thorri i mewn i dai i ddwyn. Rhan bwysig o fod yn aelod o'r gang oedd bod yn galed ac yn ymosodol ac ymladd yn gyson ag aelodau eraill y gang.

Defnyddiwch y pum ymagwedd i geisio egluro'i ymddygiad.

Materion a dadleuon

Mae pedwar prif fater a dadl mewn seicoleg. Maen nhw'n faterion rhy bwysig i ni eu hanwybyddu ac maen nhw'n ddadleuon am nad oes ateb syml i ddweud a ydyn nhw'n gywir neu'n anghywir, yn well neu'n waeth.

Bydd y materion a'r dadleuon hynny'n bwysig iawn wrth eich helpu chi i werthuso pob un o'r ymagweddau – rhywbeth efallai y bydd gofyn i chi ei wneud yn yr arholiad.

Maen nhw hefyd yn hollbwysig wrth gymharu a chyferbynnu'r ymagweddau, sef un arall o ofynion yr arholiad.

PENDERFYNIAETH NEU EWYLLYS RYDD

Penderfyniaeth (*determinism*) yw'r farn mai grymoedd mewnol neu allanol sy'n siapio neu'n rheoli ymddygiad unigolyn yn hytrach nag ewyllys yr unigolyn i wneud rhywbeth. Mae hynny'n golygu bod ymddygiad yn rhagweladwy ac yn gyfreithlon.

Defnyddir **ewyllys rydd** i gyfeirio at sefyllfa wahanol lle credir y gall unigolyn benderfynu drosto'i hun. Yn ôl y farn honno, bydd unigolion yn chwarae rôl weithredol wrth reoli eu hymddygiad, h.y. maen nhw'n rhydd i ddewis a dydyn nhw ddim yn gweithredu mewn ymateb i bwysau allanol neu fewnol (biolegol).

Mae unrhyw ymagwedd fel ymddygiadaeth neu'r ymagwedd fiolegol sy'n arddel y farn mai ffactorau heblaw'n hewyllys rydd sy'n penderfynu'n hymddygiad ni yn rhyw awgrymu nad yw pobl yn bersonol gyfrifol am eu hymddygiad. Er enghraifft, yn ôl yr ymagwedd fiolegol, gall lefelau isel o **serotonin** beri i rai unigolion ymddwyn yn ymosodol. Mae hynny'n codi cwestiwn moesol, sef a ellir dal person yn bersonol gyfrifol am ei ymddygiad. Gallwn ni ddadlau nad yw hynny'n dderbyniol, bod pobl yn gyfrifol am eu hymddygiad, a bod y math hwnnw o ddadl, felly, yn cyfyngu ar esboniadau penderfyniadol o'r fath.

LLEIHADAETH NEU GYFANIAETH

Mae **lleihadaeth** (*reductionism*) yn golygu datgymalu ffenomen gymhleth yn gydrannau symlach. Mae'n rhyw awgrymu hefyd fod y broses honno'n ddymunol am mai'r ffordd orau o ddeall ffenomenau cymhleth yw eu hegluro ar lefel symlach. Bydd esboniadau a dulliau ymchwilio lleihaol yn denu seicolegwyr (a phob gwyddonydd) am fod lleihadaeth yn arf grymus wrth wneud ymchwil arbrofol (troi ymddygiad cymhleth yn set o newidynnau).

Y 'gwrthwyneb' i leihadaeth yw **cyfaniaeth** (*holism*), neu'r ymagwedd gyfannol. Cyfaniaeth yw'r farn y dylid astudio systemau fel cyfanwaith yn hytrach na chanolbwyntio ar eu rhannau cyfansoddol. Mae'n awgrymu na allwn ni ragfynegi, ar sail gwybodaeth o'r cydrannau unigol, sut bydd y system gyfan yn ymddwyn. Mae systemau gwybyddol fel y cof a deallusrwydd yn enghreifftiau o werth ymagwedd gyfannol. Maen nhw'n systemau cymhleth a'u hymddygiad yn gysylltiedig â gweithgarwch niwronau, genynnau ac ati, ond does dim modd rhagfynegi sut beth yw'r system gyfan ar sail yr unedau sydd ar lefel is ynddi.

NATUR NEU FAGWRAETH

Mae'r **ddadl rhwng natur a magwraeth** yn awgrymu bod pobl (ar y cyfan) yn gynnyrch eu genynnau a bioleg (natur), neu eu hamgylchedd (eu magwraeth). Dydy'r term 'natur' ddim yn cyfeirio'n unig at y galluoedd sy'n bresennol adeg eu geni, ond at unrhyw allu y penderfynir arno gan y genynnau, gan gynnwys y rhai sy'n ymddangos wrth aeddfedu. Mae 'magwraeth' yn bopeth sydd wedi'i ddysgu drwy ryngweithio â'r amgylchedd ffisegol a chymdeithasol, a gellir cyfeirio ato'n ehangach fel 'profiad'.

Ar un adeg, y gred oedd bod natur a magwraeth yn annibynnol gan mwyaf ac yn ffactorau ychwanegiadol. Ond barn fwy cyfoes yw nid yn unig bod y ddwy broses yn rhyngweithio ond eu bod ynghlwm wrth ei gilydd. Dydy hynny'n fawr o ddadl bellach, ond yn ddealltwriaeth newydd o'r ffordd y mae geneteg yn gweithio.

IDIOGRAFFIG NEU NOMOTHETIG

Mae'r ymagwedd **idiograffig** yn golygu astudio unigolion a'r ddirnadaeth unigryw y mae pob unigolyn yn ei rhoi i ni ynghylch ymddygiad pobl. Mae seicolegwyr sy'n defnyddio dulliau idiograffig yn astudio unigolion neu grwpiau bach dros gyfnod maith ac yn fanwl iawn. Fyddan nhw ddim yn ceisio cyffredinoli ynghylch ymddygiad poblogaethau cyfan.

Mae'r ymagwedd **nomothetig** yn golygu astudio nifer fawr o bobl ac yna geisio cyffredinoli neu ddatblygu deddfau/damcaniaethau ynglŷn â'u hymddygiad. Cyrchnod yr ymagwedd wyddonol yw llunio deddfau cyffredinol ymddygiad.

GWAITH I CHI

Beth sy'n gwneud person yn ddeallus? Allwn ni ddylanwadu – neu beidio – ar lefel ein deallusrwydd? Sut mae seicolegwyr yn mesur deallusrwydd? (Efallai yr hoffech chi wneud tipyn o ymchwil ar y we – er enghraifft yn: http://general-psychology.weebly.com/how-do-we-measure-intelligence.html)

Ewch ati mewn grwpiau bach i ystyried y cwestiynau uchod mor llawn ag y gallwch chi ac yna ceisiwch ateb y cwestiynau pellach hyn:

- Ydy'ch eglurhad chi'n ategu'r ddadl ynghylch natur neu fagwraeth?
- Ydy'ch eglurhad chi'n benderfyniadol?
- Ydy'ch eglurhad chi'n lleihaol?
- Ydy'r ymagwedd at fesur deallusrwydd yn nomothetig neu'n idiograffig?

Pennod 1

Yr ymagwedd fiolegol

MANYLEB

Ymagwedd	Tybiaethau ac ymddygiad i'w egluro (yn cynnwys)	Therapi (un i bob ymagwedd)	Ymchwil clasurol	Dadl gyfoes
Biolegol	• dylanwadau esblygiadol • lleoliadaeth swyddogaeth yr ymennydd • niwrodrosglwyddyddion Bydd disgwyl i ddysgwyr gymhwyso un o'r tybiaethau a roddwyd at ffurfio perthynas	therapi cyffuriau NEU seicolawdriniaeth	Raine, A., Buchsbaum, M. a LaCasse, L. (1997) Brain abnormalities in murderers indicated by positron emission tomography. *Biological Psychiatry, 42(6)*, 495–508.	moeseg niwrowyddoniaeth

CYNNWYS Y BENNOD

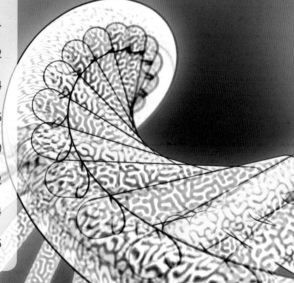

Beth ydych chi'n ei wybod am enynnau?

Sut ydych chi'n meddwl y mae genynnau'n effeithio ar ymddygiad?

A ellir egluro eich ymddygiad yn ôl eich genynnau?

Beth arall sy'n dylanwadu ar eich ymddygiad?

Tybiaethau'r ymagwedd fiolegol

Tybiaeth allweddol yr ymagwedd fiolegol yw y gellir egluro pob ymddygiad ar lefel gweithrediad ein systemau biolegol. Mae nifer o 'elfennau' cyffredinol i'r ymagwedd yma, yn cynnwys:

- Yr **ymagwedd ffisiolegol** – mae'r ymagwedd yma'n credu bod pob ymddygiad yn codi o weithrediad rhannau mewnol y corff, er enghraifft yr ymennydd, y systemau nerfol, hormonau a chemegion.
- Yr **ymagwedd gynhenidydd** – mae hyn yn seiliedig ar y dybiaeth bod pob ymddygiad yn cael ei etifeddu; bod ymddygiad yn cael ei basio i lawr trwy ein genynnau o un genhedlaeth i'r nesaf.
- Y **model meddygol** – mae hyn yn cyfeirio at drin anhwylderau seicolegol yn seiliedig ar yr un egwyddorion a ddefnyddir i drin clefydau corfforol. Y ddadl yw bod gan broblemau seicolegol, yn y bôn, achos corfforol ac oherwydd y gellir eu trin trwy ddefnyddio dulliau corfforol (meddygol).

TYBIAETH 1: DYLANWADAU ESBLYGIADOL

Ystyr esblygu yw newid dros amser. Ym maes seicoleg mae damcaniaeth **esblygiad** wedi cael ei defnyddio i egluro sut mae'r meddwl dynol ac ymddygiad wedi newid dros filiynau o flynyddoedd fel eu bod yn **ymaddasu** i ofynion ein hamgylcheddau unigol.

Damcaniaeth dethol naturiol

Mae'r cysyniad o ymaddasolrwydd yn seiliedig ar ddamcaniaeth Darwin o **ddethol naturiol** – hwn yw'r syniad y bydd unrhyw ymddygiad a bennir yn enetig ac sy'n gwella siawns unigolyn o oroesi ac atgenhedlu yn cael ei ddethol yn naturiol, h.y. caiff y genynnau eu pasio ymlaen i'r genhedlaeth nesaf. Bydd dethol naturiol yn digwydd ar lefel y genynnau. Enghraifft o hyn yw ymddygiad allgarol, pan fydd rhieni'n peryglu eu bywydau eu hunain i achub eu plant. Byddai'r ddamcaniaeth dethol naturiol yn dweud bod allgaredd yn nodwedd ymaddasol, etifeddol oherwydd bod achub plentyn (neu berthynas arall) yn gwella goroesiad cyfanswm genynnol yr unigolyn hwnnw.

Amgylchedd Ymaddasu Esblygiadol (EEA)

Un o gysyniadau allweddol yr ymagwedd esblygiadol yw'r amgylchedd addasu esblygiadol (*Environment of Evolutionary Adaptiveness* – **EEA**). Dyma'r amgylchedd y mae unrhyw rywogaeth wedi ymaddasu iddo a'r pwysau detholiadol oedd yn bodoli bryd hynny. Nid yw seicolegwyr esblygiadol yn tybio bod pob math o ymddygiad yn ymaddasol – dim ond y rheiny fydd yn sicrhau goroesiad yn amgylchedd penodol yr unigolyn hwnnw. I fodau dynol, y cyfnod diweddaraf o newid esblygiadol oedd tua dwy filiwn o flynyddoedd yn ôl, pan symudodd bodau dynol o fyw yn y goedwig i'r safanau oedd yn datblygu yn Affrica. Gall EEA egluro pam mae gan fodau dynol ymennydd mor fawr o'i gymharu â maint y corff. Byddai'r ddamcaniaeth yma'n cynnig bod yr ymennydd dynol wedi esblygu mewn ymateb i drefniant cymdeithasol cymhleth ein rhywogaeth. Byddai'r bodau dynol hynny â nodweddion penodol yn fwy tebygol o oroesi: er enghraifft, mae'r rheiny sy'n well am lunio cysylltiadau a llunio perthnasoedd da yn fwy tebygol o oroesi mewn byd cymdeithasol cymhleth. Felly'r genynnau ar gyfer ymddygiadau fel hyn yw'r rhai gaiff eu pasio ymlaen.

TYBIAETH 2: LLEOLIADAETH SWYDDOGAETH YR YMENNYDD

Mae **lleoliadaeth swyddogaeth yr ymennydd** yn cyfeirio at yr egwyddor bod ardaloedd penodol o'r ymennydd yn gyfrifol am wahanol swyddogaethau – mae ganddynt dasgau neu swyddi penodol i'w cyflawni. Mae'r cortecs cerebrol yn gorchuddio'r ymennydd, yn debyg iawn i orchudd tebot, a dyma'r ardal o'r ymennydd sy'n gyfrifol am y swyddogaethau gwybyddol uchaf.

Pedair llabed

Mae'r cortecs cerebrol wedi ei rannu'n bedair ardal: blaen, parwydol, arlais ac ocsipwt. Mae gan bob un o'r pedair ardal neu'r 'llabedau' swyddogaethau penodol. Mae'r **llabedau blaen** yn ymwneud â meddwl a chreadigedd, ac maent wedi eu cysylltu â'n personoliaethau. Mae'r **llabedau parwydol** yn derbyn gwybodaeth synhwyraidd fel tymheredd, cyffwrdd a phoen. Mae **llabedau'r arlais** yn gyfrifol am lawer o'r gwaith prosesu cof yn ogystal â phrosesu gwybodaeth glywedol (a thrwy hynny, leferydd). Yn olaf, mae **llabedau'r ocsipwt** yn ymwneud â phrosesu golwg ac maent yn derbyn gwybodaeth o'r llygaid yn uniongyrchol.

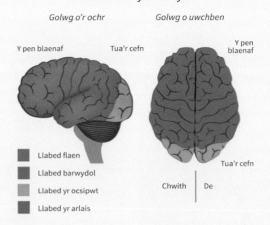

Llabedau'r ymennydd

Golwg o'r ochr — *Golwg o uwchben*

Y pen blaenaf — Tua'r cefn — Y pen blaenaf — Tua'r cefn — Chwith | De

- Llabed flaen
- Llabed barwydol
- Llabed yr ocsipwt
- Llabed yr arlais

Lleoliadaeth iaith

Mae ardaloedd penodol o'r ymennydd yn gysylltiedig â phrosesu iaith. Mae ein dealltwriaeth o hyn yn dyddio'n ôl i ganol y 19eg ganrif pan astudiodd Paul Broca, y niwrolawfeddyg Ffrengig, wyth o gleifion oedd â phroblemau iaith. Fe archwiliodd eu hymennydd wedi iddynt farw a chanfod bod ganddynt ddifrod i ardal benodol o'u hemisffer chwith. Galwyd yr ardal yma'n 'ardal Broca' ac mae'n gysylltiedig â chynhyrchu lleferydd. Mae wedi ei lleoli yn rhan ôl y llabed flaen.

Darganfu Carl Wernicke, niwrolegydd Almaenaidd, ardal arall o'r ymennydd oedd yn ymwneud â deall iaith. Mae'r ardal yma, a alwyd yn 'ardal Wernicke', yn rhan ôl llabed yr arlais chwith. Roedd ei gleifion yn gallu siarad ond nid oeddent yn gallu *deall* iaith.

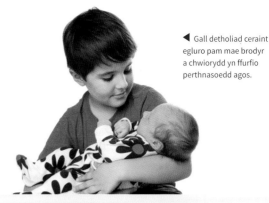

◄ Gall detholiad ceraint egluro pam mae brodyr a chwiorydd yn ffurfio perthnasoedd agos.

EGLURHAD BIOLEGOL AM FFURFIO PERTHYNAS

Damcaniaeth esblygiadol

Mae damcaniaeth esblygiadol yn cynnig bod perthnasoedd yn ffurfio gydag unigolion sy'n meddu ar nodweddion penodol. Caiff nodweddion sy'n gwella atgenhedlu llwyddiannus eu dethol yn naturiol. Ond, bydd gwrywod a benywod yn profi pwysau dethol gwahanol. Bydd yn well i wrywod baru mor aml ag y gallant a dewis menywod sy'n fwy ffrwythlon (ifanc) ac iach – mae croen llyfn, gwallt sgleiniog, gwefusau cochion a gwasg fain i gyd yn arwyddion o ieuengrwydd ac iechyd da, ac maent yn cyfuno i greu'r hyn yr ydym yn ei ystyried yn 'atyniad corfforol'. Bydd benywod hefyd yn chwilio am arwyddion o ffrwythlondeb ac iechyd da yn eu partner, ond mae ganddynt fwy o ddiddordeb dod o hyd i bartner all ddarparu'r adnoddau sy'n angenrheidiol i epil oroesi (e.e. bwyd, lloches).

Gwelir prosesau esblygiadol pellach yn y ddamcaniaeth buddsoddiad rhieni (Trivers, 1972), sy'n cynnig eglurhad pam y caiff perthnasoedd penodol eu ffurfio, er enghraifft rhwng menywod iau a dynion hŷn. Yn ôl y ddamcaniaeth buddsoddiad rhieni, gan fod mamaliaid benywaidd yn buddsoddi mwy yn eu hepil (e.e. cario'r babi), mae'n rhaid iddynt 'ddethol' yn fwy gofalus wrth ddewis partner, ac felly byddant yn chwilio am y gwryw all ddarparu'r mwyaf o adnoddau.

Niwrodrosglwyddyddion

Mae'r cemegion yn ein hymennydd yn cael effaith pwerus ar ein hemosiynau a byddant, yn eu tro, yn dylanwadu ar ein barn o bobl eraill, gan gynnwys y rheiny y byddwn, efallai, yn ffurfio perthynas â nhw. Er enghraifft, mae dopamin wedi ei gysylltu â theimladau pleserus ac ymddygiad ysu am wobr, felly bydd pennu'r nod o ganfod partner, a chael ein gyrru i gyflawni hyn, yn rhoi 'chwistrelliad' o ddopamin inni. Gall hyn egluro pam y cawn ni, fel bodau dynol, ein gyrru i ffurfio perthnasoedd – maent yn rhoi 'gwefr' naturiol inni.

Mae **ocsitosin** yn hormon sy'n gysylltiedig ag ymgysylltu dynol a chynyddu ymddiriedaeth a ffyddlondeb, ac mae lefelau uchel o ocsitosin wedi eu cysylltu ag ymlyniad rhamantaidd; credir bod diffyg cyswllt corfforol â'n partner yn lleihau lefelau ocsitosin, gan arwain at deimladau o ddyheu i ymgysylltu â'n partner unwaith eto. Gallai hyn hefyd gynnig eglurhad arall am ffurfio perthnasoedd, yn enwedig rhai rhamantaidd – mae gennym ysfa gemegol naturiol i ymgysylltu gydag eraill.

Enghraifft: Egluro ffurfio perthnasoedd rhwng brodyr a chwiorydd

Gall damcaniaeth esblygiadol hefyd egluro'r berthynas glòs a geir yn aml rhwng brodyr a chwiorydd. Yn ogystal â dethol naturiol, ceir hefyd **ddetholiad ceraint** – bydd nodweddion sy'n gwella goroesiad y rheiny sydd â genynnau tebyg yn cael eu dethol hefyd er mwyn hybu goroesiad genynnau ein grŵp. Felly, mae gennym gymhelliad naturiol i ofalu am ein brodyr a'n chwiorydd, ac i fuddsoddi amser, egni ac adnoddau eraill i sicrhau eu bod yn iach ac yn cael eu hamddiffyn.

TYBIAETH 3: NIWRODROSGLWYDDYDDION

Niwronau yw celloedd y gellir eu cyffroi'n drydanol ac sy'n sail i'r system nerfol. Mae'r system nerfol yn fwy hyblyg am fod llawer cangen (*dendryd*) ar ddiwedd pob niwron fel bod pob niwron yn cysylltu â nifer o rai eraill.

Bydd un niwron yn cyfathrebu â niwron arall dros **synaps**, lle caiff y neges ei throsglwyddo gan negeseuwyr cemegol (**niwrodrosglwyddyddion**). Ceir diagram o synaps dros y dudalen. Caiff y niwrodrosglwyddyddion hyn eu rhyddhau o **fesiglau cynsynaptig** mewn un niwron, a byddan nhw'n ysgogi neu'n atal derbynyddion yn y niwron arall. Rhyw 20nm (nanometr) o hyd yw'r **hollt** neu'r **bwlch synaptig**.

Niwrodrosglwyddyddion ac iechyd meddwl

Canfuwyd bod niwrodrosglwyddyddion yn chwarae rhan arwyddocaol yn ein hiechyd meddwl. Er enghraifft, mae **serotonin** yn chwarae rhan yn ein hwyliau, cwsg a chwant am fwyd. Mae diffyg serotonin wedi ei fesur mewn pobl sy'n dioddef o iselder. Felly mae rhai meddyginiaethau gwrthiselder yn gweithio trwy gynyddu'r lefel o serotonin sydd ar gael yn y safleoedd **derbyn ôl-synaptig**.

Mae lefelau uchel o'r niwrodrosglwyddydd **dopamin** wedi eu cysylltu â symptomau **sgitsoffrenia**. Cefnogir hyn gan y ffaith bod cyffuriau sy'n blocio gweithgarwch dopamin yn lleihau symptomau sgitsoffrenia.

Therapi 1: Therapi cyffuriau

Cyngor arholiad ...
Efallai y bydd cwestiwn arholiad yn gofyn ichi ganolbwyntio dim ond ar sut mae'r tybiaethau'n cael eu cymhwyso i'r therapi, felly mae angen ichi allu cysylltu o leiaf ddwy dybiaeth â nodau / elfennau (egwyddorion) pob therapi. Gallai hyn gynnwys y dybiaeth yn gyffredinol neu dybiaethau mwy penodol.

GOFYNION Y FANYLEB

Ar gyfer pob ymagwedd bydd angen:
- Gwybod a deall sut mae'n bosibl defnyddio'r ymagwedd mewn therapi (un therapi i bob ymagwedd).
- Gwybod a deall prif elfennau (egwyddorion) y therapi.
- Gwerthuso'r therapi (gan gynnwys ei effeithlonrwydd ac ystyriaethau moesegol).

Mae seicolegwyr biolegol yn credu y gallwn egluro pob ymddygiad yn nhermau ein cyfansoddiad biolegol. Mae nifer o is-dybiaethau i'r ymagwedd yma ar gyfer egluro ymddygiad, yn cynnwys yr **ymagwedd ffisiolegol**, sy'n edrych ar ddylanwad niwrogemegau, hormonau, yr ymennydd a'r systemau nerfol, a'r **ymagwedd gynhenidydd**, sy'n edrych ar ddylanwadau **esblygiadol** a **genetig** ar ein hymddygiad.

SUT MAE TYBIAETHAU BIOLEGOL YN BERTHNASOL I THERAPI CYFFURIAU

Mae'r **ymagwedd fiolegol** yn tybio bod gan anhwylderau seicolegol fel iselder, gorbryder a **sgitsoffrenia** achos ffisiolegol. Adnabyddir yr ymagwedd yma tuag at therapi fel y **model meddygol** ac mae'n seiliedig ar y farn bod afiechydon meddwl fel afiechydon corfforol – mae ganddynt achos corfforol a nodweddir gan grwpiau o symptomau ('syndrom') ac, o'r herwydd, gellir eu trin mewn modd corfforol. Mae'r model meddygol yn argymell y dylid trin claf am ei salwch meddwl trwy drin ei brosesau corfforol yn uniongyrchol, er enghraifft trwy therapi cyffuriau.

Ail dybiaeth yr ymagwedd fiolegol yw y bydd newidiadau i systemau niwrodrosglwyddyddion yr ymennydd yn effeithio ar ein hwyliau, ein teimladau, ein canfyddiadau a'n hymddygiad. Felly, byddai hyrwyddwyr yr ymagwedd fiolegol yn awgrymu y gellir defnyddio cyffuriau seicotherapiwtig i newid gweithrediad niwrodrosglwyddyddion ac i drin anhwylder meddwl. Yn gyffredinol, bydd therapi cyffuriau'n gweithio trwy gynyddu neu flocio gweithrediad niwrodrosglwyddyddion yn yr ymennydd, a fydd, yn ei dro, yn dylanwadu ar ein hemosiynau, ein meddyliau a'n gweithredoedd.

Trydedd dybiaeth yr ymagwedd fiolegol yw **lleoliadaeth swyddogaeth yr ymennydd**; bydd cyffuriau'n targedu ardaloedd penodol o'r ymennydd sy'n gysylltiedig ag anhwylder seicolegol. Er enghraifft, mae'r **system limbig** yn rheoleiddio emosiynau, a gall aflonyddwch yn y rhan yma o'r ymennydd effeithio ar hwyliau.

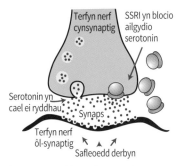

▲ Mae SSRIs yn blocio ailymgymryd serotonin ger y bilen gynsynaptig, gan gynyddu crynodiad serotonin mewn safleoedd derbyn ar y bilen ôl-synaptig.

SYSTEM NERFOL SYMPATHETIG

Pan fydd person yn ofnus, caiff eu system nerfol sympathetig ei chyffroi fel bod y person yn barod i ddelio â sefyllfa allai fod yn beryglus. Gelwir hyn yn ymateb 'ymladd neu ffoi' – oherwydd y bydd pobl (ac anifeiliaid) yn ymateb i sefyllfaoedd o'r fath trwy aros i ymladd neu trwy ddianc.

Pan fyddwch chi (neu anifail) yn ofnus bydd y corff yn cynhyrchu adrenalin a noradrenalin sy'n creu'r holl symptomau ffisiolegol yr ydych wedi eu profi pan ydych yn ofnus neu'n bryderus. Dychmygwch fod rhaid ichi siarad o flaen grŵp o 100 o bobl – mae eich calon yn dechrau curo'n gyflym, mae eich ceg yn sychu, rydych yn teimlo'n chwyslyd; mae'r rhain i gyd yn rhan o gyffroi sympathetig.

PRIF ELFENNAU (EGWYDDORION) THERAPI CYFFURIAU

Y tri phrif fath o gyffuriau seicoweithredol yw cyffuriau gwrthseicotig, cyffuriau gwrthiselder a chyffuriau lleihau gorbryder.

Cyffuriau gwrthseicotig

Bydd **cyffuriau gwrthseicotig** yn trin anhwylderau meddwl **seicotig** fel sgitsoffrenia. Mae claf sydd ag anhwylder meddwl seicotig wedi colli cysylltiad â realiti a does ganddyn nhw fawr o ddealltwriaeth o'u cyflwr. Caiff **cyffuriau gwrthseicotig confensiynol** eu defnyddio'n bennaf i ymladd symptomau positif sgitsoffrenia (e.e. rhithdybiau a rhithweledigaethau). Bydd y cyffuriau hyn yn blocio gweithrediad y niwrodrosglwyddydd dopamin yn yr ymennydd drwy glymu wrth y derbynyddion dopamin ond nid eu hysgogi.

Bydd y **cyffuriau gwrthseicotig annodweddiadol** (fel *Clozaril*) yn gweithredu drwy feddiannu derbynyddion dopamin dros dro ac yna'n daduno'n gyflym er mwyn i ddopamin allu cael ei drosglwyddo yn y ffordd arferol. Gall hynny esbonio pam y caiff cyffuriau gwrthseicotig annodweddiadol o'r fath lefelau is o sgil-effeithiau (fel dyscinesia camsymud araf – symudiadau anwirfoddol y geg a'r tafod) o'u cymharu â chyffuriau gwrthseicotig confensiynol.

Cyffuriau gwrthiselder

Credir mai achos iselder yw bod pennau'r nerfau (**synaps**) ddim yn cynhyrchu digon o niwrodrosglwyddyddion fel **serotonin**. Mewn ymennydd arferol, caiff niwrodrosglwyddyddion eu rhyddhau'n barhaus o bennau'r nerfau, gan ysgogi'r niwronau cyfagos. I derfynu eu gweithrediad, caiff niwrodrosglwyddyddion eu hailamsugno i bennau'r nerfau a'u chwalu gan ensym. Bydd cyffuriau gwrthiselder yn gweithio drwy arafu cyfradd yr ailamsugno neu drwy flocio'r ensym sy'n ymddatod y niwrodrosglwyddyddion. Bydd y naill a'r llall o'r mecanweithiau hynny'n cynyddu faint o niwrodrosglwyddyddion sydd ar gael i gyffroi celloedd cyfagos.

Y cyffuriau gwrthiselder a roir amlaf ar bresgripsiwn yw **atalwyr detholus ailymgymryd serotonin** (*Selective Serotonin Reuptake Inhibitors* – SSRIs) fel *Prozac*. Gweithiant drwy flocio'r mecanwaith cludo sy'n ailamsugno serotonin i'r gell gynsynaptig ar ôl iddi danio. O ganlyniad, gadewir mwy o'r serotonin yn y synaps, gan estyn hyd ei weithgarwch a'i gwneud hi'n haws trawsyrru'r ysgogiad nesaf (gweler y diagram ar y chwith).

Cyffuriau lleihau gorbryder

Y grŵp o gyffuriau a ddefnyddir amlaf i drin gorbryder a **straen** yw **bensodiasepinau (BZs)**. Cânt eu gwerthu o dan amrywiol enwau masnachol fel *Librium* a *Valium*. Bydd BZs yn arafu gweithgarwch y **brif system nerfol**. Byddant yn gwneud hyn trwy gynyddu gweithgarwch **GABA**, sylwedd biocemegol (neu niwrodrosglwyddydd) naturiol y corff i leddfu gorbryder.

Caiff **beta-blocwyr (BBs)** hefyd eu defnyddio i leddfu gorbryder. Byddan nhw'n lleihau gweithgarwch **adrenalin** a **noradrenalin**, sy'n rhan o'r ymateb i straen. Bydd BBs yn clymu wrth dderbynyddion ar gelloedd y galon a rhannau eraill o'r corff a gaiff eu hysgogi fel arfer yn ystod gweithrediad sympathetig. Drwy flocio'r derbynyddion hyn, bydd hi'n fwy anodd ysgogi celloedd yn y rhan honno o'r corff, felly bydd y galon yn curo'n arafach ac yn llai grymus ac ni fydd pibellau'r gwaed yn cyfangu mor rhwydd. Bydd pwysedd gwaed yn gostwng gan olygu bod llai o straen ar y galon. Bydd y person yn teimlo'n llai cynhyrfus a phryderus.

Pennod 1 | Yr ymagwedd fiolegol

Dim ond un therapi biolegol y byddwch yn ei astudio fel rhan o'ch cwrs – therapi cyffuriau NEU seicolawdriniaeth.

CORNEL ARHOLIAD

Ar gyfer pob therapi, bydd angen ichi allu:

- Disgrifio sut mae tybiaethau'r ymagwedd yn cael eu cymhwyso fel rhan o'r therapi.
- Disgrifio prif elfennau (egwyddorion) y therapi.
- Gwerthuso'r therapi o ran ei effeithiolrwydd.
- Gwerthuso'r therapi o ran ystyriaethau moesegol.

Cwestiynau arholiad posibl:

1. Disgrifiwch sut mae tybiaethau'r ymagwedd fiolegol yn cael eu cymhwyso mewn **un** therapi. [6]
2. Digrifiwch **ddwy** o elfennau (egwyddorion) therapi cyffuriau. [8]
3. Gwerthuswch y materion moesegol a godir gan therapi cyffuriau. [8]
4. Gwerthuswch effeithiolrwydd therapi cyffuriau. [8]

GWERTHUSO: EFFEITHIOLRWYDD

Cyffuriau yn erbyn plasebo

Ceir cryn dystiolaeth o effeithiolrwydd triniaethau cyffuriau. Fel arfer, defnyddir **treial hapsamplu rheolyddedig** i gymharu effeithiolrwydd y cyffur yn erbyn plasebo (sylwedd sydd â dim gwerth ffarmacolegol ond sy'n rheoli yn erbyn y gred y bydd y dabled yr ydych yn ei chymryd yn effeithio arnoch). Adolygodd Soomro ac eraill (2008) 17 o astudiaethau o'r defnydd o SSRIs gyda chleifion **OCD** (sy'n cynnwys elfen o iselder) a chanfod eu bod yn fwy effeithiol na phlasebos wrth leihau symptomau OCD hyd at dri mis wedi'r driniaeth, h.y. yn y tymor byr.

Mewn astudiaeth bellach sy'n pwysleisio rhagoriaeth cyffuriau o'u cymharu â phlasebos, dilynodd Kahn ac eraill (1986) 250 o gleifion dros 8 wythnos a gweld bod BZs yn arwyddocaol well na phlasebo.

Fodd bynnag, un o'r problemau sy'n bodoli gyda gwerthuso triniaeth yw bod y mwyafrif o astudiaethau'n para dim ond tri i bedwar mis, ac felly 'does fawr ddim data tymor hir yn bodoli (Koran ac eraill, 2007).

Sgil-effeithiau

Tra bod cyffuriau'n hynod o effeithiol, yn gyffredinol, wrth drin anhwylderau seicolegol, mae gan lawer ohonynt sgil-effeithiau difrifol. Er enghraifft, mae cyfog, cur pen a methu cysgu yn sgil-effeithiau cyffredin gydag SSRIs (Soomro ac eraill, 2008). Efallai nad yw'r rhain yn ymddangos mor ofnadwy â hynny ond yn aml maent yn ddigon i wneud i berson ddewis peidio â chymryd y cyffur. Mae **cyffuriau gwrthiseldir tri-chylch** yn dueddol o fod â mwy o sgil-effeithiau (fel rhithweledigaethau a churiad calon afreolaidd) nag SSRIs, felly maent yn fwy tebygol o gael eu defnyddio mewn achosion lle na fu SSRIs yn effeithiol.

Symptomau nid achosion

Un o'r beirniadaethau cyffredin a glywir am therapi cyffuriau yw, tra gallai cyffuriau fod yn effeithiol wrth drin symptomau anhwylderau seicolegol, nid yw'r math yma o therapi'n mynd i'r afael â'r achos(ion) sylfaenol. Er enghraifft, os yw person yn dioddef o iselder fel oedolyn o ganlyniad i drawma difrifol pan oedd yn blentyn, yna efallai y bydd cyffuriau gwrthiselder yn cynnig ateb tymor byr effeithiol i'r unigolyn, ond yn y tymor hir ni fyddwn wedi mynd i'r afael â'r anhwylder. Bydd hyn yn arwain at yr hyn a elwir yn 'syndrom drws tro' (*revolving door syndrome*) lle bydd y claf yn mynd yn ôl ac ymlaen at y doctor gan na chaiff ei anhwylder fyth ei iacháu'n llwyr.

Cymhariaeth â thriniaethau eraill

Mae therapi cyffuriau, o'i gymharu â thriniaethau eraill (e.e. **seicotherapi**), yn rhad i'r claf – yn y DU byddent yn derbyn eu cyffuriau ar bresgripsiwn trwy'r GIG. Nid oes rhaid i'r ymarferwr fuddsoddi cymaint o amser yn y claf, oherwydd mai dim ond pob rhyw gwpl o fisoedd y bydd angen iddynt gwrdd â'r claf wedi'r ymgynghoriad cyntaf a hynny i drafod a yw'r cyffuriau'n cael effaith cadarnhaol ac a yw'r claf yn gwneud cynnydd. Felly, mae'r math yma o therapi'n effeithlon ac yn hawdd i'w weinyddu o'i gymharu â mathau eraill o therapi.

GWERTHUSO: YSTYRIAETHAU MOESEGOL

Defnyddio plasebos

Mae triniaethau biolegol yn codi **materion moesegol** pwysig. Yn gyntaf, mae un broblem yn ymwneud ag astudio effeithiolrwydd cyffuriau. Un foeseg ymchwil sylfaenol yw na ddylid rhoi triniaeth i gwyddom ei bod yn eilradd i glaf. Os oes triniaethau effeithiol yn bodoli, dylid defnyddio'r rhain fel y **cyflwr rheolydd (control condition)** pan brofir triniaethau newydd. Nid yw amnewid triniaeth effeithiol â phlasebo yn bodloni'r ddyletswydd yma gan ei fod yn cyflwyno unigolion i driniaeth y gwyddir ei bod yn eilradd.

Gwybodaeth cleifion

Problem foesegol arall yw'r mater o **gydsyniad dilys (valid consent)**, neu ei ddiffyg. Bydd llawer o gleifion yn ei chael yn anodd cofio'r ffeithiau i gyd am sgil-effeithiau posibl y cyffur a roddwyd iddynt ar bresgripsiwn, neu mae'n bosibl na fyddant, yn syml iawn, mewn hwyl i amgyffred y wybodaeth yma. Felly mae gwir gydsyniad dilys yn rhith.

At hynny, efallai y bydd gweithwyr meddygol proffesiynol ddim yn datgelu'r holl wybodaeth am y cyffuriau, er enghraifft efallai na fyddant yn egluro'n llawn fod buddiannau ffarmacolegol y cyffuriau'n brin iawn. Mae'n bosibl y bydd rhai gweithwyr meddygol proffesiynol hefyd yn gorbwysleisio buddiannau cymryd meddyginiaeth ac efallai na fyddant yn hysbysu'r claf am opsiynau therapiwtig eraill oherwydd natur '*meddyginiaeth gyflym*' therapi cyffuriau.

*Mae **dopamin** a **serotonin** ill dau'n niwrodrosglwyddyddion sydd wedi'u cysylltu ag amryw o ymddygiadau. Cysylltir dopamin â sgitsoffrenia. Mae lefelau isel o serotonin yn gysylltiedig ag iselder, a lefelau uchel ohono wedi'u cysylltu â gorbryder.*

GWAITH I CHI

Mewn grwpiau bychain, cynhyrchwch daflen i'w gosod mewn ysbytai / meddygfeydd ar un math o therapi cyffuriau (cyffuriau gwrthseicotig, cyffuriau gwrthiselder neu gyffuriau lleihau gorbryder). Dylai eich taflen fod yn gryno ac yn ddiddorol a dylai hysbysu'r darllenydd am y canlynol:

- Yr anhwylderau iechyd meddwl gaiff eu trin â'r therapi cyffuriau.
- Y gwahanol fathau o gyffuriau.
- Effeithiolrwydd y cyffuriau.
- Rhai o'r problemau gyda defnyddio therapi cyffuriau.

Therapi 2: Seicolawdriniaeth

GOFYNION Y FANYLEB

Ar gyfer pob ymagwedd bydd angen:

- **Gwybod a deall sut mae'n bosibl defnyddio'r ymagwedd mewn therapi** (un therapi i bob ymagwedd).
- **Gwybod a deall prif elfennau (egwyddorion) y therapi.**
- **Gwerthuso'r therapi** (gan gynnwys ei effeithlonrwydd ac ystyriaethau moesegol).

Dim ond un therapi biolegol y byddwch yn ei astudio fel rhan o'ch cwrs – therapi cyffuriau NEU seicolawdriniaeth.

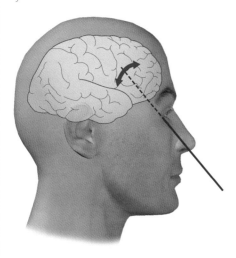

▲ Yn y 1940au a'r 1950au, peth cyffredin oedd rhoi lobotomi i gleifion â salwch meddwl i reoli eu symptomau ymosodol. Un ffurf ar lobotomi – lobotomi trawsgreuol – oedd gwthio teclyn miniog i'r ymennydd drwy dwll â llygad. Byddai hynny'n difrodi'r cortecs cyndalcennol, sydd ar y tu blaen, a'r gred oedd bod hynny'n lleddfu ymddygiad ymosodol.

Ysgogi'r ymennydd dwfn

Dewis posibl yn lle seicolawdriniaeth yw **ysgogiad ymennydd dwfn** (*Deep Brain Stimulation* – DBS), sef bod llawfeddygon yn edafu gwifrau drwy'r penglog. Nid yw'r math mwy modern yma o seicolawdriniaeth yn golygu dinistrio meinwe, ac oherwydd hyn dim ond dros dro y bydd yn para. Caiff y gwifrau, a fydd yn aros yn yr ymennydd, eu cysylltu â phecyn o fatrïau a fydd wedi'i fewnblannu ym mrest yr unigolyn. Bydd y batrïau'n cynhyrchu cerrynt amledd-uchel – un y mae modd ei addasu – a bydd hwnnw'n tarfu ar y cylchedwaith yn yr ymennydd sydd ynghlwm, er enghraifft, ag OCD. Os na fydd yn gweithio, gellir ei ddiffodd.

Mae seicolegwyr biolegol yn credu y gallwn egluro pob ymddygiad yn nhermau ein cyfansoddiad biolegol. Mae nifer o is-dybiaethau i'r ymagwedd yma ar gyfer egluro ymddygiad, yn cynnwys yr **ymagwedd ffisiolegol**, sy'n edrych ar ddylanwad niwrogemegau, hormonau, yr ymennydd a systemau nerfol, a'r *ymagwedd gynhenidydd*, sy'n edrych ar ddylanwadau **esblygiadol** a **genetig** ar ein hymddygiad.

Cyngor arholiad …

Efallai y bydd cwestiwn arholiad yn gofyn ichi ganolbwyntio dim ond ar sut mae'r tybiaethau'n cael eu cymhwyso yn y therapi, felly mae angen ichi allu cysylltu o leiaf ddwy dybiaeth â nodau / elfennau (egwyddorion) pob therapi. Gallai hyn gynnwys y dybiaeth yn gyffredinol neu dybiaethau mwy penodol.

SUT MAE TYBIAETHAU BIOLEGOL YN BERTHNASOL I SEICOLAWDRINIAETH

Byddai'r **ymagwedd fiolegol** yn tybio bod gan anhwylderau seicolegol fel iselder, gorbryder a **sgitsoffrenia** achos ffisiolegol. Adnabyddir yr ymagwedd yma tuag at therapi fel y **model meddygol** ac mae'n seiliedig ar y farn bod afiechydon meddwl fel afiechydon corfforol – mae ganddynt achos corfforol a nodweddir gan glystyrau o symptomau ('syndrom') ac, o'r herwydd, y gellir eu trin mewn modd corfforol. Mae'r model meddygol yn argymell y dylid trin claf am ei salwch meddwl trwy drin eu prosesau corfforol yn uniongyrchol, er enghraifft trwy newid rhannau o'u hymennydd (seicolawdriniaeth).

Ail dybiaeth yw **lleoliadaeth swyddogaeth yr ymennydd** – y syniad bod gan ardaloedd penodol o'r ymennydd wahanol 'swyddi' neu swyddogaethau y byddant yn eu cyflawni. Mae trin anhwylderau seicolegol mewn modd ffisegol yn cynnwys dinistrio neu dynnu ardaloedd penodol o'r ymennydd y credir sy'n cyfrannu at broblemau seicolegol, fel iselder ysbryd neu gorbryder.

Trydedd tybiaeth yw rôl **niwrodrosglwyddyddion**. Mae dulliau seicolawdriniaeth cyfoes yn cynnwys symbylu ardaloedd o'r ymennydd, sy'n effeithio ar niwrodrosglwyddyddion yn yr ymennydd. Mae lefelau isel o niwrodrosglwyddyddion penodol yn yr ymennydd yn gysylltiedig ag anhwylder meddwl, er enghraifft mae lefel isel o **serotonin** yn gysylltiedig ag iselder ysbryd. Os caiff yr ymennydd ei symbylu ac os cynyddir lefelau serotonin, bydd y claf yn profi gwell iechyd meddwl.

PRIF ELFENNAU (EGWYDDORION) SEICOLAWDRINIAETH

Lobotomi cyndalcennol

Gweithdrefn lawdriniaethol yw **lobotomi cyndalcennol** (*prefrontal lobotomy*) ac mae'n golygu dinistrio detholiad o ffibrau nerfol. Caiff ei gyflawni ar **labed flaen** yr ymennydd, rhan sy'n ymwneud â rheoli symbyliadau a hwyliau. Ei nod yw lleddfu rhai o symptomau difrifol salwch meddwl. I gychwyn, gwnaed llawdriniaethau ar gleifion ag *anhwylderau affeithiol* (h.y. amrywiol fathau o **iselder**); ar grwpiau eraill o gleifion a gynhwysai rai â math difrifol o **anhwylder gorfodaeth obsesiynol** (**OCD**), ac, yn llai llwyddiannus, ar rai â sgitsoffrenia. Fel rheol, roedd **difrifoldeb** y salwch yn bwysicach na'r math o salwch, ond ystyriwyd hefyd pa mor beryglus oedd y claf.

Yn y 1930au datblygodd Egas Moniz, y niwrolegydd Portiwgeaidd, weithdrefn lawfeddygol o'r enw **lewcotomi cyndalcennol** (*prefrontal leucotomy*). Golygai hyn ddrilio twll bob ochr i'r penglog a mewnwthio offeryn tebyg i gaib iâ i ddinistrio'r ffibrau nerfol o dani. Yn ddiweddarach, aeth Moniz ati i wella ei dechneg drwy gynllunio 'lewcotom', sef offeryn â dolen wifren y gellid ei thynnu'n ôl a blaen. Fe'i defnyddiwyd i dorri i mewn i wynnin yr ymennydd a thorri ffibrau nerfol. Y gobaith oedd y byddai torri llwybrau'r nerfau a gludai feddyliau o un rhan o'r ymennydd i'r llall yn rhwystro cleifion rhag meddwl ac ymddwyn mewn ffyrdd hynod o drallodus.

Seicolawdriniaeth stereotactig

Yn fwy diweddar, mae niwrolawfeddygon wedi datblygu ffyrdd llawfeddygol llawer mwy manwl-gywir o drin anhwylderau meddwl fel OCD, anhwylder deubegwn, iselder ac anhwylderau bwyta nad ydyn nhw'n ymateb i seicotherapi neu ffurfiau eraill ar driniaeth.

Yn hytrach na thynnu rhannau mawr o feinwe'r llabed flaen, bydd niwrolawfeddygon heddiw'n defnyddio sganiau o'r ymennydd, fel **sganiau MRI**, i ddod o hyd i union leoedd yn yr ymennydd a thorri'r cysylltiadau'n fanwl iawn. Rhoir y driniaeth o dan anaesthetig.

Mewn OCD, er enghraifft, mae cylched sy'n cysylltu'r llabed flaen greuol (*orbital*) ag adeileddau dyfnach yn yr ymennydd, fel y **thalamws**, yn ymddangos fel petai'n fwy actif nag arfer. Nod llawdriniaeth **cingwlotomi** dwyochrog yw torri'r gylched honno. Gall llawfeddygon losgi meinwe drwy gynhesu pen electrod neu ddefnyddio arf o'r enw *cyllell gama* i ffocysu pelydrau o ymbelydredd ar y safle targed heb orfod torri'r croen.

Mewn **capsiwlotomi**, bydd llawfeddygon yn mewnwthio chwiliedyddion (*probes*) drwy ben y penglog ac i lawr i'r capsiwl, sef rhan o'r ymennydd ger yr **hypothalamws** sy'n rhan o'r gylched. Yna, byddan nhw'n poethi pen blaen y chwiliedyddion gan losgi rhannau bach o feinwe.

▶ Hanes actores o Hollywood, Frances Farmer, yw'r ffilm *Frances*. Yn y ffilm, caiff hi lobotomi trawsgreuol (*transorbital lobotomy*). Mewn gwirionedd, fe dreuliodd hi amryw o flynyddoedd mewn ysbyty meddwl ond chafodd hi erioed lobotomi. Mae'r ffilm yn dangos peth o arswyd y lobotomïau cynnar, mewn manylder graffig.

Yn ddiweddar, rhoddodd Howard Dully (2007) ddisgrifiad byw o'i brofiadau fel claf lobotomi yn ei lyfr, *My Lobotomy*, gan roi cipolwg annymunol ar yr holl broses.

Er hynny, mae'n bwysig cofio bod lobotomïau heddiw'n llawer llai cyntefig, er y gall y canlyniad fod yr un fath. Er enghraifft, cafodd Mary Lou Zimmerman seicolawdriniaeth (cingwlotomi a chapsiwlotomi) am OCD nad oedd modd ei drin. Yn anffodus, canlyniad y llawdriniaeth oedd gwneud difrod parlysol i'w hymennydd yn hytrach na'i hiacháu. Bu i'w theulu fynd â'r clinig yn UDA a oedd wedi'i thrin i gyfraith, gan hawlio na chawson nhw wybod am natur beryglus ac arbrofol y llawdriniaeth. Ar ôl gwrando ar dystion arbenigol, dyfarnodd y rheithgor iawndal o $7.5 miliwn iddi.

GWERTHUSO: EFFEITHIOLRWYDD

Seicolawdriniaeth gynnar

Yn amlwg, roedd arferion dyddiau cynnar seicolawdriniaeth yn amhriodol ac yn aneffeithiol. Byddai lobotomïau'n lladd hyd at 6%, a gwelwyd amrywiaeth o sgil-effeithiau corfforol difrifol fel trawiad ar yr ymennydd a diffyg ymatebolrwydd emosiynol (Comer, 2002). Mater gwahanol yw seicolawdriniaeth fodern, ond yn y bôn gallai'r un gwrthwynebiadau fod yn gymwys iddi.

Seicolawdriniaeth fodern

Mewn adolygiad cyffredinol o'r ymchwil, dywedodd Cosgrove a Rauch (2001) fod cingwlotomi'n effeithiol mewn 56% o gleifion OCD, a **chapsiwlotomi** mewn 67%. Mewn cleifion ag anhwylder affeithiol mawr, roedd cingwlotomi'n effeithiol mewn 65%, a chapsiwlotomi mewn 55%. Ond gan i'r awduron honni mai dim ond rhyw 25 o gleifion y flwyddyn sy'n cael eu trin fel hyn yn yr Unol Daleithiau ar hyn o bryd, bach iawn yw nifer y cleifion a astudiwyd. Hefyd, tynnodd Bridges ac eraill (1994) sylw at y ffaith mai dim ond yn niffyg pob triniaeth arall y cynigir y driniaeth hon ac felly nad oes modd cynnal treial rheolyddedig i gymharu triniaeth debyg â hi.

Canfuwyd bod ysgogi'r ymennydd dwfn (DBS) yn effeithiol mewn cleifion sy'n dioddef o iselder ysbryd difrifol. Er enghraifft, gwelodd Mayberg ac eraill (2005) fod pedwar o chwe chlaf â'r anhwylder hwn wedi gwella cryn dipyn ar ôl triniaeth i ysgogi rhan fach o'r cortecs blaen.

Priodoldeb seicolawdriniaeth

Mae seicolawdriniaeth yn gyfyngedig yn ei defnydd, er enghraifft pur anaml y caiff ei defnyddio i drin ffobiâu, a bryd hynny dim ond ar gyfer achosion eithafol y bu'n amhosibl eu trin fel arall. Ni chaiff ei defnyddio i drin sgitsoffrenia, er bod rhai ymchwilwyr wedi galw am dreialau rheolyddedig er mwyn asesu ei heffeithiolrwydd wrth drin y salwch yma. Roedd Szasz (1978) yn feirniadol o seicolawdriniaeth yn gyffredinol gan nad yw 'yr hunan' seicolegol yn rhywbeth corfforol ac felly mae'n afresymegol awgrymu y gellir rhoi llawdriniaeth iddo.

Cyfeiriadau i'r dyfodol

Mae DBS yn esblygu fel offeryn ymchwilio yn ogystal ag fel math o driniaeth. Mae hyn oherwydd y gall y driniaeth yma ddarparu gwybodaeth i'r ymchwilydd nad yw'n bosibl i ddulliau sganio eraill ei darparu. Er enghraifft, gall yr electro-enseffalograff (*electroencephalograph*) (**EEG**) ddweud wrthym pryd y mae gweithgarwch yn digwydd yn yr ymennydd, ond nid ble. Mae delweddu cyseiniant magnetig ffwythiannol (*functional magnetic resonance imaging*) (**fMRI**), ar y llaw arall, yn gwneud i'r gwrthwyneb – mae'n dweud wrthym ble y mae'r gweithgarwch, ond mae'n rhy araf i ddangos pryd mae'n digwydd. Gall DBS gynnig gwybodaeth drachywir inni am y ddau beth yma.

GWERTHUSO: YSTYRIAETHAU MOESEGOL

Cydsyniad dilys

Defnyddiwyd technegau seicolawdriniaeth cynnar mewn gwallgofdai a charchardai ar gleifion nad oeddent, o reidrwydd, wedi rhoi eu **cydsyniad dilys** i'r llawdriniaeth.

Mae'r ddadl foesegol am gydsyniad yn parhau hyd heddiw. Gellid dadlau, er enghraifft, nad yw cleifion sydd ag iselder difrifol yn yr hwyliau cywir i allu rhoi cydsyniad deallus llwyr. Ym Mhrydain yn 1983 ymgorfforodd y Ddeddf Iechyd Meddwl (MHA) ddarpariaethau mwy caeth ynghylch cydsynio i driniaeth seicolawdriniaethol. Er enghraifft, mae gan bobl sydd wedi eu cadw o dan orchymyn yr MHA, ond sydd heb gyflawni trosedd, yr un hawliau i gydsynio â phobl sydd heb eu cadw dan orchymyn.

Difrod parhaol

Un testun pryder mawr yw nad oes modd gwrthdroi effeithiau seicolawdriniaeth. Arweiniodd dulliau cynnar at newidiadau arwyddocaol yng ngalluoedd gwybyddol cleifion, fel anghofrwydd, yn ogystal â phylu'r emosiynau'n ddifrifol mewn rhai achosion. Yn dilyn dulliau cynnar, fel lobotomi cyndalcennol, dychwelodd llawer o gleifion i'r gymuned fel sombïaid, heb unrhyw emosiwn.

Mae dulliau modern wedi lleihau'r risg o ddifrod difrifol i'r ymennydd o ganlyniad i dechnegau sy'n gallu targedu lleoliadau manwl gywir yn yr ymennydd. Ond mae dulliau fel DBS yn dal i ddod â risg o sgil-effeithiau tymor hir, fel ffitiau a newid mewn hwyliau.

Yr ymagwedd fiolegol

Pennod 1

ANNORMALEDDAU YR YMENNYDD MEWN LLOFRUDDION FEL Y'U DANGOSIR GAN DOMOGRAFFEG GOLLWNG POSITRONAU

Awgrymodd damcaniaethau cynnar am ymddygiad troseddol fod gwahaniaeth corfforol, o bosibl, rhwng troseddwyr a rhai sydd ddim yn droseddwyr, fyddai'n ein galluogi i ddynodi unigolion cyn iddynt droseddu. Er enghraifft, awgrymodd Cesare Lombroso (1876) bod gan droseddwyr, yn nodweddiadol, dalcen slip cul, aeliau amlwg, clustiau mawr a gên ymwthiol.

Cyflwynodd dyfodiad technegau **sganio'r ymennydd** ffordd newydd i ymchwilio'r gwahaniaethau rhwng troseddwyr a rhai sydd ddim yn droseddwyr. Efallai fod ardaloedd penodol o'r ymennydd yn wahanol mewn troseddwyr ac y gallai gwahaniaeth fel hyn ragddeddu'r unigolion hynny i ymddygiad treisgar. Ceir cliwiau ynghylch pa ardaloedd allai fod yn berthnasol mewn ymchwil ar anifeiliaid a hefyd o astudiaethau o bobl â niwed i'r ymennydd.

Canolbwyntiodd Adrian Raine, Monte Buchsbaum a Lori LaCasse ar un grŵp penodol o droseddwyr – unigolion oedd wedi llofruddio a chofnodi ple dieuog oherwydd gwallgofrwydd (*Not Guilty by Reason of Insanity* – NGRI). Cynigiodd yr ymchwilwyr, ar sail ymchwil blaenorol:

▲ Un o luniau Lombroso o fath o ddyn sy'n droseddwr (Lombroso, 1876). Er bod ei ddamcaniaeth yn ymddangos yn eithaf creulon, roedd Lombroso yn eiriol dros driniaeth wâr o droseddwyr drwy ddadlau o blaid ailsefydlu ac yn erbyn y gosb eithaf.

- Y byddai gan unigolion treisgar gamweithrediad ar yr ymennydd yn y cortecs cyndalcennol, y gyri onglog, yr amygdala, yr hipocampws, y thalamws a'r corpws caloswm.
- Na fyddai gan unigolion sy'n neilltuol o dreisgar gamweithrediad ar yr ymennydd yn yr ardaloedd o'r ymennydd sydd wedi eu cysylltu ag afiechydon meddwl ond sydd heb eu cysylltu yn y gorffennol â thrais (caudate, pwtamen, globus pallidus, yr ymennydd canol, serebelwm).

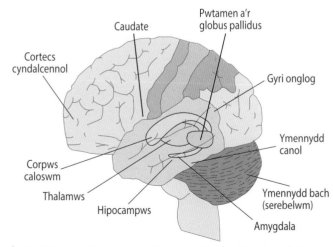

Pwtamen a'r globus pallidus
Caudate
Cortecs cyndalcennol
Gyri onglog
Corpws caloswm
Ymennydd canol
Thalamws
Hipocampws
Ymennydd bach (serebelwm)
Amygdala

▲ Mae'r diagram yn dangos yr ardaloedd o'r ymennydd oedd yn ffocws i'r astudiaeth yma. Mae'r system limbig yn gysylltiedig ag emosiwn ac mae'n cynnwys y cortecs cyndalcennol, yr amygdala, yr hipocampws a'r thalamws. Mae'r strwythurau hyn, yn ogystal â'r gyri onglog a'r corpws caloswm, wedi eu cysylltu ag ymddygiad treisgar mewn gwaith ymchwil blaenorol. Mae'r strwythurau eraill a labelwyd i gyd wedi eu cysylltu â chyflyrau seiciatrig eraill ond ni chanfuwyd eu bod yn perthyn i drais.

METHODOLEG

Roedd hwn yn **lled-arbrawf** gyda **chynllun parau cyffredin**. Y **newidyn annibynnol (IV)** yw NGRI neu beidio, y **newidyn dibynnol (DV)** yw gwahaniaethau yn yr ymennydd.

Cyfranogwyr

Llofruddion (grŵp arbrofol)
Roeddent yn 41 o lofruddion (39 o ddynion a 2 fenyw) oedd ag oedran **cymedrig** o 34.3 mlwydd oed. Roedd pob un ohonynt wedi eu cyhuddo o lofruddiaeth neu ddynladdiad ac roedd pob un wedi pledio'n ddieuog oherwydd gwallgofrwydd (NGRI) neu anghymhwyster i sefyll eu prawf. Anfonwyd y cyfranogwyr i Brifysgol California am archwiliad er mwyn casglu prawf o'u gallu lleihaëdig. Y rhesymau am yr atgyfeiriadau oedd bod gan y llofruddion ryw fath o nam ar y meddwl, fel y nodir yn y tabl isod.

Anhwylder meddwl	Nifer
Sgitsoffrenia	6
Hanes o anaf i'r pen neu niwed organig i'r ymennydd	23
Hanes o gamddefnyddio cyffuriau seicoweithredol	3
Anhwylder affeithiol	2
Epilepsi	2
Hanes o orfywiogrwydd ac anabledd dysgu	3
Anhwylder personoliaeth	2

Dywedyd wrth y cyfranogwyr i beidio â chymryd meddyginiaeth am bythefnos cyn sganio'r ymennydd, a gwiriwyd hyn gyda phrawf troeth.

Grŵp rheolydd
Ffurfiwyd y **grŵp rheolydd** trwy greu parau, sef un llofrudd gydag unigolyn normal o'r un rhyw ac oedran. Cafodd y chwe **sgitsoffreniad** eu gosod mewn parau gyda chwe sgitsoffreniad o ysbyty meddwl. Nid oedd gan weddill y grŵp rheolydd hanes o salwch seiciatrig, ac nid oedd hanes o salwch seiciatrig mewn unrhyw berthnasoedd agos, a dim salwch corfforol arwyddocaol. 'Doedd yr un ohonynt yn cymryd meddyginiaeth.

DULLIAU GWEITHREDU

Casglwyd y sampl drwy ddefnyddio **sampl cyfle**. Defnyddiwyd **sgan PET** i astudio'r ymennydd ar waith.

Rhoddwyd chwistrelliad o 'draswr' (*fluorodeoxyglucose* neu FDG) i bob un o'r cyfranogwyr. Caiff y traswr yma ei amsugno gan ardaloedd gweithgar yr ymennydd ac, o'r herwydd, roedd modd cymharu ymennydd y grŵp rheolydd a'r grŵp NGRI.

Gofynnwyd i bob cyfrannwr gyflawni tasg perfformiad di-dor (*Continuous Performance Task* – CPT). Roedd y dasg yma'n anelu'n benodol i ysgogi ardaloedd targed yr ymennydd er mwyn i'r ymchwilwyr allu gweld sut yr oedd y gwahanol ardaloedd yn gweithredu.

1. Rhoddwyd cyfle i'r cyfranogwyr ymarfer y dasg CPT cyn cael y chwistrelliad o FDG.
2. Byddai'r cyfranogwyr yn dechrau'r dasg CPT 30 eiliad cyn iddynt gael y chwistrelliad o FDG fel na fyddai newydd-deb cyntaf y dasg yn cael ei labelu ag FDG.
3. Dri deg dau o funudau wedi'r chwistrelliad o FDG rhoddwyd sgan PET i bob un o'r cyfranogwyr. Cofnodwyd deg tafell lorweddol (llun) o'u hymennydd gan ddefnyddio'r technegau blwch a philio cortigol. Mae'r erthygl yn nodi manylion trachywir y technegau sganio er mwyn i'r astudiaeth allu cael ei **hailadrodd**.

CANFYDDIADAU

Gwahaniaethau ymenyddol

Canfu'r astudiaeth *lefel is* o weithgarwch yn ymenydd y cyfranogwyr NGRI yn yr ardaloedd a gysylltwyd â thrais:
- cortecs cyndalcennol
- y gyri onglog chwith
- corpws caloswm
- yn yr hemisffer chwith yn unig roedd lefel is o weithgarwch yn yr amygdala, y thalamws a'r hipocampws

Canfu'r astudiaeth *lefel uwch* o weithgarwch yn ymenydd y cyfranogwyr NGRI yn yr ardaloedd hynny *nad* oeddent wedi eu cysylltu â thrais eisoes:
- yr ymennydd bach (y serebelwm)
- yn yr hemisffer de roedd lefel uwch o weithgarwch yn yr amygdala, y thalamws a'r hipocampws

Ni chanfu'r astudiaeth *unrhyw wahaniaeth* rhwng y grŵp rheolydd a'r grŵp NGRI mewn ardaloedd nad oeddent wedi eu cysylltu â thrais eisoes:
- caudate
- pwtamen
- globus pallidus
- ymennydd canol

I grynhoi, roedd gan lofruddion:
- **Lefel is o weithgarwch** (h.y. metabolaeth glwcos ostyngol) mewn rhai ardaloedd, yn enwedig yr ardaloedd a gysylltwyd â thrais yn y gorffennol.
- **Anghymesureddau annormal** – lefel is o weithgarwch ar ochr chwith yr ymennydd, lefel uwch o weithgarwch ar yr ochr dde. Roedd hyn yn wir am rai o'r ardaloedd y dynododd y ddamcaniaeth eu bod yn gysylltiedig â thrais (yr amygdala, y thalamws a'r hipocampws).
- **Dim gwahaniaethau** mewn llawer o strwythurau'r ymennydd, yn enwedig strwythurau sy'n gysylltiedig ag afiechyd meddwl ond nid â thrais.

Perfformiad ar CPT

Fe wnaeth y ddau grŵp berfformio'n debyg ar y dasg perfformiad di-dor (CPT). Felly, nid oedd unrhyw wahaniaethau yn yr ymennydd y sylwyd arnynt yn gysylltiedig â pherfformio'r dasg.

Gwahaniaethau eraill na reolwyd ar eu cyfer

Nodwyd rhai gwahaniaethau rhwng y grŵp NGRI a'r grŵp rheolydd:
- *Tueddiad llaw:* Roedd chwech o'r llofruddion yn llawchwith ond mewn gwirionedd roedd ganddynt lai o anghymesuredd amygdala a lefel uwch o weithgarwch cyndalcennol canolig na llofruddion llawdde.
- *Ethnigrwydd:* Roedd 14 o'r llofruddion ddim yn wyn, ond ni ddangosodd cymhariaeth â llofruddion croenwyn unrhyw wahaniaeth arwyddocaol yng ngweithgarwch yr ymennydd.
- *Anaf i'r pen:* Roedd gan 23 o'r llofruddion hanes o anaf i'r pen, ond nid oedd gwahaniaeth rhyngddynt a'r llofruddion oedd heb hanes o anaf i'r pen.

GWAITH I CHI

Defnyddiwch flodfresychen a labelwch ardaloedd allweddol yr ymennydd, er mwyn 'dod i'w adnabod'! Yn nes ymlaen gallwch osod labeli newydd arni yn dangos yr hyn y gwnaeth yr astudiaeth ei ganfod ar gyfer pob un o'r ardaloedd allweddol hyn. Yn olaf, gallwch ychwanegu cwpwl o nionod a gwneud *stir fry* – addysg faethlon!

CASGLIADAU

Mae ymchwil blaenorol (astudiaethau ar anifeiliaid a phobl) wedi dynodi cysylltiadau rhwng ardaloedd o'r ymennydd ac ymosodedd, fel y dangosir yn y tabl isod. Cefnogir y canfyddiadau hyn gan yr astudiaeth yma. O'u cymryd gyda'i gilydd, mae'r canfyddiadau hyn yn cynnig tystiolaeth ragarweiniol bod gan lofruddion sy'n pledio NGRI weithrediad ymenyddol gwahanol i unigolion normal.

Ond mae prosesau niwral sy'n achosion sylfaenol trais yn gymhleth ac ni ellir eu crynhoi i fecanwaith ymenyddol unigol. Efallai mai'r modd gorau o egluro ymddygiad treisgar yw amhariaeth ar *rwydwaith* o fecanweithiau ymenyddol rhyngweithiol, yn hytrach nag unrhyw strwythur unigol. Ni fyddai amhariaeth o'r fath yn achosi ymddygiad treisgar ond fe fyddai'n rhagdueddu unigolyn i ymddwyn yn dreisgar.

Newidynnau dryslyd (CV)

Cynlluniwyd yr astudiaeth yn ofalus gan gynnwys sampl fawr a rheolyddion tebyg. Ond fe wnaeth Raine ac eraill gydnabod na ellir diystyru anaf i'r pen ac IQ (cyniferydd deallusol) fel ffactorau cyfrannol.

Rhybudd

Mae Raine ac eraill yn pwysleisio ei bod yn bwysig cydnabod yr hyn *nad* yw'r canlyniadau hyn yn eu harddangos:
1. Nid yw'r canlyniadau'n dangos bod ymddygiad treisgar yn cael ei bennu gan fioleg yn unig; mae'n amlwg bod ffactorau cymdeithasol, seicolegol, diwylliannol a sefyllfa yn chwarae rhan bwysig mewn rhagdueddiad at drais.
2. Nid yw'r canlyniadau'n dangos nad yw llofruddion sy'n pledio NGRI yn gyfrifol am eu gweithredoedd, nac ychwaith y gellir defnyddio PET fel modd o ddiagnosio unigolion treisgar.
3. Nid yw'r canlyniadau'n dangos bod camweithrediad ar yr ymennydd yn achosi trais. Mae'n bosibl bod camweithrediad ar yr ymennydd yn un o effeithiau trais, hyd yn oed.
4. Nid yw'r canlyniadau'n dangos y gellir egluro trais trwy'r canlyniadau; mae'r canlyniadau'n berthnasol i ymddygiad troseddol yn unig.

Er hynny, mae'r canfyddiadau'n awgrymu cysylltiad rhwng camweithrediad ar yr ymennydd a rhagdueddiad tuag at drais yn y grŵp penodol yma (llofruddion NGRI), a dylid ei archwilio ymhellach.

Cyflwynodd Raine ac eraill y crynodeb yma o ganfyddiadau gwaith ymchwil blaenorol.

Strwythur yr ymennydd	Ymddygiadau cysylltiedig a ganfuwyd mewn ymchwil blaenorol	Gallai egluro
Y system limbig (y cortecs cyndalcennol, yr amygdala, yr hipocampws a'r thalamws)	Emosiwn.	Ymatebion emosiynol annormal.
	Dysgu, y cof a thalu sylw; gall annormaledd yn eu gweithrediad arwain at lai o sensitifrwydd i gyflyru.	Methiant troseddwyr treisgar i ddysgu o brofiad.
Y cortecs cyndalcennol	Diffyg sy'n gysylltiedig â byrbwylltra, colli rheolaeth, anaeddfedrwydd ac anallu i addasu ymddygiad. Mae'r rhain i gyd yn gysylltiedig â chynnydd mewn ymddygiad ymosodol.	Ymddygiad ymosodol.
Yr amygdala	Ymddygiad ymosodol mewn anifeiliaid a phobl. Mae dinistrio'r amygdala mewn anifeiliaid yn arwain at ddiffyg ofn.	Diffyg ofn sy'n gysylltiedig â gweithgarwch treisgar.
Yr hipocampws	Mae'n addasu ymddygiad ymosodol mewn cathod ac, ynghyd â'r *cortecs cyndalcennol*, mae'n bosibl ei fod yn gyfrifol am atal ymddygiad ymosodol.	Diffyg ffrwyno ymddygiad ymosodol.
Y gyri onglog	Difrod i'r hemisffer chwith: diffygion mewn doniau llafar a rhifyddeg.	IQ llafar isel a pherfformiad gwael yn yr ysgol ymhlith troseddwyr treisgar, allai eu rhagdueddu at fywyd o droseddu.
Y corpws caloswm	Camweithrediad sy'n gysylltiedig â rhagdueddiad at drais, a throsglwyddiad gwael o wybodaeth rhwng yr hemisfferau.	Gostyngiad mewn prosesu gwybodaeth ieithyddol sydd wedi ei ganfod mewn grwpiau treisgar.
Yr hemisffer de	Trechedd yr hemisffer de: llai o reolaeth gan brosesau ataliol yr hemisffer chwith, emosiynau negyddol, mynegiant emosiynol amhriodol.	Diffyg rheolaeth dros fynegi trais.

GOFYNION Y FANYLEB

Ar gyfer pob ymagwedd bydd angen:
* **Mynegi barn ar ddarn clasurol o dystiolaeth gan gynnwys materion moesegol a goblygiadau cymdeithasol**

GWAITH I CHI

Gwnewch ragor o ymchwil (gweler 'Pethau i'w gwneud') a chael dadl yn y dosbarth.

A yw troseddwyr yn cael eu geni neu eu creu? Natur neu fagwraeth?

Mae rhai pobl o'r farn bod troseddwyr yn cael eu creu nid eu geni, h.y. maent yn troi'n droseddwyr o ganlyniad i ffactorau cymdeithasol fel tlodi a diweithdra, neu oherwydd eu magwraeth.

Un o oblygiadau'r astudiaeth glasurol yma yw bod troseddwyr yn 'cael eu geni nid eu creu'. Beth ydych chi'n ei feddwl?

Rhannwch eich dosbarth yn grwpiau i baratoi dadleuon o blaid ac yn erbyn y farn y caiff troseddwyr eu geni, ac nid eu creu.

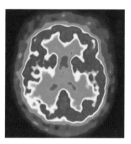

▲ Mae claf yn cael ei symud i mewn i sganiwr PET (chwith). Gwelir enghraifft o sgan PET ar y dde. Mae diffyg llif gwaed i ardaloedd yr ymennydd sydd wedi eu difrodi a dim metabolaeth glwcos. Yn y llun hwn mae difrod wedi ei achosi gan ergyd â charreg i'r pen. Yr ardaloedd coch sydd fwyaf gweithgar.

PETHAU I'W GWNEUD

WWW

Mae rhaglen BBC Horizon dda ar gael ar y pwnc 'Are you Good or Evil?', darlledwyd yn 2011; gweler *www.bbc.co.uk/programmes/b014kj65*

Erthygl wreiddiol

Y cyfeiriad llawn ar gyfer yr astudiaeth glasurol yma yw: Raine, A., Buchsbaum, M. a LaCasse, L. (1997) Brain abnormalities in murderers indicated by positron emission tomography. *Biological Psychiatry*, 42(6), 495–508.

Gallwch ddarllen yr erthygl yma'n ei chyfanrwydd am dâl o $31.50 ar: *www.biologicalpsychiatryjournal.com/article/S0006-3223(96)00362-9/pdf*

Adnoddau eraill

Darllenwch ddadleuon Raine a gwrthddadleuon Steven Rose ar: *http://news.bbc.co.uk/1/hi/programmes/if/4102371.stm*

Chwiliwch am erthglau ar enynnau troseddol, er enghraifft: *www.independent.co.uk/news/uk/do-your-genes-make-you-a-criminal-1572714.html*

Ar y ddwy dudalen yma byddwn yn gwerthuso'r astudiaeth glasurol trwy edrych ar faterion sy'n ymwneud â'i methodoleg, a chymharu'r astudiaeth â thystiolaeth amgen. Pan ddaw'n fater o werthuso, gallwch benderfynu drosoch eich hun. Rydym wedi cyflwyno rhywfaint o dystiolaeth a datganiadau ac rydym yn eich gwahodd i ddefnyddio'r rhain i ffurfio eich barn eich hun am yr astudiaeth glasurol. Gallwch hefyd ddefnyddio eich gwybodaeth am ddulliau ymchwilio.

GWERTHUSO: METHODOLEG A DULLIAU GWEITHREDU

Lled-arbrawf

Mae'r astudiaeth yn arbrawf oherwydd ei bod yn defnyddio **newidyn annibynnol** (NGRI neu ddim) a **newidyn dibynnol** (gweithgarwch ardaloedd o'r ymennydd). Ond, roedd y newidyn annibynnol yn yr astudiaeth yma (statws troseddol y cyfranogwyr) yn gyflwr oedd yn bodoli eisoes yn yr unigolyn, nid rhywbeth yr oedd yr arbrofwr wedi dylanwadu arno.

Golyga hyn bod yr astudiaeth yn **lled-arbrawf** ac ni ellir cyfiawnhau tynnu casgliadau achosol. Fel y mae Raine ac eraill yn nodi yn eu casgliadau, nid yw'r canfyddiadau'n dangos bod ymddygiad treisgar yn cael ei bennu gan fioleg yn unig. Mae Raine ac eraill yn awgrymu bod ffactorau seicolegol, diwylliannol a sefyllfaol yn chwarae rhan bwysig mewn rhagdueddiad at drais.

Felly, cyfyngiad y dull hwn yw na ellir tynnu unrhyw gasgliadau achosol. Y perygl yw y bydd y darllenydd yn camddehongli'r canfyddiadau ac yn cymryd bod ymddygiad troseddol yn cael ei ragordeinio a'i fod yn anochel.

Y dechneg ymchwilio

Casglwyd data yn yr astudiaeth hon trwy ddefnyddio **sganiau PET**. Mae technegau fel hyn wedi caniatáu i ymchwilwyr astudio'r ymennydd mewn modd nad oedd yn bosibl tan yn ddiweddar. Yn y gorffennol byddai ymchwilwyr yn dibynnu ar archwiliadau post mortem, ac ni ellid cysylltu ffisioleg yr ymennydd gydag ymddygiad. Mae sganiau PET yn caniatáu i ymchwilwyr astudio ardaloedd manwl o'r ymennydd. Mae sganiau PET hefyd yn ein galluogi i archwilio'r ymennydd ar waith, a olygodd yn yr astudiaeth hon y gallai Raine ac eraill weld sut yr oedd ymennydd gwahanol unigolion yn wahanol yn y modd y byddent yn prosesu gwybodaeth.

Y sampl

Nid oedd y llofruddion yn gynrychioliadol o bob unigolyn treisgar. Mae hyn hefyd yn rhywbeth y mae Raine ac eraill yn ei gydnabod. Nid yw'r canfyddiadau'n dangos bod gan bob troseddwr treisgar gamweithrediad o'r fath yn yr ymennydd; ni all yr astudiaeth ond tynnu casgliadau am y math yma o droseddwr treisgar – sef, unigolyn â rhyw fath o nam cynadnabyddedig ar y meddwl. At hynny, llofruddiaeth yw'r drosedd ac mae llawer o droseddau treisgar sydd ddim yn cynnwys llofruddiaeth. Golyga hyn bod y casgliadau wedi eu cyfyngu i grŵp penodol iawn o bobl.

GWERTHUSO: TYSTIOLAETH AMGEN

Mae Adrian Raine wedi parhau i gynnal gwaith ymchwil ar y cysylltiad rhwng ymddygiad troseddol a chamweithrediad ar yr ymennydd. Er enghraifft, roedd astudiaeth gan Yang a Raine (2009) yn **feta-ddadansoddiad** o 43 o astudiaethau delweddu oedd yn ystyried ymddygiad treisgar ac ymddygiad gwrthgymdeithasol. Casgliad y meta-ddadansoddiad yma oedd bod lefel arwyddocaol is o weithgarwch cyndalcennol mewn unigolion gwrthgymdeithasol a / neu dreisgar.

Caiff canfyddiadau o'r fath eu cefnogi ymhellach gan astudiaethau **genetig** sy'n dynodi 'genyn troseddol'. Un posibilrwydd ar gyfer hyn yw'r genyn MAOA (monoamin ocsidas A) sy'n achosi lefelau annaturiol o uchel o'r **niwrodrosglwyddydd dopamin**. Dadansoddodd astudiaeth ddiweddar gan Tiihonen ac eraill (2015) enynnau 895 o garcharorion Ffinnaidd a chanfod cysylltiad rhwng y genyn yma â thebygolrwydd uwch o gyflawni trosedd dreisgar.

Ond, dylid cofio hefyd mai dim ond ffactorau rhagdueddol yw genynnau. Dadansoddodd James Fallon, niwrowyddonydd oedd yn ymchwilio'r pwnc yma, ei enynnau ei hun a chanfod bod ganddo nodweddion genetig ac ymenyddol troseddwr treisgar – ond 'doedd o ddim yn droseddwr. Awgrymodd fod ei brofiadau cadarnhaol yn ystod ei blentyndod yn golygu na chafodd ei dueddiadau troseddol posibl eu sbarduno. Mae hwn yn eglurhad **straen diathesis** – mae diathesis yn rhagdueddiad genetig fydd ond yn cael ei amlygu os bydd straenachoswyr penodol yn ei sbarduno, fel plentyndod anodd.

Cyngor arholiad …
Cofiwch wneud yn siŵr eich bod yn darllen unrhyw gwestiwn am un o'r astudiaethau clasurol yn ofalus. Os yw cwestiwn yn weddol benodol ac ond yn gofyn ichi ddisgrifio'r 'canfyddiadau' yna bydd disgrifio cynnwys sy'n ymwneud â dulliau gweithredu, methodoleg neu gasgliadau'n wastraff amser, gan na fydd yn derbyn unrhyw gredyd.

MATERION MOESEGOL A GOBLYGIADAU CYMDEITHASOL

Cydsyniad dilys

Roedd prif grŵp cyfranogwyr yr astudiaeth yma'n llofruddion a bleidiodd yn euog oherwydd gwallgofrwydd. Mae hyn yn awgrymu efallai nad oeddent yn gymwys yn feddyliol i roi **cydsyniad dilys**.

Efallai nad oedd y cyfranogwyr wedi deall yn iawn yr hyn y byddai angen iddynt ei wneud. Er enghraifft, efallai eu bod wedi cael y dasg berfformiad yn anodd a byddai hyn â'r potensial i'w digalonni, sy'n enghraifft o **niwed seicolegol**.

Hefyd, efallai nad oeddent wedi sylweddoli'r hyn y byddai sgan PET yn ei olygu ac efallai i hynny fod yn brofiad poenus iddynt.

Yn olaf, efallai nad oeddent wedi deall yn iawn eu **hawl i dynnu allan** ar unrhyw adeg, yn enwedig gan eu bod yn garcharorion. Efallai eu bod yn teimlo na allen nhw, yn syml iawn, ddweud nad oeddent am ddal i gymryd rhan.

Ymchwil cymdeithasol sensitif

Mater moesegol pwysig arall yw goblygiadau cymdeithasol ehangach yr ymchwil yma. Mae 'ymchwil cymdeithasol sensitif' yn cyfeirio at unrhyw waith ymchwil sydd â goblygiadau ar gyfer y grŵp ehangach y mae'r cyfranogwyr yn aelodau ohono. Enghraifft o hyn fyddai ymchwil ar fod yn gaeth i gyffuriau neu gyfunrywioldeb.

Yn achos yr ymchwil ar lofruddion, y cwestiwn yw a yw ein dealltwriaeth o ymddygiad troseddol yn cael ei wella gan yr ymchwil yma? Os yw'r ymchwil yn dynodi bod llofruddion yn cael eu geni yn hytrach na'u creu, gallai hyn fod â chanlyniadau fyddai'n anfanteisiol ar gyfer pobl ag annormaleddau tebyg ar yr ymennydd – fe allent gael eu carcharu heb fynd i'r llys neu heb unrhyw gyfeiriad at eu hamgylchiadau cymdeithasol. Felly, mae gan ganfyddiadau'r ymchwil oblygiadau ar gyfer y carcharorion.

Golyga hyn bod rhaid gwneud penderfyniadau pwysig am y modd y caiff ymchwil o'r fath ei gynnal a'i adrodd.

Gweler y ddwy dudalen nesaf am drafodaeth ar oblygiadau moesegol a chymdeithasol pellach y pwnc yma.

CORNEL ARHOLIAD

Bydd angen ichi allu gwneud y canlynol yng nghyd-destun yr astudiaeth gan Raine, Buchsbaum a LaCasse (1997):

Disgrifio:
- Methodoleg yr astudiaeth (disgrifio a chyfiawnhau; yn cynnwys nodweddion y sampl ond nid y dechneg samplu).
- Dulliau gweithredu'r astudiaeth (yr hyn wnaeth yr ymchwilydd; yn cynnwys y dechneg samplu).
- Canfyddiadau'r astudiaeth.
- Casgliadau'r astudiaeth.

Gwerthuso:
- Methodoleg yr astudiaeth.
- Dulliau gweithredu'r astudiaeth.
- Canfyddiadau'r astudiaeth (defnyddio'r fethodoleg a / neu dystiolaeth amgen).
- Casgliadau'r astudiaeth (defnyddio'r fethodoleg a / neu dystiolaeth amgen).
- Y materion moesegol a'r goblygiadau cymdeithasol.

Cwestiynau arholiad posibl:
1. 'Caiff gwerth ymchwil fel Raine, Buchsbaum a LaCasse ei danseilio gan wendidau ym methodoleg yr ymchwil.' Gwerthuswch y fethodoleg a ddefnyddiwyd yng ngwaith ymchwil Raine, Buchsbaum a LaCasse (1997) *'Brain abnormalities in murderers indicated by positron emission tomography'*. [12]
2. Amlinellwch ganfyddiadau a chasgliadau gwaith ymchwil Raine, Buchsbaum a LaCasse (1997) *'Brain abnormalities in murderers indicated by positron emission tomography'*. [8]
3. Trafodwch y goblygiadau moesegol a chymdeithasol a godwyd gan waith ymchwil Raine, Buchsbaum a LaCasse (1997) *'Brain abnormalities in murderers indicated by positron emission tomography'*. [12]

◀ Ar 1 Awst 1966, llofruddiodd Charles Whitman 16 o bobl ac anafodd 32 person arall trwy saethu oddi ar 28fed llawr prif adeilad Prifysgol Texas yn Austin (gweler y llun). Mewn awtopsi, canfuwyd bod gan Whitman diwmor 'maint cneuen becan' ger ei amygdala; ond, mae'n aneglur a fu hyn neu ei fagwraeth lem a chamdriniol yn gyfrifol am bennu ei ymddygiad llofruddiol. Neu efallai fod eglurhad arall.

DYMA'R YMCHWILYDD

Cychwynnodd **Adrian Raine** (1954–) ei yrfa fel cyfrifydd cwmni awyrennau gyda British Airways, ond yna astudiodd ar gyfer gradd seicoleg. Ei swydd gyntaf oedd fel seicolegydd mewn carchardai tra diogel yn Lloegr. Yna, yn 1987, ymfudodd i UDA lle y mae bellach yn gweithio ym Mhrifysgol Pennsylvania.

Ers nifer o flynyddoedd, mae wedi bod yn ymwneud ag ymchwil i ymddygiad troseddol ond mae hefyd yn gweithio gyda'r Mauritius Child Health Project, astudiaeth arhydol sy'n ymchwilio i effaith amrywiol ffactorau ar iechyd meddwl. Yn wahanol i ganfyddiadau'r astudiaeth glasurol a ddisgrifir yma, mae Prosiect Mauritius wedi dynodi pwysigrwydd ffactorau amgylcheddol. Er enghraifft, canfu Raine ac eraill (2003) bod plant a gafodd addysg gynnar gyfoethog yn llai tebygol o ddyfu'n wrthgymdeithasol neu o ddatblygu symptomau sgitso-fathol ar ddiwedd eu harddegau – mewn geiriau eraill, dangosodd yr astudiaeth bod dylanwadau amgylcheddol pwysig, yn hytrach na rhai biolegol, ar ddatblygiad.

Y ddadl gyfoes: Moeseg niwrowyddoniaeth

GOFYNION Y FANYLEB

Ar gyfer pob ymagwedd bydd angen:
- Deall beth sydd wrth wraidd y ddadl.
- Cyfeirio at astudiaethau a damcaniaethau seicolegol.
- Archwilio'r ddwy ochr i ddadl gyfoes o bersbectif seicolegol (gan gynnwys y goblygiadau moesegol, economaidd a chymdeithasol).

Os ymwelwch chi â Llyfrgell Feddygol Countway yn Boston, fe welwch gwpwrdd gwydr sy'n cynnwys ffon haearn 13 cm o drwch ac ychydig dros fetr o hyd. Mae'n cael ei harddangos ochr yn ochr â phenglog (gweler y llun ar dudalen 139). Honnir mai'r arteffactau hyn wnaeth sbarduno cychwyniad **niwrowyddoniaeth** fodern. Ym mis Medi 1848, adroddodd y Boston Post am 'Ddamwain Erchyll' i fforman ar y rheilffordd. Roedd ffrwydrad wedi gwthio ffon haearn trwy ei foch chwith ac allan trwy gorun ei benglog. Adroddodd y papur newydd ei fod 'yn fyw am ddau o'r gloch y prynhawn yma, ac yn ei lawn bwyll, ac yn ddi-boen'. Achos Phineas Gage oedd un o'r cyntaf i ganiatáu i feddygon archwilio niwro-anatomeg. Ers hynny, mae gwelliannau mewn technoleg wedi caniatáu i niwrowyddonwyr ddysgu cymaint mwy am yr ymennydd. Ond mae cryn ddadlau ynghylch a yw'r wybodaeth y mae niwrowyddoniaeth yn ei chynhyrchu yn cael ei defnyddio mewn modd **moesegol** bob tro.

GOBLYGIADAU MOESEGOL, CYMDEITHASOL AC ECONOMAIDD

Gall gwella technegau marchnata gynorthwyo'r economi trwy symbylu gwerthiant ac elw, fel y trafodir ar y dde. Ond yn sicr, nid dyma unig oblygiadau cymdeithasol ac economaidd niwrowyddoniaeth. Mae rhai yn fwy buddiol i bob un ohonom.

Er enghraifft, mae'r Nuffield Trust (2014) yn nodi y gwelwyd cynnydd yn y nifer o **wrthiselyddion** sy'n cael eu rhoi ar bresgripsiwn ers i'r argyfwng ariannol gychwyn yn 2008. Yn ogystal, nododd yr ymddiriedolaeth gynnydd mwy sylweddol yn y defnydd o wrthiselyddion ymysg adrannau o'r boblogaeth sydd â lefelau uwch o ddiweithdra. Amcangyfrifodd Thomas a Morris (2003) bod cyfanswm cost iselder mewn oedolion yn Lloegr yn unig yn £9.1 biliwn yn 2000. Yn ôl Alzheimer's Research UK, mae trin dementia yn costio £23 biliwn y flwyddyn i economi'r DU.

Gallai niwrowyddonwyr sy'n helpu i drin, neu hyd yn oed iacháu, yr anhwylderau hyn arbed biliynau o bunnoedd i economi'r DU.

Mae cyfrifoldeb ar niwrowyddonwyr i sicrhau bod y cymdeithasau y maent yn gweithio ynddynt yn cael eu hysbysu am oblygiadau eu gwaith a'u bod yn ymwybodol ohonynt.

Cyngor arholiad …

Wrth baratoi ar gyfer y rhan yma o'r arholiad byddai'n ddefnyddiol iawn pe baech yn cynnal dadleuon ar y materion yr ydych yn eu hastudio.

Peidiwch â chyfyngu eich tystiolaeth i'r hyn a nodir yma. Casglwch dystiolaeth o ffynonellau eraill a gofynnwch i bobl am eu barn ar y mater.

MAE NIWROWYDDONIAETH YN FOESEGOL GAN EI BOD YN CYNNIG ATEBION

Yn aml, caiff cwestiwn moeseg ei ddatrys ar sail costau yn erbyn buddiannau – mae rhywbeth yn foesegol os yw'r buddiannau'n fwy na'r costau. Felly ar y dudalen yma rydym yn ystyried buddiannau niwrowyddoniaeth, sy'n awgrymu ei bod yn foesegol.

Deall ymwybyddiaeth

Ers canrifoedd, mae athronwyr wedi ceisio pennu beth yw 'ymwybyddiaeth'. Cred y niwrowyddonwyr Francis Crick a Christof Koch (1998) bod yr ateb ganddynt. Maent yn cynnig mai'r *claustrum*, haen fain o **niwronau** a leolir yng nghanol yr ymennydd, yw gwraidd ymwybyddiaeth. Maent yn credu bod y *claustrum* yn gweithredu fel arweinydd cerddorfa, trwy gyfuno gwybodaeth o ardaloedd penodol o'r ymennydd.

Mae profiadau menyw 54 oed yn cefnogi hyn. Roedd yn dioddef o epilepsi difrifol ac, yn ystod profion ar ei hymennydd, cafodd electrod oedd wedi ei osod ger y *claustrum* ei symbylu'n drydanol. Stopiodd y fenyw ddarllen, syllodd yn wag ac nid ymatebodd i gyfarwyddiadau gweledol na chlywedol. Pan beidiodd y symbyliad, daeth at ei hun ar unwaith heb unrhyw gof o'r digwyddiad. Pan ailadroddwyd y symbyliad, digwyddodd yr un peth eto (Koubeissi ac eraill, 2014).

Gallai'r wybodaeth yma ein helpu i wneud penderfyniadau am gleifion sydd mewn cyflwr diymateb parhaol. Gellid seilio'r penderfyniad i ddod â'u bywyd i ben ai peidio ar y wybodaeth a ydynt yn dal i fod yn ymwybodol neu beidio.

Trin ymddygiad troseddol

Rhan o rôl unrhyw System Cyfiawnder Troseddol yw ailsefydlu troseddwyr er mwyn atal ymddygiad troseddol pellach. Ceir un datrysiad posibl mewn niwrowyddoniaeth. Mae rhai'n credu bod ymddygiad troseddol yn tarddu o lefelau annormal o **niwrodrosglwyddyddion** penodol. Os yw hyn yn wir, yna gellid defnyddio cyffuriau i 'drin' troseddwyr.

Archwiliodd Cherek ac eraill (2002) lefelau o fyrbwylltra ac ymosodedd mewn dynion oedd â hanes o anhwylder ymddygiad ac ymddygiad troseddol. Rhoddwyd **plasebo** i hanner y dynion am 21 diwrnod, tra cafodd yr hanner arall *paroxetine* (gwrthiselydd SSRI). Dangosodd y rheiny a gafodd *paroxetine* ostyngiad arwyddocaol mewn ymatebion byrbwyll, a lleihad mewn ymosodedd erbyn diwedd yr astudiaeth. Felly, gallai cynnig triniaethau ffarmacolegol i droseddwyr leihau aildroseddu a gwneud cymdeithas yn fwy diogel i bawb.

Gwella gweithrediad niwrolegol

Gellid defnyddio niwrowyddoniaeth i wella galluoedd unigolion 'normal', fel gwella perfformiad ar dasgau academaidd cymhleth. Mae Ysgogiad Cerrynt Uniongyrchol Trawsgreuanol (*Transcranial Direct Current Stimulation*) (TDCS) yn golygu pasio cerrynt trydanol bychan ar draws ardaloedd penodol o'r ymennydd. Canfu Cohen Kadosh ac eraill (2012) bod TDCS yn arwain at welliannau mewn galluoedd datrys problemau a sgiliau mathemategol, iaith, cof a thalu sylw. Gallai myfyrwyr ddefnyddio offer TDCS i baratoi ar gyfer arholiadau.

Gellid dadlau nad yw niwro-wella mor newydd â hynny. Bydd llawer o fyfyrwyr eisoes yn 'niwro-wella' eu hunain pryd bynnag y byddant yn defnyddio diodydd caffein i flocio derbynyddion adenosin yn yr ymennydd ac, o ganlyniad, maent yn fwy effro i adolygu.

Gwella technegau marchnata

Un defnydd diweddar ar gyfer niwrowyddoniaeth yw ym myd hysbysebu a marchnata – sef 'niwrofarchnata'. Pan gawn ein cyfweld gan ymchwilwyr marchnata mae'n bosibl na fyddwn yn cyflwyno ein gwir farn oherwydd ein bod am greu 'darlun ffafriol' o'n hunain. Gellir osgoi'r **dueddd dymunolrwydd cymdeithasol** yma trwy ddefnyddio offer tracio llygaid, sy'n cyflwyno tystiolaeth wrthrychol o'r hyn sydd wir yn dal llygad person pan fyddant yn siopa neu'n gwylio hysbysebion. Yn ogystal, gellir defnyddio **EEG** i ddadansoddi ymatebion niwrolegol.

Defnyddiodd un cwmni, sef Sands Research, y math yma o ymchwil niwrofarchnata wrth ddyfeisio hysbyseb hynod lwyddiannus 'The Force' (Volkswagen). Dywed Doug Van Praet, oedd yn rhan o'r tîm creadigol a tu ôl i'r hysbyseb yma, iddi 'gynyddu traffig i wefan VW 50%, a chyfrannu at flwyddyn o werthiant hynod o lwyddiannus i'r brand'.

► Model yn gwisgo cap EEG tebyg i'r rhai a ddefnyddir gan ymgynghorwyr marchnata i 'ddarllen eich meddwl' – neu o leiaf i ganfod beth yr ydych yn ei feddwl am eu cynnyrch mewn gwirionedd.

GWAITH I CHI

1. Edrychwch ar rywfaint o hysbysebion eich hun ac ystyriwch pam eu bod yn effeithiol.
   - Gellir gweld hysbyseb Volkswagen yma: *www.youtube.com/watch?v=R55e-uHQna0*
   - Neu gallwch wylio hysbyseb Superbowl yma: *www.superbowl-commercials.org*
   - Gallwch edrych ar sgoriau niwro-ymgysylltu yma: *www.sandsresearch.com/2013SBMovies.aspx*
2. Cynhaliwch ddadl / drafodaeth grŵp ar y testun canlynol: *'Ni ddylai prifysgolion dderbyn ceisiadau gan bobl sydd wedi cael triniaethau niwro-wella'.*

NID YW NIWROWYDDONIAETH YN FOESEGOL

Gellid ystyried bod niwrowyddoniaeth yn 'anfoesegol' os nad yw'r buddiannau'n real neu os byddant yn arwain at greu mwy o anawsterau.

Deall ymwybyddiaeth

Os gall niwrowyddonwyr ganfod lleoliadaeth ymwybyddiaeth yn yr ymennydd, pa fath o oblygiadau allai hyn ei gael? Un mater sy'n destun cynnen yw a ddylid tynnu unigolion sydd mewn cyflwr diymateb parhaol oddi ar system cynnal bywyd. A yw'r ffaith bod claf yn anymwybodol ar hyn o bryd yn golygu bod gennym hawl foesol i dynnu gofal yn ôl?

Mae amheuaeth hefyd am gywirdeb y dystiolaeth, gan ei bod wedi ei chasglu o **astudiaeth achos** ar un ymennydd 'annormal' (person yn dioddef o epilepsi difrifol).

Trin ymddygiad troseddol

Er bod niwrowyddonwyr, o bosibl, yn cysylltu ymddygiadau troseddol ag anghydbwysedd niwrolegol, mae llawer yn ystyried bod troseddu yn ymateb i'r cyd-destun cymdeithasol. Hyd yn oed os oes sail niwrolegol i ymddygiad troseddol, mae cwestiynau'n parhau ynghylch a yw'n dderbyniol i gynnwys ymyrraeth niwrolegol orfodol ar gyfer carcharorion. Mae Martha Farah (2004) yn dadlau, os bydd y llysoedd yn defnyddio ymyrraeth niwrolegol, bod hyn yn arwydd o warafun rhyddid unigolyn, rhywbeth sydd heb ei warafun i garcharorion, hyd yn oed, yn y gorffennol, h.y. y rhyddid i fod â'ch personoliaeth eich hun ac i feddwl eich meddyliau eich hun.

Yn ogystal, gallai llys gynnig dewis i droseddwr sydd wedi ei farnu'n euog: un ai cyfnod yn y carchar neu gwrs o feddyginiaeth. Mae hyn yn cyflwyno mater moesegol gorfodaeth ymhlyg – caiff y troseddwr ei adael â fawr ddim dewis ynghylch cymryd y feddyginiaeth.

Gwella gweithrediad niwrolegol

Mae Cohen Kadosh ac eraill yn rhybuddio ynghylch cyfyngiadau moesegol technoleg TDCS. Yn gyntaf, nid oes hyfforddiant na rheolau trwyddedu ar gyfer ymarferwyr. Gallai hyn arwain at weld clinigwyr anghymwys, ar y gorau, yn gweinyddu triniaethau aneffeithiol neu, ar y gwaethaf, yn achosi niwed i ymennydd cleifion.

Er ei fod yn gymharol rhad, nid yw offer TDCS ar gael i bawb. Gallai fod yn annheg i ganiatáu i rai unigolion elwa o driniaeth sydd ddim ar gael i bawb.

Felly, a ddylen ni ystyried gwahardd y defnydd o dechnolegau niwro-wella yn yr un modd ag y gwaherddir sylweddau gwella perfformiad mewn chwaraeon? Gallai hyn fod yn arbennig o bwysig wrth ddefnyddio'r driniaeth gydag ymennydd ifanc sy'n dal i ddatblygu.

Gwella technegau marchnata

Nid yw cael mynediad i wybodaeth am hoff ddewisiadau ac ymddygiadau defnyddwyr yn rhywbeth newydd. Mae defnyddio cardiau teyrngarwch a dadansoddi cofnodion chwilota ar-lein unigolion wedi helpu i sicrhau bod marchnata cynnyrch yn llawer mwy effeithiol.

Ond, mae gwahaniaeth; mae niwrofarchnata yn golygu cael mynediad i'n meddyliau personol. Cred Wilson ac eraill (2008) y bydd integreiddio gwaith ymchwil niwrofarchnata yn fasnachol yn caniatáu i hysbysebwyr drosglwyddo negeseuon personol i'r unigolyn, lle y caiff ein **hewyllys rydd**, o bosibl, ei chamddefnyddio gan y brandiau mawrion. Ydyn ni wir am i gorfforaethau allu cynhyrchu negeseuon marchnata fydd yn diddymu ein gallu i lunio penderfyniadau deallus ynghylch prynu cynnyrch ai peidio?

Ar hyn o bryd, nid oes gorfodaeth ar gwmnïau niwrofarchnata i lynu at godau ymarfer moesegol. Yn wir, canfu Nelson (2008) bod 5% o'r sganiau o'r ymennydd a gofnodwyd gan gwmnïau marchnata wedi cynhyrchu 'canfyddiadau damweiniol'. Er enghraifft, efallai y bydd ymchwilwyr yn gweld tystiolaeth o diwmor ar yr ymennydd neu ryw broblem arall gyda gweithrediad ymennydd person. Gan nad yw'r ymchwilwyr 'wedi'u hardystio gan fwrdd' nid oes gorfodaeth arnynt i lynu at brotocolau moesegol priodol, fel hysbysu'r person am eu canfyddiadau.

CORNEL ARHOLIAD

Bydd angen ichi allu:
- Trafod y ddadl a'r dystiolaeth o blaid hawlio bod niwrowyddoniaeth yn foesegol.
- Trafod y ddadl a'r dystiolaeth yn erbyn hawlio bod niwrowyddoniaeth yn foesegol.
- Cyflwyno casgliad i'r ddadl.
- Cynnwys trafodaeth am oblygiadau moesegol, economaidd a chymdeithasol y ddadl hon.

Cwestiynau arholiad posibl:
1. Mae materion moesegol sydd ynghlwm â niwrowyddoniaeth ddim ond yn codi mewn gwirionedd oherwydd bod niwrowyddonwyr yn ceisio cymhwyso eu gwybodaeth i ddelio â materion sensitif mewn cymdeithas.
   Gan ddefnyddio eich gwybodaeth seicolegol, trafodwch i ba raddau yr ydych yn cytuno â'r datganiad hwn. [20]
2. *'Mae angen trin canfyddiadau niwrowyddoniaeth â gofal mawr'.* Trafodwch dystiolaeth sy'n cefnogi'r farn uchod. [20]

CASGLIAD

Mae'n amlwg bod gwybodaeth ym maes niwrowyddoniaeth wedi tyfu'n gyflymach ers cyfnod Phineas Gage. Mae wedi cynnig cryn fewnwelediad inni ddeall sut mae ein hymennydd yn gweithio ac, o ganlyniad, mae wedi arwain at ddatblygiad llawer o esboniadau am ymddygiad normal ac annormal. Mae'n cynnig esboniadau 'di-stigma' am ymddygiad.

Ond, fel gyda phob maes arall o wyddoniaeth, bydd y wybodaeth y mae'n ei chynhyrchu, wedi iddi gael ei chyhoeddi, yn hygyrch i bawb waeth a ydynt yn bwriadu ei defnyddio er da neu er drwg. Nid yw niwrowyddonwyr yn llwyr gyfrifol am y modd y defnyddir eu gwaith ymchwil ond mae hefyd yn gyfrifoldeb ar lywodraethau, cyrff rheoleiddio a sefydliadau eraill mewn cymdeithas i sicrhau y caiff gwybodaeth niwrowyddonol ei defnyddio mewn modd moesegol priodol.

Gwerthuso'r ymagwedd fiolegol

Rydych wedi astudio nifer o dybiaethau yr ymagwedd fiolegol yn ogystal â magu dealltwriaeth ynghylch sut y gallai'r ymagwedd egluro ymddygiadau penodol (e.e. ffurfio perthnasoedd a therapïau). Mae hi'n bryd i chi'n awr ystyried rhai o gryfderau a gwendidau egluro ymddygiad dynol o safbwynt biolegol.

CRYFDERAU'R YMAGWEDD FIOLEGOL

1. Ymagwedd wyddonol

Ar ddechrau'r bennod hon fe edrychon ni ar dybiaethau'r ymagwedd fiolegol, sef bod modd egluro ymddygiad yn nhermau'r ymennydd, **niwrodrosglwyddyddion** a **lleoliadaeth swyddogaeth yr ymennydd** (h.y. systemau biolegol). Mae hynny'n golygu bod newidynnau clir i esboniadau biolegol a bod modd eu mesur, eu dilyn a'u hastudio. Gall seicolegwyr, felly, wneud ymchwil gwyddonol sy'n astudio'r newidynnau hynny.

Er enghraifft, mae ymchwil i **therapi cyffuriau** wedi ymchwilio'r cysylltiadau rhwng cyffuriau seicoweithredol a'r cynhyrchiad o rai niwrodrosglwyddyddion penodol (fel **dopamin**), ac wedi cysylltu hynny ag ymddygiad.

Mae **seicolawdriniaeth** yn golygu torri'r cysylltiadau rhwng rhannau penodol o'r ymennydd am fod ymchwil cynharach wedi cysylltu rhannau o'r ymennydd â rhai ymddygiadau penodol, fel ymosodedd.

Defnyddiodd Raine ac eraill **sganiau PET** i gymharu 14 ardal o'r ymennydd mewn llofruddion (oedd yn pledio NGRI) o'u cymharu â phobl oedd ddim yn llofruddion.

Mae'r holl enghreifftiau hyn o ymchwil yn wyddonol i'r graddau eu bod yn cyflawni nodau ymchwil gwyddonol – sef gwneud astudiaethau gwrthrychol o dan reolaeth dda ac, yn ddelfrydol, amlygu perthnasoedd achosol. Un o gryfderau'r ymagwedd fiolegol, felly, yw ei bod yn ei chynnig ei hun i ymchwil gwyddonol y gellir ei ddefnyddio wedyn i gefnogi esboniadau biolegol.

2. Yr ymagwedd benderfyniadol

Yn ogystal â bod yn wyddonol, mae'r ymagwedd fiolegol yn **benderfyniadol** (*determinist*). Un o gryfderau bod yn benderfyniadol yw ein bod ni, os gwyddon ni'r hyn sy'n 'rhag-gyflyru' ein hymddygiad, yn debycach o allu trin pobl sy'n ymddwyn yn annormal. Bydd seicolegwyr, er enghraifft, yn ceisio deall y ffyrdd mae niwrodrosglwyddyddion yn gweithredu er mwyn gallu rhagfynegi effeithiau niwrodrosglwyddyddion ar ymddygiad normal ac annormal.

Er enghraifft, mae'r niwrodrosglwyddydd dopamin wedi'i gysylltu ag anhwylder meddwl **sgitsoffrenia**. Daw'r dystiolaeth o amryw o ffynonellau. Er enghraifft, mae'n hysbys bod y cyffur *amffetamin* yn cynyddu lefelau o ddopamin, a gall dosau mawr o'r cyffur achosi rhai o'r symptomau sy'n gysylltiedig â sgitsoffrenia (e.e. rhithweledigaethau). Daw tystiolaeth bellach o'r cyffuriau a ddefnyddir i drin sgitsoffrenia (rhai **gwrthseicotig**), cyffuriau sy'n lleddfu rhai o'r symptomau ac, fe wyddom, yn gostwng lefelau dopamin. Mae hynny'n awgrymu mai lefelau uchel o ddopamin sy'n achosi'r symptomau.

Mae ymchwil tebyg wedi'i wneud mewn perthynas â seicolawdriniaeth. Er enghraifft, mae **sganiau o'r ymennydd** wedi dangos bod rhai rhannau o'r ymennydd yn fwy gweithgar nag eraill mewn cleifion sydd ag **OCD**.

Mae'r **cingwlotomi** (ffurf ar seicolawdriniaeth) wedi'i gynllunio, felly, i wahanu'r rhannau hynny er mwyn lleddfu symptomau OCD. Mae'r ymchwil yn awgrymu mai achos OCD yw gweithgarwch yn y rhannau hynny o'r ymennydd – eglurhad penderfyniadol.

Cryfder dealltwriaethau achosol yw eu bod yn fodd i ni reoli'n byd. Os deallwn ni fod cyfnod maith o straen yn achosi salwch corfforol, gallwn leihau'r effeithiau negyddol drwy drin straen yn y tymor byr. Os mai ffactorau biolegol sy'n achosi salwch meddwl yna gallwn ni ddefnyddio dulliau biolegol i drin salwch meddwl. Felly, un o gryfderau'r ymagwedd fiolegol yw ei bod yn benderfyniadol ac yn cynnig esboniadau o achosion ymddygiad er mwyn i ni allu defnyddio'r ddealltwriaeth honno i wella bywydau pobl.

3. Cymwysiadau llwyddiannus

Mae'r ymagwedd fiolegol wedi arwain at nifer o gymwysiadau llwyddiannus. Er enghraifft, mae gan ymchwil i'r berthynas rhwng lefelau annormal o niwrodrosglwyddyddion ac ymddygiad troseddol oblygiadau o ran cynnig triniaethau ffarmacolegol i droseddwyr, fydd yn arwain at lefelau is o aildroseddu ac, yn y pen draw, gymdeithasau mwy diogel. Er enghraifft, dangosodd Cherek ac eraill (2002) bod gan ddynion oedd ag anhwylder ymddygiad ac ymddygiad troseddol lefelau is o ymosodedd a byrbwylltra wedi cwrs 21 diwrnod o wrthiselydd SSRI, o'i gymharu â grŵp rheolydd oedd yn cymryd **plasebo**.

Mae'r ymagwedd fiolegol hefyd wedi arwain at sawl ffordd o drin anhwylder meddwl, fel therapi cyffuriau a seicolawdriniaeth. Er enghraifft, cafodd effeithiolrwydd **capsiwlotomi** (ffurf ar seicolawdriniaeth) wrth drin OCD ei drafod ar dudalen 15. Dywedodd Cosgrove a Rauch (2001) fod y cyfraddau gwella yn 67%, sy'n gymharol uchel.

Canlyniadau braidd yn gymysg a gaiff therapi cyffuriau am fod cyffuriau'n effeithio ar bobl mewn ffyrdd gwahanol. Ond mae'n fwy arbennig o boblogaidd ar driniaeth am ei bod yn hawdd ac yn fodd i lawer o bobl ag anhwylderau meddwl fyw bywydau cymharol normal y tu allan i ysbytai meddwl. Er enghraifft, mae **anhwylder deubegwn** (*bipolar disorder*) (iselder manig) wedi'i drin yn llwyddiannus â chyffuriau. Dywed Viguera ac eraill (2000), er enghraifft, fod mwy na 60% o gleifion anhwylder deubegwn yn gwella pan gymeran nhw gyffur *lithiwm*.

▲ Mae'r ymagwedd fiolegol yn ystyried ymddygiad yn ganlyniad i systemau biolegol, fel gweithgarwch yn yr ymennydd, niwrodrosglwyddion a hormonau.

GWAITH I CHI

Mae gan Vince ddawn arbennig i chwarae rygbi. Ers ei fod yn bum mlwydd oed mae ei dad, sydd hefyd yn chwaraewr rygbi brwd, wedi ymarfer gyda'i fab bob penwythnos. Mae Vince yn teimlo y gall ryddhau llawer o ymosodedd cronedig ar y maes rygbi.

Yn ddiweddar, mae Abi wedi bod yn teimlo braidd yn isel ac mae'n blino'n hawdd. Weithiau, bydd yn ypsetio'n ystod y diwrnod coleg ac mae'n rhaid iddi fynd adref i'r gwely. Mae ei rhieni braidd yn bryderus bellach.

Ar gyfer y ddau senario uchod:
- Amlinellwch sut y gallai'r ymagwedd fiolegol, o bosibl, egluro'r ymddygiadau hyn.
- Meddyliwch am **ddau** gryfder a **dau** wendid o egluro'r ymddygiadau hyn yn y modd yma.

GWENDIDAU'R YMAGWEDD FIOLEGOL

1. Ymagwedd leihaol

Bydd esboniadau biolegol yn lleihau ymddygiadau cymhleth i set o esboniadau syml, er enghraifft lleihau'r profiad o straen i weithrediad yr hormon **adrenalin**.

Mae **lleihadaeth** yn rhan o ddeall sut mae systemau'n gweithio, ond y broblem gyda hyn yw bod yna berygl y byddwn yn colli dealltwriaeth go-iawn o'r peth rydyn ni'n ymchwilio iddo. Er enghraifft, mae'r ymagwedd fiolegol yn awgrymu bod salwch fel sgitsoffrenia, yn ei hanfod, yn digwydd am fod system gorfforol-gemegol gymhleth wedi mynd o chwith. Honnodd y seiciatrydd R.D. Laing (1965) fod ymagwedd o'r fath yn anwybyddu'r *profiad* o ofid sy'n cyd-ddigwydd ag unrhyw salwch meddwl a'i bod, felly, yn eglurhad anghyflawn ar y gorau.

At hynny, gall symleiddio (neu leihau'r) eglurhad ein rhwystro ni rhag sicrhau dealltwriaeth wirioneddol o'r ymddygiad targed.

2. Natur yn hytrach na magwraeth

Er bod llawer achos i salwch meddwl, mae'r ymagwedd fiolegol yn hoelio sylw ar fioleg (**natur**) yn unig ac yn tueddu i anwybyddu profiadau bywyd (**magwraeth**) a ffactorau seicolegol fel meddyliau a theimladau pobl.

Er enghraifft, mae'r ymagwedd fiolegol at egluro sgitsoffrenia yn ymwneud â lefelau annormal o rai niwrodrosglwyddyddion penodol yn hytrach na theimladau cleifion am eu salwch. Mae'r ymagwedd fiolegol at eu trin yn ymwneud, felly, ag addasu'r systemau biolegol annormal yn hytrach na siarad â chleifion ynghylch sut maen nhw'n teimlo.

3. Gwahaniaethau rhwng unigolion

Ymagwedd **nomothetig** yw'r ymagwedd fiolegol, a bydd hi'n ceisio cyffredinoli ynghylch pobl a dod o hyd i elfennau tebyg rhyngddyn nhw. Y duedd yw i'r ymagwedd anwybyddu'r gwahaniaethau rhwng unigolion. Er enghraifft, bydd rhai pobl sydd dan straen yn cynhyrchu lefelau uwch o adrenalin na'i gilydd a bydd hynny yn ei dro yn effeithio ar effeithiau tymor-hir straen.

Bydd astudiaethau ymchwil biolegol yn aml yn canolbwyntio ar ychydig o unigolion ac yn cymryd yn ganiataol bod system fiolegol pawb yn ymddwyn yn yr un ffordd. Yn wir, mae ymchwil i systemau biolegol wedi tueddu i ddefnyddio cyfranogwyr gwryw yn hytrach na benyw (yn anifeiliaid ac yn fodau dynol) oherwydd cylchredau hormonau benywod ymyrryd ag ymchwil biolegol. Ond gallai tueddiad o'r fath greu darlun anghywir o ymddygiad: un â thuedd at wrywod.

Awgrymodd Taylor ac eraill (2000), er enghraifft, mai ymateb dynion i straen fel rheol yw 'ymladd neu ffoi' ond bod menywod yn ymateb drwy 'ofalu a chyfeillachu' (*tend and befriend*). Mae'r gwahaniaeth hwn rhwng y ddau ryw i'w weld mewn llawer rhywogaeth: bydd benywod yn ymateb i amodau straenus drwy amddiffyn a swcro'u rhai bach (yr ymateb 'gofalu') a cheisio cyswllt a chymorth cymdeithasol gan fenywod eraill (yr ymateb 'cyfeillachu'). Mae'r gwahaniaeth yma wedi ei briodoli i'r ffaith y bydd menywod yn cynhyrchu'r hormon **ocsitosin** pan maent dan straen, a elwir weithiau'n 'hormon cariad'.

CYMHARU YMAGWEDDAU

Bydd angen ichi allu cymharu a chyferbynnu'r ymagwedd fiolegol â'r pedair ymagwedd arall y byddwch yn dysgu amdanynt. I wneud hyn, bydd angen ichi ddeall sut mae'r materion a'r dadleuon allweddol (gweler tudalen 7) yn berthnasol i'r ymagwedd fiolegol.

Mewn parau, ceisiwch gwblhau'r tabl isod, gan amlinellu sut mae'r materion / dadleuon allweddol (a drafodwyd yn y cyflwyniad) yn berthnasol i'r ymagwedd.

Materion / dadleuon	Yr ymagwedd fiolegol
Natur – Magwraeth	
Gwyddonol – Anwyddonol	
Lleihadaeth – Cyfaniaeth	
Penderfyniaeth – Ewyllys rydd	

CORNEL ARHOLIAD

Er mwyn gwerthuso'r ymagwedd bydd angen ichi allu:
- Trafod y cryfderau'n drylwyr (o leiaf **ddau**).
- Trafod y gwendidau'n drylwyr (o leiaf **ddau**).
- Cymharu a chyferbynnu'r ymagwedd â'r pedair ymagwedd arall o ran materion a dadleuon allweddol.

Cwestiynau arholiad posibl:
1. Trafodwch **ddau neu fwy** o wendidau'r ymagwedd fiolegol. [8]
2. Gwerthuswch **un** o gryfderau ac **un** o wendidau'r ymagwedd fiolegol. [6]
3. 'Efallai y credwch, ar y dechrau, bod yr ymagweddau biolegol ac ymddygiadol yn wahanol iawn, ond mae ganddynt gryn dipyn o elfennau tebyg.' Cymharwch a chyferbynnwch yr ymagweddau biolegol ac ymddygiadol. [8]
4. 'Mae'r ymagwedd fiolegol yn cynnig cryfderau yn ogystal â gwendidau.' Gwerthuswch yr ymagwedd fiolegol mewn seicoleg. [16]

Gweithgareddau i chi

TYBIAETHAU

ATEBION AR DUDALEN 172

Cywir neu Anghywir?

A yw'r canlynol yn gywir neu'n anghywir yng nghyd-destun tybiaethau'r ymagwedd fiolegol? Copïwch y tabl a rhoi cylch am yr ateb cywir.

1	Mae'r ddamcaniaeth esblygiadol yn gysyniad modern mewn seicoleg.	Cywir neu Anghywir
2	Mae'r ddamcaniaeth esblygiadol yn edrych ar ba nodweddion ac ymddygiadau sy'n hanfodol ar gyfer goroesi.	Cywir neu Anghywir
3	Nodweddion addasol yw'r rheiny sydd wedi ein helpu i oroesi.	Cywir neu Anghywir
4	Bodau dynol sydd â'r ymennydd lleiaf mewn cymhariaeth â'u maint, o'i gymharu â rhywogaethau eraill.	Cywir neu Anghywir
5	Yn Saesneg mae EEA yn golygu 'external evolutionary approach'.	Cywir neu Anghywir
6	Mae niwronau'n gelloedd y gellir eu cyffroi'n drydanol sy'n sail i'r system nerfol.	Cywir neu Anghywir
7	Mae un niwron yn cyfathrebu â niwron arall dros y synaps.	Cywir neu Anghywir
8	Bydd niwrodrosglwyddyddion unai'n ysgogi neu'n ffrwyno derbynyddion yn y niwronau eraill.	Cywir neu Anghywir
9	Mae serotonin yn enghraifft o niwrodrosglwyddydd sy'n dylanwadu ar ein hwyliau.	Cywir neu Anghywir

TYSTIOLAETH GLASUROL

ATEBION AR DUDAL 172

Cywir neu Anghywir?

Darllenwch y datganiadau isod o Raine, Buchsbaum a LaCasse (1997) a phenderfynu a ydynt yn wir neu'n gau. Copïwch y tabl a chywirwch unrhyw rai gau.

1	Roedd y sampl yn cynnwys 45 o lofruddion (39 gwryw a 6 benyw).	Cywir neu Anghywir
2	Roedd gan bob llofrudd a ddefnyddiwyd yn yr astudiaeth ryw fath o nam ar y meddwl.	Cywir neu Anghywir
3	Defnyddiwyd sgan CAT i astudio'r ymennydd ar waith.	Cywir neu Anghywir
4	Yn Saesneg mae CPT yn golygu 'central performance task'.	Cywir neu Anghywir
5	Roedd gan lofruddion lefel is o weithgarwch yn yr amygdala yn yr hemisffer chwith.	Cywir neu Anghywir
6	Roedd gan lofruddion ymennydd ag anghymesureddau annormal.	Cywir neu Anghywir
7	Fe wnaeth y llofruddion berfformio'r CPT yn well na'r grŵp rheolydd.	Cywir neu Anghywir

TYSTIOLAETH GLASUROL

Gwerthuso

Mewn parau, paratowch set o gardiau adolygu i'ch helpu i ddysgu cryfderau a gwendidau Raine, Buchsbaum a LaCasse (1997). Bydd angen i un person o'r pâr baratoi'r cryfderau, a'r person arall y gwendidau. Cofiwch gynnwys nodiadau cryno yn egluro pob cryfder / gwendid.

Wedi ichi baratoi eich cardiau adolygu bydd angen ichi allu egluro'r cryfderau / gwendidau allweddol i'ch partner gan ddefnyddio'r cardiau'n unig.

Yr ymennydd

1. Labelwch y pedair llabed ar y diagram isod ac ysgrifennwch un frawddeg sy'n egluro swyddogaeth pob llabed unigol.
2. Mae Joe wastad wedi bod yn agos iawn i'w frawd iau. Mae'r ddau bellach yn eu 30au ac mae ganddynt eu bywydau teuluol eu hunain; er hynny, mae Joe yn dal i weld llawer ar ei frawd ac mae'n sicrhau bod y ddau deulu'n treulio llawer o amser gyda'i gilydd. Gan ddefnyddio eich gwybodaeth am yr ymagwedd fiolegol, eglurwch berthynas glòs Joe a'i frawd.

Beth sy'n actif?

ATEBION AR DUDAL 172

Nodwch ac eglurwch pa ardaloedd o'r ymennydd fyddai fwyaf actif yn ystod y gweithgareddau canlynol:

1. Gyrru peiriant fforch godi.
2. Dysgu sut i gyfrif i 10 mewn iaith newydd.
3. Ceisio datrys hafaliad algebraidd.
4. Gweithredu camerâu teledu cylch cyfyng (CCTV).
5. Dysgu sgript ar gyfer rôl mewn ffilm.

THERAPÏAU

Mapiau o'r meddwl

Mae map o'r meddwl yn gynrychiolaeth weledol o bwnc ac yn dangos y cysylltiadau rhwng yr amrywiol elfennau ynddo. Fel rheol, bydd y cysylltiadau ar ffurf canghennau, gyda'r prif bwnc yn y canol a'r elfennau / syniadau cydrannol yn estyn tuag allan. Gallwch ychwanegu brasluniau / dwdlau bach yn ogystal â lliwiau (gan ddefnyddio amlygwyr, pennau ffelt). Mae gan bob tudalen o nodiadau, felly, ymddangosiad gweledol unigryw a gwahanol (yn hytrach na golwg unffurf tudalennau o nodiadau cyffredin / mewn llinellau) (Buzan, 1993).

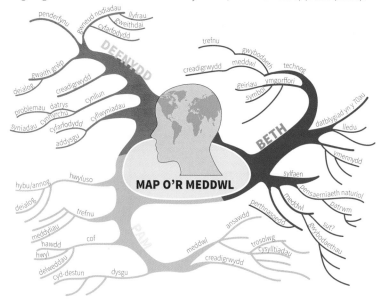

Eich tasg

Gan ddewis un ai seicotherapi neu therapi cyffuriau, lluniwch fap o'r meddwl sy'n cwmpasu holl ofynion y fanyleb, sef:

- Sut mae'r ymagwedd yn cael ei chymhwyso yn y therapi.
- Prif elfennau.
- Gwerthuso – effeithlonrwydd a materion moesegol.

Gallwch ddefnyddio rhai o'r gweithgareddau adolygu a ddisgrifir ar ddiwedd y penodau eraill. Er enghraifft, gallech greu stribyn comig neu ddyfeisio eich croesair eich hun (gweler tudalen 45).

Yn sicr, dylech restru'r geiriau allweddol yn y bennod hon unwaith eto a gwneud yn siŵr eich bod yn eu deall.

Gêm geiriau allweddol

Ewch drwy'r bennod a nodwch yr holl dermau allweddol sydd mewn print glas trwm. Crëwch set o gardiau allweddol ar gyfer y geiriau hynny – ysgrifennwch y term allweddol ar un cerdyn ac ysgrifennwch ddiffiniad ohono ar gerdyn arall (mae'r diffiniadau yn yr eirfa / mynegai).

Un gêm y gallwch chi ei chwarae gyda nhw yw 'Canolbwyntio'. Bydd yn gweithio orau os oes dau neu dri chwaraewr. Rhowch bob cerdyn wyneb i waered, rhai'r termau allweddol ar y chwith a'r diffiniadau ar y dde. Trowch ddau gerdyn drosodd – y naill o'r chwith a'r llall o'r dde. Ydyn nhw'n cyd-fynd? Os nad ydyn nhw, trowch nhw wyneb i waered unwaith eto a gadewch i'r chwaraewr nesaf fynd. Os byddan nhw'n cyd-fynd, cewch chi gadw'r cardiau a chael tro arall.

Mapiau o'r meddwl

Ar y chwith gwelir map o'r meddwl. Mae ymchwil seicolegol yn dangos y caiff y cof ei wella trwy brosesu gwybodaeth – a dyna fyddwch chi'n ei wneud pan fyddwch yn creu map o'r meddwl. Hefyd, mae'r ddelwedd weledol a'r lliwiau cryfion yn helpu i greu atgofion bythol. Felly ceisiwch greu un ar gyfer pob pwnc.

DADL

Gweithgaredd niwrowyddoniaeth ddamcaniaethol

Fflach newyddion: Mae niwrowyddonwyr wedi darganfod bod rhan benodol o'r ymennydd (*y ffugamws*) yn gyfrifol am wneud pobl yn rhagfarnllyd.

Mae'r bobl hynny sydd â ffugamws bach yn fwy tebyg o fod â daliadau hiliol neu homoffobig, tra bod pobl sydd â ffugamws mawr yn fwy tebygol o fod yn oddefgar o bobl o gefndiroedd gwahanol.

Ysgrifennwch erthygl papur newydd sy'n trafod effeithiau posibl y canfyddiad hwn.

Cofiwch ystyried yr effaith ar:
- Bolisïau cymdeithasol y llywodraeth.
- Dewis o driniaethau ar gyfer pobl ragfarnllyd.
- Cymdeithas yn gyffredinol.

GWERTHUSO

Pedair cornel

Rhannwch yr ystafell ddosbarth yn bedair cornel, pob un â theitl mawr gwahanol, sef:

A YW HYN YN UN O GRYFDERAU NEU'N UN O WENDIDAU'R YMAGWEDD FIOLEGOL?

EGLURWCH BETH MAE HYN YN EI OLYGU.

NODWCH ENGHRAIFFT O HYN YNG NGHYD-DESTUN YR YMAGWEDD FIOLEGOL.

PAM MAE HYN YN GRYFDER / GWENDID?

Rhoddir un o'r pwyntiau gwerthuso canlynol i bob pâr o ddisgyblion:
- lleihadaeth
- penderfyniaeth
- gwyddonol
- nomothetig
- natur / magwraeth
- defnyddioldeb

Yna, dylai'r pâr o ddisgyblion ymweld â phob cornel o'r dosbarth yn eu trefn ac, ar ddarn o bapur, ateb y pedwar cwestiwn ar gyfer eu pwynt gwerthuso hwy.

Yna, dylent rannu eu pwynt gwerthuso gyda gweddill y dosbarth.

Ar ddiwedd y dasg dylai'r dosbarth cyfan allu gwerthuso'r ymagwedd fiolegol yn weddol fanwl.

Pennod 1 **Yr ymagwedd fiolegol**

25

Cwestiynau arholiad ac atebion

CWESTIWN AR EGLURO YMDDYGIADAU

Gan ddefnyddio eich gwybodaeth am yr ymagwedd fiolegol, eglurwch pam y caiff perthynas ei ffurfio. [5]

Cynllun marcio ar gyfer y cwestiwn yma

Marc	Disgrifiad
5	Mae'r eglurhad yn un **manwl** ac yn cynnwys **cysylltiadau eglur** â ffurfio perthynas.
3–4	Mae'r eglurhad yn un **manwl** ac yn cynnwys **cysylltiadau** â ffurfio perthynas. Efallai fod rhai gwallau sydd ddim yn tynnu oddi ar yr ystyr cyffredinol.
1–2	Mae'r eglurhad yn un **arwynebol / cyfyngedig** ac mae'r **cysylltiadau** â ffurfio perthynas yn **aneglur**.
0	Cyflwynwyd ateb **amhriodol / ni roddwyd ateb**.

Ateb Bob

Mae'r ddamcaniaeth esblygiadol yn dweud y dylen ni gadw ymddygiadau sy'n ymaddasol ac sy'n hybu goroesiad y rhywogaeth. Mae ffurfio perthnasoedd rhamantaidd yn un ffordd o wneud hyn. Pan fyddant yn ffurfio'r perthnasoedd hyn, mae gwahanol bwysau esblygiadol ar wrywod a benywod am fod ffrwythlondeb menywod yn gyfyngedig, tra nad yw hynny'n wir am wrywod. O ganlyniad, bydd gwrywod yn ffafrio benywod sy'n ifanc a deniadol gan fod hyn yn arwydd o iechyd a ffrwythlondeb. Mewn cyferbyniad, mae benywod yn pryderu mwy am allu'r gwryw i ddarparu, gan y bydd hyn yn caniatáu i'r nifer cyfyngedig o epil y bydd yn eu geni i oroesi a, gydag oed, bydd dynion yn crynhoi mwy o adnoddau. Mae'r dybiaeth yma'n helpu i egluro pam mae benywod a gwrywod yn cael eu denu i atgenhedlu a chael perthynas gyda chymar penodol ac nid un arall.

Yn ogystal, gallwn gymhwyso ail dybiaeth fiolegol i helpu i egluro perthnasoedd rhamantaidd. Gall niwrodrosglwyddyddion helpu i egluro cynnal perthnasoedd rhamantaidd ar ôl atgenhedlu. Mae ocsitosin yn hormon gaiff ei gynyddu trwy gyswllt corfforol gyda'n partner. Mae'n amlwg bod gennym ysfa gemegol naturiol i ymgysylltu a chael perthnasoedd rhamantaidd ac mae hyn yn un o dybiaethau sylfaenol yr ymagwedd fiolegol.

202 gair

> Mae Bob wedi gwneud mwy na dim ond ailadrodd y tybiaethau biolegol; yn hytrach, mae wedi eu cysylltu'n eglur â ffurfio perthynas ramantaidd.

Ateb Megan

Gall yr ymagwedd fiolegol ein helpu i ddeall perthnasoedd mewn nifer o ffyrdd. Cyflwynwyd damcaniaeth esblygiad am y tro cyntaf gan Darwin ac mae'n seiliedig ar y cysyniad o oroesiad y cymhwysaf. Mae'r ddamcaniaeth yn dweud y byddwn yn cadw ymddygiadau sy'n ein helpu i oroesi ac y byddwn yn colli ymddygiadau a nodweddion sydd ddim yn ein helpu i oroesi. Caiff genynnau sy'n cynnwys yr ymddygiadau goroesi hyn eu pasio ymlaen i'r genhedlaeth nesaf a byddwn yn cael perthynas er mwyn gwneud hyn. Ffordd arall y mae'r ymagwedd fiolegol yn egluro perthnasoedd yw trwy niwrodrosglwyddyddion. Mae'r rhain yn negesyddion cemegol sy'n pasio negeseuon o gwmpas y corff ac maent yn cael eu rhyddhau o fesiclau mewn un niwron a byddant yn ysgogi neu'n ffrwyno derbynyddion mewn niwron arall. Mae serotonin a dopamin yn enghreifftiau o niwrodrosglwyddyddion, a phan fydd gennym lefelau uchel o'r rhain gall hyn fod yn gysylltiedig â chyffro a lefel deffroad. Efallai, pan fyddwn yn cwrdd â phobl newydd, yn enwedig yn rhamantaidd, bod gennym lefelau uchel o niwrodrosglwyddyddion ac mai dyma pam ein bod am gael perthynas.

182 gair

> Mae eglurhad Bob yn gywir ac yn llawn manylion.

> Mae Megan wedi canolbwyntio ar dybiaethau'r ymagwedd fiolegol. Mae unrhyw gysylltiadau â pherthnasoedd, a sut maent yn cael eu ffurfio, yn aneglur a di-ffocws.

Sylwadau'r arholwr a marciau ar dudalen 173

CWESTIWN AR DYBIAETHAU A THERAPÏAU

Disgrifiwch sut y caiff tybiaethau'r ymagwedd fiolegol eu cymhwyso i unai seicolawdriniaeth neu therapi cyffuriau. [6]

Cynllun marcio ar gyfer y cwestiwn yma

Marc	Disgrifiad
5–6	Mae'r eglurhad yn un **manwl** ac yn cynnwys **cysylltiadau eglur** â'r tybiaethau.
3–4	Mae'r eglurhad yn un **manwl** ac yn cynnwys **cysylltiadau** â'r tybiaethau. Efallai fod rhai gwallau sydd ddim yn tynnu oddi ar yr ystyr cyffredinol.
1–2	Mae'r eglurhad yn un **arwynebol / cyfyngedig** ac mae'r **cysylltiadau** â'r tybiaethau yn **aneglur**.
0	Cyflwynwyd ateb **amhriodol / ni roddwyd ateb**.

Ateb Bob

Mae'r ymagwedd fiolegol yn ystyried bod gan bob ymddygiad, boed yn normal neu'n annormal, ddechreuad biolegol. Mae'n ffafrio'r model meddygol sy'n awgrymu bod salwch meddwl, fel salwch corfforol, yn cychwyn o achos corfforol a'i bod yn well ei drin mewn modd corfforol, e.e. trwy ddefnyddio cyffuriau. Mae therapi cyffuriau'n seiliedig ar y dybiaeth bod niwrodrosglwyddyddion yn effeithio ar ein hymddygiad. Er enghraifft, mae'r niwrodrosglwyddydd serotonin yn chwarae rhan yn ein hwyliau a'n patrymau cysgu a gall diffyg serotonin arwain at bobl yn dioddef o iselder.

Felly, byddai'r ymagwedd fiolegol am fabwysiadu therapi sy'n anelu i newid ac adfer lefelau niwrodrosglwyddyddion yn ôl i normal, yn y gobaith y byddai'n achosi i ymddygiad droi'n fwy normal. Mae'r cyffuriau'n gweithio trwy effeithio ar weithrediad niwrodrosglwyddyddion trwy gynyddu neu flocio gweithrediad niwrodrosglwyddyddion dros y synaps. Er enghraifft, byddech yn ceisio cynyddu lefelau serotonin ar gyfer pobl ag iselder, tra byddech yn ceisio blocio dopamin ar gyfer pobl sy'n dioddef o sgitsoffrenia. Dylai ddychwelyd lefelau niwrodrosglwyddyddion yn ôl i normal leihau unrhyw symptomau.

168 gair

Ateb Megan

Mae'r ymagwedd fiolegol yn credu bod gan bob ymddygiad achos corfforol, er enghraifft mae ein genynnau, ein biocemeg a'n hymennydd i gyd yn dylanwadu ar ein hymddygiad. Mae'r ymagwedd fiolegol yn awgrymu rhywbeth a elwir yn lleoliadaeth swyddogaeth sydd, yn syml, yn golygu bod pob ardal o'n hymennydd yn rheoli ymddygiadau penodol, er enghraifft mae'r llabed flaen yn gyfrifol am feddwl a datrys problemau, tra bod llabedau'r arlais yn gyfrifol am y cof. Yn ogystal, mae gan yr ymennydd ddau hemisffer a chanfu Broca y gellir dod o hyd i'n sgiliau iaith yn yr hemisffer chwith. Mae'n amlwg bod ein hymennydd yn effeithio ar ein hymddygiad ac os aiff rhywbeth o'i le â'r ymennydd bydd hyn yn effeithio ar eich ymddygiad a gallai arwain at ichi ddatblygu salwch meddwl. Os mai'r ymennydd yw achos y salwch, mae'n gwneud synnwyr y dylid defnyddio triniaeth sy'n canolbwyntio ar yr ymennydd. Mae seicolawdriniaeth yn fath o driniaeth sy'n canolbwyntio ar yr ymennydd ac mae'n fath o lawdriniaeth ymenyddol.

166 gair

GWAITH I CHI

Rhowch dro ar fod yn arholwr

Dewiswch ateb Bob neu Megan, yn dibynnu ar ba therapi yr ydych wedi ei astudio. Ewch ati i asesu'r ateb perthnasol gan ddefnyddio'r cynllun marcio, ac ysgrifennwch sylwadau arholwr gan nodi'r hyn sydd wedi ei wneud yn dda a'r hyn y gellid ei wella, cyn rhoi marc terfynol i'r ateb.

CWESTIWN AR DYSTIOLAETH GLASUROL

Gwerthuswch ymchwil Raine, Buchsbaum a LaCasse (1997)
'Brain abnormalities in murderers indicated by positron emission tomography.' [16]

Cynllun marcio ar gyfer y cwestiwn yma

Marc	Disgrifiad
13–16	Gwerthusiad **soffistigedig** a **datblygedig iawn** o'r ymchwil a'r fethodoleg. Dangosir **ystod** a **dyfnder**.
10–12	Arddangosir gwerthusiad **trylwyr** o'r ymchwil a'r fethodoleg a chyflwynir dadleuon **cytbwys**. Dangosir **ystod** neu **ddyfnder**.
7–9	Gwerthusiad **rhesymol** o'r ymchwil a'r fethodoleg. Gall y dadleuon, er eu bod yn rhesymol, fod yn **unochrog**. Mae'r sylwadau gwerthusol yn tueddu i fod yn **gyffredinol** a heb eu gosod mewn **cyd-destun**.
4–6	Gwerthusiad **sylfaenol** o'r ymchwil a'r fethodoleg.
1–3	**Dynodi** materion methodolegol heb **unrhyw sylwadau gwerthusol**.
0	Cyflwynwyd ateb **amhriodol / ni roddwyd ateb**.

GWAITH I CHI

Darllenwch sylwadau'r arholwr yn y tabl isod a phenderfynwch pa rai sy'n berthnasol i Bob a pha rai sy'n berthnasol i Megan. Gallai rhai sylwadau fod yn berthnasol i'r ddau.

Mae'r gwerthusiad yn weddol gyffredinol	Mae'r dadleuon wedi eu strwythuro'n dda
Gwerthusiad datblygedig iawn	Mae diffyg cyd-destun yn y gwerthusiad
Defnydd da o derminoleg	Mae'r gwerthusiad wedi ei osod mewn cyd-destun da
Ystod a dyfnder	Ystod yn unig
Marc = 15/16	Marc = 10/16

Ateb Bob

Rwy'n credu bod hon yn astudiaeth dda ac yn sicr mae'n well na'r mwyafrif o ymchwil seicolegol, yn bennaf oherwydd ei bod yn defnyddio lled-arbrawf fel dull ymchwilio. Y cyfan yw hyn yw'r defnydd o ddigwyddiad sy'n digwydd yn naturiol ac sydd ddim yn gofyn am drin a thrafod y newidyn annibynnol (IV) ac, o ganlyniad, mae'n llawer mwy realistig na'r mwyafrif o astudiaethau seicoleg sy'n defnyddio arbrofion laserdy. Ond daw hyn ar gost, oherwydd nid yw lled-arbrofion yn caniatáu inni dynnu perthnasoedd achosol, e.e. allwn ni ddim dweud yn bendant mai'r IV achosodd y newidyn dibynnol (DV) gan nad oes gan yr ymchwilydd reolaeth lawn dros y newidynnau.

Mae'r astudiaeth yma'n defnyddio grŵp o lofruddion oedd wedi pledio'n wallgof fel ei sampl. Mae hyn yn weddol gyfyngedig, oherwydd efallai nad ydyn nhw'n gynrychioliadol o bob troseddwr.

Mae'r astudiaeth yma'n defnyddio sganiau PET i gasglu data am yr ymennydd. Mae hyn yn dda oherwydd ei fod yn wrthrychol ac yn ffordd dda o weld yr ymennydd ar waith ond gall fod yn eithaf anghyfforddus i'r person sy'n cael ei brofi gan y gallant gymryd tipyn o amser ac mae llawer yn dweud i'r broses fod yn weddol annifyr. Mae hyn yn enghraifft o ystyriaeth foesegol y perygl o achosi niwed. Ym maes seicoleg 'does dim hawl gennych niweidio eich cyfranogwyr yn gorfforol nac yn seicolegol, felly mae'n bosibl y byddai gwneud iddynt gael sgan PET yn torri'r rheol yma. Mater moesegol arall yn yr astudiaeth yma yw cydsyniad dilys. Mae hyn oherwydd bod sampl Raine yn grŵp agored i niwed ac wedi eu labelu'n wallgof, ac felly efallai na fyddant yn gallu deall yn llwyr yr hyn y mae'r astudiaeth yn ei olygu ac felly nid oes modd iddynt roi eu cydsyniad dilys.

Profwyd bod yr astudiaeth yma'n weddol ddibynadwy oherwydd mae astudiaethau eraill a gynhaliwyd wedi cynhyrchu canfyddiadau tebyg, er enghraifft canfu astudiaeth ddiweddarach gan Yang a Raine bod gan bobl dreisgar lai o weithgarwch yn y llabed cyndalcennol. Mae hyn yn debyg i'r hyn a ganfu'r astudiaeth yma ac mae'n dangos bod y canfyddiadau'n wir ac yn ddibynadwy, yn hytrach nag yn ganfyddiad 'untro'.

Un broblem fawr gyda'r astudiaeth yma yw nad yw'n gallu llunio casgliadau clir am achosion ymddygiadau. Nid yw'n gallu dweud bod y llofruddion wedi troseddu oherwydd bioleg neu oherwydd rhywbeth arall. Mae hyn oherwydd achos ac effaith a'r ffaith na ddefnyddiwyd arbrawf laserdy.

399 gair

Ateb Megan

O ran methodoleg, gellir canmol yn ogystal â beirniadu'r astudiaeth yma. Mae ei defnydd o led-arbrawf yn golygu na fu'n rhaid gwneud unrhyw drin a thrafod arbrofol ar yr IV (statws troseddol). Roedd yn ddigwyddiad naturiol a gafodd, yn syml iawn, ei astudio. Mae hyn yn cynyddu dilysrwydd ecolegol yr astudiaeth ac yn lleihau effaith nodweddion awgrymu ymateb ond mae'n codi cwestiynau ynghylch achosiaeth. Nid yw'r canfyddiadau'n dangos bod trais yn cael ei bennu gan fioleg yn unig, gan nad oedd modd i Raine reoli neu asesu'r effaith y gallai ffactorau sefyllfaol, fel e.e., magwraeth, fod wedi eu cael ar eu hymddygiad. Mae hyn yn peri pryder gan y gallai darllenwyr gamddehongli'r canfyddiadau a chymryd bod troseddolrwydd yn cael ei bennu gan fioleg yn unig.

Mae'r sampl, er ei fod yn addas, yn codi nifer o faterion. Nid oedd sampl Raine yn nodweddiadol o bob person treisgar ac roedd Raine yn awyddus i nodi, yn seiliedig ar hyn, na allwn ddweud bod gan bob troseddwr treisgar gamweithrediadau o'r fath ar yr ymennydd. Yn ogystal, ceir tueddfryd rhywedd ac mae'n canolbwyntio ar un math o drosedd yn unig – sef llofruddiaeth. Mae hyn yn golygu bod y canfyddiadau'n gyfyngedig a dim ond yn gymwys i isadran fechan.

Yn foesegol, mae'r astudiaeth yma'n amheus am nifer o resymau. Yn gyntaf, gallwn gwestiynu i ba raddau y gall grŵp o lofruddion sy'n pledio gwallgofrwydd roi cydsyniad dilys mewn gwirionedd, oherwydd efallai na fyddant yn deall yr hyn y mae cael sgan PET yn ei olygu na pha mor amhleserus y gallai fod, ac yn ogystal eu cael i gwblhau tasg berfformio allai fod yn ddryslyd ac yn peri gofid. Gallwn hefyd gwestiynu a oeddent wedi deall nad oedd rhaid iddynt gymryd rhan neu y gallent dynnu allan ar unrhyw bryd. Mae natur benderfyniadol y math yma o ymchwil yn golygu ei fod yn gymharol sensitif yn gymdeithasol – os yw bioleg yn chwarae rhan mewn troseddolrwydd mae gan hyn oblygiadau ar gyfer dynodi a chosbi troseddwyr.

Un o gryfderau allweddol yr astudiaeth yw ei bod yn defnyddio sganiau PET sy'n wrthrychol ac sy'n dangos yr ymennydd ar waith, felly gallai Raine weld yn glir y gwahaniaeth rhwng gweithgarwch ymennydd llofruddion a'r grŵp rheolydd. Yn ogystal, mae ymchwil dilynol gan Yang a Raine yn cynnig cefnogaeth i'r syniad o leihad mewn gweithgarwch ymenyddol cyndalcennol ac yn dangos bod y canfyddiadau hyn yn ddibynadwy.

397 gair

Sylwadau'r arholwr a marciau ar dudalen 173

Pennod 2
Yr ymagwedd seicodynamig

MANYLEB

Ymagwedd	Tybiaethau ac ymddygiad i'w egluro (yn cynnwys)	Therapi (un i bob ymagwedd)	Ymchwil clasurol	Dadl gyfoes
Seicodynamig	<ul><li>dylanwad profiadau plentyndod</li><li>y meddwl anymwybodol</li><li>personoliaeth dridarn</li></ul> Bydd disgwyl i ddysgwyr gymhwyso un o'r tybiaethau a roddir i egluro sut mae perthynas yn ffurfio	dadansoddi breuddwydion NEU seicotherapi dadansoddi grŵp	Bowlby, J. (1944) Forty-four juvenile thieves: Their characters and home-life. *International Journal of Psychoanalysis, 25(19–52)*, 107–127.	y fam fel prif ofalwr baban

CYNNWYS Y BENNOD

BREUDDWYDION

Beth yw eu hystyr?

Tybiaethau'r ymagwedd seicodynamig

WHAT'S ON A MAN'S MIND

SIGMUND FREUD

GOFYNION Y FANYLEB

Ar gyfer pob ymagwedd bydd angen:

- Gwybod a deall y tybiaethau.
- Cymhwyso'r tybiaethau i egluro ffurfio perthynas.

Hanfod yr ymagwedd seicodynamig (psychodynamic approach) yw egluro ymddygiad yn nhermau ei 'ddynameg', h.y. y grymoedd sy'n gyrru unigolion i ymddwyn fel y gwnânt. Yr enghraifft fwyaf cyfarwydd o'r ymagwedd honno yw damcaniaeth seicdreiddiol Freud ynghylch personoliaeth.

Cynigiodd Sigmund Freud (a oedd yn ysgrifennu rhwng y 1890au a'r 1930au) nifer o theorïau a syniadau sydd wedi dod yn sail i'r **ymagwedd seicodynamig** at seicoleg. Roedd Freud yn arbenigo mewn trin anhwylderau niwrotig, megis hysteria, lle nad oedd achos corfforol ar eu cyfer. Trwy ei waith daeth i gredu mewn **penderfyniaeth seicig** – y syniad bod personoliaeth ac ymddygiad yn cael eu llunio'n fwy gan ffactorau seicolegol na chan amgylchiadau biolegol neu ddigwyddiadau presennol bywyd. Gelwir theori Freud a'i ddull o therapi ill dau yn **seicdreiddio**, ac mae'r persbectif hwn yn ceisio egluro ymddygiad dynol fel rhyngweithiad rhwng ysfeydd cynhenid a phrofiadau cynnar.

TYBIAETH 1: DYLANWAD PROFIADAU PLENTYNDOD

Yn ôl Freud, mae profiadau yn ystod plentyndod yn llunio ein personoliaethau fel oedolion. Cynigiodd fod datblygiad seicolegol yn ystod plentyndod yn digwydd mewn cyfres o gyfnodau datblygiadol allweddol. Gelwir y rhain yn **gyfnodau seicorywiol** ac mae pob cyfnod yn cynrychioli obsesiwn y **libido** (ysfeydd neu reddfau rhywiol, yn fras) ar ran wahanol o'r corff.

Mae pum cyfnod seicorywiol (gweler y tabl isod). Mae pob cyfnod yn gysylltiedig â rhan benodol o'r corff. Gall broblemau yn ystod unrhyw gyfnod o ddatblygiad achosi i'r plentyn ddatblygu **obsesiwn** a methu â symud ymlaen y tu hwnt i'r rhan o'r corff sy'n gysylltiedig â'r cyfnod hwnnw, a bydd hyn yn cael effaith hirdymor ar bersonoliaeth. Gall obsesiwn yn unrhyw un o'r cyfnodau hyn ddigwydd trwy:

- Rhwystredigaeth – lle nad yw'r cyfnod wedi cael ei ddatrys gan nad yw anghenion wedi cael eu diwallu, er enghraifft nad yw'r plentyn yn cael ei fodloni'n ddigonol.
- Gormodedd – mae hyn yn digwydd pan fydd anghenion y plentyn yn fwy na'i fodloni, a'r canlyniad yw bod y plentyn yn teimlo'n rhy gyffyrddus ac yn amharod i symud ymlaen i'r cyfnod nesaf.

Cyfnod	Tarddiad libido a ffynhonnell pleser	Digwyddiadau allweddol	Canlyniad obsesiwn
Cyfnod y Genau (0–18 mis)	Ceg: Sugno, cnoi, llyncu a brathu.	Bwydo ar y fron. Diddyfnu i fwyd solid.	Rhwystredigaeth = pesimistaidd, eiddigeddus, coeglyd. Gormodedd = optimistaidd, diniwed, anghenus.
Cyfnod yr Anws (18 mis – 3 oed)	Anws: Carthu, dal carthion yn ôl neu chwarae â nhw.	Hyfforddiant toiled.	Rhwystredigaeth = ystyfnig, meddiangar, gor-daclus. Gormodedd = blêr, anhrefnus, byrbwyll.
Cyfnod Ffalig (3–5 oed)	Organau cenhedlu: Mastyrbio.	Mae cymhlethdod Oedipus yn arwain at ddatblygiad yr uwch-ego a hunaniaeth rhywedd.	Hunanhyder, balchder, gall fod problemau gyda rhywioldeb a chreu a chynnal perthnasoedd fel oedolyn.
Cyfnod Cudd (5 oed – y glasoed)	Ychydig neu ddim cymhelliant rhywiol.	Casglu gwybodaeth a dealltwriaeth o'r byd.	Dim obsesiynau gan nad oes canolbwynt pleser.
Cyfnod yr Organau Cenhedlu (o'r glasoed ymlaen)	Organau cenhedlu: Cyfathrach heterorywiol.		Personoliaeth gytbwys, wedi datblygu'n dda, fel oedolyn (os yw cymhlethdodau yn ystod y cyfnod ffalig yn cael eu datrys).

TYBIAETH 2: Y MEDDWL ANYMWYBODOL

Cynigiodd Freud fod y meddwl yn debyg i fynydd iâ, sef bod llawer o'r hyn sy'n digwydd yn y meddwl yn gorwedd o dan yr wyneb. Dyna'r meddwl **rhagymwybodol** ac **anymwybodol**. Mae'r meddwl ymwybodol yn rhesymegol, ond nid felly'r meddwl anymwybodol am mai chwant am bleser sy'n ei

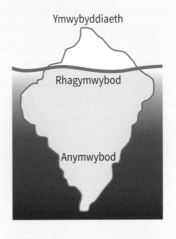

Ymwybyddiaeth

Rhagymwybod

Anymwybod

reoli. Er nad oes modd cysylltu'n uniongyrchol â'r meddwl anymwybodol, bydd yn ei fynegi ei hun yn anuniongyrchol, er enghraifft, drwy freuddwydion.

Credai Freud bod y meddwl anymwybodol yn penderfynu llawer o'n hymddygiad a bod ysfeydd emosiynol anymwybodol yn ein cymell. Credai Freud bod gwrthdrawiadau heb eu datrys yn yr anymwybod yn cael effaith rymus ar ein hymddygiad a'n profiadau. Dadleuai fod llawer o'r gwrthdrawiadau yma yn ymddangos yn ein ffantasïau a'n breuddwydion, ond bod y gwrthdrawiadau yn ymddangos ar ffurfiau cudd, fel symbolau, gan eu bod mor fygythiol.

Mae perthynas hefyd rhwng yr anymwybod a **mecanweithiau amddiffyn yr ego**. Bydd gwrthdaro rhwng yr id, yr ego a'r uwch-ego yn creu gorbryder. Bydd yr ego'n defnyddio amryw o amddiffyniadau i'w ddiogelu ei hun. O'u gorddefnyddio, gallant achosi ymddygiad anystywallt. Er enghraifft, gall bachgen nad yw'n gallu delio â'r hyn a wêl ef yn wrthodiad gan ei fam pan gaiff babi newydd ei eni'n frawd iddo **atchwel** i gyfnod datblygol cynharach gan faeddu ei ddillad a bod yn llai galluog i ofalu amdano'i hun. Dyma rai enghreifftiau eraill o fecanweithiau amddiffyn:

- **Dadleoli** (trosglwyddo ysgogiadau o un person neu wrthrych i un arall).
- **Alldaflu** (priodoli meddyliau annymunol i rywun arall).
- **Atalnwyd** (gwthio atgofion poenus yn ddwfn i'n meddwl anymwybodol er mwyn iddyn nhw gael eu hanghofio i bob pwrpas).

Ymchwiliwch Sigmund Freud – ysgrifennwch eich cofiant eich hunan ohono. Pa ffactorau yn ei gefndir allai fod wedi ei arwain at ddatblygu ei theori o bersonoliaeth? Er enghraifft, beth oedd ei berthynas gyda'i fam a'i dad ei hun?

TYBIAETH 3: PERSONOLIAETH DRIDARN

Credai Freud fod personoliaeth yr oedolyn wedi'i strwythuro'n dair rhan sy'n datblygu ar wahanol gyfnodau yn ein bywydau.

- Yr **id**. Dyma'r rhan fyrbwyll (ac anymwybodol) o'n personoliaeth, a bydd yn bresennol pan gawn ni'n geni. Bydd yn mynnu cael ei foddhau'n syth, a gellir galw hynny'n **egwyddor pleser**. Prif nod yr id yw sicrhau pleser a boddhad, beth bynnag fydd y gost.
- Yr **ego** – yw'r rhan ymwybodol a rhesymegol o'r meddwl sy'n datblygu pan fyddwn ni tua dwy oed. Bydd yn ceisio dod o hyd i ffyrdd realistig o gydbwyso gofynion yr id mewn ffordd sy'n gymdeithasol dderbyniol. **Egwyddor realaeth** sy'n ei reoli.
- Yr **uwch-ego** yw'r rhan olaf o'n personoliaeth i ddatblygu. Bydd yn ymffurfio yn y plentyn tua phedair oed ac yn ymgorffori ymwybyddiaeth y plentyn o'r hyn sy'n iawn a ddim yn iawn yn ogystal â'i hunan delfrydol. Bydd yr uwch-ego'n ceisio perffeithio a gwareiddio'n hymddygiad. Fe ddysgwch chi hynny drwy uniaethu â'ch rhieni ac eraill.

Mae'r id a'r uwch-ego yn aml yn gwrthdaro (h.y. y frwydr rhwng beth sy'n iawn a ddim yn iawn). Rhaid i'r ego felly ymddwyn fel dyfarnwr a datrys y gwrthdaro, gan ystyried goblygiadau gweithredoedd y person.

Er bod hyn yn cael ei ddisgrifio fel model 'strwythurol', mae'n bwysig cofio mai prosesau symbolaidd yw'r tair rhan.

EGLURHAD SEICODYNAMIG AM FFURFIO PERTHNASOEDD

Byddai'r ymagwedd seicodynamig yn pwysleisio pwysigrwydd ffurfio perthnasoedd iach yn gynnar er mwyn gallu cyflawni'r un peth ymhellach ymlaen mewn bywyd.

Profiadau plentyndod (datblygiad seicorywiol)

Byddai'r ymagwedd seicodynamig yn ystyried y gwahanol gyfnodau o ddatblygiad seicorywiol ac yn defnyddio'r syniad o obsesiwn i egluro natur perthnasoedd fel oedolion. Er enghraifft, gallai gormodedd yn ystod cyfnod y genau arwain at ddibyniaeth ormodol ar eraill ymhellach ymlaen mewn bywyd. Gallai hyn olygu bod person yn dod yn rhy 'anghenus' o fewn perthynas.

Roedd y cyfnod ffalig hefyd yn bwysig iawn i Freud o ran ei ddylanwad ar berthnasoedd diweddarach. Yn ystod y cyfnod yma mae'r uwch-ego, y cydwybod a'r **hunanddelfryd** yn datblygu, ac mae'n bosibl y gallai obsesiwn yn y cyfnod yma arwain at oedolyn sy'n methu caru person arall a dod yn rhan o berthynas.

Bydd pasio trwy'r cyfnod yma yn llwyddiannus yn effeithio ar ddatblygiad diweddarach yn ystod cyfnod yr organau cenhedlu. Er enghraifft, mewn bechgyn rhaid datrys y **cymhlethdod Oedipus**. Yn ystod y cyfnod ffalig bydd bachgen ifanc yn dod i deimlo atyniad rhywiol at ei fam, ac yn gweld ei dad fel cystadleuydd ac eisiau iddo farw. Mae dymuniad y bachgen am farwolaeth y tad yn creu gorbryder. Yn y pen draw mae hyn yn cael ei ddatrys pan ddaw'r bachgen i uniaethu â'i dad. Mae'r datrysiad yma yn galluogi i fachgen, yn ystod cyfnod yr organau cenhedlu, ddatblygu cyfeillgarwch iach, normal a pherthnasoedd heterorywiol. Fodd bynnag, os nad yw'r cymhlethdod Oedipus yn cael ei ddatrys yn llwyddiannus, gall problemau gyda pherthnasoedd ymddangos. Yn ôl Freud, gall hyn arwain at ddatblygu cyfunrywioldeb.

Mecanweithiau amddiffyn

I rai pobl, gall ffurfio perthynas fel oedolyn ddod ag emosiynau annymunol o'r gorffennol i'r amlwg. Mewn achosion o'r fath mae'n bosibl y bydd pobl yn defnyddio amddiffynfeydd yr ego i'w helpu i osgoi gorbryder. Trafododd Freud lawer am fecanweithiau amddiffyn, a sut y gallant effeithio ar bob agwedd o ymddygiad, a gall hyn gynnwys ein perthnasoedd. Er enghraifft, gallai person sydd yn gwadu ei rywioldeb geisio ffurfio perthnasoedd nad ydynt yn cyd-fynd â'i deimladau gwirioneddol, gan achosi i'r perthnasoedd hyn fod yn gamweithredol ac yn aflwyddiannus yn y pen draw. Gall pobl sy'n bod yn anonest mewn perthynas (e.e. trwy gael carwriaethau cudd) ddelio â'u heuogrwydd trwy resymoli ('maen nhw'n haeddu'r cyfan gan nad ydyn nhw'n rhoi unrhyw sylw i fi!'). Gall mecanweithiau amddiffyn effeithio ar ein personoliaethau yn eu cyfanrwydd a byddant yn anochel yn effeithio ar ein perthnasoedd.

Enghraifft: Egluro ffurfio perthnasoedd rhwng rhieni a phlant

Ymhellach ymlaen yn y bennod hon byddwch yn dysgu am astudiaeth glasurol John Bowlby am 44 o ladron ifanc. Roedd Bowlby yn seiciatrydd Freudaidd a ffurfiodd y farn bod profiadau afiach cynnar yn siapio ymddygiad rhai plant. Yn benodol, roedd rhai o'r 'lladron' ifanc y bu'n eu hastudio wedi datblygu cymeriad 'dideimlad' – anallu i ddangos hoffter neu dosturi at eraill. Canfu Bowlby hefyd bod y mwyafrif o'r lladron dideimlad hyn wedi'u gwahanu oddi wrth eu mamau am gyfnodau estynedig yn gynnar yn eu bywydau.

O ganlyniad datblygodd Bowlby y **rhagdybiaeth ynghylch amddifadu plant o'u mam**, sef y farn bod y gallu i ffurfio perthnasoedd cymdeithasol ystyrlon fel oedolyn yn dibynnu ar berthynas glòs, gynnes a pharhaus â'r fam (neu ffigwr mam) yn ystod ychydig flynyddoedd cyntaf bywyd. Mae'r ddwy flynedd a hanner gyntaf yn arbennig o bwysig, ond mae sensitifrwydd yn parhau hyd nes bod y plentyn yn bum mlwydd oed. Gan y bydd y berthynas hon yn gweithredu fel prototeip ar gyfer pob perthynas yn y dyfodol, byddai ymyrryd â hi yn amharu ar allu'r person i ymwneud ag eraill.

Ar gyfer pob tybiaeth a enwir yn y fanyleb, bydd angen i chi allu:
- Amlinellu'r dybiaeth.
- Ymhelaethu'n llawn ar y dybiaeth, gan ddefnyddio enghreifftiau o fewn seicoleg.

Yn ogystal, bydd angen i chi allu:
- Defnyddio o leiaf **un** dybiaeth i egluro sut mae **un** berthynas yn ffurfio.

Cwestiynau arholiad posibl:
1. Disgrifiwch **ddwy** o dybiaethau'r ymagwedd seicodynamig. [8]
2. '*Perthnasoedd cyntaf plentyn yw'r rhai pwysicaf o ran dylanwadu ar ddatblygiad diweddarach.*' Gan gyfeirio at y dyfyniad hwn, eglurwch sut y gallai **un neu ragor** o dybiaethau'r ymagwedd seicodynamig egluro sut mae perthnasoedd yn ffurfio. [4]

Rydym wedi cymhwyso esboniadau seicodynamig o berthnasoedd i egluro'r berthynas rhwng mam a phlentyn, ond dim ond un o'r enghreifftiau a roddir yn y fanyleb yw hynny.

Ceisiwch wneud yr un peth ar gyfer rhai o'r enghreifftiau eraill yn y fanyleb: brodyr a chwiorydd, anifeiliaid anwes a'u perchnogion, partneriaid rhamantaidd a ffrindiau. Ceisiwch wneud pob un yn wahanol.

Therapi 1: Dadansoddi breuddwydion

GOFYNION Y FANYLEB

Ar gyfer pob ymagwedd bydd angen:

- Gwybod a deall sut mae'n bosibl defnyddio'r ymagwedd mewn therapi (un therapi i bob ymagwedd).
- Gwybod a deall prif elfennau (egwyddorion) y therapi.
- Gwerthuso'r therapi (gan gynnwys ei effeithlonrwydd ac ystyriaethau moesegol).

Mae'r **ymagwedd seicodynamig** yn credu bod ymddygiad dynol yn cael ei ddylanwadu i raddau helaeth gan ysfeydd **anymwybodol**, ac mai'r hyn sy'n digwydd 'o dan yr wyneb', er nad yw'n hawdd cyrraedd ato, sy'n cael y dylanwad mwyaf ar ymddygiad. Yn ogystal, mae'r ymagwedd hon yn ystyried bod profiadau plentyndod yn cael effaith sylweddol ar emosiynau ac ymddygiad oedolion.

Dim ond un therapi seicodynamig y byddwch yn ei astudio fel rhan o'ch cwrs – dadansoddi breuddwydion NEU seicotherapi dadansoddi grŵp.

SUT MAE TYBIAETHAU SEICODYNAMIG YN BERTHNASOL I DDADANSODDI BREUDDWYDION

Prif dybiaeth yr ymagwedd seicodynamig yw bod ysfeydd anymwybodol yn gyfrifol i raddau helaeth am y ffordd y byddwn yn ymddwyn. Mae **seicdreiddio** (y therapi a seilir ar egwyddorion seicodynamig) yn ffurfio therapi sy'n ceisio creu 'ymwybyddiaeth o'r anymwybod', fel y gall pobl gael 'mewnwelediad' (h.y. dod yn ymwybodol o'r ysfeydd hyn) a thrwy hynny gael eu gwella. Bydd seicdreiddio yn golygu canfod ai atalnwyd (mecanwaith amddiffyn) sy'n achosi salwch seicolegol y person. Mae dadansoddi breuddwydion yn dechneg a ddefnyddir o fewn seicdreiddio. Awgrymodd Freud bod breuddwydion yn un o'r ffyrdd y mae'r meddwl anymwybodol yn mynegi ei hun. Mae natur fygythiol meddyliau anymwybodol yn cael ei guddio mewn breuddwydion. Pwrpas dadansoddi breuddwydion yw dehongli'r hyn sydd yn y meddwl anymwybodol wrth iddo fynegi ei hun yn y 'stori'.

Mae ail dybiaeth yr ymagwedd seicodynamig yn ymwneud â dylanwad profiadau plentyndod. Gall atgofion trawmatig sydd wedi eu claddu yn yr anymwybod ymwneud â phrofiadau presennol, ond gallant hefyd ymwneud â digwyddiadau yn ein plentyndod sy'n dal i'n poeni. Gall y rhain ddod i'r wyneb yn ystod breuddwydion fel ffordd o weithio trwy ddigwyddiadau trawmatig yn y gorffennol.

Un arall o dybiaethau'r ymagwedd seicodynamig yw **personoliaeth dridarn**. Credir bod gofynion yr id yn cael eu halltudio i'n breuddwydion gan fod ei ysfeydd yn annerbyniol pan fyddwn yn effro. Pwrpas breuddwydio felly yw gweithredu ein dymuniadau a'n dyheadau mewn ffordd dderbyniol, yn hytrach na gadael iddynt gronni a bygwth ein callineb. Yn ôl Freud, byddai'r **ego** fel arfer yn rhwystro gofynion annerbyniol yr **id**, a byddai **amddiffynfeydd yr ego** megis **dadleoli** ar waith. Fodd bynnag, pan fyddwn yn breuddwydio mae amddiffynfeydd yr ego yn isel, ac mae'r id felly yn 'dod yn fyw'.

Cyngor arholiad …
Gallai cwestiwn arholiad ofyn i chi ddisgrifio un neu ddwy elfen (egwyddor) o'r therapi, felly dylech sicrhau eich bod yn gwybod pob elfen mewn digon o fanylder. Gwnewch yn siŵr eich bod yn gallu ysgrifennu 300–400 gair ar ddwy o'r elfennau.

PROSESAU GWAITH BREUDDWYDION

- **Cywasgu** – Mewn breuddwyd, bydd y meddyliau'n gyforiog o fanylion a chynnwys ond caiff y rheiny eu cywasgu'n ddelweddau byr mewn breuddwyd lle bydd delwedd yn cynrychioli sawl cysylltiad a syniad.
- **Dadleoli** – Caiff arwyddocâd emosiynol gwrthrych mewn breuddwyd ei wahanu oddi wrth ei wrthrych neu ei gynnwys go-iawn a'i gysylltu ag un cwbl wahanol i beidio â 'sensro' cynnwys y freuddwyd. (Defnyddiodd Freud y cysyniad o 'sensor' sy'n rhwystro meddyliau cythryblus rhag cyrraedd y meddwl ymwybodol ar unrhyw ffurf heblaw un guddiedig.)
- **Cynrychioli** – Trosir meddyliau yn ddelweddau gweledol.
- **Symbolaeth** – Bydd symbol yn cymryd lle gweithred, person neu syniad.
- **Ymhelaethu eilaidd** – Bydd y meddwl anymwybodol yn casglu'r holl ddelweddau gwahanol ac yn eu clymu wrth ei gilydd i ffurfio stori resymegol a chuddio rhagor eto ar y cynnwys cudd. Gall deunydd go-iawn y freuddwyd ddod o ddigwyddiadau diweddar ym mywyd effro'r unigolyn.

PRIF ELFENNAU (EGWYDDORION) DADANSODDI BREUDDWYDION

Roedd Freud yn enwog am ddisgrifio breuddwydion fel 'priffordd frenhinol at wybodaeth am weithgareddau anymwybodol y meddwl' (Freud, 1900, tudalen 769). Cynigiodd Freud fod y meddwl anymwybodol yn ei fynegi ei hun drwy freuddwydion ac y gall cynnwys breuddwydion unigolyn, felly, ddatgelu'r hyn sydd yn ei (h)anymwybod. Dadansoddi breuddwydion yw'r broses o roi ystyr i freuddwydion.

Breuddwydion fel ffordd o gyflawni dymuniadau

Credai Freud fod pob breuddwyd yn ffordd o gyflawni, yn anymwybodol, y dymuniadau na ellid eu bodloni yn y meddwl ymwybodol. Byddai breuddwydion, felly, yn diogelu'r cysgwr (meddwl prif-broses) ond hefyd yn caniatáu peth mynegiant i'r ysfeydd claddedig hynny (cyflawni dyheadau).

Natur symbolaidd breuddwydion

Yn ôl Freud, mae breuddwydion yn cynrychioli dyheadau sydd heb eu cyflawni, ond mynegir eu cynnwys yn *symbolaidd*. Caiff gwir ystyr breuddwyd (y **cynnwys cudd**) ei thrawsffurfio i ffurf fwy diniwed (y **cynnwys amlwg**, y cynnwys y cewch chi brofiad ohono). Gall honno fod yn ddiystyr i bawb ond seicdreiddiwr sydd wedi'i hyfforddi i ddehongli'r symbolau. Er enghraifft, gall neidr neu wn gynrychioli pidyn, a thwnnel neu ogof gynrychioli gwain. Ond i ddeall holl ystyr symbolau breuddwydion, credai Freud fod angen eu hystyried yng nghyd-destun bywyd yr unigolyn. Er enghraifft, gallai pysgodyn gynrychioli cyfaill i unigolyn sy'n bysgotwr, neu gyfaill arall sydd ag arwydd y Pysgod yn y Sidydd. Chefnogai Freud mo'r syniad o gael breuddwydiaduron a chydnabu hefyd nad symbol yw popeth mewn breuddwyd: fel y dywedodd, *'weithiau dydy sigâr ddim ond yn sigâr'*.

Gwaith breuddwydion

Caiff cynnwys cudd breuddwyd ei greu drwy broses **gwaith breuddwydion**. Disgrifir yr amrywiol brosesau ar y chwith. Cânt eu cymhwyso at ddyheadau a ataliwyd er mwyn amlygu cynnwys y freuddwyd a gafwyd.

Rôl y therapydd

Gwyrdroi'r broses gwaith breuddwydion yw rôl y therapydd – dehongli'r cynnwys amlwg i ddarganfod y cynnwys cudd. Ni ddylent gynnig un dehongliad penodol o freuddwyd, ond yn hytrach awgrymu amrywiol ddehongliadau ar sail adborth y claf a gwybodaeth ynglŷn â phrofiadau eu bywyd, gan adael i'r claf ddewis y rhai sy'n gwneud synnwyr.

▲ A yw breuddwydion bob amser yn symbolaidd? Un o ddywediadau enwog Freud oedd bod 'weithiau, dydy sigâr ddim ond yn sigâr'.

CORNEL ARHOLIAD

Ar gyfer pob therapi, bydd angen i chi allu:

- Disgrifio sut mae tybiaethau'r ymagwedd yn cael eu cymhwyso fel rhan o'r therapi.
- Disgrifio prif elfennau (egwyddorion) y therapi.
- Gwerthuso'r therapi o ran ei effeithiolrwydd.
- Gwerthuso'r therapi o ran ystyriaethau moesegol.

Cwestiynau arholiad posibl:

1. Disgrifiwch sut mae tybiaethau'r ymagwedd seicodynamig yn cael eu cymhwyso mewn **un** therapi. [6]
2. Disgrifiwch brif elfennau (egwyddorion) dadansoddi breuddwydion. [10]
3. Gwerthuswch ddadansoddi breuddwydion o ran ei effeithiolrwydd. [10]
4. Gwerthuswch **ddwy** ystyriaeth foesegol sy'n ymwneud â dadansoddi breuddwydion. [4 + 4]

GWERTHUSO: EFFEITHIOLRWYDD

Tystiolaeth ymchwil

Mae ymchwil diweddar wedi cynnig cefnogaeth i gyswllt Freud rhwng breuddwydio a meddwl prifbroses. Defnyddiodd Solms (2000) **sganiau PET** i amlygu'r rhannau o'r ymennydd sy'n weithgar wrth freuddwydio. Dangosodd y canlyniadau fod y rhan resymegol o'r ymennydd yn *anweithredol* yn ystod **cwsg symudiad llygaid cyflym** (*Rapid Eye Movement* – REM) ond bod y canolfannau sy'n ymwneud â'r cof a chymhelliant yn weithgar iawn. Yn iaith Freud, caiff yr ego (y meddwl rhesymegol ac ymwybodol) ei atal a rhoir penrhyddid i'r id (y rhannau mwy cyntefig a 'yrrir' gan yr anymwybod).

Caiff y cysylltiad gefnogaeth hefyd mewn ymchwil cynharach gan Hopfield ac eraill (1983) i'r **rhwydweithiau niwral** – efelychiadau cyfrifiadurol sy'n ceisio dynwared gweithrediad yr ymennydd. Mae'r efelychiadau hynny'n dangos mai ffordd y rhwydweithiau niwral o ddelio â chof gorlawn yw cyfuno neu gywasgu 'atgofion'. Mae hynny'n ategu syniad Freud ynghylch cywasgu, sef sensro dyheadau annerbyniol a delio â nhw drwy ailgyfuno tameidiau ohonynt nes creu ffurf newydd arnyn nhw (cynnwys amlwg y freuddwyd).

Ystyriaethau methodolegol

Mae llawer o'r ymchwil ar freuddwydion (e.e. y berthynas rhwng cwsg REM a breuddwydion) yn cael ei wneud mewn labordai cwsg. O ganlyniad, gellir amau a yw'r cyflwr cysgu/breuddwydio mor ddilys ag y byddai o dan amgylchiadau normal, gan fod y claf wedi ei gysylltu trwy wifrau â nifer o electrodau sy'n cymryd mesuriadau. Ni ellir dod i'r casgliad bod y breuddwydion yr un peth ag y byddent mewn bywyd pob dydd pan fydd yr arbrofion wedi eu trefnu fel hyn, felly gellir cwestiynu **dilysrwydd ecolegol** ymchwil breuddwydion.

Mae llawer o astudiaethau ar freuddwydion yn cael eu gwneud gyda phobl neu anifeiliaid sydd wedi cael eu hamddifadu o (symiau arwyddocaol o) gwsg, neu gyfnodau penodol o gwsg, megis **cwsg REM** (pan fydd llygaid person yn gwibio o gwmpas o dan eu hamrantau). Bydd amhariad sylweddol fel hyn yn amharu ar swyddogaethau biolegol pwysig megis secretu hormonau a niwrodrosglwyddyddion. Gallai'r rhain weithredu fel **newidynnau dryslyd**, felly gallai unrhyw ganlyniadau gael eu hachosi gan y ffactorau hyn a dylid bod yn ofalus wrth eu dadansoddi.

Dehongli goddrychol

Mae dehongli'r cynnwys amlwg a phenderfynu ar ei ystyr sylfaenol (cynnwys cudd) yn dibynnu ar ddehongliad goddrychol y therapydd. Ar ben hynny, mae'r freuddwyd sy'n cael ei dehongli yn adroddiad goddrychol gan y sawl a'i breuddwydiodd ac mae'n bosibl nad yw'n wybodaeth ddibynadwy. Mae hyn yn golygu bod dadansoddi breuddwydion yn broses oddrychol iawn, a'i bod yn groes i amcanion gwyddonol gwrthrychol seicoleg.

GWERTHUSO: YSTYRIAETHAU MOESEGOL

Perthynas therapydd â chleient

Mae therapïau sydd wedi'u seilio ar yr ymagwedd seicodynamig wedi cael eu beirniadu o safbwynt **moesegol** oherwydd yr anghydbwysedd grym a all ddatblygu rhwng y therapydd a'r claf. Yn gyffredinol, mae'r therapydd yn cymryd rôl yr arbenigwr, gan gynnig mewnwelediad i anymwybod y claf, ac am y rheswm hwnnw mae'r claf yn dibynnu ar y therapydd i symud ymlaen trwy'r therapi. Gall hyn greu anghydbwysedd grym a gall hefyd arwain at orddibyniaeth ar y therapydd. Gall hyn fod yn wir mewn pobl sy'n dioddef o **iselder** yn enwedig, gan y gall fod tueddiad ganddynt i orddibynnu ar bobl bwysig yn eu bywydau.

Syndrom atgofion anghywir

Mae syndrom atgofion anghywir (*false memory syndrome* – FMS) yn gyflwr lle mae hunaniaeth a pherthnasoedd person yn cael eu heffeithio gan atgofion a gredir yn gryf, ond nad ydynt yn gywir, o brofiadau trawmatig. Gall yr atgofion anghywir hyn ddod i'r amlwg yn ystod seicdreiddio pan fydd y therapydd yn honni ei fod wedi datguddio digwyddiadau trawmatig yng ngorffennol y person. Cred cefnogwyr FMS bod y claf yn debygol o ildio i gred y therapydd gan ei fod yn ffigwr o awdurdod. Mae Toon ac eraill (1996) hyd yn oed yn awgrymu y gallai therapyddion fod yn annog atgofion anghywir er mwyn achosi i'r therapi gymryd mwy o amser, fel y byddant yn cael mwy o fudd ariannol. Canlyniad FMS yw y gall cleifion brofi llawer o orbryder oherwydd 'atgofion' o ddigwyddiadau na ddigwyddodd o gwbl.

Niwed emosiynol

Yn ystod dadansoddi breuddwydion, gall therapydd dywys cleient tuag at fewnwelediad neu ddehongliad a all achosi trallod emosiynol. Er y gall y mewnwelediad hwn fod yn angenrheidiol er mwyn gwella, gall y trallod a achosir fod yn fwy na'r trallod y mae'r claf eisoes yn ei brofi o ganlyniad i'w broblemau presennol. Mae'n bwysig bod seicotherapyddion yn rhybuddio eu cleientiaid ynglŷn â'r perygl yma cyn defnyddio'r therapi.

GWAITH I CHI

Rhowch gynnig ar ddadansoddi un o'ch breuddwydion.

1. Cofnodwch eich breuddwyd a rhowch gymaint o fanylion ag y gallwch chi.
2. Rhestrwch yr eitemau a'r digwyddiadau penodol ynddi.
3. Yn achos pob eitem/digwyddiad, cofnodwch unrhyw gysylltiad fel digwyddiadau diweddar, hen atgofion a diddordebau personol. Dylai'r rheiny amlygu cynnwys cudd eich breuddwyd. (Cofiwch brosesau gwaith breuddwydion a cheisiwch anwybyddu 'rhesymeg' y cynnwys amlwg.)
4. Os nad ydy'ch breuddwydion yn ddiddorol iawn (!), gallwch chwilio am ddisgrifiadau o freuddwydion ar y we. Er enghraifft: *www.ablongman.com/html/psychplace_acts/dreams/descr.html*

Therapi 2: Seicotherapi dadansoddi grŵp

Dim ond un therapi seicodynamig y byddwch yn ei astudio fel rhan o'ch cwrs – dadansoddi breuddwydion NEU seicotherapi dadansoddi grŵp.

GOFYNION Y FANYLEB

Ar gyfer pob ymagwedd bydd angen:

- **Gwybod a deall sut mae'n bosibl defnyddio'r ymagwedd mewn therapi (un therapi i bob ymagwedd).**
- **Gwybod a deall prif elfennau (egwyddorion) y therapi.**
- **Gwerthuso'r therapi (gan gynnwys ei effeithlonrwydd ac ystyriaethau moesegol).**

Cyngor arholiad …

Gallai cwestiwn arholiad ofyn i chi ddisgrifio un neu ddwy elfen (egwyddor) o'r therapi, felly dylech sicrhau eich bod yn gwybod pob elfen mewn digon o fanylder. Gwnewch yn siŵr eich bod yn gallu ysgrifennu 300–400 gair ar ddwy o'r elfennau.

Mae'r **ymagwedd seicodynamig** yn credu bod ymddygiad dynol yn cael ei ddylanwadu i raddau helaeth gan ysfeydd **anymwybodol**, ac mai'r hyn sy'n digwydd 'o dan yr wyneb', er nad yw'n hawdd cyrraedd ato, sy'n cael y dylanwad mwyaf ar ymddygiad. Yn ogystal, mae'r ymagwedd hon yn ystyried bod profiadau plentyndod yn cael effaith sylweddol ar emosiynau ac ymddygiad oedolion.

SUT MAE TYBIAETHAU SEICODYNAMIG YN BERTHNASOL I SEICOTHERAPI DADANSODDI GRŴP

Mae dylanwad Sigmund Freud, a ddatblygodd y dull **seicdreiddio** yn hwyr yn y 19eg ganrif, i'w weld yn gryf ar therapïau a seilir ar yr ymagwedd seicodynamig. Mae seicdreiddio yn ffurf o therapi sy'n tybio, os gellir dod â meddyliau anymwybodol i'r ymwybod, y bydd pobl felly'n cael mewnwelediad (h.y. yn dod yn ymwybodol ohonynt) a thrwy hynny'n gallu cael gwared â'r problemau a achosir gan y meddyliau anymwybodol. Mae **dadansoddi grŵp** yn cyfuno'r egwyddorion seicdreiddiol hyn gyda gwerthfawrogiad o natur gymdeithasol bodau dynol. Yn ystod dadansoddi grŵp, mae anymwybod grŵp (problemau sylfaenol a all fod yn berthnasol i nifer o aelodau'r grŵp) yn cael ei gydnabod, a thrwy adborth, chwarae rôl a datrys problemau bydd pobl yn cael mewnwelediad i'w hymddygiad eu hunain trwy ymddygiad eraill.

Mae ail dybiaeth yr ymagwedd seicodynamig yn ymwneud â phwysigrwydd profiadau plentyndod cynnar, a'n perthnasoedd gydag eraill. Mewn dadansoddi grŵp, bydd aelodau yn aml yn dod i ystyried bod aelodau eraill yn cynrychioli eu rhieni neu eu brodyr neu chwiorydd, a bydd hyn yn ennyn teimladau ac ymddygiad tuag at y 'grŵp' sy'n cynrychioli eu teimladau tuag at bobl bwysig yn eu bywydau. Bydd y therapydd yn gwrando, gwylio a chynnig dehongliad o'u hemosiynau/ymddygiad sy'n helpu'r grŵp cyfan i ddod i ddeall effaith profiadau yn eu plentyndod ar eu personoliaethau.

Mae agwedd bwysig arall o ddadansoddi grŵp yn ymwneud â'r dybiaeth bod **amddiffynfeydd yr ego** yn effeithio ar ein personoliaethau. Yn ystod dadansoddi grŵp, efallai y bydd aelodau'n defnyddio mecanweithiau amddiffyn megis **alldaflu** yn aml i drosglwyddo eu gwir deimladau tuag at aelodau o'r teulu at y grŵp ac yna delio â'u teimladau. Mae hefyd yn bosibl y bydd person yn dod yn ymwybodol o agwedd **atalnwyd** ohonynt eu hunain mewn person arall.

PRIF ELFENNAU (EGWYDDORION) SEICOTHERAPI DADANSODDI GRŴP

Mae dadansoddi grŵp yn ddull o seicotherapi grŵp ac fe'i datblygwyd gan S.H. Foulkes yn y 1940au. Mae dadansoddi grŵp yn pwysleisio'r berthynas rhwng yr unigolyn a'r grŵp, gan dynnu ar natur gymdeithasol bodau dynol fel ffordd o helpu pobl i wella o broblemau seicolegol.

Rhyngweithio rhwng aelodau'r grŵp

Mae grŵp wedi'i ffurfio'n ofalus, sy'n cynrychioli cymdeithas ehangach, yn ganolog i ddadansoddi grŵp. Bydd grŵp nodweddiadol yn cynnwys hyd at wyth aelod ac yn cyfarfod o leiaf unwaith yr wythnos. Sail y driniaeth yw rhyngweithio ysgogol rhwng yr aelodau hyn, lle gall sgwrsio a thrafodaeth agored ddod yn ffordd rymus o ddysgu am yr hunan. Unwaith bod aelodau'r grŵp yn hyderus yn ei gilydd, a bod pob unigolyn yn bod yn gwbl 'agored', bydd patrymau agweddau, teimladau ac ymddygiad o'r gorffennol yn ymddangos yn y grŵp, a gall y grŵp cyfan gynnig syniadau ynglŷn â'r patrymau hyn yn ogystal â datrysiadau. Gwelir problemau ar lefel y grŵp – mae aelodau'n aml yn gweld eu hymddygiad/problemau eu hunain mewn aelodau eraill – ac felly nid yw'r problemau'n cael eu priodoli i'r dioddefwr unigol yn unig. Mae democratiaeth a chydweithredu, felly, yn sail i ddatrysiadau trwy gyfrwng y grŵp.

Rôl y therapydd

Un o nodweddion allweddol dadansoddi grŵp yw bod y therapydd yn ymyrryd llawer llai nag mewn ffurfiau eraill o seicotherapi. Gwelir y therapydd fel 'tywysydd' i'r grŵp, sy'n annog pob aelod o'r grŵp i fod yn 'therapyddion' ar gyfer yr aelodau eraill yn ogystal â'u hunain. Yn y sesiynau cynnar, mae'n debygol y bydd rhaid i'r therapydd hwyluso trafodaeth, ond yn raddol bydd aelodau'r grŵp yn cymryd rheolaeth a bydd y therapydd yn camu'n ôl a chaniatáu i aelodau'r grŵp ryngweithio â'i gilydd ac i densiynau gronni. Fodd bynnag, gall rhai unigolion barhau i fod yn gwbl ddistaw (tra bydd eraill yn dominyddu), ac mewn sefyllfa o'r fath dylai'r therapydd ymyrryd i annog pob aelod i leisio'u teimladau trwy gwestiynu a hwyluso cyfeiriol.

Drychweddu

Yn ystod y sesiynau therapi, mae'n debygol iawn y bydd unigolion yn gweld eu hunain mewn pobl eraill. Gelwir hyn yn ddrychweddu (*mirroring*). Efallai y bydd aelod o'r grŵp yn egluro syniad/teimlad/ymateb i ddigwyddiad y bydd aelod arall yn uniaethu ag ef; gallant hefyd weld sut mae'r ymatebion yn gamweithredol ac yn arwain at ymddygiad niwrotig. Disgrifiodd Foulkes y grŵp fel 'neuadd o ddrychau', gan awgrymu bod unigolion yn darganfod eu hunain mewn pobl eraill; mae hyn yn cynyddu hunanymwybyddiaeth. Disgrifiodd Pines (1998) nifer o ffurfiau o ymatebion drychweddu sy'n gyffredin mewn grwpiau, gan gynnwys:

- Mae *drychweddu gwrthweithiol* yn datblygu pan fydd dau unigolyn yn ennyn teimladau o ddiffyg amynedd, cynddaredd neu anobaith yn ei gilydd, gan arwain at wrthdaro rheolaidd. Mae perygl y gall y gwrthdaro hyn ddinistrio'r grŵp ac mae angen gwaith cymodi dwys gan y therapydd i'w ddatrys.
- Mewn *ymateb drych deialog* gall aelodau'r grŵp ymateb i brofiadau aelodau eraill heb fod yn or-amddiffynnol. Maent yn gweld eu hunain mewn eraill ac yn derbyn y realiti. Mae rhyngweithiadau o'r fath yn gadarnhaol ac yn cryfhau'r unigolyn a'r grŵp fel ei gilydd.

▲ Mae drychweddu yn agwedd bwysig o ddadansoddi grŵp. Edrychwch ar y we – allwch chi ganfod unrhyw fathau eraill o adweithiau drych?

CORNEL ARHOLIAD

Ar gyfer pob therapi, bydd angen i chi allu:

- Disgrifio sut mae tybiaethau'r ymagwedd yn cael eu cymhwyso fel rhan o'r therapi.
- Disgrifio prif elfennau (egwyddorion) y therapi.
- Gwerthuso'r therapi o ran ei effeithiolrwydd.
- Gwerthuso'r therapi o ran ystyriaethau moesegol.

Cwestiynau arholiad posibl:

1. Disgrifiwch sut mae tybiaethau'r ymagwedd seicodynamig yn cael eu cymhwyso mewn **un** therapi. [6]
2. Disgrifiwch brif elfennau (egwyddorion) seicotherapi dadansoddi grŵp. [12]
3. Gwerthuswch seicotherapi dadansoddi grŵp o ran ei effeithiolrwydd ac ystyriaethau moesegol. [20]
4. Gwerthuswch **ddwy** ystyriaeth foesegol sy'n ymwneud â seicotherapi dadansoddi grŵp. [4 + 4]

DYMA'R YMCHWILYDD

Ganwyd **Siegmund Heinrich Foulkes** (1898–1976) yn yr Almaen a bu'n astudio meddygaeth yn y wlad honno. O 1928–30 bu'n hyfforddi fel seicdreiddiwr yn Fienna cyn ymfudo i Loegr fel ffoadur yn 1933. Cyfrannodd ei waith cynnar gyda milwyr o'r Ail Ryfel Byd yn y DU, a oedd yn dioddef o niwrosis rhyfel, at iddo ffurfio'r Gymdeithas Ddadansoddi Grwpiau (*Group Analytic Society* – GAS) yn 1952. Roedd hyn yn ffurf newydd o seicotherapi grŵp a oedd yn cyfuno mewnwelediad seicdreiddiol gyda deallltwriaeth o weithredu cymdeithasol a rhyngbersonol. Yn 1971 sefydlodd rhai o aelodau mwyaf blaenllaw'r GAS yr Athrofa Dadansoddi Grwpiau a ddaeth yn gyfrifol am hyfforddiant mewn therapi dadansoddi grŵp.

Ni chyfarfu Foulkes â Freud tra oedd yn fyfyriwr yn Fienna ond yn ddiweddarach, yn 1936, cafodd gyfle i gyfarfod â'r dyn yr oedd yn ei ystyried yn ddylanwad pwysicaf ei fywyd.

GWAITH I CHI

Defnyddir llawer o wahanol fathau o dechnegau drychweddu mewn dadansoddi grŵp. Mae disgrifiadau o ddwy ohonynt ar y ddwy dudalen yma, ond ceisiwch ymchwilio o leiaf un arall.

Rhannwch y dosbarth yn grwpiau bach. Dylid rhoi un techneg ddrychweddu i bob grŵp i'w hactio o flaen gweddill y dosbarth er mwyn helpu'ch gilydd i ddeall y gwahanol fathau o ddrychweddu.

GWERTHUSO: EFFEITHIOLRWYDD

Cymwysiadau

Gellir cymhwyso'r egwyddorion a ddefnyddir mewn dadansoddi grŵp at lawer o wahanol sefyllfaoedd. Yn ogystal â'u defnydd gyda phobl sy'n dioddef o broblemau iechyd meddwl, mae'r egwyddorion sylfaenol wedi cael eu defnyddio mewn addysg, carcharau, gan ymgynghorwyr rheoli a gyda phobl sydd wedi goroesi trawma. Mewn carcharau, er enghraifft, gellir trefnu grwpiau therapi arbenigol o gwmpas profiadau bywyd y mae pobl yn eu rhannu (e.e. plant i alcoholigion, goroeswyr llosgach), neu broblemau cyffredin (e.e. rheoli dicter, magu plant). Mae'r grwpiau arbenigol hyn yn cynnig cyfle perffaith i egwyddorion dadansoddi grŵp (e.e. drychweddu, adlewyrchu, ymddiried) lywodraethu er mwyn helpu yn y broses o adsefydlu.

Therapi grŵp ac iselder

Gwnaeth McDermut ac eraill (2001) **fetaddadansoddiad** o 49 o astudiaethau ar seicotherapi grŵp ar gyfer iselder mewn oedolion. Canfu'r ymchwilwyr bod seicotherapi grŵp, mewn 45 o'r 48 astudiaeth, yn effeithiol o ran lleihau symptomau iselder, a dangosodd 43 astudiaeth leihad arwyddocaol yn y symptomau hyn. Er hynny, nid oedd gwahaniaeth rhwng seicotherapi grŵp a seicotherapi unigol o ran effeithiolrwydd mewn naw o'r astudiaethau.

Diffyg tystiolaeth

Gwnaeth Blackmore ac eraill (2009) adolygiad systematig o effeithiolrwydd **clinigol** dadansoddi grŵp (yn dilyn comisiwn gan yr Athrofa Dadansoddi Grwpiau yn Llundain). O 34 o astudiaethau a 19 o adolygiadau perthnasol, daethpwyd i'r casgliad bod seicotherapi grŵp yn ffurf effeithiol o driniaeth, ond bod diffyg tystiolaeth mewn perthynas â:

- Y mathau o gleifion y mae therapïau dadansoddi grŵp yn effeithiol ar eu cyfer.
- Effeithiolrwydd cost therapi grŵp o'i gymharu â therapi unigol.
- Y nifer o **dreialon hapsamplu rheolyddedig**, h.y. treialon sydd wedi atal **newidynnau dryslyd**.

Ffactorau sy'n cymedroli

Mewn metaddadansoddiad a wnaethpwyd gan Burlingame ac eraill (2003), adolygwyd 111 o astudiaethau a gyhoeddwyd dros yr 20 mlynedd blaenorol. Daeth Burlingame ac eraill i'r casgliad bod y sawl a dderbyniodd therapi grŵp yn gwneud yn well na 72% o reolyddion na dderbyniodd driniaeth; fodd bynnag, mae gwelliant yn cael ei gymedroli gan:

- Gyfansoddiad y grŵp (roedd rhywiau cymysg yn ymateb yn well i driniaeth).
- Natur problemau'r cleientiaid (roedd grwpiau homogenaidd yn ymateb yn well na rhai heterogenaidd).
- Natur rhaglen driniaeth y cleifion (roedd cleifion allanol yn ymateb yn well na chleifion preswyl).

Mae'r ymchwilwyr yn awgrymu bod angen ymchwil pellach ar natur newidynnau cleient o fewn dadansoddi grŵp.

GWERTHUSO: YSTYRIAETHAU MOESEGOL

Cyfrinachedd

Cyfrinachedd yw un o ystyriaethau **moesegol** pwysicaf y grŵp. Mae cyfrifoldeb ar bob aelod o'r grŵp i gadw gwybodaeth am eraill yn gyfrinachol, a dyletswydd y therapydd yw creu'r synnwyr yma o ddiogelwch ac ymddiriedaeth o fewn y grŵp. Mae amddiffyn cyfrinachedd yn hollbwysig o ran annog hunanddatguddiad ac ymddiriedaeth rhwng pob aelod o'r grŵp. Fel rhan o hyn, mae unigolion yn cael eu hannog i beidio â chwrdd y tu allan i'r grŵp, na thrafod problemau a tu allan i'r sesiynau, er mwyn cynnal cyfrinachedd a'r lleoliad therapiwtig. Mae'n debygol y bydd rhaid i bob aelod o'r grŵp arwyddo cytundeb cyfrinachedd cyn i'r therapi ddechrau. Mae goblygiad cyfreithiol ar therapyddion i ddatguddio deunydd cyfrinachol heb gydsyniad os oes **perygl uniongyrchol o niwed** i'r cleient neu rywun arall (e.e. i'r heddlu, eu meddyg teulu neu wasanaethau cymdeithasol).

Yr Athrofa Dadansoddi Grwpiau

Sefydlwyd yr Athrofa Dadansoddi Grwpiau (*Institute of Group Analysis* – IGA) yn 1971 gan Dr Foulkes a'i gyd-weithwyr er mwyn darparu hyfforddiant clinigol mewn Seicotherapi Dadansoddi Grwpiau. Mae'r IGA wedi datblygu *Cod Moeseg ac Ymddygiad Proffesiynol* y mae'n rhaid i bob therapydd sy'n ymgymryd â dadansoddi grŵp gadw ato. Yn ogystal, mae gan yr IGA bwyllgor moeseg – ei rôl yw sicrhau arferion moesegol cyson o fewn dadansoddi grwpiau trwy:

- Roi cyngor i aelodau ynglŷn â Chod Moeseg ac Ymddygiad Proffesiynol yr IGA.
- Goruchwylio proses gŵynion yr IGA.
- Adolygu Cod Moeseg ac Ymddygiad Proffesiynol yr IGA yn rheolaidd.
- Ymateb i ymholiadau moesegol a godir gan aelodau'r IGA neu eraill.

Tystiolaeth glasurol: Bowlby (1944)

PEDWAR DEG PEDWAR LLEIDR IFANC: EU CYMERIADAU A'U BYWYD CARTREF

▲ Person sy'n torri'r gyfraith, trwy gyflawni mân droseddau fel arfer, yw tramgwyddwr. Cynigiodd Bowlby y gallai amhariad ar y berthynas rhwng mam a'i phlentyn fod yn un o achosion ymddygiad o'r fath.

SEICDREIDDIWR, SEICIATRYDD A SEICOLEGYDD

Seicdreiddiwr yw seiciatrydd sydd wedi ei hyfforddi yn y traddodiad secidreiddio Freudaidd, h.y. ffyrdd Freud o ddeall a thrin anhwylderau meddwl. Hyfforddodd John Bowlby fel seicdreiddiwr Freudaidd, sy'n golygu bod tybiaethau'r ymagwedd seicodynamig wedi llunio ei farn ynglŷn ag achosion ymddygiad annormal a sut i'w drin.

Mae seiciatrydd yn berson sydd wedi ei hyfforddi i fod yn feddyg yn gyntaf ac wedyn wedi treulio nifer o flynyddoedd yn hyfforddi i fod yn seiciatrydd.

Bydd seicolegydd sy'n gweithio mewn clinig cyfarwyddo plant yn aml wedi cymryd gradd gyntaf mewn seicoleg a gradd meistr bellach mewn seicoleg glinigol. Ystyr 'clinigol' yw ei fod yn ymwneud ag arferion gofal iechyd.

Roedd ymchwil yn y 1930au a'r 1940au yn awgrymu y gallai gwahanu plentyn oddi wrth ei fam gael effeithiau hirdymor. Er enghraifft, astudiodd Spitz a Wolf (1946) tua 90 o fabanod a oedd wedi cael eu gwahanu oddi wrth eu mamau, a chanfod bod y babanod yn datblygu **iselder** difrifol. Yn wir, bu farw traean o'r plant a astudiwyd cyn iddynt gyrraedd eu pen-blwydd cyntaf.

Sylwodd Skeels a Dye (1939) ar effeithiau negyddol gwahanu hefyd, gan ddarganfod bod plant mewn cartrefi plant yn dioddef o ddatblygiad deallusol diffygiol. Fodd bynnag, dangosodd astudiaeth ddiweddarach (Skodak a Skeels, 1949) bod y plant yn gwella pan fyddent yn cael eu symud o'r cartref plant i gartref i oedolion araf eu meddwl. Roedd yr oedolion yn rhoi sylw arbennig i'r plant, a oedd yn awgrymu bod y niwed yn cael ei achosi gan ddiffyg gofal emosiynol.

Yn ystod y cyfnod hwn roedd John Bowlby yn gweithio yn Llundain fel seicdreiddiwr mewn clinig cyfarwyddo plant, lle bu'n trin llawer o blant emosiynol gythryblus. Rhoddodd hyn gyfle iddo weld drosto'i hun yr effaith a gâi gwahanu ar y plant yr oedd yn eu trin. Ffurfiodd y farn y gellid efallai egluro 'tramgwyddo cyson' yn nhermau cyfnodau estynedig o wahanu plentyn oddi wrth ei fam yn gynnar yn ei fywyd.

METHODOLEG

Cyfranogwyr

Cyfres o **astudiaethau achos** oedd yr astudiaeth hon. Roedd **grŵp rheolydd** ond nid oedd yr astudiaeth yn arbrawf. Roedd y dadansoddiad terfynol yn edrych ar *gysylltiad* rhwng y ddau grŵp o gyfranogwyr (lladron a'r grŵp rheolydd) a phrofiadau o wahanu.

Canolbwynt yr astudiaeth: Y lladron

Canolbwynt yr astudiaeth oedd 44 o blant a oedd yn mynychu clinig cyfarwyddo plant yn Llundain. Roedd y plant yma'n cael eu disgrifio fel 'lladron' gan fod dwyn yn un o'u 'symptomau'. Dim ond ychydig ohonynt oedd wedi cael eu cyhuddo mewn Llys, yn rhannol oherwydd bod llawer ohonynt yn rhy ifanc i gael eu cyhuddo.

Roedd y sampl yn cynnwys 31 bachgen a 13 merch, rhwng 5 a 17 mlwydd oed. Fe'u graddiwyd yn ôl difrifoldeb eu dwyn. Roedd lladron Gradd IV (22 o'r plant) wedi bod yn dwyn ers amser hir, rhai ohonynt ers dros dair blynedd. Un lladrad yn unig yr oedd lladron Gradd 1 wedi ei gyflawni – roedd pedwar plentyn yn y categori hwn.

Roedd y rhan fwyaf o'r lladron o ddeallusrwydd cymedrig – roedd sgôr IQ tua 50% ohonynt o fewn yr ystod 85–114 (100 yw'r sgôr cymedrig ar gyfer IQ). Roedd gan 15 arall o'r 'lladron' IQ uwch a dau yn unig oedd o dan 85.

Grŵp rheolydd

Defnyddiwyd grŵp rheolydd hefyd yn yr astudiaeth hon – roedd y grŵp yn cynnwys 44 o blant eraill a oedd yn mynychu'r clinig. Roedd y grŵp yma'n debyg i'r 'lladron' o ran oed, rhyw ac IQ. Roedd y grŵp yma hefyd yn emosiynol gythryblus, fel y 'lladron', ond nid oeddent yn dwyn.

Gyda'i gilydd, felly, roedd 88 plentyn yn rhan o'r astudiaeth, â phob un ohonynt wedi cael eu cyfeirio at y clinig cyfarwyddo plant ar gyfer problemau emosiynol.

Mamau

Yn ogystal, roedd mamau'r lladron a chyfranogwyr y grŵp rheolydd hefyd yn rhan o'r astudiaeth. Cyfwelwyd â'r mamau er mwyn asesu hanes achosion y plant.

DULLIAU GWEITHREDU

Archwiliad cychwynnol

Crëwyd y sampl trwy **samplu cyfle**. Wedi iddynt gyrraedd y clinig rhoddwyd profion meddyliol i bob plentyn gan seicolegydd i asesu eu deallusrwydd (defnyddiwyd Graddfa Binet). Roedd y seicolegydd a fu'n cynnal y prawf hefyd yn nodi agwedd emosiynol y plentyn.

Ar yr un pryd roedd gweithiwr cymdeithasol yn cyfweld â mam y plentyn ac yn recordio manylion cychwynnol ynglŷn â hanes seiciatrig cynnar y plentyn.

Yn olaf, byddai'r seicolegydd a'r gweithiwr cymdeithasol yn adrodd yn ôl i'r seiciatrydd (John Bowlby). Byddai'r seiciatrydd wedyn yn cyfweld y plentyn a'r fam.

Ar ôl yr archwiliad hwn, a fyddai'n para dwy awr, byddai'r tîm yn trafod adroddiadau ysgol ac adroddiadau eraill ac yn trafod eu casgliadau.

Therapi

Parhaodd llawer o'r plant i gyfarfod â'r seiciatrydd yn wythnosol dros gyfnod o chwe mis neu fwy. Bu'r mamau'n trafod eu problemau gyda'r gweithiwr cymdeithasol.

Roedd y cyfarfodydd a'r trafodaethau hyn yn galluogi i hanes manwl o'r achosion gael ei gofnodi, a hefyd yn galluogi i'r seiciatrydd wneud diagnosis o broblemau emosiynol y plant.

CANFYDDIADAU

Diagnosis

Er mwyn darganfod pa brofiadau blaenorol a allai fod wedi achosi i'r 44 lleidr ddechrau dwyn, roedd angen dechrau trwy wahaniaethu rhwng gwahanol fathau posibl o bersonoliaeth. Roedd Bowlby yn cydnabod ei bod yn anodd gwneud hyn gyda phlant nad oedd eu personoliaethau cyfan wedi ffurfio eto, ond ei farn gyffredinol oedd bod chwe phrif fath o bersonoliaeth yn ei sampl:

- *Normal* – plant sydd yn ymddangos yn weddol normal a chytbwys eu cymeriad.
- *Isel* – plant sydd wedi bod yn ansefydlog ac sydd bellach mewn stad feddyliol o iselder fwy na heb.
- *Cylchol* – plant ansefydlog sy'n dangos iselder a gorfywiogrwydd am yn ail.
- *Hyperthymig* – plant sy'n tueddu i fod yn orfywiog trwy'r amser.
- *Dideimlad* – plant a nodweddir gan ddiffyg hoffter, cywilydd neu synnwyr o gyfrifoldeb normal.
- *Sgitsoid* – plant sy'n dangos symptomau sgitsoid neu sgitsoffrenig amlwg.

Y cymeriad dideimlad

Ar ôl nodi bod un grŵp o blant yn ddideimlad, daeth patrwm clir iawn i'r amlwg mewn perthynas â thramgwyddo.

O edrych ar bob un o'r 44 lleidr, canfu Bowlby bod modd dosbarthu 14 ohonynt fel unigolion 'dideimlad'. O blith y 14 plentyn 'dideimlad' hyn, roedd 12 wedi cael eu gwahanu oddi wrth eu mamau'n aml. Er enghraifft:

- Betty I. – ar ôl ei lleoli mewn cartref maeth pan oedd yn saith mis oed wedi i'w rhieni wahanu, symudodd o un cartref maeth i'r llall ac yna treuliodd flwyddyn mewn ysgol gwfaint cyn dychwelyd adref pan oedd yn bum mlwydd oed.
- Derek B. – cafodd ei dderbyn i'r ysbyty yn 18 mis oed oherwydd ei fod wedi datblygu difftheria. Arhosodd yno am naw mis, ac ni ddaeth ei rieni i'w weld yn ystod y cyfnod hwnnw.
- Kenneth W. – ei dad-cu, nad oedd ag unrhyw reolaeth drosto, oedd yn gofalu amdano gan fwyaf pan oedd rhwng tair a naw mlwydd oed.

Roedd gwahaniadau o'r fath yn brin iawn ymhlith y mathau eraill o ladron. Roedd 30 o ladron nad oedd yn ddideimlad, a dim ond tri ohonynt oedd wedi profi gwahaniadau.

Dau aelod yn unig o'r grŵp rheolydd (o 44 plentyn) oedd wedi profi gwahaniadau hir.

Ffactorau eraill

Gyda'i gilydd roedd 17 o'r lladron wedi profi gwahaniad cynnar. Wrth ystyried y 27 lleidr arall, adroddodd Bowlby bod gan 17 ohonynt famau a oedd:

'naill ai'n eithriadol o bryderus, groendenau neu ffwdanus neu fel arall yn llym, dominyddol a gormesol... Mae'r rhain yn nodweddion sy'n cuddio gelyniaeth anymwybodol' (tudalen 55).

Roedd tadau pump o'r 27 yn eu casáu ac yn mynegi eu casineb yn agored.

Fodd bynnag, roedd y profiadau hyn hefyd i'w gweld yn y grŵp nad oedd yn dramgwyddwyr. Felly, gallai profiadau cynnar o'r fath egluro problemau emosiynol ond nid tramgwyddo.

CASGLIADAU

Y casgliad i'w gymryd yw na fyddai'r plant wedi dod yn drosedddwyr os na fydddent wedi cael profiadau a fu'n niweidiol i ddatblygiad iach.

Roedd Bowlby yn cytuno â'r gred seicdreiddiol (seicodynamig) bod profiadau cynnar yn hanfodol bwysig mewn datblygiad diweddarach. Y profiad penodol y canolbwyntiodd arno oedd y berthynas rhwng mam a'i phlentyn, a phwysigrwydd hynny ar gyfer datblygiad emosiynol. Awgrymodd y byddai'r niwed i'r berthynas hon yn effeithio ar ddatblygiad yr **uwch-ego**, gan arwain at lai o ddealltwriaeth o'r hyn sy'n gyfiawn ac anghyfiawn.

Mae tramgwyddo ymhlith pobl ifanc yn ddiamheuaeth yn ganlyniad i ffactorau niferus a chymhleth, megis tlodi, tai gwael a diffyg cyfleusterau hamdden. Fodd bynnag, mae'r astudiaeth glasurol hon wedi rhoi pwyslais ar ffactorau seicdreiddiol, h.y. profiadau cynnar.

Goblygiadau ar gyfer triniaeth

Os yw canfyddiadau'r astudiaeth hon yn gywir, goblygiad hynny yw y dylid cynnig triniaeth i dramgwyddwyr, er bod y broses yn eithriadol o araf ac anodd. Po gynharaf y gwneir diagnosis, po orau ar gyfer triniaeth.

Mae ataliaeth yn hytrach na thriniaeth yn agwedd rhagorach. Gall gwahanu mam oddi wrth ei phlentyn am gyfnodau estynedig fod yn anochel mewn rhai achosion, er enghraifft mewn achos lle bydd y fam yn marw neu'n wael ei hiechyd neu'n syml oherwydd amgylchiadau cymdeithasol.

'Fodd bynnag, petai pawb sy'n cynghori ynglŷn â magu plant ifanc, doctoriaid cymaint â neb, yn ymwybodol o'r niwed ofnadwy y mae gwahaniadau o'r fath yn ei gael ar ddatblygiad cymeriad plentyn, gellid osgoi llawer ohonynt ac atal llawer o'r achosion mwyaf trallodus o dramgwyddo cronig rhag digwydd' (tudalen 54).

Tabl yn crynhoi canfyddiadau Bowlby ynglŷn â'r perthnasoedd rhwng cymeriad dideimlad a gwahaniadau cynnar rhwng mam a phlentyn. Dangosir yr un data yn y graff isod.

	Gwahaniadau oddi wrth y fam cyn cyrraedd dwy flwydd oed		Cyfanswm
	Aml	Dim	
Lladron dideimlad	12 (86%)	2 (14%)	14
Lladron eraill	5 (17%)	25 (83%)	30
Pob lleidr	17 (39%)	27 (61%)	44
Cyfranogwyr rheolydd	2 (4%)	42 (96%)	44

▼ Graff yn dangos y data o'r tabl uchod.

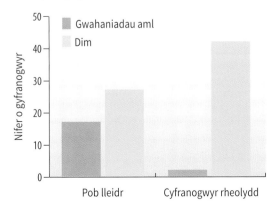

Ar y ddwy dudalen yma byddwn yn gwerthuso'r astudiaeth glasurol trwy edrych ar faterion sy'n ymwneud â'i methodoleg, a chymharu'r astudiaeth â thystiolaeth amgen. Pan ddaw'n fater o werthuso, gallwch benderfynu drosoch eich hun. Rydym wedi cyflwyno rhywfaint o dystiolaeth a datganiadau ac rydym yn eich gwahodd i ddefnyddio'r rhain i ffurfio eich barn eich hun am yr astudiaeth glasurol. Gallwch hefyd ddefnyddio eich gwybodaeth am ddulliau ymchwilio.

GOFYNION Y FANYLEB

Ar gyfer pob ymagwedd bydd angen:
- Mynegi barn ar ddarn clasurol o dystiolaeth gan gynnwys materion moesegol a goblygiadau cymdeithasol.

PETHAU I'W GWNEUD

WWW

Mae fideo saith munud o hyd sy'n hawdd ei ddeall (yn Saesneg) ar yr astudiaeth hon, ynghyd ag ymchwil arall, yn: *www.youtube.com/watch?v=Polyrv5GPUc*

Erthygl wreiddiol

Y cyfeiriad llawn ar gyfer yr astudiaeth glasurol hon yw Bowlby, J. (1944) Forty-four juvenile thieves: Their characters and their home-life. *International Journal of Psychoanalysis, 25(19–52)*, 107–207.

Gallwch lawrlwytho'r erthygl o scribd, am ddim ar fis o dreial: *www.scribd.com/doc/125866662/John-Bowlby-Fourty-Four-Juvenile-Thieves-Their-Caracter-and-Home-life#scribd*

Adnoddau eraill

Aeth Bowlby ymlaen i gynnig y rhagdybiaeth amddifadaeth mam – y farn bod datblygiad emosiynol plant yn dibynnu ar berthynas wresog, glòs a pharhaus â mam (neu rywun sy'n cymryd lle mam yn barhaol). Gallwch wrando ar Michael Rutter yn trafod hyn yma: *www.youtube.com/watch?v=igC9R45TS5E&index=7&list=PLCEB6B1E1057EE9FB*

GWERTHUSO: METHODOLEG A DULLIAU GWEITHREDU

Dim canfyddiadau achosol

O ddarllen yr astudiaeth hon, mae temtasiwn i ddod i'r casgliad bod gwahaniad estynedig wedi achosi'r problemau emosiynol a brofwyd gan lawer o'r lladron. Fodd bynnag, ni thriniwyd y newidyn hwn. Y cyfan a ddangosir yw perthynas rhwng y newidynnau hyn. Gallai fod newidynnau eraill a achosodd y problemau emosiynol. Er enghraifft, efallai fod anghydfod yn y cartref wedi 'achosi' gwahaniadau estynedig rhwng y mamau a'r plant a hefyd wedi achosi natur ddideimlad rhai o'r plant. Mae hyd yn oed yn bosibl bod y cymeriad dideimlad wedi achosi'r gwahaniadau mewn rhai achosion (er enghraifft, gallai plentyn 'anodd' fod yn fwy tebygol o gael ei roi mewn gofal).

Mae hyn yn golygu na ddylid dod i unrhyw gasgliadau achosol.

Data tueddol

Cynhyrchodd Bowlby gofnod cyfoethog o **ddata ansoddol** ar bob un o'i gyfranogwyr, ar sail cyfweliadau estynedig gyda'r plant a'u teuluoedd. Gyda'i gilydd mae dros 25 tudalen yn yr adroddiad i ddisgrifio hanes achosion y 44 lleidr yn unig. Mantais data o'r fath yw ei fod yn cynnig llawer o fewnwelediadau i'r digwyddiadau a ddaeth cyn problemau'r plant.

Fodd bynnag, mae'r data yn gyfyngedig gan ei fod yn seiliedig ar farn un person – er bod y person hwnnw'n seiciatrydd profiadol iawn. Gallai fod tueddiad yn ei ganfyddiadau oherwydd ei gredoau ef ei hun – er enghraifft ei gred ym mhwysigrwydd profiadau cynnar.

Mae ffynhonnell arall o dueddiad yn y data a gasglwyd. Seiliwyd hanes yr achosion yn bennaf ar atgofion y rhieni am ddigwyddiadau a ddigwyddodd flynyddoedd lawer ynghynt. Mae atgofion o'r fath yn debygol o fod yn wallus, er y byddai disgwyl i wallau o'r fath dueddu tuag at ddarlunio'r digwyddiadau mewn ffordd fwy cadarnhaol, a fyddai'n arwain at ddarlun 'gwell' o blentyndod cynnar y plant.

Y sampl

Roedd pob un o'r 88 plentyn yn yr astudiaeth hon yn emosiynol gythryblus. Efallai nad yw'n addas, felly, i gyffredinoli o'r sampl hwn i bob plentyn. Er enghraifft, mae'n hollol bosibl bod tramgwyddwyr ddim yn emosiynol gythryblus o gwbl a bod achos eu tramgwyddo yn fwy cymdeithasol nag emosiynol. Awgryma Bowlby y byddai'n ddefnyddiol archwilio sampl o blant sy'n ymddangos mewn llys am ddwyn er mwyn darganfod a oes esboniad tebyg am bob achos o dramgwyddo.

▼ Yn 1966 ceisiodd llywodraeth Românîa, o dan yr unben Nicolae Ceaușescu, gynyddu poblogaeth Românîa trwy annog rhieni i gael teuluoedd mawr a hefyd trwy wahardd erthyliad. Canlyniad hyn oedd bod llawer o fabanod wedi cael eu geni na allai eu teuluoedd ofalu amdanynt. Erbyn cwymp y gyfundrefn yn 1989 roedd dros 100,000 o blant amddifad mewn 600 o gartrefi plant a oedd yn cael eu rhedeg gan y wladwriaeth. Cafodd llawer ohonynt eu mabwysiadu gan deuluoedd Gorllewinol. Mae ymchwilwyr wedi astudio'r plant hyn er mwyn gweld sut mae gwahaniad cynnar wedi effeithio ar eu datblygiad emosiynol (gweler y testun ar y dde).

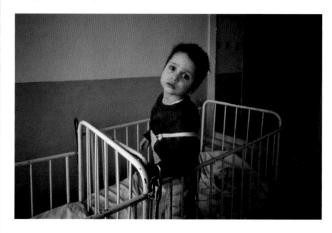

GWERTHUSO: TYSTIOLAETH AMGEN

Un peth y barnwyd ymchwil Bowlby amdano yw'r ffaith ei fod wedi cymysgu sawl profiad gwahanol â'i gilydd. Efallai nad yw gwahaniad yn ei hunan yn achosi niwed hirdymor, yn enwedig os bydd plentyn yn cael gofal emosiynol amgen da. Yn wir, mae ymchwil wedi dangos bod cyfnod sensitif mewn datblygiad – mae'n ymddangos bod diffyg gofal emosiynol cyn eu bod yn chwe mis oed yn rhywbeth y gall plant ddod drosto (fel yn achosion y plant amddifad o Românîa) (Rutter a Sonuga-Barke, 2010).

Fodd bynnag, mae ymchwil diweddarach wedi cefnogi casgliad sylfaenol Bowlby. Mae'n ymddangos bod effeithiau parhaus a difrifol i ddiffyg gofal emosiynol yn ystod cyfnodau allweddol o ddatblygiad. Mae'r canlyniadau hyn yn cynnwys diffyg datblygiad corfforol, arafwch deallusol, ac anawsterau gyda pherthnasoedd diweddarach gyda chyfeillion, partneriaid rhamantaidd a phlant y dioddefwr.

Yn yr astudiaeth a grybwyllir uchod cymharodd Michael Rutter ac eraill (2010) blant amddifad o Românîa a gafodd eu mabwysiadu cyn neu ar ôl iddynt gyrraedd chwe mis oed. Roedd y rhai a fabwysiadwyd yn hwyrach (h.y. a fu'n parhau heb ofal emosiynol yn ystod cyfnod pwysig iawn o'u datblygiad) ei hôl hi o gymharu â grŵp rheolydd o blant o'r DU ar bob mesur o ddatblygiad corfforol, gwybyddol a chymdeithasol.

YSTYRIAETHAU MOESEGOL A GOBLYGIADAU CYMDEITHASOL

Cyfrinachedd a phreifatrwydd

Ni roddwyd **cyfrinachedd** i gyfranogwyr yr astudiaeth hon. Mae'r adroddiad yn rhoi eu henwau cyntaf a llythyren gyntaf eu henwau teulu. Mae eu hanesion achos yn rhoi manylion helaeth ynglŷn â'u bywydau. Mae'r ddau beth hyn yn ei gwneud yn hawdd i unrhyw un adnabod yr unigolion a'u teuluoedd.

Nid yw'n eglur o'r adroddiad i ba raddau yr oedd y plant a'u teuluoedd yn ymwybodol y byddai'r wybodaeth yma yn cael ei chyhoeddi. Cofiwch fod y manylion wedi cael eu casglu yn ystod cyfweliadau gyda'r seiciatrydd (John Bowlby) fel rhan o'u triniaeth. O edrych yn ôl, efallai y byddai'n well gan rai o'r cyfranogwyr pe na byddai eu manylion wedi cael eu cyhoeddi.

Cydsyniad dilys

Pan fydd ymchwil yn ymwneud â phlant derbynnir fel arfer bod gofyn i'r rhieni roi **cydsyniad dilys**. Fodd bynnag, mae'n fwy arferol heddiw i roi gwybod i'r plant am natur a phwrpas unrhyw ymchwil hefyd.

Mae'n ymddangos o'r erthygl bod y data wedi cael eu casglu fel rhan arferol o drin cleifion yn y clinig a bod y penderfyniad i ddefnyddio'r data wedi cael ei wneud yn ddiweddarach. Gwelwyd y plant a'u teuluoedd yn y clinig yn y blynyddoedd 1936–1939, tra bo'r astudiaeth wedi ei chyhoeddi yn 1946. Mae hyn yn awgrymu na fyddai tîm y clinig wedi penderfynu defnyddio'r data ar gyfer yr astudiaeth hon ar yr adeg pan oedd y plant yn cael eu trin. Byddai wedi bod yn anodd cael eu cydsyniad bum mlynedd neu fwy yn ddiweddarach.

Mae'n werth nodi bod agweddau ynglŷn â moeseg ymchwil wedi newid yn y cyfnod ar ôl y rhyfel pan gyhoeddwyd y canllawiau moesegol cyntaf. Erbyn heddiw rydym yn llawer mwy sensitif ynglŷn â'r materion hyn.

Gweler y ddwy dudalen nesaf am drafodaeth ynglŷn â goblygiadau moesegol a chymdeithasol pellach y pwnc yma.

Gweler y ddwy dudalen nesaf

GWAITH I CHI

Pan fydd ymchwilwyr eisiau gwneud astudiaeth newydd, bydd rhaid iddynt fel arfer gyflwyno'u cynlluniau i **bwyllgor moeseg** a fydd yn penderfynu a yw'r astudiaeth yn dderbyniol.

Etholwch aelodau o'ch dosbarth i weithredu fel pwyllgor moeseg. Dylai aelodau eraill o'r dosbarth ystyried pa fanylion y byddai angen eu darparu er mwyn cael cymeradwyaeth foesegol ar gyfer yr astudiaeth hon, e.e. beth fyddech chi'n ei wneud ynglŷn â chydsyniad gwybodus a'r hawl i dynnu'n ôl.

Dylai'r pwyllgor moeseg wedyn ystyried costau a buddion yr astudiaeth, a gwneud argymhellion ynglŷn ag a yw'r astudiaeth yn dderbyniol neu beidio ac, os nad ydyw, beth y gellid ei wneud i'w gwneud yn dderbyniol.

DYMA'R YMCHWILYDD

Ganwyd **John Bowlby** (1907–1990) i deulu dosbarth canol uwch a'i fagu gan nani yn bennaf. Dyma'i fab, Syr Richard Bowlby, yn egluro sut yr arweiniodd hyn at ddiddordeb ei dad yn y berthynas – neu ddiffyg perthynas – rhwng mam a'i phlentyn:

Mae'n debygol bod sail cymhelliad fy nhad dros weithio ar ddirgelwch y cwlwm ymlyniad rhwng rhiant a phlentyn yn deillio o blentyndod trawmatig. Roedd ei dad – fy nhaid – yn llawfeddyg llwyddiannus a oedd yn byw mewn plasty trefol mawr yn Llundain gyda'i wraig a chwech o blant. Magwyd y plant, yn ôl arfer y cyfnod, gan nanis. Am un awr y diwrnod yn unig y gwelai'r plant eu mam, a hyd yn oed wedyn byddai'r plant yn mynd i'w gweld i gyd gyda'i gilydd, felly doedd dim amser unigol o safon o gwbl. Daeth fy nhad i garu ei nani o'r enw Minnie, ac rydw i bron yn sicr mai hi oedd yn chwarae rôl mam iddo, ond pan oedd yn 4 oed gadawodd Minnie'r teulu. Collodd ei 'ffigwr mam', a thorrwyd ei gwlwm ymlyniad cyntaf. Wedi hynny fe'i hanfonwyd i ffwrdd i ysgol breswyl yn 8 oed, gan achosi trawma pellach. Rydw i'n meddwl mai'r un peth a'i hachubodd oedd y ffaith ei fod wedi cael y pedair blynedd yna o ymlyniad cadarn gyda Minnie. (gohebiaeth bersonol)

Lluniwyd Bowlby fel person, a hefyd ei waith, gan y profiadau cynnar hyn o wahaniad; fel llawer o seicolegwyr teimlai atyniad i ymchwilio ardal o ymddygiad a oedd yn bersonol anodd iddo.

CORNEL ARHOLIAD

Bydd angen i chi allu gwneud y canlynol yng nghyd-destun yr astudiaeth gan Bowlby (1944):

Disgrifio:

- Methodoleg yr astudiaeth (disgrifio a chyfiawnhau; mae hyn yn cynnwys nodweddion y sampl ond nid y dechneg samplu).
- Dulliau gweithredu'r astudiaeth (yr hyn wnaeth yr ymchwilydd; gan gynnwys y dechneg samplu).
- Canfyddiadau'r astudiaeth.
- Casgliadau'r astudiaeth.

Gwerthuso:

- Methodoleg yr astudiaeth.
- Dulliau gweithredu'r astudiaeth.
- Canfyddiadau'r astudiaeth (defnyddio'r fethodoleg a/neu dystiolaeth amgen).
- Casgliadau'r astudiaeth (defnyddio'r fethodoleg a/neu dystiolaeth amgen).
- Y materion moesegol a'r goblygiadau cymdeithasol.

Cwestiynau arholiad posibl:

1. Ystyriwch yn feirniadol ganfyddiadau a chasgliadau astudiaeth Bowlby (1944) *'Forty-four juvenile thieves: Their characters and home-life.'* [10]
2. Amlinellwch y dulliau gweithredu a ddefnyddiwyd yn astudiaeth Bowlby (1944) *'Forty-four juvenile thieves: Their characters and home-life'.* [10]
3. Trafodwch yr ystyriaethau moesegol a'r goblygiadau cymdeithasol sy'n codi o astudiaeth Bowlby (1944) *'Forty-four juvenile thieves: Their characters and home-life'.* [12]

◀ Roedd ymchwil Bowlby yn pwysleisio pwysigrwydd gofal mam – a oedd yn bwysig iawn. Ar adeg ymchwil Bowlby nid oedd rôl mam yn cael ei gwerthfawrogi'n ddigonol ac roedd llysoedd ysgariad yn aml yn rhoi cystodaeth i dadau.

Ers hynny mae ein cymdeithas wedi cydnabod pwysigrwydd gofal mam a chred llawer nad yw tad yn gallu cymryd ei lle yn ddigonol. Mae'n bwysig cydnabod y gall tadau chwarae rôl mam hefyd. Y rôl yr oedd Bowlby'n sôn amdani yw darparu gofal emosiynol parhaus.

Dadl gyfoes: Y fam fel prif ofalwr baban

GOFYNION Y FANYLEB

Ar gyfer pob ymagwedd bydd angen:
- Deall beth sydd wrth wraidd y ddadl.
- Cyfeirio at astudiaethau a damcaniaethau seicolegol.
- Archwilio'r ddwy ochr i'r ddadl gyfoes o bersbectif seicolegol (gan gynnwys y goblygiadau moesegol, economaidd a chymdeithasol).

GOBLYGIADAU MOESEGOL, ECONOMAIDD A CHYMDEITHASOL

Mae goblygiadau economaidd sylweddol i drefniadau gofal plant. Arweiniodd diwydiannu cynyddol yn y 19eg a'r 20fed ganrif at angen gweithlu a oedd yn ehangu ac yn cynnwys menywod. Golygai hefyd bod angen darparu gofal plant – felly dechreuodd y ddadl ynglŷn â mamau sy'n aros gartref a mamau sy'n mynd i'r gwaith.

Un ffurf o gefnogaeth a gynigir i rieni yw amser i ffwrdd o'r gwaith yn dilyn genedigaeth eu baban. Yn draddodiadol, cynigiwyd hyn i famau'n unig ar ffurf absenoldeb mamolaeth; fodd bynnag, ers mis Ebrill 2015, mae gan rieni hawl i 'absenoldeb rhiant a rennir'. Mae hyn yn golygu y gall tadau a mamau rannu'r 52 wythnos y mae ganddynt hawl iddynt fel y mynnant. Mae'r newid hwn mewn polisi cymdeithasol yn adlewyrchu sut mae rhieni yn y DU yn symud oddi wrth y farn draddodiadol mai'r fam ddylai fod yn brif ofalwr plentyn.

Mae costau economaidd gofal plant ar lefel y teulu a'r gymdeithas ehangach yn sylweddol. Ym mis Mawrth 2014, adroddodd yr Ymddiriedolaeth Teuluoedd a Gofal Plant bod y gost flynyddol gyfartalog i rieni anfon plentyn i ysgol feithrin llawn-amser yn £9,850. Ym mis Mawrth 2014, cyflwynodd llywodraeth y DU gynllun sy'n galluogi rhieni i hawlio ad-daliad treth ar gyfer costau gofal plant, a thrwy hynny roi ysgogiad i rieni weithio. Mae cost cynlluniau o'r fath i'r Trysorlys yn sylweddol, ond gallai fod cost fwy i'n heconomi pe na allem gynnal gweithlu effeithiol.

Cyngor arholiad …

Wrth baratoi ar gyfer y rhan hon o'r arholiad mae'n ddefnyddiol iawn os gallwch chi gynnal dadleuon gwirioneddol ynglŷn â'r pynciau sy'n cael eu trafod.

Peidiwch â chyfyngu'ch tystiolaeth i'r hyn a gynhwysir yma. Casglwch dystiolaeth o ffynonellau eraill a gofynnwch farn pobl ar y mater.

Prif ofalwr baban yw'r person sy'n fwyaf cyfrifol am iechyd, datblygiad a lles y baban. Mae'r ddadl hon yn rhagdybio bod y fath beth a 'phrif ofalwr' ond, yn fwy byth, mae'r ddadl hon yn ymwneud â mater sensitif. Rydym bellach yn byw mewn cymdeithas sy'n hybu cydraddoldeb a chyfleoedd i bawb, beth bynnag eu rhyw. Fodd bynnag, os yw'r dystiolaeth yn awgrymu mai'r fam yw'r prif ofalwr 'gorau' ar gyfer babanod, pa effaith allai hynny ei gael ar obeithion menywod yn eu gyrfaoedd? Yn ogystal, byddai tadau, sydd o bosibl yn daer eisiau gofalu am eu babanod, yn cael eu gwthio i'r neilltu.

DYLAI'R FAM FOD YN BRIF OFALWR BABAN

Bwydo

Mae'r GIG yn argymell, lle bo hynny'n bosibl, y dylid bwydo babanod ar y fron am o leiaf chwe mis cyntaf eu bywydau. Mae bwydo ar y fron, yn ôl eu hadroddiadau, yn cynnig y dechrau iachaf ar gyfer babanod gan ei fod yn amddiffyn y baban rhag nifer o heintiau ac afiechydon. Mae'r GIG hefyd yn honni y gall 'ffurfio ymlyniad corfforol ac emosiynol cryf rhwng y fam a'r baban', sy'n bwysig ar gyfer datblygiad emosiynol diweddarach.

Mae'r ddadl hon ynglŷn â bwydo yn amlwg yn golygu mai mam y baban yw'r person a fydd angen bod ar gael i'w fwydo, o bosibl bob dwy awr. Mae'r ddadl hon ar ei phen ei hun yn golygu ei bod yn ymarferol, ac yn hanfodol ar gyfer goroesiad y baban, mai'r fam yw'r prif ofalwr.

Mae hyn yn golygu bod unrhyw un arall, gan gynnwys y tad, yn cael eu cyfyngu i rôl gefnogol fel gofalwr; rhywbeth tebyg, o bosibl, i'r berthynas rhwng gyrrwr Fformiwla Un a'r criw sy'n cynnal ei gar.

Barn Freud ar bwysigrwydd y fam

Credai Sigmund Freud bod y deuad rhwng mam a phlentyn yn hanfodol bwysig yng nghyfnod cyntaf **datblygiad seicorywiol**, sef **cyfnod y genau**. Mae babanod yn dibynnu ar eu mamau i fodloni anghenion eu libido. Mae gormodedd neu rwystredigaeth yn arwain at broblemau emosiynol yn ddiweddarach mewn bywyd, megis – yn y drefn honno – bod yn or-anghenus neu besimistaidd.

Honnai Freud hefyd bod pryder gwahanu yn cael ei achosi gan sylweddoliad y baban na fydd ei anghenion corfforol yn cael eu bodloni os caniateir i wahanu ddigwydd. Yn 1938, ysgrifennodd Freud bod perthynas baban â'i fam yn *'unigryw, heb ei thebyg, yn cael ei gosod gan un ochr trwy gydol oes fel gwrthrych cyntaf a chryfaf cariad'*. Trwy ddweud hyn mae Freud yn honni bod cariad mam yn gweithredu fel prototeip ar gyfer pob perthynas y bydd y baban yn ei chael yn ystod ei fywyd.

Niwed amddifadaeth

Disgrifir ymchwil clasurol John Bowlby ar y pedair tudalen flaenorol. Dangosodd y gall gwahaniad cynnar ac estynedig rhwng plentyn a'i fam gael effeithiau emosiynol hirdymor. Yn fwyaf penodol, dangosodd fod gwahaniad o'r fath yn debygol o arwain at ddatblygiad cymeriad dideimlad, sef rhywun na all deimlo hoffter, cywilydd na synnwyr o gyfrifoldeb arferol. Mae cymeriad o'r fath yn fwy tebygol o ddod yn lleidr a hefyd yn debygol o gael trafferth yn ffurfio perthnasoedd. Datblygodd Bowlby y syniadau hyn i greu'r **rhagdybiaeth amddifadaeth mam**. Roedd yn enwog am nodi bod *'cariad mam mewn babandod llawn mor bwysig ar gyfer iechyd meddwl plentyn ag yw fitaminau a mwynau ar gyfer ei iechyd corfforol'*.

Canfu Bowlby felly bod rôl ganolog i'r fam mewn datblygiad emosiynol iach. Seiliwyd ei syniadau i ddechrau ar ei hyfforddiant fel seiciatrydd Freudaidd. Yn ddiweddarach cafodd Bowlby (1969) ei ddylanwadu gan theori esblygiad ac awgrymodd fod gan ymlyniad at un gofalwr bwysigrwydd arbennig ar gyfer goroesi. Galwodd yr un ymlyniad emosiynol arbennig hwn yn **monotropedd** (tueddiad tuag at un person).

Mamau nid tadau

Mae'n bosibl mai menywod sydd orau fel prif ofalwyr oherwydd nad yw'r mwyafrif o ddynion yn meddu ar y gallu seicolegol i ffurfio'r fath berthynas emosiynol ddwys. Gallai hyn fod oherwydd ffactorau biolegol neu gymdeithasol. O ran bioleg, mae'r **hormon** benywaidd **oestrogen** yn gyfrifol am ymddygiad gofalu fel bod menywod, yn gyffredinol, yn tueddu'n fwy tuag at berthnasoedd emosiynol na dynion.

O ran factorau cymdeithasol, mae **stereoteipiau** rhyw sy'n effeithio ar ymddygiad gwrywaidd yn dal i fodoli, megis y syniad ei bod braidd yn fenywaidd i fod yn sensitif i anghenion pobl eraill. Mae tystiolaeth bod dynion, yn wir, yn llai sensitif i arwyddion babanod na mamau (e.e. Heermann ac eraill, 1994). Fodd bynnag, dangosodd Frodi ac eraill (1978) dapiau fideo o fabanod yn crio ac ni chanfuwyd unrhyw wahaniaethau rhwng ymatebion biolegol dynion a menywod.

Cyfwelwch bobl o oedrannau amrywiol sydd wedi bod yn rhieni, gan ofyn iddynt roi eu barn ar y cynnig mai 'mamau ddylai fod yn brif ofalwyr babanod'.

Cymharwch y canlyniadau a gewch gan rieni iau a rhieni hŷn.

▲ Pwy sy'n dweud na all tadau fod yn brif ofalwyr?

NID OES ANGEN I'R FAM FOD YN BRIF OFALWR BABAN

Bwydo

Yn y 1950au roedd **ymddygiadwyr** yn hyrwyddo'r farn bod babanod wedi eu **cyflyru'n glasurol** i gysylltu eu mamau â theimladau o bleser: mae bwyd (**ysgogiad heb ei gyflyru**) yn creu pleser (**ymateb heb ei gyflyru**); cysylltir y fam â bwydo a thrwy hynny mae'n dod yn **ysgogiad cyflyriedig** sy'n cynhyrchu **ymateb cyflyriedig** ar ffurf pleser (gweler tudalen 50 ar gyfer eglurhad o gyflyru clasurol).

Fodd bynnag, dangosodd nifer o astudiaethau nad yw bwyd yn gyfystyr â chariad. Rhoddodd Harry Harlow (1959) fabanod mwnci gyda dwy 'fam' wedi'u gwneud o wifren. Roedd potel fwydo ynghlwm wrth un ac roedd y llall wedi ei gorchuddio â brethyn meddal. Treuliai'r mwncïod y rhan fwyaf o'u hamser ar y 'fam' oedd wedi'i gorchuddio â brethyn, gan lynu at y 'fam' hon yn fwyaf penodol pan fyddent yn cael ofn. Dangosodd hyn nad yw bwyd yn creu ymlyniad emosiynol – cysur cysylltiad sy'n gwneud hynny.

Cefnogodd Schaffer ac Emerson (1964) y canfyddiad hwn mewn astudiaeth o ymddygiad dynol. Canfuwyd nad oedd prif ymlyniad yn cael ei ffurfio gyda'r person a oedd yn bwydo'r baban neu'n treulio mwy o amser gydag ef. Roedd gan fabanod ag ymlyniad cryf ofalwyr a oedd yn ymateb yn gyflym ac yn sensitif i'w 'signalau' ac a oedd yn cynnig y mwyaf o ryngweithio i'w plant.

Barn Freud ar bwysigrwydd y fam

Mae'n bwysig cofio cyd-destun hanesyddol syniadau Freud. Pan oedd ef yn ysgrifennu, doedd gan fenywod ddim hyd yn oed hawl i bleidleisio. Efallai fod ei syniadau ynglŷn â gwahanol rôl mamau a thadau mewn gwirionedd yn ddim mwy nag adlewyrchiad o normau a gwerthoedd cymdeithas yn ystod hanner cyntaf yr 20fed ganrif. Petai Freud yn ysgrifennu heddiw, mae'n bosibl y byddai'n darlunio rôl y tad mewn ffordd eithaf gwahanol.

Roedd Freud yn cydnabod pwysigrwydd rôl y tad. Er enghraifft, yn 1930, honnodd Freud 'Ni allaf feddwl am unrhyw angen mewn plentyndod sydd cyn gryfed â'r angen am amddiffyniad tad'. Yn ogystal, roedd Freud yn cydnabod pwysigrwydd arbennig y tad yn natblygiad bechgyn (gweler **cymhlethdod Oedipws**, tudalen 31).

Niwed amddifadaeth

Er bod Bowlby wedi defnyddio'r term 'mam' yn y rhagdybiaeth amddifadaeth mam, nid oedd yn golygu mai mam y plentyn yn unig allai chwarae'r rôl. Yn 1953 ysgrifennodd y dylai 'pob plentyn brofi perthynas wresog, agos a pharhaus gyda'i fam (neu rywun sy'n cymryd lle'r fam yn barhaol – un person sy'n "bod yn fam" iddo yn gyson)'. Mewn geiriau eraill, nid yw 'bod yn fam' yn unigryw i fam y plentyn.

Gellir dadlau hefyd â'r honiad bod perthynas o'r fath yn hanfodol bwysig mewn gwirionedd. Cyflwynodd Bowlby ei hun dystiolaeth yn dangos nad oedd rhai plant yn gweld unrhyw effeithiau andwyol wedi gwahaniadau cynnar (Bowlby ac eraill, 1956). Roedd y plant yn yr astudiaeth hon yn sâl iawn â thwbercwlosis ac wedi treulio blynyddoedd mewn ysbytai heb fawr o gysylltiad â'u teuluoedd. Serch hynny, ni ddangosodd y mwyafrif ohonynt lawer o broblemau ymhellach ymlaen yn eu bywydau. Awgryma Bowlby ac eraill bod y plant a lwyddodd i ymdopi'n well wedi ffurfio ymlyniad gwell at eu mamau (neu rywun oedd yn cymryd lle'r fam) yn y lle cyntaf ac felly'n fwy gwydn.

Mamau nid tadau

Mae digonedd o dystiolaeth yn dangos bod dynion yn hollol abl o ffurfio ymlyniadau agos â'u plant, fel sy'n digwydd mewn teuluoedd ag un rhiant (gwryw). Mae'r farn nad yw dynion yn emosiynol wedi dyddio. Mae newidiadau yn ein stereoteipiau yn golygu bod dynion a menywod fel ei gilydd yn teimlo mwy o ryddid i gymryd rôl a fyddai'n draddodiadol yn cael ei chadw ar gyfer aelodau o'r rhyw arall. Nid mewn menywod yn unig y mae hormonau'n addasu i fod yn rhiant. Awgryma Gettler ac eraill (2011) bod lefelau testosteron tad yn gostwng er mwyn helpu 'dyn i ymateb yn fwy sensitif i anghenion ei blant'.

Bydd angen i chi allu:
- Trafod y ddadl a'r dystiolaeth o blaid y fam fel prif ofalwr baban.
- Trafod y ddadl a'r dystiolaeth yn erbyn y fam fel unig brif ofalwr baban.
- Cyflwyno casgliad i'r ddadl.
- Cynnwys trafodaeth am oblygiadau moesegol, economaidd a chymdeithasol y ddadl hon.

Cwestiynau arholiad posibl:
1. 'Heb famau fel prif ofalwyr, byddai babanod yn methu â datblygu mewn ffordd iach'.
   Gan gyfeirio at y dyfyniad hwn, trafodwch dystiolaeth sy'n cefnogi'r safbwynt hwn. [20]
2. Trafodwch y farn mewn cymdeithas heddiw nad oes raid i'r prif ofalwr fod yn fam y baban ym mhob achos. [20]

Cyngor arholiad …

Yn yr ail gwestiwn arholiad uchod mae'r farn yn cynnig nad oes rhaid i'r fam fod yn brif ofalwr baban. Fodd bynnag, mae hefyd yn cyfeirio at 'gymdeithas heddiw'. Mae hyn yn golygu y gallech gynnwys peth trafodaeth o oblygiadau cymdeithasol presennol y mater hwn, megis newidiadau cyfreithiol diweddar o ran absenoldeb rhiant, yn eich ateb – efallai yn y casgliad.

CASGLIAD

Mae'r syniad y dylai'r fam fod yn brif ofalwr wedi dyddio am ddau brif reswm. Yn gyntaf, nid oes unrhyw dystiolaeth bendant i awgrymu bod rhaid i'r prif ofalwr fod yn fenyw.

Yn ail, mae'n rhoi pwyslais anghywir ar y ffaith mai un prif ofalwr sydd gan blentyn. Mewn gwirionedd mae datblygiad iach yn dibynnu ar nifer o berthnasoedd pwysig. Cynigiodd Bowlby bod un prif ffigwr ymlyniad – ond cynigiodd hefyd bod ymlyniadau eilaidd yn darparu rhwyd ddiogelwch emosiynol bwysig ar gyfer sefyllfaoedd pan fo'r prif ofalwr yn absennol. Mae ymchwil hefyd wedi dangos, er bod menywod yn amlach yn brif ffigwr emosiynol ym mywyd plant, bod dynion yn nodweddiadol hefyd yn chwarae rhan yr un mor bwysig yn eu datblygiad. Er enghraifft, mae tadau'n fwy chwareus, corfforol fywiog ac yn gyffredinol well am ddarparu sefyllfaoedd heriol ar gyfer eu plant (Geiger, 1996).

Efallai mai'r camgymeriad mwyaf yw meddwl bod rhaid i unrhyw ofalwr fod yn 'brif' un.

Gwerthuso'r ymagwedd seicodynamig

GOFYNION Y FANYLEB

Ar gyfer pob ymagwedd bydd angen:
- Gwerthuso'r ymagwedd (gan gynnwys cryfderau, gwendidau a'i chymharu â'r pedair ymagwedd arall).

Rydych wedi astudio llawer o agweddau ar yr ymagwedd seicodynamig, gan gynnwys tybiaethau'r ymagwedd, felly bydd angen i chi nawr ystyried cryfderau a gwendidau'r ymagwedd hon.

Yn ogystal â'r cryfderau a'r gwendidau a amlinellir isod, dylech hefyd geisio meddwl am rai o'r problemau sy'n ymwneud â therapïau seicodynamig, gan y gallai'r rhain fod yn gysylltiedig â gwendidau'r ymagwedd yn gyffredinol.

CRYFDERAU'R YMAGWEDD SEICODYNAMIG

1. Natur a magwraeth

Un o gryfderau'r ymagwedd seicodynamig yw ei bod hi'n cymryd dwy ochr y **ddadl natur-a-magwraeth** i ystyriaeth. Honnai Freud fod personoliaeth oedolyn yn gynnyrch ysfeydd cynhenid (**natur**) a phrofiadau plentyndod (**magwraeth**). Yn ôl Freud, mae'r **id** yn reddfol, ac yn ffurfio rhan fiolegol ein personoliaeth. Gyrrir yr id gan *Eros* (ysfa bywyd, yr ysfa i greu a chynnal bywyd) a *Thanatos* (ysfa marwolaeth sy'n rhoi cymhelliant i weithredoedd gwrthgymdeithasol megis ymosodedd).

Daw dylanwad magwraeth (profiad) ar ffurf y **cyfnodau seicorywiol** y mae pob plentyn yn mynd drwyddynt. Ym mhob un o'r cyfnodau hynny, gall rhwystredigaeth neu ormodedd arwain at ar obsesiwn â'r cyfnod hwnnw ac â nodweddion rhagweladwy i bersonoliaeth yr oedolyn. Mae damcaniaeth Freud felly'n ystyried dylanwad natur (y pethau y cawn ni'n geni â nhw) a magwraeth (pethau sy'n datblygu drwy brofiad). Mae natur *ryngweithiadol* yr ymagwedd hon yn gryfder allweddol.

2. Defnyddioldeb

Mae'r ymagwedd seicodynamig wedi bod yn ddefnyddiol mewn sawl ffordd:
- Mae'n tynnu sylw at y ffaith fod plentyndod yn gyfnod hollbwysig yn ein datblygiad; bydd profiadau'n plentyndod ni'n ddylanwad mawr ar bwy ydyn ni a phwy fyddwn ni.
- Mae syniadau Freud wedi dylanwadu'n fawr ar y therapïau a ddefnyddir i drin anhwylderau meddwl. Freud oedd y cyntaf i sylweddoli bod modd defnyddio ffactorau seicolegol i esbonio symptomau corfforol fel y parlys. Mae **seicdreiddio** (y term cyffredinol am therapi sydd wedi'i ddatblygu ar sail yr ymagwedd hon) wedi'i ddefnyddio'n eang i helpu pobl i oresgyn problemau seicolegol. Ceir tystiolaeth ymchwil sy'n ategu hynny.
- Ar y cyfan, mae hon yn ymagwedd ddefnyddiol wrth helpu i ddeall problemau iechyd meddwl, h.y. y gall trawma mewn plentyndod a/neu wrthdaro anymwybodol achosi problemau iechyd meddwl.

"AND THEN INSTEAD OF FEEDING ME HE WOULD RING A LITTLE BELL."

3. Mae'n adlewyrchu cymhlethdod ymddygiad pobl

Un o'r beirniadaethau cyffredin ar yr ymagweddau eraill yn y llyfryn hwn yw bod yr esboniadau o ymddygiad yn rhai **lleihaol**. Mae esboniadau Freud ar y llaw arall yn adlewyrchu cymhlethdod ymddygiad a phrofiad pobl. Gellid ystyried yr ymagwedd seicodynamig, felly, fel ymagwedd sy'n **gyfannol** – mae'n cydnabod bod nifer o ffactorau na ellir eu gwahanu yn dylanwadu ar ymddygiad dynol.

Mae'r ymagwedd seicodynamig yn welliant o'i chymharu â'r ymagweddau hynny sy'n lleihau esboniadau am ymddygiad dynol i un ffactor. Er enghraifft, mae'r **ymagwedd ymddygiadol** yn cynnig bod modd ymadfer o anhwylder meddwl drwy ailddysgu, ac nad oes gofyn ystyried yr hyn a allai fod wedi achosi'r anhwylder yn y lle cyntaf. Problem yr ymagwedd honno yw y gall y symptomau gwreiddiol ymddangos eto am fod eu hunion achos wedi'i anwybyddu ('**amnewid symptomau**' yw'r enw ar hynny). Mae dull seicdreiddio Freud yn ceisio dadlennu ystyron dwfn ac yn cydnabod mai proses faith yw deall ymddygiad.

SEICDREIDDIO

Defnyddiai Freud y term seicdreiddio i ddisgrifio ei ddamcaniaeth ynglŷn â phersonoliaeth a hefyd ei therapi. Nod y therapi yw dod â theimladau a meddyliau anymwybodol i sylw ymwybodol lle gellir delio â nhw.

Un o'r technegau allweddol a ddefnyddir i wneud hyn yw rhyddgysylltu. Mewn rhyddgysylltu, bydd cleifion yn mynegi eu meddyliau yn union fel y byddant yn codi, er y gall y meddyliau ymddangos yn ddibwys neu amherthnasol. Ni ddylai cleifion sensro eu meddyliau mewn unrhyw ffordd. Credai Freud bod budd rhyddgysylltu yn ymwneud â'r ffaith bod cleifion yn gwneud cysylltiadau wrth iddynt fynegi eu teimladau, a bod y cysylltiadau hyn yn cael eu pennu gan y ffactorau anymwybodol y mae'r therapi'n ceisio eu datguddio. Lluniwyd y dull hwn i ddatgelu ardaloedd o wrthdaro, ac i ddod ag atgofion a fu'n cael eu mygu i'r ymwybod. Bydd y therapydd yn helpu i ddehongli'r rhain ar gyfer cleifion, a fydd yn cywiro, gwrthod ac ychwanegu teimladau a meddyliau pellach.

Nid yw seicdreiddio (na rhyddgysylltu) yn ffurfiau byr o therapi. Gyda'i gilydd, bydd cleifion a therapyddion yn archwilio'r un materion eto ac eto, weithiau dros gyfnod o flynyddoedd, mewn ymgais i gael mwy o eglurdeb ynglŷn ag achosion eu hymddygiad niwrotig.

GWENDIDAU'R YMAGWEDD SEICODYNAMIG

1. Ymagwedd leihaol a gor-syml

Ar y dudalen gyferbyn, fe nodon ni un o gryfderau'r ymagwedd seicodynamig, sef ei bod hi'n adlewyrchu cymlethdod ymddygiad a phrofiadau pobl. Ond mewn rhai ffyrdd gellir hefyd ystyried bod yr ymagwedd seicodynamig yn lleihaol. Gellir ei chyhuddo o 'leihadaeth fecanistig' am ei bod yn symleiddio ymddygiad cymhleth pobl i lefel mecanwaith y meddwl (h.y. i'r frwydr rhwng yr **id**, yr **ego** a'r **uwch-ego**) a phrofiadau cynnar plentyndod (y cyfnodau seicorywiol).

Drwy wneud hynny, mae'n anwybyddu dylanwadau pwysig eraill ar ymddygiad – fel biocemeg a **geneteg**. Yn ystod y 1950au a'r 60au, er enghraifft, un o'r prif esboniadau o **awtistiaeth** oedd bod rhai mamau'n oeraidd iawn eu hagwedd at eu plant a bod awtistiaeth plant yn deillio o dynnu'n ôl oherwydd diffyg cariad. Roedd eglurhad seicodynamig o'r fath yn gorsymleiddio prosesau gwaelodol awtistiaeth. Gwendid yn yr ymagwedd honno mewn rhai ffyrdd, felly, yw ei bod hi'n or-syml ac yn anwybyddu ffactorau eraill.

2. Ymagwedd benderfyniadol

I Freud, câi ymddygiad babanod ei benderfynu gan rymoedd cynhenid (y **libido**), a phrofiadau plentyndod a benderfynai ymddygiad oedolion. Mae'n dilyn o hynny nad oes gennym ni **ewyllys rydd** (dewis) o ran pwy fyddwn ni na sut y byddwn ni'n ymddwyn. Fe alwn ni hynny'n safbwynt **penderfyniadol** am ei fod yn credu bod ein personoliaeth wedi'i siapio (wedi'i rhagbenderfynu) gan rymoedd na allwn ni mo'u newid neu nad oes gennym ddewis yn eu cylch – fel pobl, does gennym ni ddim ewyllys rydd pan ddaw hi'n fater o'n personoliaeth a'n hymddygiad.

Gwendid yw hyn am ein bod ni'n *gallu* newid ein ffordd o ymddwyn os dymunwn ni wneud hynny. Gall y safbwynt penderfyniadol hwnnw roi esgus credadwy i rai pobl dros ymddwyn yn afresymol ('alla i byth â helpu'r hyn ydw i') neu ymddwyn yn droseddol ('nid arna i mae'r bai'). Mae'n lled-awgrymu hefyd na ellir dal pobl yn gyfrifol am eu hymddygiad.

3. Does dim posib profi ei bod hi'n anghywir

Y prif wrthwynebiad i ddamcaniaeth Freud yw ei bod hi'n anodd ei **gwrthbrofi**. Damcaniaeth dda yw un y mae modd rhoi prawf arni i weld a yw hi'n anghywir. Dadleuodd Popper (1935) mai ffugio yw'r unig ffordd o fod yn sicr: '*faint bynnag o arsylwi fydd ar elyrch gwyn, allwch chi ddim casglu bod pob alarch yn wyn, ond mae gweld un alarch du yn ddigon i wrthbrofi 'r casgliad hwnnw*'. Hynny yw, allwch chi ddim profi bod damcaniaeth yn gywir – dim ond dangos ei bod hi'n anghywir.

Mae llawer o ragfynegiadau Freud yn nodedig o 'lithrig'. Does dim modd gwrthbrofi, er enghraifft, ei safbwynt fod gan bob dyn dueddiadau gwrywgydiol sydd wedi'u hatal. Os dewch chi o hyd i ddynion sydd heb dduedd wrywgydiol sydd wedi'i hatal, gallwch chi ddadlau bod y tueddiadau hynny ganddyn nhw ond i'r rheiny gael eu hatal gymaint nes iddyn nhw beidio â bod yn amlwg. Mewn geiriau eraill, does dim modd profi bod y rhagfynegiad yn anghywir.

Ond er ei bod hi'n anodd llunio rhagdybiaethau profadwy ar sail damcaniaeth Freud ynghylch personoliaeth, dydy hi ddim yn amhosibl. Mae ymchwil, er enghraifft, wedi astudio'r berthynas rhwng euogrwydd a gwneud drygioni gan i Freud ragfynegi bod perthynas wrthdro rhyngddynt, a gwelodd MacKinnon (1938) fod tueddiad i unigolion a dwyllodd wrth gyflawni tasg fynegi llai o euogrwydd pan holwyd nhw ynghylch bywyd yn gyffredinol na'r rhai a oedd heb dwyllo.

▲ Gallai rhywun gredu bod pob alarch yn wyn, ac mae'r llun fel petai'n ategu'r rhagfynegiad hwnnw – ond nid yw'n profi bod hynny'n gywir. Yn wir, allwch chi ddim profi bod rhagdybiaeth yn gywir, dim ond yn anghywir (ei ffugio) drwy weld alarch du.

CYMHARU AGWEDDAU

Mae angen i chi allu cymharu a chyferbynnu'r ymagwedd seicodynamig â'r ymagweddau eraill yr ydych wedi eu hastudio. Mewn grwpiau o dri neu bedwar myfyriwr, trafodwch sut mae'r ymagwedd seicodynamig yn cymharu â'r ymagweddau eraill yr ydych wedi eu hastudio o ran yr agweddau canlynol:

- Cydnabod rôl natur a magwraeth.
- Ei defnyddioldeb.
- Natur benderfyniadol.
- Natur leihaol.
- A ellid mesur ei syniadau a'i chysyniadau yn wyddonol a gwrthrychol (h.y. a ellir eu gwrthbrofi)?
- Ymyrraeth therapiwtig.

Defnyddiwch y wybodaeth yma i baratoi ar gyfer y cwestiwn arholiad canlynol:

Cymharwch a chyferbynnwch yr ymagweddau biolegol a seicodynamig. [12]

CORNEL ARHOLIAD

Er mwyn gwerthuso'r ymagwedd bydd angen i chi allu:
- Trafod y cryfderau (o leiaf **ddau**) yn llawn.
- Trafod y gwendidau (o leiaf **ddau**) yn llawn.
- Cymharu a chyferbynnu'r ymagwedd â'r pedair ymagwedd arall o ran materion a dadleuon allweddol.

Cwestiynau arholiad posibl:
1. 'Gwendid yr ymagwedd seicodynamig yw na ellir arsylwi arni na'i phrofi yn wyddonol.' Aseswch y datganiad hwn yn feirniadol gan gyfeirio at eich gwybodaeth am gryfderau a gwendidau'r ymagwedd seicodynamig. [8]
2. Gwerthuswch **ddau** o gryfderau'r ymagwedd seicodynamig. [8]
3. Trafodwch y tebygrwydd a'r gwahaniaethau rhwng yr ymagweddau seicodynamig ac ymddygiadol o fewn seicoleg. [10]
4. Trafodwch yr ymagwedd seicodynamig o ran ei chryfderau a'i gwendidau. [16]

Gweithgareddau i chi

TYBIAETHAU

Beth fyddech chi'n ei wneud?

Mewn parau, penderfynwch ar yr hyn y byddai'ch id, eich ego a'ch uwch-ego yn dweud wrthych am ei wneud yn y sefyllfaoedd canlynol (neu gwnewch hyn fel chwarae rôl).

a) Does gennych chi'r un geiniog ond fe ewch i'ch hoff siop ddillad beth bynnag, gweld dilledyn hyfryd a'i roi amdanoch. Fe sylwch chi nad oes tag ar yr eitem ac na welodd neb mohonoch chi'n mynd â hi i'r ystafell newid.

b) Mae'ch ffrind gorau newydd wahanu oddi wrth ei gariad/ei chariad ac yn teimlo'n ddychrynllyd. Y broblem yw bod y cyn-gariad wedi gofyn i chi fynd allan ar ddêt ac rydych chi wedi'i hoffi'n ddistaw bach ers oesoedd.

c) Yn eich prawf seicoleg, fe sylweddolwch eich bod wedi gadael rhai nodiadau adolygu yn y casyn pensiliau sydd gennych chi ar y ddesg o'ch blaen. Mae'ch athro/athrawes wrthi'n brysur yn marcio gwaith yn nhu blaen yr ystafell ddosbarth.

ATEBION AR DUDALEN 172

Yr id, yr ego a'r uwch-ego

Lluniwch siart ac arno'r penawdau 'yr id', 'yr ego', 'yr uwch-ego' ac ewch ati mewn parau i osod yr ymadroddion canlynol o dan y penawdau priodol. Ceisiwch feddwl hefyd am rai ymadroddion drosoch chi'ch hun.

- Mae'n mynnu cael pleser ar unwaith.
- Ei swyddogaeth yw rheoli ysfeydd yr id, yn enwedig y rhai y mae cymdeithas yn eu gwahardd.
- Mae'n ymwneud â dyfeisio strategaeth realistig i gael pleser.
- Nid yw'n poeni ynghylch canlyniadau gweithred.
- Gall gosbi'r ego drwy achosi teimladau o euogrwydd.
- Mae'n gweithio allan ffyrdd realistig o fodloni gofynion yr id.
- Mae'n datblygu er mwyn cyfryngu rhwng gofynion afrealistig yr id a'r uwch-ego.

Amddiffynfeydd yr ego

Penderfynwch pa fecanweithiau amddiffyn (atalnwyd, dadleoli, gwadu, alldaflu) sy'n cael eu defnyddio yn yr enghreifftiau isod:

a) Mae Siwan yn teimlo awydd mawr i daro'i brawd bach digywilydd yn ei wyneb. Yn lle hynny, mae'n dyrnu ei chlustog.

ATEBION AR DUDALEN 172

b) Bob tro mae Catrin yn teimlo'n bryderus mae'n cnoi ei hewinedd gan fod hyn yn darparu'r cysur y mae hi'n ei gysylltu â bod yn blentyn bach.

c) Bydd Aled yn cyhuddo'i gariad yn gyson o'i fradychu.

d) Wrth siarad am ei theimladau mewn therapi, cofiodd Anwen yn sydyn i'w thad ei ladd ei hun pan oedd hi'n ferch.

Llenwi'r bylchau

ATEBION AR DUDALEN 172

Copïwch y testun isod a cheisiwch lenwi'r bylchau heb droi'n ôl yn y llyfr i weld faint rydych chi'n ei gofio. Mae rhestr o'r geiriau i ddewis ohonynt ar y diwedd os byddwch chi eu hangen.

Un o dybiaethau'r ymagwedd seicodynamig yw bod pob plentyn yn symud drwy bum _____ _____ o ddatblygiad. Bydd yn symud drwyddyn nhw yn yr un _____. Enwau'r cyfnodau hynny yw'r cyfnod _____, cyfnod yr _____, y cyfnod _____, y cyfnod _____ a chyfnod yr _____ _____. Ym mhob cyfnod, bydd egni neu _____ y plentyn yn gysylltiedig â rhan o'r corff. Os bydd gwrthdaro'n digwydd yn ystod unrhyw gyfnod ac os na chaiff ei oresgyn neu os methir â delio ag ef, gall _____ ddigwydd, efallai oherwydd _____ neu _____ yn ystod cyfnod datblygu. Bydd hynny'n effeithio ar ein _____ yn ddiweddarach mewn bywyd. Un enghraifft o hynny yw'r cymeriad _____ _____. Fel rheol, bydd gan bobl o'r fath rai o'r nodweddion canlynol: _____, _____ a _____. Math arall o bersonoliaeth yw'r cymeriad _____ _____. Fel rheol, bydd gan bobl o'r fath rai o'r nodweddion hyn: _____, _____ a _____.

obsesiwn geneuol   ffalig   personoliaeth   trefn   taclus   geneuol   cudd   obsesiynau   meddiannol   libido   gormodedd   rhwystredigaeth   cyfnod seicorywiol   pesimistaidd   obsesiwn â'r anws   anws   coeglyd   eiddigeddus   ystyfnig   organau cenhedlu

ATEBION AR DUDALEN 172

TYSTIOLAETH GLASUROL

Bowlby (1944) Pedwar deg pedwar lleidr ifanc.

Copïwch a chwblhewch y croesair isod er mwyn profi'ch dealltwriaeth o'r astudiaeth glasurol hon.

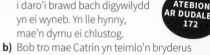

Ar draws

3. Y grŵp a ddefnyddiwyd i gymharu'r lladron yn eu herbyn (Rh_ _ _ _ _)
5. Roedd y lladron dideimlad wedi profi G _ _ _ _ _ _ _ _ _ H_ _ yn fwy na'r lleill
8. Y nifer o brif fathau o bersonoliaeth a adnabuwyd gan Bowlby (_ _ _ _)
9. Enw'r ymchwilydd a fu'n gwneud ymchwil ar blant amddifad yn Romania (R _ _ _ _ _)

I lawr

1. Nifer y lladron a ddefnyddiwyd yn yr astudiaeth (P _ _ _ _ _ D_ _ P_ _ _ _ _)
2. Un ystyriaeth foesegol allweddol yn yr astudiaeth hon (C _ _ _ _ _ _ _ _ _)
4. Y math o bersonoliaeth a adnabuwyd gan Bowlby ar gyfer plant nad oedd yn meddu ar hoffter, cywilydd na synnwyr cyfrifoldeb arferol (D _ _ _ _ _ _ _ _)
5. Y prawf a ddefnyddiwyd gan y seicolegydd i fesur deallusrwydd y plant (G _ _ _ _ _ B _ _ _ _)
6. Y math o ddata a gasglwyd yn yr astudiaeth hon (A _ _ _ _ _ _)
7. Nifer y lladron yr oedd Bowlby yn ystyried eu bod yn ddideimlad (U_ D_ _ P_ _ _ _ _)

THERAPÏAU

Atebion arholiad

Er mwyn deall therapïau, mae'n rhaid i chi ddeall sut mae'r tybiaethau yn ymwneud ag amcanion cyffredinol a phenodol y therapi dan sylw. Gan ddewis naill ai dadansoddi breuddwydion neu seicotherapi dadansoddi grŵp, llenwch gopi o'r siart isod fel canllaw i lunio ateb arholiad:

Cwestiwn enghreifftiol – *Disgrifiwch sut mae tybiaethau'r ymagwedd seicodynamig yn cael eu cymhwyso mewn naill ai ddadansoddi breuddwydion neu seicotherapi dadansoddi grŵp.*	
Seilir therapïau sy'n codi o'r ymagwedd seicodynamig ar y dybiaeth (neu dybiaethau) sylfaenol bod…	
Un dybiaeth benodol sy'n cael ei chymhwyso yn y therapi yma yw…	
Tybiaeth benodol arall sy'n cael ei chymhwyso yn y therapi yma yw…	

GWERTHUSO

Cwestiynau i chi

Gan ddefnyddio'r wybodaeth ar 'Werthuso'r ymagwedd seicodynamig' (gweler y ddwy dudalen flaenorol), atebwch y cwestiynau canlynol:

- Eglurwch sut mae'r ymagwedd seicodynamig yn ymwneud â'r ddadl natur-magwraeth.
- Eglurwch **ddwy** enghraifft o 'ddefnyddioldeb' yr ymagwedd seicodynamig.
- Pam mae'r ymagwedd seicodynamig yn llai lleihaol nag ymagweddau eraill a ddisgrifir yn y llyfr hwn?
- Pam mae rhai ymchwilwyr yn dadlau bod yr ymagwedd seicodynamig yn lleihaol?
- Eglurwch pam mae'r ymagwedd seicodynamig yn benderfyniadol.
- Pa elfennau o'r ymagwedd seicodynamig na ellir eu gwrthbrofi?

Gwneud croesair

Crëwch groesair (gweler uchod ar y dde ar gyfer y wefan).

Mewn parau, dyluniwch groesair gyda'r holl gysyniadau allweddol y mae angen i chi eu dysgu er mwyn gwerthuso'r ymagwedd seicodynamig.

Bydd angen i chi ysgrifennu cliwiau addas ar gyfer geiriau'r croesair. Pan fyddwch chi wedi gorffen, cyfnewidiwch eich croesair â phâr arall er mwyn eu helpu i ddysgu a deall y gwerthusiad yn well.

Dyma rai enghreifftiau:

1. Mae'r term yma yn cyfeirio at ddamcaniaeth na ellir profi ei bod yn anghywir; mewn geiriau eraill ni ellir ei …
   (ateb = gwrthbrofi)
2. Mae damcaniaeth Freud yn cael ei beirniadu am hyn; y gwrthwyneb i ewyllys rydd.
   (ateb = penderfyniaeth)

Gallwch ddefnyddio rhai o'r gweithgareddau adolygu a ddisgrifiwyd ar ddiwedd y penodau eraill. Er enghraifft, gallech gynhyrchu cwestiynau aml-ddewis neu wneud symudyn (gweler tudalen 65).

Yn sicr, dylech chi restru'r geiriau allweddol yn y bennod hon unwaith eto a gwneud yn siŵr eich bod chi'n eu deall nhw.

Cynhyrchu stribyn comig

Darluniwch bwnc yr ydych wedi ei astudio mewn lluniau. Mae gwefannau i'ch helpu, megis *www.toondoo.com*

Dylunio'ch croesair eich hun

Mae llawer o wefannau a all eich helpu i wneud eich croeseiriau eich hun, e.e. *www.crosswordpuzzlegames.com*

Mae yna hefyd wefannau i'ch helpu i wneud chwileiriau neu fathau eraill o bosau.

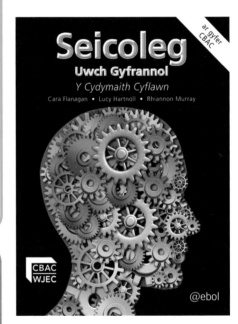

▲ Pwnc Dyrys Llawn Niwl

Mnemonig ar gyfer penderfyniadol, defnyddioldeb, lleihaol, natur/magwraeth, sydd i gyd yn ffyrdd o werthuso'r ymagwedd seicodynamig.

DADL

Casglwch esiamplau o sylwadau o amrywiol ffynonellau, megis gwefannau newyddion, ac ysgrifennwch eich blog eich hun i egluro a ydych chi'n meddwl mai mamau yw'r opsiwn gorau ar gyfer bod yn brif ofalwyr. Nid oes rhaid i chi gynnig barn gytbwys – ond byddwch yn barod i roi tystiolaeth i gefnogi'ch safbwynt.

Cwestiynau arholiad ac atebion

CWESTIWN AR DYSTIOLAETH GLASUROL

Disgrifiwch ddulliau gweithredu Bowlby (1944) *Forty-four juvenile thieves: Their characters and home-life*. [6]

Cynllun marcio ar gyfer y cwestiwn yma

Marc	Disgrifiad
6	Mae'r disgrifiad yn un **manwl** heb unrhyw wallau mawr.
4–5	Mae'r disgrifiad yn un **gweddol fanwl**. Gall fod yna wallau nad ydynt yn amharu ar yr ystyr cyffredinol.
2–3	Disgrifiad **arwynebol** a **chyfyngedig**. Gall fod nifer o wallau mawr neu fach.
1	Disgrifiad **arwynebol/dryslyd**.
0	Cyflwynwyd ateb **amhriodol / ni roddwyd ateb**

GWAITH I CHI

Ar ôl asesu atebion Bob a Megan a darllen sylwadau'r arholwr, eglurwch dri darn o gyngor y byddech chi'n eu rhoi i fyfyriwr arall ar gyfer ateb y cwestiwn hwn a/neu gwestiynau 6-marc 'Disgrifiwch' tebyg.
Materion i'w hystyried:
- Hyd
- Strwythur
- Gwneud yn siŵr bod 'manylder da' yn y disgrifiad

Rhowch gynnig ar ysgrifennu'r ateb perffaith.

Ateb Bob

Arbrawf oedd hwn ac ni wnaeth Bowlby ymyrryd mewn unrhyw ffordd. Defnyddiodd Bowlby 44 o ladron o glinig cyfarwyddo plant lle'r oedd yn gweithio yn Llundain fel ei sampl. Roedd yn cynnwys bechgyn yn fwyaf ond roedd rhai merched ac roedd pawb rhwng 5 a 18 mlwydd oed. Profodd eu lefelau deallusrwydd a chanfod bod y mwyafrif yn normal. Cymharodd Bowlby'r grŵp yma â grŵp rheolydd o 44 o blant eraill nad oeddent yn lladron ond a oedd yn mynychu ei glinig oherwydd bod problemau eraill ganddynt. Rhoddodd Bowlby ychydig brofion i bob plentyn, fel IQ a chyflwr emosiynol, a profodd seicolegydd nhw hefyd. Dros amser gwnaethpwyd llawer o arbrofion a chyfweliadau ar y plant a ffurfiodd Bowlby ddarlun o'r math o bobl yr oedden nhw. Casglodd Bowlby lawer o ddata ansoddol. Gwnaeth Bowlby ymchwil arloesol ac roedd yn un o'r bobl gyntaf i wneud cysylltiadau rhwng plant yn cael eu gwahanu oddi wrth eu mamau ac yna'n cael problemau emosiynol yn y dyfodol. Arweiniodd hyn at syniadau newydd ynglŷn â sut y dylid gofalu am blant os na allant fyw gyda'u rhieni.

183 gair

Edrychwch yn ofalus wrth ddarllen ateb Bob – a oes unrhyw beth sy'n anghywir?

A yw Bob yn disgrifio dulliau gweithredu yn unig neu a yw'n cynnwys manylion methodolegol (na fydd yn derbyn clod amdanynt)?

Talwch sylw i'r ffordd y mae Bob yn disgrifio goblygiadau'r astudiaeth. Cofiwch mai cwestiwn AO1 yw hwn.

Ateb Megan

Roedd Bowlby yn gweithio fel seicdreiddiwr mewn clinig cyfarwyddo plant yn trin plant emosiynol gythryblus. Manteisiodd ar y sefyllfa hon i ymchwilio i'r effeithiau y gall gwahanu eu cael.

Roedd y sampl a ddefnyddiodd yn 88 o ddefnyddwyr y gwasanaeth – roedd Grŵp 1 yn cynnwys 44 lleidr ifanc, 31 bachgen a 13 merch rhwng 6 a 14 mlwydd oed. Graddiodd Bowlby'r 44 lleidr yma gan ddefnyddio graddfa â phedwar pwynt; roedd dros hanner y plant yn lladron gradd pedwar (y mwyaf difrifol) a dim ond pedwar yn radd un (y lleiaf difrifol). Cymharwyd rhain â grŵp rheolydd o 44 plentyn a oedd yn mynychu'r clinig ond nad oeddent wedi cael eu labelu fel lladron. Roedd y grŵp yma yn 'cydweddu' o ran oedran ac IQ ac roedd o ddeallusrwydd cymedrig. Defnyddiwyd mamau'r plant hefyd a gellid eu hystyried nhw fel cyfranogwyr hefyd.

Roedd Bowlby yn asesu pob plentyn pan fyddai'n cyrraedd y clinig gan ddefnyddio profion meddyliol ac fe recriwtiodd seicolegydd i'w helpu. Cyfwelwyd y mamau hefyd a gofynnwyd iddynt ynglŷn â'u perthynas a hanes y plant. Ar ôl eu cwblhau, byddai pawb a oedd yn rhan o'r asesiadau yn cyfarfod i drafod pa fath o bersonoliaeth oedd gan y plentyn ac yn defnyddio adroddiadau o ffynonellau eraill, megis ysgolion, i'w helpu i wneud hynny.

215 gair

Manyl**ion**

▲ Mae manylion yn bwysig.

Mae Megan wedi rhoi gwybodaeth am y sampl – a yw hi'n disgrifio'r hyn oedd y sampl neu sut y'i canfuwyd?

Mae'r term 'dulliau gweithredu' yn cyfeirio at yr hyn a wnaeth yr ymchwilydd/ymchwilwyr, a allai gynnwys sut y canfuwyd y sampl ond nid cynnwys y sampl.

Mae Megan wedi darparu manylion sylfaenol ynglŷn â'r asesiadau seicolegol a ddefnyddiwyd.

Mae'r ateb yma o hyd rhesymol ar gyfer cwestiwn 6 marc.

Sylwadau'r arholwr a marciau ar dudalen 173

CWESTIWN AR WERTHUSO YMAGWEDDAU

Mae seicolegydd angen egluro i'w gleient pam y gallai fod yn well iddynt ddefnyddio therapi o'r ymagwedd seicodynamig yn hytrach na therapi o'r ymagwedd ymddygiadol.

Gan ddefnyddio'ch gwybodaeth am y ddwy ymagwedd, cymharwch a chyferbynnwch yr ymagweddau seicodynamig ac ymddygiadol a'u therapïau. [16]

Cynllun marcio ar gyfer y cwestiwn yma

Marc	Disgrifiad
13–16	**Dadansoddiad trylwyr** o'r tebygrwydd a'r gwahaniaethau yng nghyd-destun therapi. Tynnir **casgliad addas** ar sail y dystiolaeth a gyflwynir.
10–12	**Dadansoddiad da** o'r tebygrwydd a'r gwahaniaethau yng nghyd-destun therapi. Tynnir **casgliad rhesymol** ar sail y dystiolaeth a gyflwynir.
7–9	**Dadansoddiad sylfaenol** o'r tebygrwydd a'r gwahaniaethau yng nghyd-destun therapi. Tynnir **casgliad sylfaenol**.
4–6	**Dadansoddiad sylfaenol** o'r tebygrwydd a/neu wahaniaethau heb gyfeirio llawer at therapi. Ni thynnir **unrhyw gasgliad**.
1–3	**Dadansoddiad arwynebol** o'r tebygrwydd a/neu wahaniaethau heb gyfeirio llawer at therapi. Ni thynnir **unrhyw gasgliad**.
0	Cyflwynwyd ateb **amhriodol / ni roddwyd ateb**.

GWAITH I CHI

Beth am fod yn arholwr?
Darllenwch atebion Bob a Megan ar y dudalen hon a phenderfynwch pa un sydd orau.
Gallech ystyried:
- Pa mor effeithiol mae'r ddau ateb yn cymharu a chyferbynnu. Efallai y byddwch chi'n gweld ei bod yn ddefnyddiol edrych ar y nifer o dermau cymharol, e.e. ar y llaw arall, yn debyg, ill dau ayb., y mae Bob a Megan yn eu defnyddio.
- Pa mor effeithiol y mae'r ddau ateb yn gosod eu pwyntiau yng nghyd-destun therapi.
- Pa mor effeithiol mae'r ddau ateb yn tynnu casgliadau ystyrlon ar sail y dadleuon a gyflwynir.

Gallech amlygu pob un o'r tair ystyriaeth yma mewn lliwiau gwahanol.

Wedi i chi wneud hyn, penderfynwch ar farc gan ddefnyddio'r cynllun marcio ar y chwith.

Yn olaf, ysgrifennwch dri darn o gyngor y byddech yn eu rhoi i fyfyriwr arall a oedd yn ateb y cwestiwn yma.

Ateb Bob

Un gwahaniaeth allweddol rhwng yr ymagweddau yw eu heffeithiolrwydd. Mae therapïau seicodynamig (ThS) megis dadansoddi breuddwydion yn anodd iawn i'w mesur o ran effeithiolrwydd ac mae tystiolaeth yn tueddu i ganolbwyntio ar freuddwydion fel swyddogaeth yn hytrach nag archwilio canrannau cyfradd llwyddiant. Ar y llaw arall, gall therapïau ymddygiadol (ThY) fesur eu llwyddiant yn feintiol, e.e. canfu Capafóns (1998) bod cleientiaid â ffobia o hedfan yn dangos llai o arwyddion ffisiolegol ac amcangyfrifon ofn is ar ôl cwblhau 12–25 wythnos o driniaeth. Y gwahaniaeth allweddol yw bod ThY yn ymwneud yn unig â chysyniadau gwrthrychol, mesuradwy fel amcangyfrifon ofn tra bo ThS yn canolbwyntio ar gysyniadau sy'n oddrychol ac na ellir eu mesur na'u cadarnhau yn wyddonol, e.e. gwrthdaro anymwybodol. Yn y pen draw mae'r ymagwedd ymddygiadol a'i therapïau'n fwy gwyddonol a thrwyadl na'r ymagwedd seicodynamig a'i therapïau.

Beirniadaeth allweddol gyda ThS a ThY yw bod defnyddiau cyfyngedig i'r ddau ohonynt – ffobïau a chaethiwed yn unig y mae ThY yn eu harchwilio mewn gwirionedd, er na ellir gwella pob ffobia, e.e. ffobïau cyffredinol fel agoraffobia ac ofnau hynafol fel y canfuwyd gan Seligman, tra bo ThS yn cael eu defnyddio ar gyfer gorbryder a gwrthdaro anymwybodol gan fwyaf. Nid argymhellir y naill ymagwedd na'r llall ar gyfer trin sgitsoffrenia.

Yn foesegol mae gan ThY agwedd well at therapi na ThS gan eu bod yn rhoi'r elfen o gyfrifoldeb ar yr unigolyn – eu dewis rhydd nhw yw mynychu e.e. dadsensiteiddio systematig, a gallant reoli eu gorbryder trwy beidio â chymryd y cam nesaf ar yr hierarchaeth bryder nes eu bod yn barod. Mae ThS, ar y llaw arall, yn cael gwared â'r elfen o gyfrifoldeb ac yn cael eu hystyried yn fwy anfoesegol gan fod gwahaniaeth amlwg mewn cydbwysedd grym rhwng y cleient a'r therapydd a all arwain at y cleient yn dod yn or-ddibynnol ar y therapydd. Mae hyn yn creu gwahaniaeth pwysig rhwng y ddwy ymagwedd at therapi ac mae'n hawdd gweld bod ThS yn fwy penderfyniadol, h.y. mae eu llwyddiant neu beidio'n dibynnu ar y therapydd yn hytrach na'r unigolyn, tra bo ThY yn caniatáu rhywfaint o ewyllys rydd gan fod mwy o reolaeth gan yr unigolyn yn hytrach na'r therapydd dros eu llwyddiant.

Gwahaniaeth allweddol arall yw'r graddau y mae ThY a ThS yn mynd at wraidd y broblem. Mae therapïau ThS yn ennill gan eu bod yn mynd i'r afael ag achos sylfaenol anhwylder, tra bo ThY yn aml yn dioddef o amnewid symptomau gan mai symptomau annymunol yn unig, ac nid yr achos sylfaenol, y maen nhw'n mynd i'r afael â nhw.

I gloi, wrth ystyried ThY mewn cymhariaeth â ThS, rhaid i ni ystyried pa anhwylder sydd ar yr unigolyn gan fod llai o ddefnyddiau i ThS ac mai dim ond ar gyfer pobl benodol y maent yn addas, ond gallant fod yn effeithiol iawn a chynnig datrysiadau tymor-hir. Mae ThY, ar y llaw arall, yn foesegol well ac yn meddu ar lawer o dystiolaeth wyddonol i brofi eu heffeithiolrwydd ond yn gallu arwain weithiau at amnewid symptomau.

505 gair

Ateb Megan

Mae'r ymagwedd ymddygiadol yn wyddonol iawn gan ei bod yn defnyddio methodoleg wyddonol i gasglu data, e.e. arbrofion mewn labordai. Ymddygiad y gellir arsylwi arno a'i fesur yn wrthrychol yn unig sydd o ddiddordeb iddi. Mae'r ymagwedd seicodynamig yn gwbl anwyddonol oherwydd na all ei syniadau (e.e. yr id) gael eu gweld na'u mesur na hyd yn oed eu gwrthbrofi. Mae hyn yn golygu bod gan yr ymagwedd seicodynamig lai o dystiolaeth nag ymagweddau eraill.

Mae'r ymagwedd ymddygiadol yn benderfyniadol oherwydd ei bod yn awgrymu bod yr amgylchedd yn llunio'n hymddygiad ac nad oes gan unigolyn unrhyw reolaeth dros hyn. Mae'r ymagwedd seicodynamig yn benderfyniadol gan ei bod yn dweud bod ein hymddygiad yn cael ei lunio gan ran o'r meddwl nad ydym yn ymwybodol ohono, heb sôn am allu ei reoli.

Mae'r ymagwedd ymddygiadol yn defnyddio therapïau sydd wedi'u seilio ar gyflyru clasurol ac yn gweld bod y broblem yn deillio o achosion amgylcheddol allanol. Mae'r ymagwedd seicodynamig yn defnyddio therapïau sy'n ceisio cyrraedd y meddwl anymwybodol gan eu bod yn credu mai yno y mae achos problemau meddyliol, e.e. achosion mewnol. Mae hyn yn wahaniaeth mawr yn eu hagweddau tuag at therapi.

Mae gan yr ymagwedd ymddygiadol therapïau sy'n effeithiol iawn ar gyfer ffobïau. Mae gan yr ymagwedd seicodynamig therapïau sy'n gweithio ar gyfer gorbryder, iselder a gwrthdaro.

Mae gan yr ymagwedd ymddygiadol therapïau sy'n dioddef o amnewid symptomau ac mae hyn yn golygu bod eu heffeithiolrwydd yn lleihau gydag amser gan y gall symptomau ailymddangos, e.e. flwyddyn yn ddiweddarach. Nid oes amnewid symptomau yn yr ymagwedd seicodynamig mewn gwirionedd, ond mae problemau moesegol gan ei bod yn gyffredinol yn golygu bod rhaid i bobl balu trwy wybodaeth boenus y maent wedi ei chladdu yn eu meddyliau anymwybodol a gallai hyn fod yn drawmatig a gwneud i'r person deimlo'n waeth na phetaen nhw heb gael therapi.

Mae therapïau ymddygiadol fel arfer yn gweithio'n weddol gyflym, e.e. canfu un ymchwilydd bod pobl wedi eu gwella o ffobia hedfan ar ôl 25 sesiwn. Mae'r therapïau seicodynamig yn cymryd llawer o amser ac mewn rhai achosion gall gymryd blynyddoedd i'r unigolyn weld unrhyw gynnydd ac yn y diwedd mae'n bosibl na fyddant ddim agosach at ddeall pam eu bod yn ymddwyn fel ag y maent.

Mae'r ymagwedd ymddygiadol yn draddodiadol wedi'i seilio ar ymchwil mewn anifeiliaid, megis cŵn Pavlov. Gwnaeth Pavlov ymchwil ar gŵn a datblygodd gyflyru clasurol, a gafodd wedyn ei gymhwyso i fodau dynol mewn therapi fel dadsensiteiddio systematig. Nid yw'r ymagwedd seicodynamig yn defnyddio anifeiliaid ac ar bobl yn unig y bydd yn gwneud ymchwil.

Credaf fod yr ymagwedd ymddygiadol yn ymagwedd well na'r ymagwedd seicodynamig am lawer o resymau.

442 gair

Sylwadau'r arholwr a marciau ar dudalen 173

Pennod 3
Yr ymagwedd ymddygiadol

MANYLEB

Ymagwedd	Tybiaethau ac ymddygiad i'w egluro (yn cynnwys)	Therapi (un i bob ymagwedd)	Ymchwil clasurol	Dadl gyfoes
Ymddygiadol	• llechen lân • dysgu ymddygiad trwy gyflyru • mae bodau dynol ac anifeiliaid yn dysgu mewn ffordd debyg Bydd disgwyl i ddysgwyr gymhwyso un o'r tybiaethau a roddir i egluro sut mae perthynas yn ffurfio	therapi anghymell NEU dadsensiteiddio systematig	Watson, J.B. a Rayner, R. (1920) Conditioned emotional reactions. *Journal of Experimental Psychology, 3(1)*, 1–14.	defnyddio technegau cyflyru i reoli ymddygiad plant

CYNNWYS Y BENNOD

'Rhowch i mi ddwsin o fabanod iach, lluniaidd, a'm byd penodedig fy hunan i'w magu ynddynt a gallaf warantu y gallwn gymryd unrhyw un ohonynt ar hap a'i hyfforddi i fod yn unrhyw fath o arbenigwr y gallwn i ei ddewis – meddyg, cyfreithiwr, artist, masnachwr ac ie, hyd yn oed gardotyn neu leidr, beth bynnag fo ei dalentau, tueddiadau, galluoedd a galwedigaethau a hil ei gyndeidiau.'

J.B. Watson (1930)
Tad ymddygiadaeth

Ydych chi'n cytuno?
Ydy rhieni'n gallu hyfforddi plant i fod yn unrhyw fath o arbenigwyr?

Tybiaethau'r ymagwedd ymddygiadol

Canolbwyntio ar yr amgylchedd ac ymddygiad wedi'i ddysgu yw hanfod yr **ymagwedd ymddygiadol**. Yn gynnar yn yr 20fed ganrif cynigiodd seicolegydd o America, John B. Watson, y dylai seicolegwyr astudio ymddygiad y gellir arsylwi arno yn unig gan mai dyma'r unig ffordd y gallem fesur ymddygiad dynol mewn ffordd wyddonol. Credai Watson y gallai seicoleg gyrraedd yr un lefel â'r gwyddorau naturiol trwy ddefnyddio dulliau gwyddonol. Am hanner cyntaf yr 20fed ganrif bu seicoleg ymddygiadol yn dominyddu o fewn seicoleg.

TYBIAETH 1: GENIR POBL FEL LLECHEN LÂN

Mae ymddygiadwyr yn credu bod ein meddyliau pan fyddwn yn cael ein geni yn '*tabula rasa*', sef y term Lladin am lechen lân. Yn ôl yr ymagwedd ymddygiadol draddodiadol, nid ydym yn cael ein geni gyda chynnwys meddyliol cynhenid; nid yw digwyddiadau mewnol fel meddwl ac emosiwn yn gyrru ein hymddygiad. Yn lle hynny, maent yn credu bod ein holl ymddygiad yn cael ei ddysgu o ryngweithio gyda'r amgylchedd; nid ydym yn meddwl am ein hymddygiad, ond yn ymateb yn oddefol i ysgogiadau amgylcheddol.

Rhan ganolog o'r dybiaeth hon yw cefnogaeth i'r syniad o **fagwraeth** dros **natur**, sef y farn mai ffactorau cymdeithasol ac amgylcheddol a gaiff y dylanwad mwyaf ar ymddygiad, yn fwy na ffactorau cynhenid a biolegol.

Gellir ystyried bod theori ymddygiadol draddodiadol ar ben eithaf y **ddadl natur-magwraeth**, gan anwybyddu ffactorau fel **geneteg**, **ffisioleg** ac **esblygiad** (sydd i gyd yn enghreifftiau o natur) wrth egluro ymddygiad.

Gelwir y safbwynt hwn yn **benderfyniaeth amgylcheddol** – mae ein hymddygiad yn cael ei benderfynu gan yr amgylchedd yr ydym yn tyfu i fyny ynddo. Mewn geiriau eraill, mae'r cysylltiadau a wnawn yn gynnar yn ein bywydau (e.e. deintyddion = poen) a'r gwobrwyon/cosbau a ddarperir gan ein hamgylchedd (e.e. cael ein dyrnu am ymddygiad gwael) yn rhag-benderfynu (cael dylanwad pwysig ar) ein hymatebion diweddarach i bobl a sefyllfaoedd eraill.

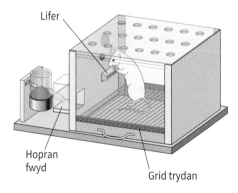

▲ Llygoden fawr mewn bocs Skinner. Gellid atgyfnerthu'r llygoden fawr yn gyntaf drwy bwyso'r lifer, a dylai hynny arwain ymhen amser at bwyso'r lifer yn aml. Yna, gallem ddechrau siocio'r llygod mawr hyn ar ôl iddyn nhw bwyso'r lifer, a dylai hynny arwain ymhen amser at bwyso llai a llai ar y lifer.

Lifer

Hopran fwyd

Grid trydan

TYBIAETH 2: DYSGU YMDDYGIAD TRWY GYFLYRU

Yn ôl ymddygiadwyr, rydym yn dysgu trwy ddau fath o gyflyru: clasurol a gweithredol.

Cyflyru clasurol

Mewn **cyflyru clasurol**, mae ymddygiad newydd yn cael ei ddysgu trwy gysylltiad. Disgrifiodd Ivan Pavlov y broses o gyflyru clasurol am y tro cyntaf yn 1902 ar sail ei arsylwadau o gynhyrchu poer mewn cŵn.
- Cyn y cyflyru, bydd y bwyd yn **ysgogiad heb ei gyflyru** (*unconditioned stimulus* – **UCS**) a bydd cynhyrchu poer yn **ymateb heb ei gyflyru** (*unconditioned response* – **UCR**).
- Yn ystod y cyflyru, bydd **ysgogiad niwtral** (*neutral stimulus* – **NS**), fel sŵn cloch, yn digwydd yr un pryd â'r UCS a bydd hyn yn cael ei ailadrodd nifer o weithiau. Dyma pryd fydd cysylltu yn digwydd.
- Ar ôl y cyflyru, bydd sŵn y gloch bellach yn **ysgogiad cyflyrol** (*conditioned stimulus* – **CS**), sy'n cynhyrchu **ymateb cyflyrol** (*conditioned response* – **CR**) – cynhyrchu poer.

Cyflyru gweithredol

Mewn **cyflyru gweithredol** mae ymddygiad newydd yn cael ei ddysgu trwy **atgyfnerthu**. Rhywbeth a fydd yn cynyddu'r siawns y bydd yr ymddygiad yn digwydd eto yw atgyfnerthydd. Gall atgyfnerthu fod yn gadarnhaol neu'n negyddol a bydd y naill neu'r llall yn llunio ymddygiad.

Dangosodd B.F. Skinner (1938) trwy gyfrwng bocs Skinner (gweler ar y chwith) y gallai anifail (e.e. ysguthan neu lygoden fawr) ddysgu ymddwyn mewn ffyrdd penodol o ganlyniad i gael ei wobrwyo (atgyfnerthu'n gadarnhaol) â bwyd. I ddechrau, efallai bydd yr anifail yn gwneud rhywbeth yn ddamweiniol a fydd yn achosi i belen o fwyd gael ei rhoi (e.e. gwthio lifer).

Gan fod yr ymddygiad wedi cael ei atgyfnerthu (gwobrwyo) mae'n debygol y bydd yr anifail yn ailadrodd yr ymddygiad hwn eto. Gelwir hyn yn **atgyfnerthu cadarnhaol**, a bydd unrhyw atgyfnerthiad yn cynyddu'r siawns y bydd yr ymddygiad yn cael ei ailadrodd.

Mae **atgyfnerthu negyddol** yn **cryfhau** ymddygiad gan ei fod yn golygu osgoi rhywbeth annymunol. Er enghraifft, gallai cwblhau eich gwaith cartref achosi i chi osgoi cael eich cadw ar ôl ysgol neu osgoi gwneud eich athro yn flin, felly byddwch yn fwy tebygol o gwblhau eich gwaith cartref y tro nesaf.

Mewn cyflyru gweithredol, mae ymddygiad hefyd yn cael ei ddysgu trwy **gosbi**. Mae cosbi yn gwanhau ymddygiad a dylai leihau'r tebygolrwydd y bydd yr ymddygiad yn digwydd eto – y gwrthwyneb i atgyfnerthu. Er enghraifft, os byddai llygod mawr Skinner yn derbyn sioc ar ôl gwthio'r lifer yn hytrach na phelen o fwyd, roeddent yn llai tebygol o wthio'r lifer eto.

Gallwch wylio Pavlov yn cyflyru anifeiliaid a phlant:
https://www.youtube.com/watch?v=N5rXSjId0q4

Dechreuodd **B.F. Skinner** (1904-1990, Burrhus Frederick oedd ei enw, ond Fred i'w ffrindiau) fel arbenigwr mewn Saesneg, ond newidiodd i seicoleg a daeth yn un o gefnogwr cryfaf ymddygiadaeth. Credai y gallai cymdeithas ddarparu atgyfnerthiadau er mwyn llunio ymddygiad yn y cyfeiriad mwyaf manteisiol. Dangosodd sut gallai hynny gael ei wneud yn ei nofel sy'n disgrifio byd delfrydol, *Walden Two*.

Gan feddwl i'r perwyl hwn creodd grud aer i'w faban fyw ynddo, a oedd yn creu cyfleoedd ar gyfer atgyfnerthu. Roedd yr amgylchedd wedi'i wresogi fel y gallai'r ferch fach chwarae yn ddiogel a heb rwystr.

TYBIAETH 3: MAE POBL AC ANIFEILIAID YN DYSGU MEWN FFYRDD TEBYG

Mae cyfreithiau dysgu yr un peth ar gyfer pobl ac anifeiliaid nad ydynt yn ddynol. Mae'n dilyn, felly, y gallwn astudio anifeiliaid yn dysgu mewn amgylchedd **labordy** a *chyffredinoli'r* hyn a welir i ymddygiad dynol.

Er enghraifft, datblygodd Pavlov egwyddorion cyflyru clasurol gyda chŵn, trwy ddangos y gellid eu cyflyru i gynhyrchu poer pan fyddai cloch yn canu, cyn cymhwyso'r egwyddorion gyda phobl. Mae'r un egwyddorion wedi cael eu cymhwyso mewn **therapïau ymddygiadol**, i helpu pobl i oresgyn problemau megis **ffobiâu**. Mewn **dadsensiteiddio systematig**, er enghraifft, bydd y cleient yn dysgu *cysylltu* gwrthrych y ffobia (e.e. cael pigiad) â theimladau o ymlacio, yn hytrach na phryder.

Yn yr un modd, mae egwyddorion cyflyru gweithredol a ddatblygwyd o fewn cyfyngiadau labordy gydag anifeiliaid (e.e. ymchwil Skinner ar lygod mawr) yn cael eu cymhwyso mewn nifer o gyd-destunau er mwyn helpu i lunio ymddygiad dynol, er enghraifft ym myd addysg ac mewn carchardai. Mae **systemau atgyfnerthu â thalebau** yn enghraifft glasurol o hyn, lle mae ymddygiad cadarnhaol yn cael ei atgyfnerthu â thocynnau y gellir eu cyfnewid am wobrwyon fel losin a sigaréts (gweler tudalen 60).

EGLURHAD YMDDYGIADOL O FFURFIO PERTHNASOEDD

Gan fod ymddygiadwyr yn credu bod pob ymddygiad wedi ei ddysgu o'r amgylchedd, byddent yn credu mai ffactorau allanol fydd yn cael y mwyaf o ddylanwad ar ffurfio ein perthnasoedd. Gallent egluro ffurfio perthynas yn y ffyrdd canlynol:

Cyflyru gweithredol

Yn ôl egwyddorion cyflyru gweithredol, atgyfnerthiadau a chosbau sy'n gyrru ein hymddygiad. Gall perthynas newydd atgyfnerthu ei hun yn gadarnhaol mewn nifer o ffyrdd, er enghraifft mae'r sylw a gawn gan rywun, eu canmoliaeth neu hyd yn oed gael cwmni rhywun yr ydym yn eu hoffi yn rhoi boddhad i ni. Am y rhesymau hyn, rydym yn debygol o ailadrodd yr ymddygiad, h.y. treulio mwy o amser gyda nhw. Hefyd, gall bod gyda rhywun arall ein helpu i osgoi teimladau o unigrwydd a chael ein gwrthod, ac mae osgoi'r teimladau hyn yn llwyddiannus hefyd yn atgyfnerthol (atgyfnerthu negyddol). Efallai y byddwn hefyd yn teimlo ein bod yn cael ein cosbi os nad ydym mewn perthynas, er enghraifft trwy fod yn destun sylwadau annymunol gan eraill neu gael ein cadw allan o ddigwyddiadau sy'n agored i gyplau yn unig. Bydd cosbi o'r math hwn yn lleihau'r tebygolrwydd ein bod eisiau bod ar ein pennau'n hunain ac yn cynyddu'r tebygolrwydd ein bod eisiau ffurfio perthynas.

Cyflyru clasurol

Yn ogystal â hoffi pobl yr ydym yn rhannu profiad dymunol â nhw, rydym hefyd yn hoffi pobl sy'n *gysylltiedig* â digwyddiadau dymunol. Os byddwn yn cwrdd â rhywun pan fyddwn yn teimlo'n hapus (mewn hwyliau da), byddwn yn llawer mwy tueddol o'u hoffi nag os byddwn ni'n cwrdd â nhw pan fyddwn ni'n teimlo'n anhapus (mewn hwyliau gwael). Trwy hyn, gall ysgogiad a oedd gynt yn niwtral (e.e. rhywun nad oeddem wedi cwrdd ag ef o'r blaen ac nad oedd gennym unrhyw deimladau gwirioneddol amdano o'r herwydd) ddod i gael ei werthfawrogi'n gadarnhaol oherwydd ei gysylltiad â digwyddiad dymunol (h.y. rydym yn dysgu hoffi pobl trwy'r broses o gyflyru clasurol). Mae hoffi yn arwain at gael perthynas.

Enghraifft:
Eglurio ffurfio perthnasoedd rhwng anifeiliaid anwes a'u perchnogion

Mae egwyddorion cyflyru gweithredol yn cael eu defnyddio i hyfforddi anifeiliaid anwes ac mae'r rhain yn helpu i ffurfio perthnasoedd da rhwng anifeiliaid anwes a'u perchnogion. Er enghraifft, mae hyfforddi cŵn fel arfer yn cynnwys rhoi gwobrau am ymddygiad da, megis aros nes bod ci yn eistedd ac yna rhoi gwobr, neu gerdded heb dynnu ar ei dennyn. Bydd y gwobrwyon hyn yn cynyddu bodlonrwydd yn y perchennog a'r ci ac felly mae'r ymddygiad da yn debygol o gael ei ailadrodd.

Mae astudiaethau wedi dangos bod perchnogion anifeiliaid anwes yn llai tebygol o ddioddef o iselder na phobl heb anifeiliaid anwes, a bod gan bobl sydd ag anifeiliaid anwes bwysedd gwaed is mewn sefyllfaoedd ingol na phobl heb anifeiliaid anwes. Mae presenoldeb anifail anwes felly'n cael ei gysylltu'n gyffredinol â theimladau cadarnhaol fel cyfeillgarwch a theyrngarwch (cyflyru clasurol).

Pennod 3 **Yr ymagwedd ymddygiadol**

GWAITH I CHI

Mae'r rhaglen deledu *Supernanny* yn dangos Jo Frost yn dofi plant trafferthus. Mae ei thechnegau'n cynnwys atgyfnerthu uniongyrchol ac anuniongyrchol (cadarnhaol a negyddol) yn ogystal â chosbi.

Chwiliwch am enghreifftiau o'r rhaglen ar YouTube a lluniwch restr o enghreifftiau o'r ymagwedd ymddygiadol ar waith.

Dylech chi chwilio'n arbennig am enghreifftiau o atgyfnerthu uniongyrchol (cadarnhaol a negyddol).

GWAITH I CHI

Rydym wedi dangos eglurhad ymddygiadol o berthnasoedd ar gyfer perthynas rhwng anifail anwes a pherchennog, ond dim ond un o'r enghreifftiau a roddir yn y fanyleb yw hynny.

Ceisiwch wneud yr un peth ar gyfer rhai o'r enghreifftiau eraill yn y fanyleb: brodyr a chwiorydd, mam a phlentyn, partneriaid rhamantaidd a ffrindiau. Ceisiwch wneud pob un yn wahanol.

CORNEL ARHOLIAD

Ar gyfer pob tybiaeth a enwir yn y fanyleb, bydd angen i chi allu:
- Amlinellu'r dybiaeth.
- Ymhelaethu'n llawn ar y dybiaeth, gan ddefnyddio enghreifftiau o fewn seicoleg.

Yn ogystal, bydd angen i chi allu:
- Defnyddio o leiaf **un** dybiaeth i egluro sut mae **un** berthynas yn ffurfio.

Cwestiynau arholiad posibl:
1. Disgrifiwch dybiaethau'r ymagwedd ymddygiadol. [12]
2. Amlinellwch dybiaethau 'dysgu ymddygiad trwy gyflyru' a 'genir pobl fel llechen lân' yr ymagwedd ymddygiadol. [4 + 4]
3. Eglurwch sut gallai'r ymagwedd ymddygiadol egluro ffurfio perthnasoedd. [6]

Therapi 1: Therapi anghymell

Dim ond un therapi ymddygiadol y byddwch yn ei astudio fel rhan o'ch cwrs – therapi anghymell NEU ddadsensiteiddio systematig.

Mae'r **ymagwedd ymddygiadol** yn credu ein bod yn cael ein geni fel '*tabula rasa*', a bod ein holl ymddygiad wedi ei ddysgu. Mae dysgu yn digwydd o ganlyniad i ddau brif fath o gyflyru – **cyflyru clasurol** (dysgu trwy *gysylltu*) a **chyflyru gweithredol** (dysgu trwy *ganlyniadau* ein gweithredoedd).

GOFYNION Y FANYLEB

Ar gyfer pob ymagwedd bydd angen:
- Gwybod a deall sut mae'n bosibl defnyddio'r ymagwedd mewn therapi (un therapi i bob ymagwedd).
- Gwybod a deall prif elfennau (egwyddorion) y therapi.
- Gwerthuso'r therapi (gan gynnwys ei effeithlonrwydd ac ystyriaethau moesegol).

SUT MAE TYBIAETHAU YMDDYGIADOL YN BERTHNASOL I THERAPI ANGHYMELL

Prif dybiaeth yr ymagwedd ymddygiadol yw bod pob ymddygiad wedi ei ddysgu. Mae therapïau ymddygiadol yn gyffredinol yn defnyddio egwyddorion cyflyru clasurol a gweithredol er mwyn helpu pobl i 'ddad-ddysgu' ymddygiad y maent wedi ei ddysgu. Mae egwyddorion sylfaenol therapïau ymddygiadol wedi eu seilio ar y syniad bod y mwyafrif o ffurfiau o salwch meddwl yn digwydd trwy ddysgu camaddasol neu wallus; mae'n bosibl, felly, i berson ail-ddysgu sut i ymddwyn mewn ffordd fwy gweithredol ac iach (addasu ymddygiad).

Yn benodol, mae **therapi anghymell** yn defnyddio'r dybiaeth ymddygiadol o gyflyru clasurol i achosi claf i leihau neu osgoi patrwm o ymddygiad na ddymunir. Mae gan y claf ar hyn o bryd batrwm ymddygiad na ddymunir megis alcoholiaeth, a thybiaeth cyflyru clasurol yw bod y claf wedi dysgu *cysylltu* yfed alcohol â theimladau pleserus. Nod therapi anghymell, felly, yw cyflyru'r claf i gysylltu alcohol (yr ymddygiad na ddymunir) ag ysgogiad annymunol neu anghymhellol (fel teimlo'n sâl). Dylai hyn arwain at atal yr ymddygiad na ddymunir.

Mae therapi anghymell hefyd yn defnyddio un arall o dybiaethau'r ymagwedd ymddygiadol – cyflyru gweithredol. Mae ffurfiau modern o therapi anghymell yn defnyddio cyffuriau sy'n gwobrwyo cleifion am ymwrthod â theimladau o lonyddwch, h.y. **atgyfnerthu cadarnhaol**. Y syniad yw y bydd ymddygiad sy'n cael ei wobrwyo yn cael ei ailadrodd, ac felly gan ddefnyddio egwyddorion cyflyru gweithredol, bydd alcoholig yn parhau i ymwrthod rhag yfed alcohol.

Cyngor arholiad….

Efallai y bydd cwestiynau arholiad yn gofyn i chi egluro sut mae tybiaethau'r ymagwedd yn cael eu cymhwyso i'r therapi.

Gallwch wneud hyn trwy ddechrau gyda thybiaeth gyffredinol, a chymhwyso hynny at amcanion y therapi.

Yna dewiswch ddwy dybiaeth benodol a'u cymhwyso at y therapi.

GWAITH I CHI

Gellir defnyddio therapi anghymell i drin alcoholiaeth. Caiff yr unigolion gyffur i wneud iddyn nhw deimlo'n gyfoglyd iawn wrth yfed diod alcoholaidd.

1. Yn y sefyllfa uchod, pa rai yw'r UCS, yr UCR, yr NS, y CS a'r CR?
2. Gallwch chi wneud yr un peth ynghylch defnyddio siociau trydan i drin ysmygwyr.

PRIF ELFENNAU (EGWYDDORION) THERAPI ANGHYMELL

Sut mae'n gweithio

Dro ar ôl tro, caiff unigolion ysgogiad anghymhellol (h.y. annymunol), fel sioc drydan neu gyffur, sy'n gwneud iddynt deimlo'n gyfoglyd wrth iddyn nhw gyflawni'r ymddygiad annymunol sy'n cael ei drin. Sylwch nad yw defnyddio sioc yr un peth â **therapi electrogynhyrfol** (*electroconvulsive therapy* – **ECT**).

Mae'r ysgogiad anghymhellol (y sioc) yn **UCS**, sy'n achosi **UCR** fel osgoi. Pan gaiff yr ysgogiad anghymhellol (y sioc) ei baru dro ar ôl tro â'r ymddygiad annymunol (fel yfed alcohol), bydd yr ymddygiad (e.e. trais, a oedd yn **NS** ac sydd bellach yn **CS**) yn esgor ar yr un canlyniadau. O ganlyniad, bydd y cleientiaid yn colli'r awydd i gyflawni'r ymddygiad annymunol.

Sensiteiddio cudd

Mae **sensiteiddio cudd** yn fath unigryw o therapi anghymell sy'n dilyn yr un egwyddorion sylfaenol, ond nid yw'r canlyniad annymunol yn bresennol yn y therapi mewn gwirionedd. Yn lle hynny mae'r therapi'n dibynnu ar allu'r cleient i ddefnyddio ei ddychymyg yn hytrach na phrofi'r canlyniadau negyddol mewn gwirionedd. Er enghraifft, mae gofyn i alcoholigion ddychmygu golygfeydd annifyr, atgas neu frawychus wrth iddynt yfed. Mae'r math yma o therapi, a elwir yn sensiteiddio cudd, yn cael ei ddefnyddio'n llawer llai aml na ffurfiau eraill o therapi anghymell.

Efallai bydd y therapydd yn annog y cleient yn eiriol i ddychmygu sefyllfaoedd sy'n mynd yn waeth ac yn waeth (e.e. o ddychmygu teimlo'n wirioneddol sâl ar ôl yfed alcohol, i ddychmygu chwydu dros rywun ar ôl cwrdd â nhw am y tro cyntaf oherwydd gormod o alcohol), ac mae felly'n defnyddio egwyddorion **dadsensiteiddio systematig** (a drafodir ar y tudalennau nesaf) hefyd.

Datblygiadau newydd

Mae datblygiadau diweddar o ran trin alcoholiaeth wedi mireinio'r defnyddio ar therapi anghymell traddodiadol. Mae ymchwilwyr wedi dod o hyd i gyffuriau sy'n gwneud defnyddwyr yn sâl os byddan nhw'n cymysgu cyffuriau ag alcohol, ond hefyd yn gwobrwyo unrhyw ymatal drwy greu teimladau o dawelwch a bodlonrwydd (Badawy, 1999). Bydd y cyfansoddion hyn (*metabolynnau tryptoffan*) yn rhwystro alcohol rhag cael ei drosi'n gywir yn y corff ac yn ei droi'n gemegyn sy'n achosi effeithiau annymunol fel chwydu a gwrido poeth. Ond yn wahanol i gyfansoddion anghymell confensiynol, byddan nhw hefyd yn cynnig ysgogiad i barhau â'r driniaeth.

Cyflyru gweithredol

Mae therapi anghymell yn defnyddio egwyddorion cyflyru gweithredol yn ogystal â chyflyru clasurol. Unwaith y bydd *cysylltiad* yn cael ei wneud rhwng yr ysgogiad a oedd unwaith yn ddymunol (e.e. alcohol) ac ymateb annymunol (e.e. teimlo'n gyfoglyd), bydd y person yn tueddu i osgoi cysylltiad â'r ysgogiad yn y dyfodol. Efallai y bydd alcoholig, er enghraifft, yn osgoi mynd i dafarnau neu sefyllfaoedd cymdeithasol eraill lle mae pobl yn yfed. Trwy hynny, mae atgyfnerthu negyddol (osgoi'r hyn sydd bellach yn sefyllfa annymunol) ar waith, gan gymell yr unigolyn i barhau i osgoi'r sefyllfaoedd hyn.

Theori Anghymell

CORNEL ARHOLIAD

Ar gyfer pob therapi, bydd angen i chi allu:
- Disgrifio sut mae tybiaethau'r ymagwedd yn cael eu cymhwyso fel rhan o'r therapi.
- Disgrifio prif elfennau (egwyddorion) y therapi.
- Gwerthuso'r therapi o ran ei effeithiolrwydd.
- Gwerthuso'r therapi o ran ystyriaethau moesegol.

Cwestiynau arholiad posibl:
1. Disgrifiwch sut mae tybiaethau'r ymagwedd ymddygiadol yn cael eu cymhwyso mewn therapi anghymell. [8]
2. Disgrifiwch brif elfennau (egwyddorion) therapi anghymell. [10]
3. Gwerthuswch therapi anghymell o ran ei effeithiolrwydd ac ystyriaethau moesegol. [10]
4. Gwerthuswch yr ystyriaethau moesegol sy'n codi mewn therapi anghymell. [6]

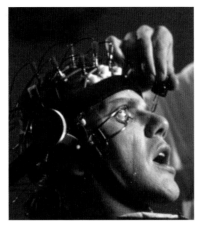

◄ Cefndir ffilm Stanley Kubrick *A Clockwork Orange*, sef addasiad o nofel Anthony Burgess, yw cyfnod treisgar yn y DU yn y dyfodol agos. Portreadir defnyddio eithafol ar therapi anghymell i sicrhau rheolaeth gymdeithasol. Caiff Alex, hwligan yn ei arddegau, ei ddal gan yr heddlu. Yn y carchar, mae'n derbyn therapi anghymell i'w analluogi i gyflawni rhagor o drais. Caiff Alex ei ddal mewn cadair o flaen sgrin fawr. Caiff ei ben ei glymu i lawr a'i lygaid eu dal ar agor â chlipiau metel. Yna, chwistrellir cyffur iddo i wneud iddo deimlo'n ddychrynllyd o sâl, a chaiff ei orfodi i wylio delweddau o drais dychrynllyd. Ar ôl ychydig wythnosau o'r driniaeth, mae Alex yn barod i ddychwelyd i gymdeithas ac wedi'i gyflyru i deimlo'n sâl os yw'n gweld trais.

GWERTHUSO: EFFEITHIOLRWYDD

Ymchwil
Mewn astudiaeth o alcoholigion, cymharodd Miller (1978) effeithiolrwydd tri math o driniaeth:
- Therapi anghymell (gan ddefnyddio siociau).
- Therapi **cynghori** ynghyd ag anghymell.
- Cynghori ar ei ben ei hun.

Flwyddyn yn ddiweddarach, roedd pob grŵp wedi cyrraedd yr un lefel o ymadfer. Awgrymai hynny nad oedd therapi anghymell yn cynnig unrhyw fantais.

Ar y llaw arall, gwelodd Smith ac eraill (1997) fod gan alcoholigion a gafodd eu trin â therapi anghymell (gan ddefnyddio siociau neu gyffur i ysgogi cyfog) gyfraddau uwch o ymatal ar ôl blwyddyn na'r rhai a driniwyd drwy eu cynghori'n unig. Dywedodd Smith (1988) hefyd i'r therapi lwyddo yn achos grŵp o 300 o ysmygwyr: roedd 52% o'r rhai a gafodd eu trin â siociau yn dal i ymatal ar ôl blwyddyn.

Rhoi'r gorau iddi
Bydd therapïau anghymell yn aml yn dioddef am fod y cleifion yn rhoi'r gorau iddyn nhw. Dywedodd Bancroft (1992) fod hyd at 50% o gleifion yn gwrthod cael eu trin neu'n rhoi'r gorau i raglenni therapi anghymell. Os cleifion parod yn unig sy'n fodlon ymgymryd â'r therapi yn y lle cyntaf, mae'n anodd iawn gwerthuso therapïau o'r fath.

A yw'r effeithiau yn parhau?
Mae amheuaeth a yw effeithiau cadarnhaol therapi anghymell yn parhau yn y tymor hir. Mae llawer o gleifion yn rhoi'r argraff eu bod wedi cael eu trin o fewn cyffiniau swyddfa'r therapydd ac efallai'n ymddangos eu bod yn gwella. Fodd bynnag, nid yw'r effeithiau hyn yn debygol o drosglwyddo i'r byd tu allan, lle na fydd cosbau fel cyffuriau sy'n creu salwch neu siociau fel canlyniadau. Dangosodd ymchwil Pavlov ar gyflyru clasurol bod ymateb cyflyrol yn cael ei **leihau** pan na fydd y CS yn cael ei baru gyda'r UCS.

Amnewid symptomau
Er y gall therapïau wedi eu seilio ar dybiaethau ymddygiadol fod yn effeithiol o ran addasu ymddygiad, mae gwrthwynebwyr yn dadlau bod y therapïau'n methu â thrin yr achosion sylfaenol posibl. Y rheswm am hyn yw bod yr ymagwedd ymddygiadol yn credu mai'r ymddygiad camaddasol yw'r anhwylder ac felly nad oes achosion sylfaenol i'w trin. Un canlyniad o hyn yw y gellir cael gwared â'r symptomau gwreiddiol (e.e. caethiwed i alcohol), ond bod symptomau newydd yn ymddangos ar ffurf wahanol (e.e. caethiwed i gamblo). Bydd hyn yn digwydd pan fydd yna achos sylfaenol nad yw wedi cael ei adnabod. Gelwir hyn yn **amnewid symptomau**.

GWERTHUSO: YSTYRIAETHAU MOESEGOL

Trin cyfunrywioldeb
Am flynyddoedd lawer roedd therapi anghymell yn cael ei ddefnyddio yn y DU ac UDA fel triniaeth i 'wella' cyfunrywioldeb. Yn syfrdanol, roedd hi'n 2006 cyn i Gymdeithas Seiciatryddion America (APA) ystyried bod y dull hwn yn rhy anfoesegol. Defnyddiwyd y dull ar ddynion, ac roedd yn cynnwys rhoi cyffuriau iddynt i beri iddynt deimlo'n gyfoglyd ynghyd â'u rhoi mewn amgylchiadau budr tra bo lluniau awgrymog o wrywod yn cael eu dangos iddynt. Credwyd y byddai hyn yn achosi iddynt ffurfio cysylltiad rhwng teimladau negyddol a'r delweddau er mwyn eu 'troi yn strêt'.

Yn 1962 bu farw Billy Clegg-Hill wedi iddo fynd trwy therapi anghymell er mwyn 'gwella' ei gyfunrywioldeb. Ar y pryd, honnwyd ei fod wedi marw o achosion naturiol ond mewn gwirionedd roedd wedi marw o goma a chonfylsiynau a achoswyd gan *Apomorphine*, cyffur sy'n peri chwydu (BBC, 2009).

Rheolaeth
Mae therapi anghymell yn wirioneddol annymunol i'r claf, ac am y rheswm hwn mae wedi cael ei alw'n anfoesegol. Mae technegau sy'n ymwneud â chosbi yn benodol (e.e. siociau trydan) wedi cael eu beirniadu am arfer gormod o reolaeth dros gleifion, a'u 'pwylldreisio' i gael eu trin. Fodd bynnag, ni ellir gweithredu'r therapi hwn heb gydsyniad llawn y claf, pan fydd pob ymgais arall i'w trin wedi methu. Mae datblygiadau newydd mewn therapi anghymell (gweler y dudalen gyferbyn) hefyd wedi arwain at driniaethau mwy soffistigedig.

Mewn ymateb i feirniadaethau moesegol o'r fath, bydd rhai therapyddion yn defnyddio sensiteiddio cudd fel ffurf amgen o therapi 'ysgafnach' (gweler y dudalen gyferbyn).

GWAITH I CHI

Ehangwch eich gwybodaeth
Ym mis Ionawr 2014, dangosodd Sianel 4 raglen ddogfen lle bu'r meddyg poblogaidd Dr Christian Jessen yn cudd-weithredu er mwyn archwilio'r defnydd o therapi anghymell i drin cyfunrywioldeb yn y DU ac UDA.

www.channel4.com/programmes/undercover-doctor-cure-me-im-gay

Efallai y byddwch eisiau gwylio'r rhaglen hon er mwyn cynyddu eich dealltwriaeth o sut roedd y therapi yn cael ei ddefnyddio, ac er mwyn trafod rhai o'r problemau moesegol sy'n ymwneud â'r driniaeth.

Therapi 2: Dadsensiteiddio systematig

Dim ond un therapi ymddygiadol y byddwch yn ei astudio fel rhan o'ch cwrs – therapi anghymell NEU ddadsensiteiddio systematig.

GOFYNION Y FANYLEB

Ar gyfer pob ymagwedd bydd angen:

- Gwybod a deall sut mae'n bosibl defnyddio'r ymagwedd mewn therapi (un therapi i bob ymagwedd).
- Gwybod a deall prif elfennau (egwyddorion) y therapi.
- Gwerthuso'r therapi (gan gynnwys ei effeithlonrwydd ac ystyriaethau moesegol).

Mae'r **ymagwedd ymddygiadol** yn credu ein bod yn cael ein geni fel '*tabula rasa*', a bod ein holl ymddygiad wedi ei ddysgu. Mae dysgu yn digwydd o ganlyniad i ddau brif fath o gyflyru – **cyflyru clasurol** (dysgu trwy *gysylltu*) a **chyflyru gweithredol** (dysgu trwy *ganlyniadau* ein gweithredoedd).

Cyngor arholiad…

Efallai y bydd cwestiynau arholiad yn gofyn i chi egluro sut mae tybiaethau'r ymagwedd yn cael eu cymhwyso i'r therapi.

Gallwch wneud hyn trwy ddechrau gyda thybiaeth gyffredinol, a chymhwyso hynny at amcanion y therapi.

Yna dewiswch ddwy dybiaeth benodol a'u cymhwyso at y therapi.

SUT MAE TYBIAETHAU YMDDYGIADOL YN BERTHNASOL I DDADSENSITEIDDIO SYSTEMATIG

Prif dybiaeth yr ymagwedd ymddygiadol yw bod pob ymddygiad wedi ei ddysgu. Mae therapïau ymddygiadol yn gyffredinol yn defnyddio egwyddorion cyflyru clasurol a gweithredol er mwyn helpu pobl i 'ddad-ddysgu' ymddygiad y maent wedi ei ddysgu. Mae egwyddorion sylfaenol therapïau ymddygiadol wedi eu seilio ar y syniad bod y mwyafrif o ffurfiau o salwch meddwl yn digwydd trwy ddysgu camaddasol neu wallus; mae'n bosibl, felly, i berson ail-ddysgu sut i ymddwyn mewn ffordd fwy gweithredol ac iach (addasu ymddygiad).

Yn benodol, mae **dadsensiteiddio systematig** (*systematic desensitisation* – SD) wedi'i seilio'n bennaf ar egwyddorion cyflyru clasurol, a'r syniad o gysylltu ysgogiadau ac ymatebion. Datblygwyd y therapi gan Joseph Wolpe yn y 1950au ac mae'n cael ei ddefnyddio i drin **anhwylderau ffobig**, gan dybio bod y cleient wedi dysgu cysylltu gwrthrych y ffobia gydag ofn. Sail y therapi yw'r syniad o **wrthgyflyru**, lle mae'r cleient yn dysgu cysylltu gwrthrych y ffobia gydag ymlacio yn hytrach na theimlo'n bryderus. Dyma'r syniad o **ataliad cilyddol** – y syniad nad yw'n hawdd i ni deimlo dau gyflwr gwrthgyferbyniol o emosiwn ar yr un pryd.

Mae egwyddorion cyflyru gweithredol hefyd i'w gweld yn y therapi hwn. Pan fydd y cleient yn llwyddo i deimlo wedi ymlacio ym mhresenoldeb gwrthrych y ffobia, mae hyn yn rhoi boddhad, ac mae **atgyfnerthu cadarnhaol** o'r fath yn annog y cleient i symud i fyny'r hierarchaeth i sefyllfaoedd sy'n peri mwy o ofn iddynt.

Sut mae'n gweithio

▲ **Problem** – bydd y claf yn dychryn pryd bynnag y bydd hi'n gweld pry cop.

▲ **Canlyniad** – ar ôl SD, mae'r claf wedi goresgyn ei hofn o bry cop ac ni fydd yn cynhyrfu wrth eu gweld.

Cam 1: Dysgu'r claf i lacio'i chyhyrau yn llwyr. (Dydy cyflwr ymlaciol ddim yn gydnaws â gorbryder.)

Cam 2: Bydd y therapydd a'r claf yn cydlunio hierarchaeth dadsensiteiddio – cyfres o olygfeydd dychmygol, a phob un yn achosi ychydig yn fwy o bryder na'r un flaenorol.

Cam 3: Bydd y claf yn gweithio'i ffordd yn raddol drwy'r hierarchaeth dadsensiteiddio gan ddelweddu pob digwyddiad sy'n ysgogi gorbryder tra'n ymgymryd â'r ymateb ymlacio sy'n cystadlu â hynny.

Cam 4: Ar ôl i'r claf feistroli un cam yn yr hierarchaeth (h.y. yn parhau wedi ymlacio wrth ei ddychmygu), bydd yn barod i symud ymlaen i'r un nesaf.

Cam 5: Yn y pen draw, bydd y claf yn meistroli'r sefyllfa a ofnai ac a achosodd iddi geisio cymorth yn y lle cyntaf.

CYFLYRU CLASUROL A GWRTHGYFLYRU

Mae damcaniaeth Pavlov ynghylch **cyflyru clasurol** yn egluro sut y gall ysgogiadau a arferai fod yn niwtral (fel nadroedd, archfarchnadoedd neu hyd yn oed glociau) ysgogi gorbryder mewn rhai pobl am eu bod wedi'u cysylltu â digwyddiad gwahanol a oedd, yn naturiol, yn peri gofid i ni. Bydd digwyddiad sy'n peri gofid, e.e. cael eich cnoi (**UCS**), yn esgor ar ymateb ofn naturiol (**UCR**). Caiff NS, e.e. presenoldeb ci, ei gysylltu'n raddol â'r UCS ac felly bydd yr **NS** hefyd yn esgor ar UCR. Fe'u gelwir nawr yn **CS** a **CR**.

Yr ochr arall i gyflyru clasurol yw *gwrthgyflyru*. Mae hynny'n golygu *lleddfu* ymateb cyflyrol (fel gorbryder) drwy sefydlu ymateb anghydnaws (ymlacio) i'r un ysgogiad cyflyrol (e.e. neidr, archfarchnad, neu beth bynnag).

PRIF ELFENNAU (EGWYDDORION) DADSENSITEIDDIO SYSTEMATIG (SD)

Gall unigolyn ddysgu nad yw'r ysgogiad y mae'n ei ofni mor dddychrynllyd â hynny wedi'r cyfan – pe câi brofiad o'r ysgogiad hwnnw eto. Ond fydd hynny byth yn digwydd am fod y gorbryder y mae'r ysgogiad yn ei greu yn rhwystro unrhyw ymdrech i gael profiad ohono eto. Yn y 1950au, datblygodd Joseph Wolpe dechneg lle câi pobl ffobig eu cyflwyno'n *raddol* i'r ysgogiad a ofnent.

Gwrthgyflyru

Mae'r diagram ar y chwith yn dangos camau'r SD. Man cychwyn y broses yw dysgu technegau ymlacio. Y nod yn y pen draw yw caffael cysylltiad ysgogiad-ymateb newydd, a symud o ymateb-yn-llawn-ofn i'r ysgogiad i ymateb yn ymlaciol i'r ysgogiad a gâi ei ofni. Gelwir hynny'n **wrthgyflyru** am fod y claf yn dysgu cysylltiad newydd sy'n mynd yn groes i'r cysylltiad gwreiddiol. Galwodd Wolpe hynny hefyd yn '**ataliad cilyddol**' am fod yr ymlacio'n atal y gorbryder.

Hierarchaeth dadsensiteiddio

Mae'r diagram ar y chwith hefyd yn dangos sut mae'r dysgu'n mynd yn ei flaen drwy **hierarchaeth dadsensiteiddio**, sef cyfres o gamau graddol y penderfynir arnyn nhw ar ddechrau'r therapi pan fydd y claf a'r therapydd yn gweithio ar hierarchaeth o'r ysgogiadau a ofnir o'r un lleiaf i'r mwyaf ofnus.

Gwahanol ffurfiau ar SD

Yn nyddiau cynnar SD, byddai cleifion yn dysgu wynebu'r sefyllfaoedd a ofnent yn uniongyrchol (**dadsensiteiddio *in vivo***) drwy ddysgu ymlacio ym mhresenoldeb gwrthrychau neu'r delweddau a fyddai'n cyffroi eu gorbryder fel rheol. Ond dros y blynyddoedd diwethaf bydd y therapydd, yn hytrach na chyflwyno'r ysgogiad sy'n peri ofn, yn gofyn i'r claf *ddychmygu* ei bresenoldeb (**dadsensiteiddio *in vitro*** neu **gudd**).

Gan i ymchwil ddangos mai cyswllt go-iawn â'r ysgogiad a ofnir sy'n fwyaf llwyddiannus, mae technegau *in vivo* yn fwy llwyddiannus na'r rhai cudd (Menzies a Clarke, 1993). Yn aml, defnyddir amryw o dechnegau gwahanol – rhai *in vivo* a chudd ynghyd â modelu, sef bod y claf yn gwylio rhywun arall sy'n ymdopi'n dda â'r ysgogiad a ofnir (Comer, 2002).

Dewis arall yw hunanweinyddu SD. Dywed Humphrey (1973) i hynny fod yn effeithiol wrth drin ffobia cymdeithasol, er enghraifft.

▲ Anghofio geiriau sawl cân mewn cyngerdd wnaeth i'r gantores, yr actores a'r gyfarwyddwraig o America, Barbra Streisand, ddatblygu ffobia cymdeithasol. Am 27 mlynedd gwnaeth osgoi unrhyw berfformiad cyhoeddus. Yn ystod cyfweliad ag Oprah Winfrey yn 2006, datgelodd Barbra iddi oresgyn ei ffobia cymdeithasol drwy ddefnyddio **cyffuriau lleihau gorbryder** a rhoi perfformiadau mwy a mwy cyhoeddus, i gychwyn mewn sioe fach i gynhesu, ac yna ar daith ar hyd a lled y wlad ac, yn olaf, gerbron cynulleidfa fawr ar y teledu – hierarchaeth dadsensiteiddio!

GWERTHUSO: EFFEITHIOLRWYDD

Cefnogaeth ymchwil

Yn gyffredinol mae ymchwil wedi dangos bod SD yn effeithiol pan fo'r broblem yn un sydd wedi ei dysgu, er enghraifft ffobiâu penodol. Er enghraifft, canfu Capafóns ac eraill (1998) fod cleientiaid a oedd ofn hedfan yn dangos llai o arwyddion ffisiolegol o ofn ac yn adrodd lefelau is o ofn tra'u bod mewn efelychydd hedfan ar ôl cyfnod o 12-25 wythnos o driniaeth, a oedd yn defnyddio technegau *in vitro* yn ogystal ag *in vivo*.

Nid yw'n addas ar gyfer pob ffobia

Mae peth ymchwil yn awgrymu nad yw SD yn effeithiol ar gyfer ofnau mwy cyffredinol (e.e. agoraffobia). Yn ogystal, mae'n bosibl nad yw'r therapi yn addas ar gyfer 'ofnau hynafol'. Dadleuodd Martin Seligman (1970) bod anifeiliaid, gan gynnwys pobl, wedi eu rhaglennu yn enetig i ddysgu cysylltiad rhwng ysgogiadau a allai fygwth bywyd ac ofn yn gyflym iawn. Gelwir yr ysgogiadau hyn yn ofnau hynafol – pethau a fyddai wedi bod yn beryglus yn ein gorffennol **esblygiadol** (fel nadroedd, uchder a dieithriaid). Byddai wedi bod yn **addasol** i ddysgu osgoi ysgogiadau o'r fath yn gyflym.

Byddai'r cysyniad yma o **barodrwydd biolegol** yn egluro pam mae pobl yn llawer llai tebygol o ddatblygu ofn o wrthrychau modern fel tostwyr a cheir sy'n llawer mwy o fygythiad na phryfed cop. Nid oedd eitemau o'r fath yn fygythiad yn ein gorffennol esblygiadol.

Cefnogaeth ymchwil ar gyfer parodrwydd biolegol

Mae astudiaethau ymchwil wedi cefnogi cysyniad Seligman. Er enghraifft, methodd Bregman (1934) â chyflyru ymateb ofn mewn babanod 8 i 16 mis oed trwy baru cloch swnllyd â blociau pren. Efallai mai gydag anifeiliaid byw yn unig y mae ymatebion ofn yn cael eu dysgu, sy'n gysylltiad at ofnau hynafol.

Amnewid symptomau

Mae'n bosibl na fydd therapïau ymddygiadol yn gweithio gyda rhai ffobiâu gan mai rhan arwynebol yn unig o'r broblem yw'r symptomau. Os byddwch chi'n cael gwared â'r symptomau bydd yr hyn sy'n eu hachosi yn parhau, a bydd y symptomau yn dod i'r amlwg eto, efallai ar ffurf arall (**amnewid symptomau**).

Er enghraifft, yn ôl yr **ymagwedd seicodynamig** mae ffobiâu yn datblygu oherwydd **alldaflu**. Cofnododd Freud (1909) achos Hans Bach a ddatblygodd ffobia o geffylau. Eiddigedd dwys o'i dad oedd problem y bachgen mewn gwirionedd, ond ni allai fynegi hynny'n uniongyrchol ac roedd ei bryder yn cael ei alldaflu at y ceffyl. Gwellwyd y ffobia pan dderbyniodd ei deimladau ynglŷn â'i dad. Petai'r therapydd wedi trin y ffobia ceffylau byddai'r broblem sylfaenol wedi parhau ac wedi dod i'r amlwg ar ffurf arall.

Gall therapïau ymddygiadol *ymddangos* eu bod yn datrys problem ond gall atal neu rwystro symptomau yn unig achosi i symptomau eraill ymddangos.

GWERTHUSO: YSTYRIAETHAU MOESEGOL

Rheoli gorbryder

Mae SD yn cael ei ystyried yn gyffredinol i fod yn fwy **moesegol** na ffurfiau eraill o therapi ymddygiadol, fel technegau 'llwyrfoddi' ('flooding'), sy'n cynnws wynebu'r cleient â'i ffobia pennaf yn gyflym.

Mewn SD ymgymerir â phob cam yn araf ac ar gyflymdra a bennir gan y cleient yn bennaf. Gall y therapydd felly farnu os yw'r cleient wedi ymlacio'n llwyr ar bob cam o'r therapi. Ni ddylai'r therapydd geisio symud i fyny'r hierarchaeth nes bod y cleient yn gwbl gyffyrddus, felly ni ddylai gorbryder fod yn broblem.

Gallu rhoi cydsyniad dilys

Defnyddir SD gyda ffobiâu yn bennaf, ac nid gyda phroblemau fel **iselder** a **sgitsoffrenia**. Mae hyn yn golygu bod cleifion 'mewn cysylltiad' â gwir natur y sefyllfa ac mewn stad feddyliol digon 'iach' i ddeall yr hyn a fydd y therapi yn ei olygu. Mae hyn yn golygu y gallant ddarparu **cydsyniad dilys** ar gyfer y therapi.

Yn ogystal â hyn, mae'r cleient yn mynychu'r sesiynau therapi o'i **ewyllys rydd** ei hunan ac felly gall ddewis tynnu'n ôl ohonynt ar unrhyw adeg. Byddai rhai yn dadlau bod elfen o straen yn bresennol gan fod y cleient yn gorfod ymwneud mewn rhyw ffordd neu'i gilydd â gwrthrych/sefyllfa y gall fod wedi treulio blynyddoedd lawer, neu ddegawdau, yn teimlo'n bryderus amdano, ac felly mae osgoi lefelau ysgafn o bryder yn amhosib.

Tystiolaeth glasurol: Watson a Rayner (1920)

YMATEBION EMOSIYNOL CYFLYROL

Mae John B. Watson wedi cael ei alw'n dad **ymddygiadaeth**. Soniwyd amdano ar ddechrau'r bennod fel y person cyntaf i awgrymu mai ymddygiad arsylladwy yn unig y dylai seicolegwyr ei astudio gan mai dyma'r unig ffordd y gallem fesur ymddygiad dynol mewn ffordd wyddonol. Trwy hynny creodd wyddor ymddygiadaeth.

Roedd gwaith Watson yn ymwneud â **chyflyru clasurol** (cyflwynwyd **cyflyru gweithredol** B.F. Skinner ychydig yn ddiweddarach). Roedd Pavlov wedi dangos y gellid cyflyru ymddygiad ond roedd Watson yn meddwl tybed a ellid cyflyru emosiynau hefyd. Cynigiodd ein bod yn dysgu ymatebion fel ofn, dicter a chariad trwy gyflyru. Nid ydym yn cael ein geni gydag ymatebion emosiynol o'r fath, ond yn eu caffael o brofiadau.

Roedd yr astudiaeth hon yn ymgais i brofi a ellid dangos ei bod yn bosibl i ni gaffael emosiynau trwy gyflyru clasurol.

CYFLYRU CLASUROL

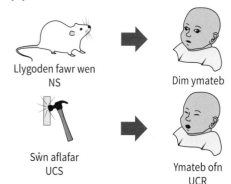

Cyn cyflyru

Llygoden fawr wen
NS

Dim ymateb

Sŵn aflafar
UCS

Ymateb ofn
UCR

Yn ystod cyflyru

Llygoden fawr wen + sŵn aflafar
NS + UCS

Ymateb ofn
UCR

Ar ôl cyflyru

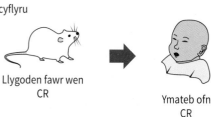

Llygoden fawr wen
CR

Ymateb ofn
CR

METHODOLEG

Un cyfrannwr oedd yn yr astudiaeth hon – baban gwrywaidd normal naw mis oed. Yn yr astudiaeth hon cyfeiriwyd ato fel 'Albert B' ond ers hynny daethpwyd i'w adnabod fel 'Albert Bach'.

Nid **astudiaeth achos** sydd yma gan fod yr astudiaeth yn canolbwyntio ar ymateb Albert Bach i gyflyru yn unig; byddai astudiaeth achos yn cynnwys dadansoddiad manylach o'r unigolyn ac agweddau o'i fywyd.

Nid yw'r astudiaeth yn **arbrawf** gan mai un cyflwr yn unig oedd ynddi. Ymchwiliad i ganfod effeithiau ysgogiadau penodol yn unig yw hwn. Galwai Watson a Rayner ef yn arbrawf ond mae defnydd o'r term hwnnw wedi dod yn fwy cyfyngedig. Cynhaliwyd yr ymchwiliad dan amodau wedi'u rheoli – mewn ystafell datblygu ffotograffau wedi'i goleuo'n dda. Rhoddwyd Albert ar fatres a oedd ar ben bwrdd.

Gellid disgrifio'r astudiaeth fel **arsylwad rheoledig**.

DULLIAU GWEITHREDU

Cofnodwyd ymatebion gyda chamera lluniau fideo. Daw'r llun ar waelod y dudalen gyferbyn o'r cofnod hwnnw.

Profion emosiynol

Er mwyn profi ymateb emosiynol Albert i wrthrychau penodol fe'i wynebwyd yn sydyn â llygoden fawr wen, cwningen, ci, mwnci, mygydau gyda a heb wallt, gwlân cotwm, papur newydd yn llosgi, ac ati (un ar y tro). Dyma'r tro cyntaf iddo weld unrhyw un o'r gwrthrychau.

Cafodd Albert wedyn ei brofi gyda sŵn aflafar, a wnaethpwyd trwy daro morthwyl yn erbyn bar dur crog. Roedd y bar ychydig dros 1 metr o hyd a 2cm o ddiamedr. Roedd un arbrofwr yn tynnu sylw Albert tra bo'r llall yn defnyddio'r morthwyl i daro'r bar tu ôl i ben Albert.

Sesiwn 1: Sefydlu ymateb emosiynol cyflyrol

Pan oedd Albert yn 11 mis a 3 niwrnod oed daethpwyd ag ef yn ôl i'r 'lab'. Cyflwynwyd llygoden fawr wen iddo a dechreuodd Albert estyn amdani. Ar yr eiliad honno tarwyd y bar y tu ôl i'w ben.

Sesiwn 2: Profi'r ymateb emosiynol cyflyrol

Wythnos yn ddiweddarach daethpwyd ag Albert yn ôl ar gyfer profion pellach, ac yntau yn 11 mis a 10 diwrnod oed. Dangoswyd y llygoden fawr iddo heb sŵn i weld a oedd yr arbrawf blaenorol wedi effeithio ar ei ymddygiad gyda'r llygoden fawr.

Wedi hyn wynebodd Albert 'ysgogi ar y cyd' bum gwaith, h.y. dangoswyd y llygoden fawr iddo a gwnaethpwyd y sŵn aflafar y tu ôl i'w ben ar yr un pryd.

Sesiwn 3: Cyffredinoli

Dychwelodd Albert am brofion pellach pan oedd yn 11 mis a 15 diwrnod oed. Y cwestiwn ymchwil ar y pryd oedd a fyddai'r cysylltiad a ddysgwyd rhwng y llygoden fawr a'r sŵn yn cael ei gyffredinoli i wrthrychau eraill.

Cyflwynwyd y llygoden fawr, blociau pren, cwningen, ci, cot o ffwr morlo, gwlân cotwm a gwallt John Watson i Albert ar wahanol adegau.

Sesiwn 4: Newid yr amgylchedd

Pan oedd yn 11 mis ac 20 diwrnod oed 'adnewyddwyd' ymateb emosiynol cyflyrol Albert gan ddefnyddio 'ysgogi ar y cyd'. Wedi hynny aethpwyd ag ef i amgylchedd newydd – darlithfa fawr olau â phedwar person yn bresennol. Rhoddwyd ef ar fwrdd yng nghanol yr ystafell.

Sesiwn 5: Effaith amser

Pan oedd yn 12 mis a 21 diwrnod oed profwyd Albert am y tro olaf. Roedd wedi bod i'r labordy yn y cyfamser ond nid oedd unrhyw brofion emosiynol wedi cael eu gwneud. Roedd y profion terfynol yn cynnwys mwgwd Siôn Corn, cot ffwr, y llygoden fawr, y gwningen, y ci a'r blociau.

CANFYDDIADAU

Profion emosiynol

Ni ddangosodd Albert unrhyw ymateb ofn i'r gwrthrychau cyn ei gyflyru. Yn wir, roedd gweithwyr yr ysbyty a mam Albert yn dweud nad oeddent erioed wedi ei weld yn ddig nac yn ofnus, ac nad oedd prin byth yn crio.

Y tro cyntaf i'r bar gael ei daro y tu ôl i'w ben, cofnododd yr ymchwilwyr ei ymateb:

Gwingodd y plentyn yn sydyn, newidiodd ei anadlu a chododd ei freichiau mewn modd nodweddiadol. Ar yr ail ysgogiad digwyddodd yr un peth, a dechreuodd ei wefusau grychu a chrynu yn ogystal. Ar y trydydd ysgogiad dechreuodd y plentyn bwl sydyn o grïo. Dyma'r tro cyntaf i sefyllfa emosiynol yn y labordy achosi unrhyw ofn neu hyd yn oed grïo gan Albert. (Watson a Rayner, 1920, tudalen 313)

Sesiwn 1: Sefydlu ymateb emosiynol cyflyrol

Profwyd Albert eto, gyda llygoden fawr wen y tro hwn. Pan darwyd y bar fe neidiodd a chwympodd ymlaen, gan gladdu ei ben ar y bwrdd lle'r oedd yn eistedd, ond ni chriodd. Pan darwyd y bar am yr ail dro cwympodd ymlaen eto, gan gwyno ychydig y tro hwn.

Sesiwn 2: Profi'r ymateb emosiynol cyflyrol

Pan gafodd ei brofi eto wythnos yn ddiweddarach dangosodd Albert ymateb newydd i'r llygoden fawr. Y cyfan a wnaeth y tro hwn oedd syllu arni, heb estyn tuag ati. Pan roddwyd y llygoden fawr yn nes, estynnodd tuag ati yn ofalus ond tynnodd ei law yn ôl pan ddechreuodd y llygoden wthio'i thrwyn yn erbyn ei law.

Profwyd ymddygiad petrus Albert trwy roi blociau iddo chwarae â nhw – roedd yn hapus yn gwneud hynny. Mae hyn yn dangos bod ei ymateb petrus yn benodol i'r llygoden fawr a hefyd yn dangos bod ei stad emosiynol gyffredinol yn normal.

Ar ôl 'ysgogi ar y cyd' pellach lle roedd y llygoden fawr yn cael ei pharu gyda'r sŵn aflafar, daeth Albert yn fwyfwy anhapus. Pan ddangoswyd y llygoden fawr iddo eto dechreuodd grïo a *'dechreuodd gropian i ffwrdd mor gyflym nes ei bod yn anodd ei ddal cyn iddo gyrraedd ymyl y bwrdd'* (1920, tudalen 314).

Sesiwn 3: Cyffredinoli

Roedd Albert yn chwarae'n hapus gyda'r blociau ond pan welodd y llygoden fawr ymatebodd ar unwaith gydag ofn, gan ddangos ei fod wedi cadw ei ymateb emosiynol cyflyrol at y llygoden fawr.

Roedd ei ymateb i'r gwningen yr un mor eithafol â'i ymateb i'r llygoden fawr. Dechreuodd grïo a chropian i ffwrdd. Ni chynhyrchodd y ci na'r got ffwr ymateb mor ffyrnig â'r gwningen.

Roedd y gwlân cotwm mewn pecyn papur a chwaraeodd Albert gyda hwnnw, heb gyffwrdd â'r gwlân cotwm i ddechrau ond gan fod yn llai petrus wedyn.

Chwaraeodd Albert gyda gwallt Watson, heb ddangos unrhyw ymateb ofn.

Sesiwn 4: Newid yr amgylchedd

Ar ôl mynd ag ef i'r amgylchedd newydd roedd ymatebion Albert i'r llygoden fawr, y gwningen a'r ci yn llai eithafol nag o'r blaen. Ar ôl 'adnewyddu' pellach (dangos y llygoden fawr gyda'r sŵn aflafar) roedd yr ymateb ofn cyflyrol yn gryfach.

Hyd yn oed pan oedd yr ymateb ofn yn wan roedd yn amlwg yn wahanol i'w ymateb i'r blociau adeiladu – roedd bob amser yn chwarae'n hapus gyda rheiny a byth yn crïo. Dangosai hyn bod ymateb penodol wedi ei ddysgu yn parhau tuag at y gwrthrychau blewog.

Sesiwn 5: Effaith amser

Ymatebodd Albert i'r gwrthrychau prawf mewn ffordd a oedd yn amlwg yn wahanol i'r gwrthrychau rheoli (y blociau). Nid oedd ei ymateb i'r gwrthrychau blewog mor eithafol ag o'r blaen ond roedd yn amlwg yn eu hosgoi ac yn cwyno. Ar adegau roedd yn crïo.

CASGLIADAU

Dangosodd yr astudiaeth hon pa mor hawdd y gellid creu ymateb ofn. Roedd cyn lleied â dau 'ysgogiad ar y cyd' o fewn yr wythnos gyntaf yn ddigon i greu'r ymateb emosiynol cyflyrol. Saith 'ysgogiad ar y cyd' yn unig a roddwyd i achosi'r ymateb yn ei gyfanrwydd.

Mae'r astudiaeth hon hefyd yn dangos bod ymatebion dysgedig (cyflyrol) o'r fath yn cyffredinoli i ysgogiadau tebyg – parhaodd Albert i ymateb ag ofn i nifer o wrthrychau blewog yn ystod y cyfnod pan gafodd ei astudio.

Awgryma Watson a Rayner 'ei bod yn debygol' bod llawer o ffobïau yn dechrau fel hyn. Fodd bynnag, roeddent yn amau mai mewn pobl a oedd yn 'gyfansoddiadol israddol' yn unig y byddai parhad ymatebion cyflyrol cynnar yn cael ei weld.

Y safbwynt Freudaidd

Ar adeg yr astudiaeth hon (1920) roedd esboniadau Freudaidd yn cael eu ffafrio o fewn seicoleg, ac aeth Watson a Rayner i'r afael â nhw yn benodol.

Yn gyntaf, nodwyd bod Albert yn aml yn dechrau sugno'i fawd pan fyddai'n cael ofn, a allai fod yn ffurf o symbyliad rhywiol. Awgrymodd Watson a Rayner felly y gallai Freud fod yn anghywir i gymryd mai pleser yw nod symbylu o'r fath. Yn hytrach, gallai fod yn ffordd o gywiro i atal ofn.

Yn ail, mae Watson a Rayner yn disgrifio sefyllfa yn y dyfodol lle mae eu Albert Bach nhw, bellach yn eu 20au, yn gofyn am gymorth therapydd Freudaidd gyda'i ffobia o wrthrychau blewog. Byddai therapydd o'r fath yn dadansoddi ofn Albert o got croen morlo ac efallai'n cynnig bod yr Albert ifanc wedi ceisio chwarae gyda blew pwbig ei fam ac wedi cael cerydd ffyrnig am hynny. Byddai'r cerydd hwn yn achosi i Albert wthio'r atgof i'w feddwl **anymwybodol**, lle byddai'n parhau i gael effaith – gan arwain at ffobia o wrthrychau blewog.

Tybia Watson a Rayner y gallai ofn mewn gwirionedd gael ei gyflyru gan y profiad gyda blew pwbig y fam yn hytrach na'r dadansoddiad Freudaidd anghywir o'r hyn a ddigwyddodd.

Yn ôl Watson a Rayner mae pobl yn datblygu ffobïau oherwydd cyfres o brofiadau blaenorol annymunol.

Gofynnwch i bobl ynglŷn â'u hofnau – a ydyn nhw'n cofio digwyddiad trawmatig yn y gorffennol a allai fod wedi eu cyflyru yn glasurol?

Cyngor arholiad...

Ysgrifennwyd llawer am ymchwil Watson a Rayner. Mae darllen neu wylio ffynonellau eilaidd i helpu'ch dealltwriaeth o'r ymchwil hwn yn syniad da, ond byddwch yn ofalus. Rhaid cymryd gwybodaeth ynglŷn â'r fethodoleg, dulliau, canfyddiadau a chasgliadau o'r erthygl wreiddiol yn unig. Gall ffynonellau eraill gynnwys 'mythau' ynglŷn ag ymchwil Watson a Rayner, na fyddech yn cael unrhyw gydnabyddiaeth amdanynt yn yr arholiad.

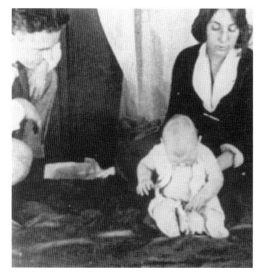

▲ Rosalie Rayner a John B. Watson yn cyflyru ofn yn Albert Bach.

GOFYNION Y FANYLEB

Ar gyfer pob ymagwedd bydd angen:
- Mynegi barn ar ddarn clasurol o dystiolaeth gan gynnwys materion moesegol a goblygiadau cymdeithasol.

GWAITH I CHI

Pan fydd ymchwilwyr yn ysgrifennu adroddiadau o'u hastudiaethau byddant fel arfer yn ysgrifennu **crynodeb** (abstract).

Gallwch ysgrifennu crynodeb ar gyfer yr astudiaeth hon (a phob un o'r astudiaethau clasurol eraill yn y llyfr hwn).

Dylai'r crynodeb hwn gynnwys manylion byr ynglŷn â chyd-destun ac amcanion, dulliau, canfyddiadau a chasgliadau'r astudiaeth – y cyfan o fewn tua 200 gair.

PETHAU I'W GWNEUD

WWW

Mae amrywiaeth o glipiau fideo ar YouTube, er enghraifft:
www.youtube.com/watch?v=Xt0ucxOrPQE

Gallwch weld darnau o'r ffilmiau gwreiddiol yma: www.youtube.com/watch?v=9hBfnXACsOI

Erthygl wreiddiol

Y cyfeiriad llawn ar gyfer yr astudiaeth glasurol hon yw Watson, J.B. a Rayner, R. (1920) Conditioned emotional responses. *Journal of Experimental Psychology*, 3, 1–14.

Gellir gweld yr erthygl wreiddiol yn: http://psychclassics.yorku.ca/Watson/emotion.htm

Adnoddau eraill

Gallwch ddysgu am ffobiâu yn www.phobias.about.com neu www.nhs.uk/conditions/Phobias/Pages/Introduction.aspx

Gallwch weld y meini prawf ar gyfer ffobiâu penodol yn: www.behavenet.com/capsules/disorders/specphob.htm

Gallwch ddarllen eglurhad Freudaidd o sut mae ffobiâu yn datblygu – achos Hans Bach: www.simplypsychology.org/little-hans.html

▼ Byddai'r **ymagwedd seicodynamig** yn awgrymu mai profiad trawmatig wedi ei gladdu yn yr **anymwybod** sy'n achosi ofn llygod mawr. Mae **mecanweithiau amddiffyn yr ego** yn achosi i'r trawma gael ei **ddadleoli** at wrthrych gwahanol – y llygoden fawr – fel ein bod ofn y llygoden fawr yn hytrach na'r trawma gwirioneddol.

Ar y ddwy dudalen hyn byddwn yn gwerthuso'r astudiaeth glasurol trwy edrych ar faterion sy'n ymwneud â'i methodoleg, a chymharu'r astudiaeth â thystiolaeth amgen. O ran gwerthuso, gallwch ddod i'ch casgliadau eich hun. Rydym wedi cyflwyno tystiolaeth a datganiadau, ac yn eich gwahodd chi i lunio eich barn eich hun o'r astudiaeth glasurol. Gallwch ddefnyddio'ch gwybodaeth o ddulliau ymchwilio hefyd.

GWERTHUSO: METHODOLEG A DULLIAU GWEITHREDU

Astudiaeth reoledig

Roedd yr astudiaeth o Albert Bach wedi ei chynllunio'n ofalus a'i rhedeg o dan amgylchiadau wedi'u rheoli. Cynhaliwyd yr astudiaeth mewn 'labordy' o fath (yr ystafell datblygu lluniau) lle y gellid rheoli **newidynnau allanol**.

Roedd ffurfiau eraill o reoli hefyd:
- Roedd cyflwr gwaelodlin lle sefydlwyd ei ymddygiad cyn dylanwadu arno er mwyn dangos nad oedd yn blentyn ofnus.
- Yn ystod y treialon roedd **cyflwr rheolydd** (y blociau adeiladu) a oedd yn dangos mai i wrthrychau blewog yn unig yr oedd Albert yn ymateb gydag ofn.
- Defnyddiwyd ffilmiau i gofnodi ymddygiad Albert fel y gallai'r canfyddiadau gael eu cadarnhau gan eraill.

Mae'r ffurfiau hyn o reoli gyda'i gilydd yn ein galluogi i ddod i'r casgliad bod yr effeithiau a welwyd yn ganlyniad i'r cyflyru yn hytrach na ffynonellau eraill.

Y sampl

Roedd yr ymchwilwyr wedi bwriadu astudio mwy nag un cyfrannwr yn y pen draw. Fodd bynnag, roedd eu diswyddo o'r Brifysgol (gweler 'Dyma'r ymchwilwyr' ar y dudalen gyferbyn) yn golygu na allent wneud hynny. Rhaid tynnu casgliadau, felly, o'r un achos hwn. Mae Watson a Rayner yn disgrifio Albert fel 'un eithriadol o ddigyffro', h.y. roedd yn faban tawel a chytbwys ei hwyliau. Maen nhw'n awgrymu y gallai, petai'n emosiynol anwadal, fod wedi ymateb gyda hyd yn oed mwy o ofn ac y gallai'r ymateb cyflyrol fod wedi para'n hirach byth.

Heb unrhyw gymariaethau mae'n anodd gwybod os yw'r ymatebion a welwyd yn unigryw i'r unigolyn hwn neu beidio.

GWERTHUSO: TYSTIOLAETH AMGEN

Y ddamcaniaeth dwy-broses

Un o'r beirniadaethau o **gyflyru clasurol** fel eglurhad am ffobiâu yw'r ffaith na all egluro sut maen nhw'n parhau. Mae Watson a Rayner yn sôn am 'adnewyddu' ymateb cyflyrol Albert ar ôl wythnos. Mewn geiriau eraill, pan nad oedd Albert yn cael profiad o'r llygoden fawr a'r sŵn aflafar gyda'i gilydd roedd yr ymateb cyflyrol yn lleihau. Os mae cyflyru clasurol yn unig oedd ar waith gallai ddiflannu'n llwyr gydag amser.

Eglurodd O.H. Mowrer (1947) pam nad yw'n diflannu. Yn ei fodel dwy-broses, cyflyru clasurol yw'r cam cyntaf ac wedyn, mewn ail gam, mae **cyflyru gweithredol** yn digwydd. Mae cyflyru clasurol yn egluro sut mae ffobiâu yn dechrau ac mae cyflyru gweithredol yn egluro sut maen nhw'n cael eu cynnal. Unwaith bod ofn wedi ei ddysgu bydd unigolyn yn osgoi'r sefyllfa sy'n cynhyrchu'r ofn (e.e. byddai Albert yn osgoi pethau blewog yn y dyfodol). Mae osgoi (neu ddianc rhag) ysgogiad y ffobia yn lleihau ofn ac felly'n atgyfnerthol. Dyma enghraifft o **atgyfnerthu negyddol** (dianc o sefyllfa annymunol). Mae'r ffaith na brofir unrhyw bryder o ganlyniad i'r ymddygiad osgoi hyn yn **atgyfnerthu'n gadarnhaol**. Mae'r atgyfnerthu hyn yn cynnal yr ymateb osgoi.

Nid dysgu yw'r unig eglurhad

Mae nifer o broblemau eraill gyda chyflyru fel eglurhad am ffobiâu. Yn gyntaf oll, nid yw pob ffobia yn dilyn digwyddiad cyflyru – er ei bod yn bosibl bod digwyddiadau o'r fath wedi digwydd, ond wedi cael eu hanghofio (Öst, 1987). Mae hefyd yn wir nad yw rhai pobl sydd wedi profi digwyddiad trawmatig, fel cael eu cnoi gan gi, yn datblygu ffobia (Di Nardo ac eraill, 1988). Felly ni all dysgu yn unig egluro pob ffobia.

Un eglurhad amgen yw **parodrwydd biolegol** (a drafodir ar dudalen 55). Dadleuai Martin Seligman (1970) bod anifeiliaid, gan gynnwys pobl, wedi eu rhaglenni'n enetig i ddysgu cysylltiad rhwng ysgogiadau penodol ac ofn yn gyflym iawn. Gelwir yr ysgogiadau hyn yn ofnau hynafol – pethau a fyddai wedi bod yn beryglus yn ein gorffennol **esblygiadol** (fel nadroedd, uchder, dieithriaid, a hyd yn oed llygod mawr). Mae'n **addasol** i ddysgu osgoi ysgogiadau o'r fath yn gyflym.

Pan fu **John B. Watson** yn cynnal yr astudiaeth hon roedd yn 42 mlwydd oed ac wedi chwarae rhan bwysig yn natblygiad **ymddygiadaeth**. Myfyrwraig ôl-raddedig iddo oedd **Rosalie Rayner** (1896–1935), a ddaeth yn gariad iddo. O ganlyniad i'w carwriaeth gadawodd Watson ei wraig a gofynnwyd iddo ymddiswyddo o'r Brifysgol lle'r oedd y ddau ohonynt yn gweithio. Wedi hynny dechreuodd yrfa gwbl newydd fel gweithredwr mewn cwmni hysbysebu mawr ei fri yn Ninas Efrog Newydd, gan gymhwyso egwyddorion ymddygiadol at hysbysebu.

Priododd Watson a Rayner, ganwyd dau fab iddynt ac fe ysgrifennon nhw ganllaw gofal plant mwyaf poblogaidd ei gyfnod: *Psychological Care of Infant and Child*. Fel ymddygiadwyr da roeddent yn credu y dylai rhieni ganolbwyntio ar yr amgylchedd yr oedd plant yn cael eu magu ynddi a hefyd bod anwyldeb gan rieni yn andwyol i annibyniaeth, felly nid oedd eu meibion yn cael eu cusanu na'u cofleidio yn eu cartref. Ysgrifennodd un o'u meibion yn ddiweddarach:

▲ John B. Watson (1878–1958)

'Rydw i'n wirioneddol o'r farn bod yr egwyddorion yr oedd Dad yn eu cynrychioli fel ymddygiadwr wedi erydu gallu Bill a minnau i ddelio yn effeithiol ag emosiwn dynol... ac roedd tueddiad iddo danseilio hunan-barch yn ddiweddarach mewn bywyd, gan gyfrannu yn y pen draw at [hunanladdiad] Bill a fy argyfwng innau. Yn dorcalonnus, dyna oedd y gwrthwyneb i'r hyn yr oedd Dad yn ei ddisgwyl o roi'r athroniaeth yma ar waith' (Smirle, 2013).

YSTYRIAETHAU MOESEGOL A GOBLYGIADAU CYMDEITHASOL

Mae astudiaeth Watson a Rayner yn aml yn ymddangos ar restri o'r astudiaethau mwyaf anfoesegol mewn seicoleg. Mae dau brif reswm: roedd yn golygu creu ofn mewn plentyn ifanc ac roedd posibilrwydd y byddai'r effeithiau yn parhau am amser hir, sydd ill dau yn ymwneud â **niwed seicolegol**.

Creu ofn

Roedd Watson a Rayner yn ymddangos yn ansicr a oeddent wedi creu ofn gormodol yn Albert. Yn gynnar yn eu herthygl maent yn dweud *'Roeddem yn teimlo mai cymharol ychydig o niwed a allem wneud iddo yn yr astudiaethau.'* Fodd bynnag, ymhellach ymlaen dywedant *'er mwyn peidio â tharfu yn rhy ddifrifol ar y plentyn ni roddwyd unrhyw brofion pellach am wythnos.'* Mae hyn yn rhoi'r argraff eu bod yn ymwybodol bod yr hyn yr oeddent yn ei wneud yn peri gofid i Albert.

Mae seicolegwyr yn penderfynu ar yr hyn sy'n foesegol dderbyniol neu annerbyniol mewn ymchwil seicolegol trwy ystyried a yw cyfrannwr mewn ymchwil yn profi trallod mwy nag a fyddai mewn bywyd pob dydd. Cysurai Watson a Rayner eu hunain trwy ddweud *'y byddai ymlyniadau o'r fath yn codi beth bynnag cyn gynted â bod y plentyn yn gadael amgylchedd cysgodol y feithrinfa i sgarmes y cartref'.* Mewn geiriau eraill, roeddent yn credu bod yr hyn a brofodd Albert yn eu hastudiaeth yn gymharol normal – ond bod bywyd yn yr ysbyty yn ei amddiffyn.

Mwy o niwed seicolegol

Yn ogystal â'r **risg o niwed** a achosir gan greu ofn mewn plentyn ifanc, gwnaeth Watson a Rayner y profiad yn waeth. Sylwon nhw mai un o ymatebion Albert, pan fyddai'n cael ofn, oedd dechrau sugno ei fawd. Effaith hyn oedd ei fod yn tawelu Albert – ond roedd hefyd yn golygu ei fod yn lleihau effaith y sŵn aflafar ar gyflyru Albert. Felly, er mwyn gweld effeithiau llawn yr ysgogiadau ofnus, roedd yn rhaid iddyn nhw dynnu ei fawd o'i geg fel y gellid cael yr ymateb cyflyrol. Mewn geiriau eraill roedden nhw eisiau sicrhau ei fod yn wirioneddol ofnus.

Parhad effeithiau

Roedd Watson a Rayner wedi bwriadu cael gwared â'r ymatebion cyflyrol yr oedd Albert wedi eu dysgu. Fodd bynnag, symudwyd Albert o'r ysbyty yn sydyn felly ni allwyd gwneud hynny. Credai Watson a Rayner bod yr ymatebion yr oeddent wedi eu creu yn debygol o barhau yn amhenodol yn amgylchedd y cartref, oni bai bod dull damweiniol o gael gwared â nhw yn cael ei ganfod. Mewn geiriau eraill roedden nhw'n gwybod y byddai'n parhau i fod ofn gwrthrychau blewog.

Dylai'r ymchwilwyr fod wedi rhagweld y broblem hon ar ddechrau'r astudiaeth a sicrhau bod dulliau gweithredu ar waith i atal sefyllfa o'r fath rhag digwydd. Er enghraifft, yn y dechrau, dylai'r dulliau a'r effeithiau tymor-hir disgwyliedig fod wedi cael eu hegluro'n llawn i fam y plentyn. Dylai'r ymchwilwyr fod wedi sicrhau bod 'dad-gyflyru' yn digwydd.

Gweler y ddwy dudalen nesaf ar gyfer trafodaeth ar oblygiadau moesegol a chymdeithasol pellach y pwnc yma.

CORNEL ARHOLIAD

Bydd angen i chi allu gwneud y canlynol yng nghyd-destun yr astudiaeth gan Watson a Rayner (1920):

Disgrifio:

- Methodoleg yr astudiaeth (disgrifio a chyfiawnhau; mae hyn yn cynnwys nodweddion y sampl ond nid y dechneg samplu).
- Dulliau gweithredu'r astudiaeth (yr hyn wnaeth yr ymchwilydd; gan gynnwys y dechneg samplu).
- Canfyddiadau'r astudiaeth.
- Casgliadau'r astudiaeth.

Gwerthuso:

- Methodoleg yr astudiaeth.
- Dulliau gweithredu'r astudiaeth.
- Canfyddiadau'r astudiaeth (defnyddio'r fethodoleg a/neu dystiolaeth amgen).
- Casgliadau'r astudiaeth (defnyddiwch fethodoleg a/neu dystiolaeth amgen).
- Y materion moesegol a'r goblygiadau cymdeithasol.

Cwestiynau arholiad posibl:

1. Amlinellwch fethodoleg ymchwil Watson a Rayner (1920) *'Conditioned emotional reactions.'* [3]
2. Amlinellwch y dulliau gweithredu a ddefnyddiwyd gan astudiaeth Watson a Rayner (1920) *'Conditioned emotional reactions.'* [10]
3. *'Roedd ymchwil Watson a Rayner yn hanfodol o ran dangos y gellid cymhwyso egwyddorion cyflyru clasurol a sefydlwyd mewn anifeiliaid nad ydynt yn ddynol at ddysgu.'* Trafodwch y materion moesegol a'r goblygiadau cymdeithasol a gododd yn astudiaeth Watson a Rayner (1920) *'Conditioned emotional reactions.'* [12]

PWY OEDD ALBERT B?

Yn yr erthygl mae Watson a Rayner yn disgrifio Albert B fel *'plentyn a fagwyd ers ei eni bron mewn amgylchedd ysbyty; roedd ei fam yn llaethfam yng Nghartref Harriet Lane ar gyfer Plant Methedig. Roedd bywyd Albert yn normal: roedd yn iach ers ei eni ac ymhlith y plant a oedd wedi datblygu orau erioed i'w gweld yn yr ysbyty, ac yntau'n pwyso un pwys ar hugain pan oedd yn naw mis oed. Roedd ar y cyfan yn ddigynnwrf a diemosiwn. Roedd ei sefydlogrwydd yn un o'r prif resymau dros ei ddewis ar gyfer y prawf hwn'* (2000, tudalen 213).

Mae nifer o ymchwilwyr wedi ceisio darganfod pwy oedd Albert B mewn gwirionedd. Arweiniodd cyfnod hir o waith ditectif yr ymchwilydd Hall Beck (2012) i'r casgliad mai Douglas Merritte, baban a fu farw'n ifanc o hydroceffalws (dŵr ar yr ymennydd), oedd Albert Bach. Os yw hyn yn wir, mae'n awgrymu y gallai'r baban fod wedi cael niwed i'w ymennydd ers ei eni ac yn herio holl sylfaen yr astudiaeth.

Mae ymchwil mwy diweddar wedi canfod rhywun arall – William Albert Barger. Adroddodd Russ Powell a Nancy Digdon (2014) bod eu Albert nhw wedi marw yn 2007. Mewn cyfweliad â'i nith, dywedodd bod Barger yn teimlo atgasedd at anifeiliaid trwy ei fywyd – roedd rhaid cadw cŵn y teulu mewn ystafell ar wahân pryd bynnag y byddai'n ymweld. Felly mae'n ymddangos efallai bod y cyflyru wedi cael effaith trwy gydol ei oes wedi'r cyfan!

Dadl gyfoes:
Defnyddio technegau cyflyru i reoli ymddygiad plant

Mae defnyddio technegau cyflyru yn ardal ddadleuol iawn gan ei fod yn golygu ymyrryd ag ymddygiad rhywun arall – heb eu bod yn angenrheidiol yn ymwybodol o hynny. Mae hyrwyddwyr technegau o'r fath yn credu eu bod yn cynnig llu o fanteision i blant, eu hathrawon, eu cyfoedion a chymdeithas yn ei chyfanrwydd. Mae gwrthwynebwyr yn credu eu bod yn creu cenhedlaeth o bobl hunanol sy'n gweithredu fel peiriannau.

GOBLYGIADAU MOESEGOL, ECONOMAIDD A CHYMDEITHASOL

Mae dylanwad technegau cyflyru yn cael effaith pwysig ar gymdeithas ac felly ar economeg.

Gallai plant sy'n agored i niwed gael budd penodol o dechnegau cyflyru. Trwy wneud eu hymddygiad yn fwy 'normal' dylai ei gwneud yn fwy tebygol o gael eu derbyn o fewn cymdeithas, a thrwy hynny alluogi iddynt gyfrannu mor gyflawn â phosibl o fewn cymdeithas a chyflogaeth foddhaol.

Fodd bynnag, gallai defnyddio gwobrwyon yn aml mewn gwirionedd arwain at gymdeithas lle mae ffactorau allanol yn unig sy'n cymell rhai pobl, a fyddai'n golygu y gallai cymdeithas fynd yn llai cydlynol a mwy hunanol.

Mae gwobrwyon neu gymhellion yn cael eu defnyddio'n aml mewn addysg i wella canlyniadau. Adolygodd Levitt ac eraill (2010) raglen yn Chicago, UDA, a oedd yn cynnig cymhellion ariannol i blant i wella, gan arwain at gynnydd cymedrol mewn perfformiad. Byddai hyn o fudd i'r cymdeithas yn y pen draw gan y byddai plant yn gadael ysgol wedi eu haddysgu'n well.

Ar y llaw arall mae Gneezy ac eraill (2011) yn honni nad yw rhaglenni cymell mewn addysg bob amser yn cynnig y canlyniadau gorau. Pan fo llawer o ysgolion ac awdurdodau addysg yn gorfod gweithredu ar gyllideb sy'n lleihau, mae'n amheus a yw'n **foesegol** i wobrwyo myfyrwyr am eu perfformiad, pan y gellid gwneud defnydd gwell o'r arian yn rhywle arall.

▼ A ydym ni'n creu cenhedlaeth sy'n cael eu cymell gan arian yn unig drwy wobrwyo gwaith tŷ gyda arian poced?

MAE TECHNEGAU CYFLYRU YN ADDAS

Yn y cartref

Defnyddiodd y 'Supernanny' Jo Frost y 'gris drwg' (*naughty step*) i gywiro ymddygiad anaddas. Pan fydd plentyn yn ddrwg, efallai bydd ei fam yn gweiddi. Mae sylw o'r math yma, er ei fod yn annymunol, yn **atgyfnerthiad cadarnhaol**. Y ffordd i ddelio â hyn yw gwrthod unrhyw fath o atgyfnerthu. Mae technegau 'Supernanny Team' (*www.supernanny.co.uk*) fel y gris drwg yn gweithio orau pan fydd rhieni yn rhoi sylw cadarnhaol i'r hyn y mae eu plentyn yn ei wneud yn iawn, h.y. rhoi atgyfnerthu cadarnhaol ar adegau priodol.

Mae rheolaeth rhieni dros arian poced wedi cael ei ddefnyddio i gynyddu ymddygiad cadarnhaol, fel golchi'r car neu dacluso ystafell wely plentyn, ers amser maith. Gofynnodd Gill (1998) i rieni annog eu plant i gwblhau gorchwylion gwaith tŷ trwy dalu arian poced (atgyfnerthu cadarnhaol) neu ohirio arian poced (**cosbi**). Daeth yr ymchwilydd i'r casgliad bod y strategaethau hyn yn llwyddiannus gan fod y plant wedi dod i wneud 20% o'r gorchwylion gwaith tŷ yn y pen draw.

Yn yr ysgol

Mae byd addysg wedi bod yn ddefnyddiwr mawr o dechnegau **cyflyru gweithredol** i reoli ymddygiad plant. Mae sêr aur, gwobrau teilyngdod a hyd yn oed bwyntiau tŷ yn atgyfnerthwyr cadarnhaol, gyda'r nod amlwg o wobrwyo ymddygiad a pherfformiad da. Mae canmoliaeth hefyd yn atgyfnerthol. Edrychodd McAllister ac eraill (1969) ar siarad anaddas mewn dosbarthiadau Saesneg ysgol uwchradd a chanfod bod cynyddu'r defnydd o 'ganmoliaeth gan athro' ac 'anghymeradwyaeth athro' yn arwain at leihad mewn 'siarad anaddas'. Ni welwyd unrhyw leihad mewn **cyflwr rheolydd**.

Mae LeFrançois (2000) yn awgrymu y gellir defnyddio **cyflyru clasurol** i wella perfformiad myfyrwyr. Er enghraifft, mae'n awgrymu y dylai athrawon gael cymaint â phosibl o ysgogiadau dymunol yn eu hystafelloedd (gan gynnwys arddangosfeydd deniadol ar y waliau, aroglau braf a chwerthin) a chyn lleied â phosibl o ysgogiadau annymunol (fel gweiddi a sylwadau negyddol). Mae hyn yn golygu y bydd myfyrwyr yn teimlo'n fwy cadarnhaol ynglŷn â'r amgylchedd y maent yn gweithio ynddo a bydd eu hymddygiad a/neu berfformiad academaidd yn gwella.

Cyfoedion

Cyfoedion plentyn yw'r rhai sy'n debyg iddo o ran oedran a datblygiad. Efallai ein bod yn cael ein dylanwadu gan ein rhieni i ddechrau, ond pan fyddwn yn symud i feithrinfa ac wedyn i'r ysgol bydd dylanwad ein cylch cyfoedion yn dechrau cynyddu. Er mwyn lleihau ymatebion negyddol cylch cyfoedion (fel eithrio a beirniadu) a chynyddu ymatebion cadarnhaol (fel canmol a derbyn), mae plant yn dynwared ymddygiad a gweithredoedd eu cyfoedion. Rydym yn cael ein cyflyru gan ein cyfoedion.

Grwpiau o blant sy'n agored i niwed

Mae seicolegwyr yn defnyddio technegau cyflyru gydag amryw gyflyrau seicolegol a meddygol. Er enghraifft, datblygodd Lovaas (1987) **ddadansoddi ymddygiad cymhwysol** (*applied behaviour analysis* – **ABA**) er mwyn galluogi plant gydag **anhwylder ar y sbectrwm awtistig** i ryngweithio'n gymdeithasol yn amlach ac yn well. Gallai'r ymddygiad sy'n cael ei dargedu gynnwys anawsterau iaith neu broblemau gyda hunanofal. Mae therapi un-i-un yn llunio ymddygiad y plentyn; i ddechrau mae'r plentyn yn cael ei wobrwyo am y rhan fwyaf o ymddygiadau ond gydag amser mae'r gwobrau yn cael eu lleihau ac yn cael eu rhoi os yw'r ymddygiad yn agos at yr ymddygiad delfrydol a anelir ato yn unig.

Dangosodd Robinson ac eraill (1981) sut y gall defnyddio **system atgyfnerthu â thalebau** wella perfformiad plant â phroblemau gorfywiogrwydd mewn tasgau sy'n ymwneud â darllen a geirfa. Mewn rhaglen o'r fath mae gwobrwyon (talebau) yn cael eu rhoi i fyfyrwyr am ymddygiad dymunol, a gall y myfyrwyr gasglu'r talebau a'u cyfnewid am wobrau. O bryd i'w gilydd gall y myfyrwyr gyfnewid y talebau am wobrau, sef eitemau neu weithgareddau y maent eu heisiau.

Adroddodd Chaney ac eraill (2004) ar ddefnydd o 'Funhaler' mewn plant gydag asthma, sef mewnanadlydd (*inhaler*) sy'n hwyl i'w ddefnyddio ac felly'n atgyfnerthol. Ar ôl pythefnos o ddefnyddio'r Funhaler, roedd rhieni yn dweud bod eu plant yn cael llai o broblemau wrth gymryd eu meddyginiaethau ac yn ymateb yn fwy cadarnhaol i driniaeth.

GWAITH I CHI

- Meddyliwch am yr holl dechnegau cyflyru rydych chi wedi eu hwynebu yn yr ysgol gynradd a'r ysgol uwchradd. Ydych chi'n credu eu bod nhw wedi cael unrhyw effaith gwirioneddol ar eich ymddygiad?
- Gwyliwch bennod o *Supernanny*. Pa dechnegau cyflyru sydd i'w gweld?
- Gwyliwch fideo gwasanaeth cymunedol NAPCAN *Children see. Children do.* Trafodwch pa dystiolaeth seicolegol sy'n sail i neges yr ymgyrch hwn.

NID YW TECHNEGAU CYFLYRU YN ADDAS

Yn y cartref

Mae technegau fel y gris drwg yn cael eu beirniadu'n aml gan arbenigwyr gofal plant. Er enghraifft, mae Morris (2014) yn honni y gall y 'gris drwg' gael effeithiau emosiynol tymor hir. Nid oes gan blant yr un gallu ag oedolion i adlewyrchu ar eu hymddygiad eu hunain a mynegi'r teimladau y maen nhw'n eu profi o bethau fel profiad y gris drwg. Heb empathi a chymorth gyda'u teimladau, gall y gris drwg gael effaith negyddol ar ddatblygiad yn y pen draw.

Mae cysondeb yn broblem arall. Efallai bod rhieni yn ceisio dilyn arbenigwyr gofal plant, fel Jo Frost, a bod yn dawel a chyson wrth weithredu technegau fel y gris drwg. Fodd bynnag, mae bywyd prysur rhiant llawn-amser yn golygu y gall hyd yn oed y rhieni mwyaf ymroddedig wneud camgymeriadau a dangos rhwystredigaeth ac anghysondeb yn y ffordd maen nhw'n gweithredu technegau cyflyru. O ganlyniad, mae'n annhebygol y bydd technegau cyflyru mor effeithiol mewn gwirionedd ag y mae arbenigwyr yn ei addo.

Yn yr ysgol

Mae rhai ymagweddau addysgiadol, fel addysg Montessori, yn credu bod y gwobrau a chosbau y mae technegau cyflyru yn eu hyrwyddo yn niweidiol i ddatblygiad plant mewn gwirionedd a'u bod yn ymyrryd ag ysfeydd mewnol plentyn i ddysgu. Gwnaeth Lepper ac eraill (1973) ymchwil sy'n cefnogi'r casgliad hwn. Gofynnwyd i blant ysgol feithrin dynnu lluniau braf. Hanner cymaint o amser a dreuliwyd yn tynnu'r lluniau gan y plant pan addawyd y bydden nhw'n derbyn gwobr o'u cymharu â phlant na addawyd gwobr iddynt, sy'n awgrymu bod eu cymhelliad nhw'u hunain wedi cael ei ddinistrio gan y disgwyliad o wobrau allanol.

Mae ystyriaeth feirniadol arall yn ymwneud â sut y gall gwobrwyon greu ffurf o 'ddiymadferthedd wedi'i ddysgu'. Canfu Dweck (1975) bod plant a gafodd eu canmol am wneud gwaith da mewn prawf mathemateg wedi gwneud yn waeth mewn prawf diweddarach ac anoddach na phlant a ddywedwyd wrthynt eu bod yn ddiog. Roedd yr ail grŵp wedi dysgu dyfalbarhau â thasgau tra bo'r grŵp 'canmoledig' yn rhoi'r gorau iddynt yn hawdd. Mae hyn yn dangos nad yw gwobrau bob amser yn arwain at berfformiad gwell.

Nid yw systemau gwobrwyo i'w gweld mewn ysgolion o ddiwylliannau gwahanol. Arsylwodd Lewis (1995) ysgolion cynradd yn Japan a chanfod nad oedd systemau gwobrwyo na chanmoliaeth yn cael eu defnyddio'n aml, ond hefyd ei bod yn ymddangos bod cymhelliad mewnol gan y plant.

Cyfoedion

Efallai na fydd dylanwadau cylch cyfoedion yn rhai cadarnhaol. Er enghraifft, canfu Bricker ac eraill (2006) bod plant mor ifanc â 10 mlwydd oed yn fwy tebygol o roi cynnig ar ysmygu os oedd aelodau o'u cylch cyfoedion yn ysmygu. Mae hyn yn dangos nad yw angen plentyn am atgyfnerthu cadarnhaol gan eu cylch cyfoedion bob amser yn opsiwn iach.

Grwpiau o blant sy'n agored i niwed

Mae pobl sy'n feirniadol o'r defnydd o ddull Lovaas yn credu bod nifer o broblemau gyda'r dechneg. Yn gyntaf, ymchwil Lovaas (1987) yw prif gefnogaeth y driniaeth ac roedd yr ymchwil hwnnw'n cynnwys nifer o broblemau methodolegol gan gynnwys peidio â dyrannu plant i'r grŵp rheolydd neu'r grŵp arbrofol ar hap. Mae hyn yn golygu efallai nad yw unrhyw gasgliadau a dynnir ynglŷn ag effeithiolrwydd y driniaeth yn gwbl ddilys. Yn ail, mae Lovaas yn dweud bod y driniaeth yn ddwys, tua 40 awr yr wythnos. Heblaw am fod yn eithriadol o ddrud, canfu Anderson ac eraill (1987) bod cyfartaledd o 20 awr yr wythnos yn ddigon o gysylltiad i alluogi gwelliant sylweddol.

Gan mai symptomau yn unig y mae technegau cyflyru yn eu trin, cred rhai y gall yr ymddygiad annymunol ddychwelyd unwaith bod yr atgyfnerthu yn dod i ben.

CORNEL ARHOLIAD

Bydd angen i chi allu:

- Trafod y ddadl a'r dystiolaeth o blaid addasrwydd technegau cyflyru.
- Trafod y ddadl a'r dystiolaeth yn erbyn addasrwydd technegau cyflyru.
- Cyflwyno casgliad i'r ddadl.
- Cynnwys trafodaethau am oblygiadau moesegol, economaidd a chymdeithasol y ddadl hon.

Cwestiynau arholiad posibl:

1. 'Mae defnyddio technegau cyflyru i reoli ymddygiad plant yn gwneud mwy o niwed nag o les.'
   Gan ddefnyddio tystiolaeth seicolegol, trafodwch i ba raddau rydych yn cytuno â'r datganiad hwn. [20]
2. 'Heb ddefnyddio technegau cyflyru, byddai plant yn y DU y tu hwnt i reolaeth.'
   Trafodwch y defnydd o dechnegau cyflyru i reoli ymddygiad plant. [20]

CASGLIAD

Mae goblygiad ar rieni, ysgolion, cyfoedion ac asiantaethau eraill i sicrhau bod plant yn tyfu i fyny i allu gweithredu o fewn y gymdeithas y maen nhw'n byw ynddi. Mae'r broses hon o gymdeithasoli yn anochel yn cynnwys cyflyru gan mai dyma un o'r ffyrdd sylfaenol o ddysgu.

Fodd bynnag, y broblem yn y lle cyntaf yw penderfynu os mai technegau o'r fath yw'r ffordd orau o reoli ymddygiad, er enghraifft gall systemau gwobrwyo fod yn aneffeithiol. Yn ail, mae ystyriaethau **moesegol** pwysig yn ymwneud ag ymyrryd ag ymddygiad, er enghraifft mewn grwpiau o blant sy'n agored i niwed.

Soniwyd am fyd delfrydol B.F. Skinner ar dudalen 51. Yn ei lyfr *Walden Two* dangosodd sut gallai cymdeithas ddarparu atgyfnerthiadau i lunio ymddygiad i'r cyfeiriad gorau. Efallai fod ymagwedd o'r fath yn creu cymdeithas 'ddelfrydol', ond pwy sy'n pennu'r ddelfryd? Ac am ba bris o ran **ewyllys rydd** ac unigoliaeth?

Gwerthuso'r ymagwedd ymddygiadol

Rydych chi wedi astudio prif dybiaethau'r **ymagwedd ymddygiadol** ac wedi ystyried sut gallai rhai o'r tybiaethau hynny egluro ffurfio perthnasoedd a sut maen nhw'n cael eu cymhwyso mewn un therapi. Rydych hefyd wedi ystyried yr ymagwedd ymddygiadol yng nghyd-destun astudiaeth glasurol a dadl.

Mae bellach yn bryd i chi ddefnyddio'ch dealltwriaeth o'r ymagwedd ymddygiadol i ystyried cryfderau a gwendidau'r ymagwedd hon, a hefyd i ystyried sut mae'r ymagwedd yn cymharu â'r ymagweddau eraill.

CRYFDERAU'R YMAGWEDD YMDDYGIADOL

1. Ymagwedd wyddonol

John B. Watson, ar ddechrau'r 20fed ganrif, oedd y cyntaf i gyflwyno **ymddygiadaeth**. Sylweddolodd fod modd defnyddio gwaith Pavlov ar ymatebion cyflyrol i greu seicoleg wirioneddol wrthrychol ac, felly, un wyddonol. Mae ymddygiadaeth yn dal i ymgorffori'r ymagwedd wirioneddol wyddonol, sef ceisio astudio ymddygiad sy'n arsylwadwy ac yn uniongyrchol fesuradwy. Caiff cysyniadau anghyffwrdd fel teimladau a meddyliau eu **gweithredoli** o ran yr ysgogiadau a'r ymddygiadau ymateb. Cred ymddygiadwyr yw bod modd i ni ddefnyddio'r **dull gwyddonol** i ddadansoddi, meintioli a chymharu ymddygiad.

Mae'r ymagwedd wyddonol honno'n fanteisiol am ei bod hi'n fodd i ni wahaniaethu rhwng credoau simsan a ffeithiau go-iawn. Er enghraifft, gall pobl gredu bod gwisgo darn o aur o amgylch eich gwddf yn cadw ysbrydion drwg draw, ond sut mae gwybod a yw hynny'n wir heb wneud **arbrofion**? Pan ddaw hi'n fater o drin anhwylderau meddwl, mae ar bobl eisiau tystiolaeth i ddangos bod triniaethau wedi llwyddo yn hytrach na chais i gredu eu bod nhw'n gweithio. Mae'r ymagwedd wyddonol, felly, yn ddymunol.

2. Canolbwyntio ar y sefyllfa bresennol

Nid yw'r ymagwedd ymddygiadol yn poeni ynghylch digwyddiadau yng ngorffennol yr unigolyn. Er bod ymagweddau eraill ym myd seicoleg yn ceisio egluro ymddygiad unigolyn yn nhermau'r pethau a ddigwyddodd yn ystod plentyndod neu yn nhermau ffactorau **cynhenid**, does dim rhaid i'r ymagwedd ymddygiadol chwilio am achosion cymhleth wrth drin anhwylderau meddwl: bydd yn hoelio'i sylw ar y symptomau presennol ac yn ceisio'u dileu.

Er enghraifft, defnyddir **therapi anghymell** i drin alcoholiaeth drwy ddysgu cysylltiad ysgogiad-ac-ymateb newydd i'r unigolyn rhwng alcohol a chyfog, ac felly cwtogi ar yr ymddygiad annymunol. Dydy'r driniaeth ddim yn ceisio deall pam y gall yr unigolyn fod wedi troi at alcohol.

Bydd **dadsensiteiddio systematig** hefyd yn ceisio trin ymddygiad annymunol, fel ofn sefyllfaoedd cymdeithasol, drwy addysgu cysylltiad ysgogiad-ac-ymateb newydd rhwng y sefyllfa a ofnir a phroses ymlacio. Ni cheisir deall pam y gallai'r ffobia fod wedi datblygu yn y lle cyntaf; unig nod y driniaeth yw dileu'r symptomau.

Mae'n well gan rai pobl ymagwedd uniongyrchol o'r fath, ac mae llwyddiant y therapïau hynny'n awgrymu nad oes angen ymchwilio am ystyron dwfn bob tro. Ar y llaw arall, gan nad ydy'r ymagwedd yn gweithio i bawb nac i bob anhwylder, mae hynny'n awgrymu nad yw hoelio sylw ar y sefyllfa bresennol bob amser yn ddigon.

3. Cymwysiadau llwyddiannus

Mae egwyddorion ymddygiadol wedi'u rhoi ar waith yn llwyddiannus yn y byd go-iawn, yn enwedig o ran trin anhwylderau meddwl ac wrth addysgu. Er enghraifft, caiff egwyddorion **cyflyru clasurol** eu defnyddio mewn therapi anghymell i helpu pobl sy'n gaeth i rywbeth, a hefyd mewn dadsensiteiddio systematig i helpu pobl sy'n dioddef o **ffobiâu**.

Ym myd addysg, mae **cyflyru gweithredol** yn sylfaen i strategaethau addysgu llwyddiannus. Mae **atgyfnerthu cadarnhaol** a chosbi wedi helpu i siapio ymddygiad yn yr ystafell ddosbarth yn ogystal ag amgylchedd yr ysgol yn gyffredinol.

Aeth B.F. Skinner ati'n benodol i gymhwyso egwyddorion cyflyru gweithredol at addysgu, a dyluniodd ddyfais hyfforddi a oedd wedi'i rhaglennu'n fecanyddol (Skinner, 1954). Credai fod yr addysgu yn yr ystafell ddosbarth yn aml yn aneffeithiol am fod myfyrwyr gwahanol yn dysgu ar gyfraddau gwahanol, a bod atgyfnerthiadau felly'n amrywio gormod i fod yn effeithiol. Oherwydd diffyg rhoi sylw i'r unigolyn, hefyd, bydd oedi yn yr atgyfnerthu. Golygai cysyniad Skinner o beiriant addysgu y gallai pob myfyriwr weithio yn ôl ei gyflymdra'i hun a chael atgyfnerthiadau a fyddai'n hybu dysgu at y dyfodol. Bob tro y bydd ateb yn gywir, fe atgyfnerthir y myfyriwr; a phob tro y bydd ateb yn anghywir, cynigir eglurhad pellach. Bydd yr adborth yn fwy effeithiol am ei fod yn digwydd ar unwaith. Bydd yr adborth hefyd yn gadarnhaol, ac felly'n fwy calonogol nag adborth negyddol. Bydd y peiriant yn rhannu'r broses ddysgu yn gamau bach er mwyn i'r myfyriwr gael gwobrau aml.

▲ Defnyddir egwyddorion ymddygiadaeth (fel atgyfnerthu a chosbi) yn llwyddiannus i drin anifeiliaid – er enghraifft, wrth hyfforddi llewod i berfformio mewn syrcas neu hyfforddi cŵn yn y rhaglen deledu *Dog Borstal*. Ond i ba raddau y mae'r un egwyddorion yn gymwys i bobl?

Cyngor arholiad...
Ni ofynnir i chi ddisgrifio cryfder neu wendid penodol mewn arholiad, gan nad ydynt wedi'i henwi yn y fanyleb. Fodd bynnag, bydd angen i chi wybod o leiaf dau gryfder a dau wendid. Efallai bydd cwestiwn yn gofyn i chi gynnig un neu ddau neu gall ofyn am ddau neu fwy. Os yw'r cwestiwn yn gofyn am ddau neu fwy, gallech ysgrifennu am ddau yn fanwl neu dri yn llai manwl.

GWENDIDAU'R YMAGWEDD YMDDYGIADOL

1. Pwyslais ar fagwraeth

Mae'r ymagwedd ymddygiadol yn canolbwyntio'n llwyr ar yr amgylchedd fel ffordd o siapio ymddygiad. Felly, o ran y **ddadl natur-a-magwraeth**, anwybyddir rôl **natur**. Er enghraifft, ni fyddai ymddygiadwyr yn ystyried sut y gallai ein ffurfiant genetig ddylanwadu ar ein personoliaeth a'n hymddygiad.

Yn ogystal, caiff rôl ffactorau allanol (h.y. **magwraeth**) ei gor-ddweud yn yr ymagwedd hon. Petai dysgu yn bopeth o bwys, gallai pawb fynd yn llawfeddyg neu'n wyddonydd praff. Caiff ein hymddygiad ei reoli gan lu o ffactorau allanol, fel cymhelliant ac emosiwn a galluoedd cynhenid.

2. Ymagwedd benderfyniadol

Barn ymddygiadwyr yw mai'r prif ddylanwad, o lawer iawn, yw'r cysylltiadau a ffurfiwn ni rhwng ysgogiadau amgylcheddol penodol (cyflyru clasurol) a'r gwobrau/cosbau a gawn ni gan ein hamgylchedd (cyflyru gweithredol). Felly, ffactorau allanol (amgylcheddol) sy'n rheoli pobl.

Nid yw'r ymagwedd **benderfyniadol** yn ystyried y prosesau meddwl sy'n digwydd cyn i ni ymddwyn mewn ffordd benodol, ac mae'n awgrymu nad ydym ni'n gwneud dewis wrth ymddwyn. Mae'r farn mai'n hamgylchedd sy'n penderfynu sut y gweithredwn ni yn tanseilio'r dewis neu'r **ewyllys rydd** sydd gennym fel pobl wrth wneud penderfyniadau o'r fath. Mae'n golygu na all pobl wneud dewisiadau ac nad oes ganddyn nhw gyfrifoldeb personol na moesol dros eu hymddygiad. Does dim modd dal pobl yn gyfrifol am unrhyw gamwedd, felly. Yn hytrach, dylid eu cosbi i newid eu hymddygiad yn hytrach na'u haddysgu i feddwl yn gyfrifol.

3. Mwy perthnasol i anifeiliaid nag i bobl

Mae'n werth cofio mai mewn arbrofion gydag anifeiliaid heblaw pobl – fel yr ymchwil gan Pavlov a Skinner – y mae gwreiddiau ymddygiadaeth. Hefyd, datblygwyd SD mewn ymchwil gydag anifeiliaid. Creodd Wolpe (1958) ffobia mewn cathod drwy eu rhoi mewn cewyll a rhoi sioc drydan iddyn nhw dro ar ôl tro. Yna, ar ôl dysgu'r ymateb gorbryder hwnnw iddynt, gwelodd y gallai ef ei liniaru drwy roi bwyd yn ymyl cawell a oedd yn debyg i'r un gwreiddiol. I bob golwg, roedd y weithred o fwyta yn lleddfu eu hymateb gorbryder (**ataliad cilyddol**) ac yn raddol gellid gosod y cathod mewn cewyll a oedd yn fwy ac yn fwy tebyg i'r cewyll gwreiddiol heb iddynt amlygu symptomau gorbryder.

Gall gorbryder mewn pobl beidio ag ymateb yn yr un ffordd bob amser. Gwnaeth Wolpe (1973) drin menyw am ei bod hi'n ofni pryfed, a gweld na wnaeth SD iacháu ei ffobia. Darganfuwyd nad oedd hi wedi bod yn cyd-dynnu â'i gŵr – gŵr a gawsai ei lysenwi ar ôl pryfyn. Doedd ei hofn, felly, ddim yn ganlyniad i gyflyru, ond yn ffordd o gynrychioli ei phroblemau priodasol. Argymhellodd Wolpe iddi gael **cyngor** priodasol, a llwyddodd hwnnw lle methodd SD.

▲ Allwn ni dybio bod anifeiliaid a phobl yn dysgu mewn ffyrdd tebyg? Os nad ydynt, sut gall egwyddorion ymddygiadol gael eu defnyddio i drin problemau pobl yn llwyddiannus?

CYMHARU YMAGWEDDAU

Rydych bellach wedi astudio tair ymagwedd: yr ymagweddau biolegol, seicodynamig ac ymddygiadol. Gan weithio mewn parau, cwblhewch y tabl isod lle bydd un ohonoch yn cymharu'r ymagwedd ymddygiadol gyda'r un fiolegol a'r llall yn ei chymharu â'r ymagwedd seicodynamig. Eglurwch eich cymhariaeth i'ch partner a gweld os ydyn nhw'n cytuno â chi.

Ystyriaeth/dadl	Ymagwedd fiolegol	Ymagwedd ymddygiadol	Tebyg neu wahanol?
Natur–Magwraeth			
Gwyddonol–Anwyddonol			
Lleihadaeth–Cyfaniaeth			
Penderfyniaeth–Ewyllys Rydd			

Mae'r materion a'r dadleuon a restrir yn y tabl uchod yn cael eu hegluro yn y bennod ragarweiniol ar dudalen 7.

CORNEL ARHOLIAD

Er mwyn gwerthuso'r ymagwedd bydd angen i chi allu:
- Trafod y cryfderau (o leiaf **ddau**) yn llawn.
- Trafod y gwendidau (o leiaf **ddau**) yn llawn.
- Cymharu a chyferbynnu'r ymagwedd â'r pedair ymagwedd arall o ran materion a dadleuon allweddol.

Cwestiynau arholiad posibl:
1. Gwerthuswch **ddau** o gryfderau'r ymagwedd ymddygiadol. [6]
2. Gwerthuswch **un** o wendidau'r ymagwedd ymddygiadol. [3]
3. Cymharwch a chyferbynnwch yr ymagwedd ymddygiadol â'r ymagwedd seicodynamig. [12]
4. Mae therapydd yn trafod pa therapi i'w argymell i glaf – a fyddai therapi o'r ymagwedd fiolegol yn well nag un o'r ymagwedd ymddygiadol? Gan ddefnyddio'ch gwybodaeth o'r ddwy ymagwedd, cymharwch a chyferbynnwch yr ymagweddau biolegol ac ymddygiadol a'u therapïau. [10]

Gweithgareddau i chi

TYBIAETHAU

ATEBION AR DUDALEN 172

Termau allweddol

Heb edrych yn ôl, ceisiwch egluro'r termau canlynol:
- Cyflyru clasurol
- Cyflyru gweithredol
- *Tabula rasa*
- Penderfyniaeth amgylcheddol
- Cyffredinoli

Cŵn tywys

Un ardal eithriadol o ddiddorol i chi ei hymchwilio yw sut mae cŵn tywys yn cael eu hyfforddi. Mae nifer o fideos ar YouTube yn egluro'r broses yma.

Gwyliwch sawl un o'r fideos ac ysgrifennwch grynodeb byr, gan gysylltu egwyddorion ymddygiadol â hyfforddi cŵn tywys.

Sioned

ATEBION AR DUDALEN 172

Mae Sioned wastad wedi bod yn berchen ar gŵn, ac mae'n ffurfio perthynas agos iawn â nhw. I ddweud y gwir, mae'n well ganddi dreulio amser gyda chŵn yn hytrach na phobl..

Gan ddefnyddio tybiaethau ymddygiadol, eglurwch berthynas agos Sally â'i chŵn.

Ffurfio perthynas

Copïwch y testun isod a cheisiwch lenwi'r bylchau heb edrych yn ôl ar y testun. Faint ydych chi'n ei gofio? Dangosir yr atebion isod.

Gellir defnyddio cyflyru _____ a _____ ill dau i egluro ffurfio perthnasoedd.

Mewn cyflyru gweithredol, rydym yn debygol o _____ unrhyw ymddygiad sy'n arwain at ganlyniad dymunol. Gelwir hyn yn _____ cadarnhaol. Er enghraifft, mae ysgogiadau sy'n rhoi teimladau cadarnhaol i ni yn _____ (maent yn gwneud i ni deimlo'n hapus). Efallai y byddwn yn dechrau perthynas â rhywun, felly, gan fod y person hwnnw yn achosi teimladau _____ a bod hynny yn foddhaus ac yn debygol o gael ei _____.

Mewn _____ clasurol, gallwn _____ pobl ddymunol â phrofiadau dymunol. Er enghraifft, os byddwn ni'n cwrdd â rhywun pan fyddwn ni mewn _____ ____, rydym yn llawer mwy tebygol o'u hoffi, gan ein bod wedi ffurfio _____ rhwng y person hwnnw â theimlo'n dda. Gall hoffi arwain at _____ cyn belled â bod ffurfio perthnasoedd yn y cwestiwn.

clasurol	cariad	ailadrodd	cadarnhaol
atgyfnerthiad	cysylltu	boddhaus	atgyfnerthu
hwyliau da	cyflyru	gweithredol	cysylltiad

TYSTIOLAETH GLASUROL

ATEBION AR DUDALEN 172

Methodoleg a chanfyddiadau

Cysylltwch hanner cyntaf y brawddegau ar y chwith gydag ail hanner y brawddegau ar y dde i brofi'ch gwybodaeth o Watson a Rayner (1920).

1. Mae'r astudiaeth hon yn ymwneud â …	A. roedd yn canolbwyntio ar gyflyru yn hytrach na dadansoddiad mwy trylwyr yn archwilio nifer o bethau.
2. Er mwyn profi ymatebion emosiynol i wrthrychau penodol …	B. profwyd i weld os oedd Albert wedi dysgu'r ymateb cyflyrol.
3. Yn sesiwn 2 …	C. cyn dechrau'r cyflyru.
4. Nid astudiaeth achos yw hon oherwydd …	Ch. baban gwrywaidd normal 9 mis oed.
5. Yn sesiwn 1 …	D. gwingodd Albert yn sydyn a chodi ei freichiau.
6. Cofnodwyd ymatebion gyda …	Dd. wynebwyd Albert yn sydyn â llygoden fawr, cwningen, ci, mwncïod a mygydau.
7. Ni ddangosodd Albert unrhyw ofn …	E. roedd ymateb Albert i'r llygoden fawr, y gwningen a'r ci yn llai eithafol.
8. Y tro cyntaf i'r bar gael ei daro y tu ôl i'w ben …	F. pa mor hawdd y gellir creu ymateb ofn.
9. Pan aethpwyd ag ef i amgylchedd newydd …	Ff. chamera lluniau fideo.
10. Mae'r astudiaeth hon yn dangos …	G. greu'r ymateb emosiynol cyflyrol.
11. Roedd cyn lleied â dau 'ysgogiad ar y cyd' o fewn yr wythnos gyntaf yn ddigon i …	Ng. sefydlwyd ymateb emosiynol cyflyrol.

DADL

Arolwg barn

Mewn grwpiau bach, gwnewch arolwg o rieni a/neu athrawon.
- Gofynnwch a ydyn nhw'n defnyddio technegau cyflyru wrth fagu plant neu addysgu.
- Gofynnwch eu barn ynglŷn ag effeithiolrwydd technegau o'r fath o ran rheoli ymddygiad plant.
- Gofynnwch a ydyn nhw'n meddwl bod unrhyw fanteision neu anfanteision i ddefnyddio technegau cyflyru ar gyfer magu plant neu addysgu.

Ar ôl cwblhau'ch arolwg, cyflwynwch eich canfyddiadau i weddill y dosbarth gan ddefnyddio ystadegau disgrifiadol addas, fel siart bar.

THERAPÏAU

Tynnu llun

Gan ddibynnu ar ba therapi yr ydych wedi ei astudio, naill ai:

Tynnwch lun o hierarchaeth gorbryder yn amlinellu'r camau in-vitro ac in-vivo y gallai fod angen i gleient â ffobia o geffylau weithio drwyddynt.

Neu

Gan ddefnyddio'r termau canlynol – UCS, UCR, CS, NS a CR – crëwch ddarluniad i egluro sut y gellid trin person sy'n gaeth i ddefnyddio peiriannau ffrwythau gan ddefnyddio therapi anghymell.

Gallwch ddefnyddio rhai o'r gweithgareddau adolygu sy'n cael eu disgrifio ar ddiwedd y penodau eraill. Er enghraifft, gallech gynhyrchu nodiadau gludiog ar gyfer adolygu (gweler tudalen 85).
Yn sicr, dylech restru'r geiriau allweddol yn y bennod hon eto a sicrhau eich bod yn eu deall.

Cwestiynau amlddewis

Gan weithio ar eich pen eich hun neu mewn grwpiau, lluniwch gwestiynau amlddewis ac atebion ynglŷn â'r deunydd yn y bennod hon. Yna, cyfrannwch eich cwestiynau i gwestiynau gweddill y dosbarth. Gallwch chi ateb y cwestiynau'n unigol neu mewn timau.

Gwneud symudyn

Ysgrifennwch dermau allweddol ar ddarnau o gardbord a'u trefnu mewn rhyw ffordd ystyrlon ar symudyn (*mobile*). Addurnwch yr ystafell ddosbarth.

GWERTHUSO

ATEBION AR DUDALEN 172

Cyfateb

Dewiswch y cryfderau/gwendidau ar yr ochr chwith sy'n cyfateb â'r brawddegau ymhelaethu cywir ar yr ochr dde:

	Cryfder/gwendid		Eglurhad
1	Un o gryfderau'r ymagwedd ymddygiadol yw ei bod yn wyddonol…	A	Yn wahanol i ymagweddau eraill (e.e. seicodynamig), nid oes diddordeb ganddi yn y gorffennol fel ffordd o egluro'r presennol.
2	Un arall o gryfderau'r ymagwedd ymddygiadol yw bod cymwysiadau llwyddiannus iddi…	B	Mae'n gweld ymddygiad fel canlyniad i'n hamgylchedd a'n magwraeth ac nid yw'n cymryd ffactorau biolegol i ystyriaeth.
3	Un arall o gryfderau'r ymagwedd ymddygiadol yw ei bod yn canolbwyntio ar y sefyllfa bresennol…	C	Mae'n defnyddio dulliau gwrthrychol i fesur ymddygiad arsylladwy, gan fabwysiadu methodoleg wyddonol a dulliau meintiol.
4	Un o wendidau'r ymagwedd ymddygiadol yw ei bod yn canolbwyntio ar fagwraeth yn unig…	Ch	Mae ymchwil wedi canolbwyntio ar ddysgu mewn anifeiliaid, er enghraifft astudiaethau ar gyflyru clasurol; mae'r egwyddorion hyn wedi cael eu cymhwyso i ddysgu dynol.
5	Un arall o wendidau'r ymagwedd ymddygiadol yw ei bod yn fwy perthnasol i anifeiliaid na phobl…	D	Yn ôl yr ymagwedd hon mae'r amgylchedd yn llunio ein hymddygiad, trwy gyflyru clasurol a gweithredol.
6	Un arall o wendidau'r ymagwedd ymddygiadol yw ei bod yn benderfyniadol…	Dd	Er enghraifft, mae egwyddorion cyflyru clasurol a gweithredol wedi cael eu defnyddio ym myd addysg ac mewn therapi.

Gweithgaredd estynedig

Mae gwerthuso effeithiol yn cynnwys egluro pam mae rhywbeth yn gryfder neu'n wendid, gan ddefnyddio enghreifftiau perthnasol. Mewn parau, ymhelaethwch ar bob un o'r cryfderau/gwendidau uchod gan ddefnyddio enghreifftiau.

Ymddygiadaeth

Wrth werthuso'r ymagwedd ymddygiadol, cofiwch yr elfennau hyn:

Gwyddonol
Cymwysiadau
Magwraeth
Penderfyniaeth amgylcheddol

Lluniwch baragraff byr am bob un o'r pedwar. Fel arfer, ceisiwch wneud hynny'n gyntaf heb edrych ar eich nodiadau.

Cwestiynau arholiad ac atebion

CWESTIWN AR DYBIAETHAU

Amlinellwch **ddwy** o dybiaethau'r ymagwedd ymddygiadol. [4 + 4]

Cynllun marcio ar gyfer y cwestiwn yma

Marc	Disgrifiad
4	Mae'r disgrifiad o'r dybiaeth gyda **manylder da** ac wedi'i gysylltu'n glir ag ymddygiad dynol.
3	Disgrifiad **manwl** o'r dybiaeth wedi'i gysylltu gydag ymddygiad dynol. Gall fod rhai mân wallau.
2	Disgrifiad **cyfyngedig** o'r dybiaeth â pheth cysylltiad gydag ymddygiad dynol.
1	Disgrifiad **arwynebol** o'r dybiaeth heb unrhyw gysylltiad gydag ymddygiad dynol.
0	Ateb **amhriodol/dim ymateb**.

Ateb Bob

Tybiaeth 1 – Cred ymddygiadwyr y gall ymddygiad gael ei ddysgu trwy gyflyru, e.e. awgrymwyd cyflyru clasurol gan Pavlov trwy ei ymchwil ar gynhyrchu poer mewn cŵn. Dywedodd Pavlov fod bwyd yn ysgogiad heb ei gyflyru (UCS) i gi gan y bydd ci bob amser yn cynhyrchu poer (UCR) pan fydd bwyd yn cael ei roi iddo. Yna cyflwynodd gloch a galwodd hon yn ysgogiad niwtral (NS) i gyflyru'r ci. Canodd y gloch (NS) bob tro y rhoddwyd bwyd i'r ci (UCS). Gydag amser daeth y gloch i fod yn ysgogiad cyflyrol (CS) a chynhyrchu ymateb cyflyrol (CR), sef cynhyrchu poer. Dyma yw cyflyru clasurol.

Enghraifft arall o gyflyru yw, e.e. cyflyru gweithredol. Dywed Skinner y gall ymddygiad gael ei ddysgu trwy atgyfnerthu, rhywbeth sy'n eich hannog i ailadrodd ymddygiad, fel gwobr. Profodd Skinner hyn gyda'i ymchwil ar lygod mawr a sguthanod gan iddo roi pelen o fwyd iddynt bob tro y byddent yn gwthio lifer. Gydag amser fe ddysgon nhw i wthio'r lifer yn ôl y galw. Gellir defnyddio cosbi hefyd.

Tybiaeth 2 – Cred ymddygiadwyr fod pobl ac anifeiliaid yn dysgu yn yr un ffordd, felly gallwch wneud ymchwil ar anifeiliaid ac yna gymhwyso'r canlyniadau mewn pobl. Enghraifft o hyn oedd pan wnaeth Skinner ei ymchwil ar lygod mawr a datblygu cyflyru gweithredol. Cafodd hyn wedyn ei ddefnyddio a'i gymhwyso mewn pobl trwy raglenni atgyfnerthu â thalebau mewn carchardai ac ysbytai er mwyn annog ac atgyfnerthu ymddygiad cadarnhaol gan fod tocynnau y gellid eu cyfnewid am wobrau unigol fel losin neu amser teledu yn cael eu dosbarthu. Defnyddiodd Pavlov anifeiliaid i ddatblygu cyflyru clasurol; mae hyn hefyd wedi cael ei gymhwyso mewn pobl wrth drin ffobiâu.

276 gair

Ateb Megan

Mae'r ymagwedd ymddygiadol yn dweud ein bod yn cael ein geni fel *tabula rasa*, h.y. llechen lân, a bod ein hymddygiad yn cael ei lunio gan ein hamgylchedd heb fod unrhyw beth i wneud â'n bioleg na phethau mewnol. Mae hyn yn golygu bod ymddygiadwyr yn credu mewn magwraeth ac yn gwrthod natur, e.e. mae ein holl ymddygiad yn dod o'r amgylchedd am mai dyna sy'n ein llunio.

Mae'r ymagwedd ymddygiadol yn dweud mai cyflyru sy'n achosi ein hymddygiad a bod dau fath o gyflyru. Mae cyflyru clasurol yn digwydd pan fyddwn yn dysgu ymddygiad trwy gysylltiad a dangosodd Pavlov hyn gyda chŵn. Yn gyntaf, rhoddodd fwyd i'w gŵn a gwnaeth hyn iddynt gynhyrchu poer. Wedyn dechreuodd ganu cloch bob tro yr oedd yn eu bwydo ac roeddent yn dal i gynhyrchu poer. Gydag amser cafodd y gloch a'r bwyd eu hasio at ei gilydd ym meddyliau'r cŵn nes yn y pen draw bod y cŵn yn cynhyrchu poer pan fyddai Pavlov yn canu'r gloch. Y math arall o gyflyru yw atgyfnerthu sef pan fyddwn yn dysgu trwy wobrau a chosbau, e.e. bydd rhoi losin i blant i'w hannog i wneud rhywbeth da fel tacluso eu hystafell yn gwneud iddynt fod eisiau tacluso eu hystafell eto yn y dyfodol. Tra bydd gweiddi arnynt a'u cosbi pan fyddant yn gwneud rhywbeth drwg yn eu gwneud yn annhebygol o'i wneud eto. Dangosodd Skinner atgyfnerthu gyda'i astudiaeth ar y llygod mawr lle roedd yn eu dysgu i wthio botwm gan ddefnyddio gwobrau.

249 gair

Sylwadau'r arholwr a marciau ar dudalen 173

GWAITH I CHI

Gan ddefnyddio'r cynllun marcio ar y chwith, marciwch atebion Bob a Megan.

Nodwch ddwy ffordd y gellid gwella pob un o'r atebion.

GWAITH I CHI

Defnyddiwch 'SCAMS' i adlewyrchu ar un o'r atebion ar y dudalen gyferbyn (cwestiwn ar therapi).

- **S**ynnwyr = A yw'r hyn sydd wedi ei ysgrifennu yn gwneud synnwyr?
- **C**ywirdeb ac addasrwydd = A yw'r ffeithiau'n gywir ac yn berthnasol i'r cwestiwn sy'n cael ei ofyn?
- **A**mrywiaeth = A yw'r ateb yn cynnwys nifer o bwyntiau gwerthuso?
- **M**anylder = A yw'r ateb yn mynd i'r afael â materion mewn digon o fanylder?
- **S**illafu a gramadeg = A yw'r derminoleg gywir yn cael ei defnyddio ac a yw'r ymgeisydd wedi mynegi ei hunan yn dda?

Defnyddiwch y SCAMS hyn i ysgrifennu ateb gwell.

Gan ddefnyddio'r cynllun marcio ar frig y dudalen, pa farc byddech chi'n ei roi i bob ateb?

Pa mor effeithiol mae Megan a Bob yn defnyddio ymchwil i egluro'r dybiaeth?

Ateb pwy sydd â'r strwythur gorau, Megan neu Bob?

A oes yr un faint o fanylder yn nhybiaethau Megan a Bob?

Sut mae'r ddau ateb yn cymharu o ran terminoleg?

Gwerthuswch **un** therapi ymddygiadol o ran ei effeithiolrwydd. [12]

Cynllun marcio ar gyfer y cwestiwn yma

Marc	Disgrifiad
10–12	Trafodaeth **drylwyr** â **manylder da** o'r materion, dadleuon cytbwys ac yn cyrraedd casgliad addas.
7–9	Trafodaeth **effeithiol** a **gweddol fanwl** o'r materion, dadleuon cytbwys ac yn cyrraedd casgliad addas.
4–6	Trafodaeth **gyfyngedig** o'r materion a gall dadleuon fod yn unochrog.
1–3	Trafodaeth **sylfaenol iawn** ac **arwynebol** o'r materion a gwerthusiad **dryslyd**; ni thynnir unrhyw gasgliad.
0	Ateb **amhriodol/dim ymateb**.

Dadsensiteiddio systematig – ateb Megan

Therapi a ddefnyddir gan yr ymagwedd ymddygiadol i drin pobl â ffobiâu yw dadsensiteiddio systematig (SD). Mae'n defnyddio egwyddorion cyflyru clasurol i wrth-gyflyru ymateb camaddasol a rhoi dysgu mwy gweithredol yn ei le. Yn ymarferol, mae SD yn cynnwys tri cham allweddol; yn gyntaf mae'n rhaid i'r claf ddysgu technegau anadlu i'w helpu i ymlacio, yn ail maent yn gweithio gyda'r therapydd i greu hierarchaeth pryder, ac yn olaf maent yn gweithio eu ffordd i fyny'r hierarchaeth gan ddefnyddio'r technegau ymlacio nes eu bod yn y pen draw yn teimlo'n ddigynnwrf wrth wynebu eu ffobia, e.e. pryfed cop.

Mae SD wedi cael ei astudio i weld pa mor effeithiol ydyw wrth drin ffobiâu. Canfu Capafóns (1998) bod pobl a oedd ofn hedfan yn dweud eu bod yn teimlo llai o ofn a bod ganddynt lai o symptomau biolegol o ofn ar ôl cwblhau triniaeth 25 wythnos o SD in vivo ac in vitro ac roedd hyn o'i gymharu â grŵp rheolydd. Mae hyn yn dangos ei fod yn therapi effeithiol ar gyfer y math yma o ffobia. Fodd bynnag, canfuwyd hefyd bod un person yn y grŵp rheolydd wedi dangos gwelliant er na gafodd unrhyw SD a bod dau berson a gafodd SD heb ddangos unrhyw welliant o gwbl. Mae hyn yn dangos nad yw SD yn 100% effeithiol. Mae ymchwil arall gan McGrath yn dangos bod SD yn weddol effeithiol gan iddo ganfod bod 75% o gleifion â ffobia penodol yn ymateb. Mae rhai ymchwilwyr yn dweud bod technegau in vivo yn fwy effeithiol na thechnegau in vitro.

Mae peth ymchwil yn awgrymu bod SD yn well triniaeth ar gyfer rhai ffobiâu yn hytrach nag eraill, e.e. mae'n llai effeithiol ar gyfer agoraffobia gan ei fod yn salwch mwy cymhleth. Hefyd, nid yw'n dda iawn ar gyfer ofnau hynafol, e.e. ofn pethau a fyddai wedi bod yn fygythiad i'n cyndeidiau megis nadroedd gan y byddai bod ofn y creaduriaid hyn wedi bod yn hanfodol er mwyn i ni oroesi yn y gorffennol.

Rhywbeth o'r enw amnewid symptomau yw gwendid pennaf SD oherwydd mai crafu'r wyneb yn unig y mae'r ofnau yr ydym yn eu teimlo weithiau, ac os byddwch yn cael gwared â'r symptomau trwy SD bydd yr hyn sy'n eu hachosi yn dal yno. Enghraifft glasurol o hyn oedd Hans Bach a oedd ofn ceffylau. Canfu Freud mai eiddigedd dwys o'i dad oedd gwir achos ei ffobia o geffylau ac os byddai wedi cael SD byddai wedi gwella ei ffobia o geffylau ond byddai ei eiddigedd dwys wedi parhau ac achosi problemau pellach iddo. Nid yw SD yn mynd at wraidd y broblem ac ystyried o ble y daeth y ffobia yn y lle cyntaf; mae hyn yn golygu nad yw'n driniaeth effeithiol iawn gan y bydd symptomau yn syml yn dangos eu hunain mewn ffordd arall.

468 gair

Sylwadau'r arholwr a marciau ar dudalen 173

Rhywbeth i feddwl amdano

Cwestiwn AA3 yw hwn, a 'gwerthuswch' yw'r term gorchmynnol – dylid atgoffa ymgeiswyr na ellir rhoi unrhyw gydnabyddiaeth am ddisgrifiadau o therapi. A yw'r feirniadaeth hon yn berthnasol i Bob a/ neu Megan?

Er mwyn cael y marciau gorau, rhaid i ymgeiswyr roi 'dadleuon cytbwys' – mae hyn yn golygu bod angen iddynt ystyried yr hyn sy'n gweithio'n dda yn ogystal â'r hyn nad ydyw. A yw dadleuon Bob a/neu Megan yn gytbwys?

A yw atebion Bob a/neu Megan yn cynnwys ystod o bwyntiau gwerthuso, h.y. 3+, ac a ydynt yn cael eu trafod mewn digon o ddyfnder/ manylder?

Un o nodweddion atebion gwannach yw nad ydynt yn tynnu casgliadau, h.y. cyfeirio'n uniongyrchol at effeithiolrwydd ar ôl pob pwynt gwerthuso. A yw Bob a/neu Megan yn gwneud hyn?

Therapi anghymell – ateb Bob

Math o therapi a ddefnyddir i helpu i drin pobl gyda chaethiwed megis alcoholiaeth yw therapi anghymell (AT). Mae'n defnyddio egwyddorion cyflyru clasurol ac yn ceisio torri dysgu camaddasol i lawr, e.e. y cysylltiad rhwng alcohol a phleser, a rhoi dysgu mwy addasol yn ei le, e.e. y cysylltiad rhwng alcohol ac anfodlonrwydd. Maent yn gwneud hyn trwy roi cyffur i'r alcoholig sy'n gwneud iddo fod yn sâl aruthrol pan fydd yn cael ei gymysgu gyda alcohol fel bod y person caeth yn cysylltu'r alcohol â salwch a ddim eisiau ei wneud eto. Mae AT wedi cael ei ddefnyddio dros y blynyddoedd i drin amrywiaeth o anhwylderau megis cyfunrywioldeb, caethiwed i gyffuriau, ayb ac mewn achos enwog fe'i defnyddiwyd fel triniaeth i George Best.

Mae AT wedi cael canlyniadau cymysg o ran ei effeithiolrwydd. Edrychodd Miller (1978) ar ba mor dda yr oedd therapi anghymell yn gweithio o gymharu â chynghori a defnyddiodd dri grŵp – cleifion a oedd yn cael therapi anghymell (siociau trydan) yn unig, cynghori yn unig, ac roedd y grŵp olaf yn cael therapi anghymell a chynghori. Canfu bod cyfraddau gwella flwyddyn yn ddiweddarach yr un peth ar gyfer pob un o'r grwpiau ac mae hyn yn dangos nad yw therapi anghymell mor effeithiol â hynny. Fodd bynnag, mae Smith (1997) yn dweud ei fod yn fwy effeithiol gan iddo ganfod ar ôl blwyddyn bod cyfraddau gwella uwch ymhlith alcoholigion a oedd wedi derbyn AT na rhai a oedd wedi cael eu cynghori. Dangosodd hefyd bod AT yn gweithio'n dda ar gyfer ysmygwyr gan fod 52% o ysmygwyr a oedd wedi cael AT gan ddefnyddio siociau trydan wedi rhoi'r gorau i ysmygu. Mae hyn yn dangos y gall weithio'n dda.

Oherwydd ei fod yn wirioneddol annymunol (e.e. cael siociau trydan neu gymryd cyffuriau sy'n eich gwneud yn sâl), un broblem gydag AT yw y bydd llawer o bobl yn rhoi'r gorau i'r therapi yma neu hyd yn oed yn ei wrthod yn y lle cyntaf. Dangoswyd hyn gan ymchwilydd a ddangosodd gyfraddau tynnu allan o 50%. Mae hyn yn golygu ei bod yn anodd gweld pa mor dda yw'r therapi mewn gwirionedd.

Mae rhywbeth a elwir yn amnewid symptomau yn un arall o wendidau allweddol AT. Cred seicolegwyr mai symptom o broblemau sylfaenol dyfnach yn unig yw pethau fel caethiwed, e.e. efallai fod pobl yn yfed oherwydd trawma y maent wedi cael profiad ohono yn eu plentyndod. Mae AT yn trin yr alcoholiaeth ond nid yw'n trin pam y trodd y person at y ddiod, felly gallwch gael gwared â'r yfed ond nid y broblem sylfaenol ac o ganlyniad bydd y broblem yn dod i'r amlwg mewn ffordd arall, e.e. gamblo. Oherwydd hyn mae effeithiolrwydd AT yn gyfyngedig gan nad yw'n mynd at wraidd y broblem, mae'n cynnig plastr yn hytrach na gwellhad. Mae hefyd ddim ond yn ddefnyddiol ar gyfer pethau fel caethiwed ac ni fyddai'n addas ar gyfer llawer o anhwylderau meddwl eraill felly mae defnydd cyfyngedig iddo hefyd.

494 gair

Pennod 4
Yr ymagwedd wybyddol

Y FANYLEB

Ymagwedd	Tybiaethau ac ymddygiad i'w egluro (yn cynnwys)	Therapi (un i bob ymagwedd)	Ymchwil clasurol	Dadl gyfoes
Gwybyddol	• cyfatebiaeth â chyfrifiadur • prosesau meddwl mewnol • sgemâu Bydd disgwyl i ddysgwyr gymhwyso un o'r tybiaethau a roddwyd at ffurfio perthynas	therapi ymddygiadol gwybyddol NEU therapi ymddygiad rhesymoli emosiwn	Loftus, E. a Palmer, J.C. (1974) *Reconstruction of automobile destruction: An example of the interaction between language and memory. Journal of Verbal Learning and Verbal Behaviour, 13*, 585–589.	pa mor ddibynadwy yw tystiolaeth llygad-dystion (gan gynnwys plant)?

'*Mewn bywyd go-iawn, ac yn ogystal ag mewn arbrofion, gall pobl fynd i gredu pethau na ddigwyddon nhw mewn gwirionedd*.'
Elizabeth Loftus (1979a)

Mae cofio'n broses wybyddol bwysig.

Fyddwn ni bob amser yn cofio digwyddiadau'n fanwl-gywir?

CYNNWYS Y BENNOD

Tybiaethau'r ymagwedd wybyddol

Yn wahanol i'r **ymagwedd ymddygiadol**, mae'r **ymagwedd wybyddol** yn ymwneud â phrosesau meddwl mewnol, yn hytrach na gweithredoedd allanol arsylwadwy, wrth esbonio ymddygiad. Tua diwedd y 19eg ganrif, dylanwadodd Wilhelm Wundt lawer iawn ar seicoleg wybyddol. Roedd eisiau datblygu ffyrdd o astudio prosesau meddwl mewnol yn wyddonol ac yn systematig. Sefydlodd Wunt y labordy seicoleg cyntaf yn yr Almaen. Mae'r ymagwedd wybyddol, fel yr ymagwedd ymddygiadol, yn credu y dylid astudio ymddygiad yn wrthrychol a thrwy gynnal arbrofion.

Mae'r ymagwedd wybyddol yn ymwneud â'r ffyrdd y mae'n fforddd ni o feddwl yn effeithio ar ein hymddygiad. Mae'n tybio bod prosesau mewnol y meddwl o'r pwysigrwydd pennaf wrth ddeall ymddygiad.

TYBIAETH 1: CYFATEBIAETH Â CHYFRIFIADUR

Mae nosiwn y 'gyfatebiaeth â chyfrifiadur' wedi'i derbyn yn helaeth yn yr ymagwedd wybyddol. Mae seicolegwyr gwybyddol wedi cymharu'r meddwl dynol â chyfrifiadur yn aml. Yn syml, byddan nhw'n cymharu sut y byddwn ni'n cymryd gwybodaeth i mewn (*mewnbynnu*), yn ei newid/ei storio (*prosesu*), ac yna'n ei hadalw pan fydd angen (*allbynnu*). Wrth brosesu gwybodaeth, fe ddefnyddiwn ni brosesu gwybyddol canfod, sylw, y cof ac ati. Caiff y meddwl ei gymharu, felly, â chaledwedd cyfrifiadur, a'r prosesau gwybyddol â meddalwedd cyfrifiadur.

Enghraifft o'r ymagwedd hon yw'r **model amlstorfa** o'r cof (Atkinson a Shiffrin, 1968). Yn y model hwn (gweler isod), cynigiwyd bod gwybodaeth yn cael ei *mewnbynnu* i'r ymennydd drwy'r synhwyrau (y llygaid, y clustiau, ac ati) ac yn symud i'r storfa'r cof tymor-byr (STM) ac yna i storfa'r cof tymor-hir (LTM). Bydd yn cael ei *hallbynnu* yn ôl y gofyn.

TYBIAETH 2: PROSESAU MEDDWL MEWNOL

Yn ôl yr ymagwedd hon, prosesyddion gwybodaeth yw pobl yn eu hanfod, a bydd y prosesau gwybyddol hanfodol i gyd yn gweithio gyda'i gilydd i ni allu gwneud synnwyr o'r byd o'n hamgylch ac ymateb iddo. Ymhlith y prosesau gwybyddol sydd wedi'u hastudio fwyaf mae canfyddiad, sylw, cof ac iaith. Mae'r holl brosesau hynny'n perthnasu â'i gilydd ac yn gweithio gyda'i gilydd yn gyson i helpu unigolion i ddeall eu hamgylchedd.

Gallwch chi weld sut mae'r prosesau hynny'n gweithio drwy ystyried y profiad o weld ci a gwybod mai ci sydd yno. Beth sy'n ein galluogi ni i wneud hynny? Rhaid i ni roi sylw iddo, sylwi ar ei nodweddion (e.e. pedair coes, cynffon, blew) a chwilio drwy storfa'n cof i weld a yw'n cyd-fynd â rhywbeth rydyn ni eisoes wedi'i weld/ei brofi. I ni allu ei enwi, fe ddefnyddiwn ni'n gwybodaeth o iaith. Bydd ein prosesau meddwl yn gweithio gyda'i gilydd yn sydyn i ni allu ymateb i'r byd o'n hamgylch. Enw arall ar hyn yw 'prosesu gwybodaeth'.

Ymchwilio i brosesau meddwl mewnol

Cwestiwn y bydd rhai pobl yn ei ofyn yw: sut mae mesur ein prosesau mewnol? Hynny yw, sut mae gwybod beth sy'n digwydd yn y meddwl? Rhaid i seicolegwyr gwybyddol geisio canfod yr hyn sy'n digwydd i tu mewn i'ch pen a defnyddio prosesau fel **mewnsyllu**, sef techneg a ddatblygwyd gan Wilhelm Wundt ('tad seicoleg' ym marn llawer).

Agorodd Wundt y labordy seicoleg arbrofol cyntaf yn yr Almaen yn 1879 i geisio ymchwilio'n wyddonol ac yn systematig i brosesau'r meddwl. Byddai cynorthwywyr a gafodd eu hyfforddi'n helaeth yn cael ysgogiadau (e.e. metronom yn tician) ac yna byddent yn disgrifio sut feddyliau a theimladau roeddent yn eu profi ar ôl yr ysgogiad.

Er bod rhai seicolegwyr yn cwestiynu **dilysrwydd** mewnsyllu fel arf gwyddonol gwrthrychol, mae'n cael ei ddefnyddio hyd heddiw (gweler astudiaeth Griffiths o gamblo, isod).

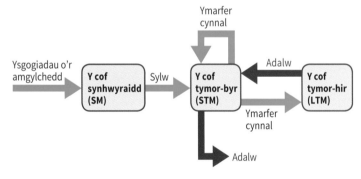

▲ Y model amlstorfa (Atkinson a Shiffrin, 1968)

DEFNYDDIO MEWNSYLLU I YMCHWILIO I GAMBLO

Defnyddiwyd mewnsyllu wrth astudio ymddygiad gamblo (Griffiths, 1994). Ymchwiliodd yr astudiaeth i brosesau meddwl pobl a oedd yn gamblo'n rheolaidd o'u cymharu â phobl oedd yn gamblwyr afreolaidd. Cynigiwyd y byddai prosesau meddwl gamblwyr rheolaidd yn fwy afresymegol. I asesu eu meddyliau afresymegol, gofynnwyd i'r cyfranwyr 'feddwl yn uchel' wrth chwarae peiriant ffrwythau. Cafodd y cyfranwyr restr o gyfarwyddiadau fel hyn:

- Dywedwch bopeth sy'n mynd drwy'ch meddwl. Peidiwch â sensro unrhyw feddyliau hyd yn oed os tybiwch eu bod yn amherthnasol.
- Siaradwch mor ddi-dor ag y gallwch chi, hyd yn oed os nad oes strwythur clir i'ch syniadau.
- Defnyddiwch frawddegau tameidiog os bydd angen.
- Peidiwch â cheisio cyfiawnhau'ch meddyliau.

Darganfu'r astudiaeth fod gamblwyr yn geirio'n fwy afresymegol. Er enghraifft, 'fe gollais am nad oeddwn i'n canolbwyntio' neu 'mae'r peiriant hwn yn fy hoffi i'.

Cyngor arholiad …
Efallai y cewch chi gais i enwi/amlinellu/disgrifio tybiaeth. Gellir defnyddio'r fformat isod fel canllaw bras:

- *Nodi (brawddeg sy'n datgan y dybiaeth; brawddeg sy'n rhoi enghraifft).*
- *Amlinellu (brawddeg sy'n datgan y dybiaeth; brawddeg sy'n ymhelaethu arni; brawddeg sy'n rhoi enghraifft).*
- *Disgrifio (brawddeg sy'n datgan y dybiaeth; dwy frawddeg sy'n ymhelaethu ar y dybiaeth; o leiaf un frawddeg arall sy'n rhoi enghraifft).*

GWAITH I CHI

Diffiniwch y pum proses wybyddol, sef canfod, sylw, cof, iaith a meddwl.

Ewch ati mewn parau i ddewis eitem o'r ystafell ddosbarth (e.e. pen ysgrifennu) ac eglurwch sut mae pob un o'r pum proses wybyddol yn fodd i chi ddweud beth yw hi.

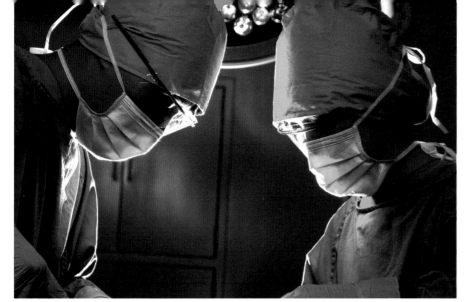

▲ Bu dyn a'i fab mewn damwain car. Bu farw'r tad, a chafodd y mab ei anafu'n ddifrifol a'i ruthro i'r ysbyty.

Penderfynodd y staff meddygol fod angen rhoi llawdriniaeth iddo'n syth. Pan gyrhaeddodd ef y bwrdd i gael y llawdriniaeth, edrychodd y llawfeddyg a oedd ar ddyletswydd arno a dweud 'Alla i ddim rhoi llawdriniaeth i hwn – fy mab i yw e'.

Sut mae egluro hynny? Mae'n fater o sgemâu. Cewch chi'r ateb isod ar y chwith.

TYBIAETH 3: SGEMÂU

Y cysyniad o **sgemâu** yw un o'r rhai pwysicaf a gyflwynwyd gan yr ymagwedd wybyddol. Pecynnau trefnus o wybodaeth yw sgemâu a chânt eu datblygu drwy brofiad a'u storio yn ein cof tymor-hir. Er enghraifft, gallai'n sgema ni am gi (y pecyn o wybodaeth rydyn ni wedi'i storio am gŵn) gynnwys 'pedair coes', 'blew', 'cyfarth', 'cynffon', ac ati.

Er bod sgemâu fel rheol yn deillio o'n profiadau ni, gallan nhw gael eu mireinio drwy ryngweithiadau pellach â phobl a'r byd o'n hamgylch. Dydy sgemâu ddim fel rheol yn cynrychioli realiti am eu bod nhw'n aml yn cael eu datblygu drwy gyfnewidiadau cymdeithasol (e.e. sgyrsiau â phobl eraill, y cyfryngau) yn hytrach na rhyngweithiadau personol.

Cymerwch sgema'r 'lleidr' yn enghraifft. Er nad yw'r mwyafrif o bobl erioed wedi bod yn dystion i ladrad, mae'n fwy na thebyg mai eu sgema o leidr fyddai gwryw eithaf ifanc ac fe all fod balaclafa dros ei wyneb! Gall fod gwahanol ffurfiau ar sgemâu. Er enghraifft, mae gennym ni sgemâu o ddigwyddiadau a elwir yn 'sgriptiau' (e.e. mynd i fwyty) a 'sgemâu rôl' sy'n dweud wrthym am wahanol rolau (e.e. nyrs).

ESBONIAD GWYBYDDOL O FFURFIO PERTHYNAS

Gan fod yr ymagwedd wybyddol yn canolbwyntio ar y ffyrdd y mae'n prosesau meddwl mewnol ni'n effeithio ar ein teimladau a'n hymddygiad, fe allan nhw esbonio ffurfio perthnasoedd fel hyn:

Sgemâu

Gall y pecynnau o wybodaeth sydd gennym am bobl eraill (ein sgemâu ni) reoli sut y teimlwn amdanyn nhw a gweithredu tuag atyn nhw. Er enghraifft, dangosodd Dion ac eraill (1972) fod pobl yn credu bod gan bobl sy'n gorfforol-ddeniadol nodweddion personol deniadol hefyd. **Effaith eurgylch** yw enw'r sgema hwnnw. Felly, os credwn fod pobl yn ddeniadol, gallwn hefyd feddwl bod ganddyn nhw nodweddion da (e.e. caredig, gofalgar) ac efallai yr hoffen ni ffurfio perthynas â nhw. Mae hunansgemâu'n cyfeirio at y ffordd y teimlwn amdanon ni'n hunain ac mae'r rheiny'n bwysig wrth ffurfio perthynas (gweler isod).

Prosesau meddwl mewnol

Mae prosesau meddwl mewnol, neu brosesau gwybyddol, yn hanfodol wrth ffurfio perthynas, yn enwedig o ran canfyddiad – ein hunanganfyddiad (yr hyn a gredwn amdanon ni'n hunain) a chanfyddiad pobl eraill. Ein darlun ni o bobl eraill sy'n penderfynu a ydyn ni am greu perthynas â nhw. Er enghraifft, os dechreuwch chi siarad â dieithriaid mewn parti, bydd eich canfyddiadau ar sail eich argraff gyntaf ohonyn nhw'n dylanwadu ar eich awydd i gael eu cwmni eto, ac o bosibl i gael perthynas ramantus ag ambell un.

Proses feddwl fewnol bwysig arall wrth ffurfio perthynas yw'r cof. Os oes gennym atgofion cadarnhaol am berthnasoedd o'r blaen (e.e. perthnasoedd rhamantus), efallai y cawn ni'n hysgogi i ffurfio perthnasoedd newydd. Ond os yw'n hatgofion yn rhai negyddol ac yn cynnwys cael ein brifo, efallai y byddwn ni'n gyndyn iawn o ffurfio perthynas newydd, hyd yn oed â phobl rydyn ni'n eu hoffi.

Enghraifft: Esbonio ffurfio perthnasoedd rhamantus

Gall cysyniad y sgemâu egluro pam y ffurfiwn ni berthynas ramantus â rhai pobl ac nid â phobl eraill. Mae hunansgemâu'n cyfeirio at y ffordd y teimlwn ni amdanon ni'n hunain ac yn rheoli'n hunan-gysyniad (sut byddwn yn meddwl am ein hunain). Mae hunansgemâu'n arbennig o bwysig yn y **rhagdybiaeth gydweddu** – sy'n egluro sut mae perthnasoedd yn ffurfio. Yn ôl y rhagdybiaeth gydweddu, bydd y ffordd y byddwn ni'n ystyried ein hunain o ran ein hatyniad corfforol yn dylanwadu ar bwy y dymunwn greu perthynas â nhw. Cawn ein denu, yn arbennig, at y rhai sy'n debyg i ni o ran atyniad corfforol. Felly, os oes gennym ni hunan-gysyniad cryf ac yn credu ein bod ni'n hynod ddeniadol, fe geisiwn ni ddenu pobl eraill sy'n hynod ddeniadol. Ond os yw'n canfyddiad o'n hatyniad yn isel, wnawn ni ddim anelu am y bobl y credwn ni eu bod yn ddeniadol rhag i ni gael ein gwrthod.

Therapi 1: Therapi ymddygiadol gwybyddol (CBT)

Dim ond un therapi gwybyddol fyddwch chi'n ei astudio fel rhan o'ch cwrs – CBT neu REBT.

GOFYNION Y FANYLEB

Ar gyfer pob ymagwedd bydd angen:

- Gwybod a deall sut mae defnyddio'r ymagwedd mewn therapi (un therapi i bob ymagwedd).
- Gwybod a deall prif gydrannau (egwyddorion) y therapi.
- Gwerthuso'r therapi (gan gynnwys ei effeithiolrwydd ac ystyriaethau moesegol).

Bydd seicolegwyr gwybyddol yn egluro pob ymddygiad yn nhermau meddyliau, credoau ac agweddau, h.y. byddan nhw'n astudio prosesau mewnol y meddwl. Elfen ganolog yr ymagwedd hon yw'r gred mai **sgemâu**, sef pecynnau trefnus o wybodaeth sy'n deillio o'n profiadau, sy'n llywio'n canfyddiadau ni o'r byd o'n hamgylch a'n ffordd ni o ymateb i'n hamgylchedd.

SUT MAE TYBIAETHAU GWYBYDDOL YN GYMWYS I CBT

Tybiaeth gyffredinol yr **ymagwedd wybyddol** yw bod ein meddyliau'n dylanwadu ar ein hemosiynau ac ar yr ymddygiadau sy'n dilyn. Barn seicolegwyr gwybyddol yw bod anhwylderau seicolegol – **iselder** a gorbryder, er enghraifft – yn deillio o gamfeddwl neu o feddwl yn afresymegol ac, os gwella pobl o'r anhwylderau hynny yw'r bwriad, mae angen i'w patrymau meddwl newid. Mae therapi ymddygiadol gwybyddol (*cognitive behavioural therapy* – **CBT**) yn fath o therapi sydd wedi'i seilio ar y brif dybiaeth hon ac mae'n gweithio drwy helpu i newid y patrymau meddwl hyn yn ogystal â newid ymddygiad.

Mae'r dybiaeth fod prosesau mewnol, fel canfyddiad, yn effeithio ar ein hymddygiad yn elfen sylfaenol yn egwyddorion CBT am mai rôl y therapydd yw helpu cleientiaid i newid eu canfyddiadau o'r byd o'u hamgylch (e.e. does neb yn fy hoffi) gan mai'r rheiny sy'n achosi eu salwch. Mae modd gwneud hynny drwy **ailstrwythuro gwybyddol**, sef bod y therapydd yn holi pa dystiolaeth sydd i ganfyddiadau'r cleient (e.e. ble mae'r dystiolaeth nad oes neb yn eich hoffi chi?). Pan fydd cleientiaid, yn aml, yn sylweddoli nad oes unrhyw dystiolaeth go-iawn yn sail i'w canfyddiadau, gall hynny ysgogi newid.

Mae agwedd bwysig arall ar CBT yn perthnasu â'r dybiaeth fod sgemâu'n dylanwadu ar ein ffordd ni o ymateb i'r byd o'n hamgylch. Cynigiodd Aaron Beck fod pobl ag iselder wedi datblygu sgemâu negyddol o dri pheth, sef nhw'u hunain, y byd o'u hamgylch a'u dyfodol (**y triad gwybyddol**). Mewn CBT, caiff cleientiaid eu helpu i newid y sgemâu negyddol hyn gan arwain at newid yn y ffordd y maen nhw'n ymateb i'r byd o'u hamgylch.

DYMA'R YMCHWILYDD

Cafodd **Aaron Beck** (1921-) ei hyfforddi'n seicdreiddiwr, ond wrth ymchwilio i gleifion ag iselder ysbryd fe deimlodd nad oedd esboniadau **seicodynamig** yn ddigonol ac y gallai egluro profiadau ei gleifion yn well yn nhermau meddyliau negyddol. Arweiniodd hyn at iddo fod yn un o'r rhai cyntaf i ddatblygu therapi gwybyddol. Ef bellach, gyda'i ferch, Dr Judith Beck, sy'n rhedeg y Beck Institute for Cognitive Therapy and Research yn Philadelphia, UDA.

Y TRIAD GWYBYDDOL

Credai Beck fod gan bobl ag iselder ysbryd driad gwybyddol negyddol, sef meddyliau afrealistig ynglŷn â'r rhain:

- Yr hunan (rwy'n unigolyn drwg)
- Y byd (mae fy mywyd i'n ofnadwy)
- Y dyfodol (wnaiff pethau ddim gwella).

Defnyddiwyd damcaniaeth Beck i fwydo'r technegau a ddefnyddir mewn CBT i helpu cleientiaid i newid y syniadau pesimistaidd hyn.

PRIF GYDRANNAU (EGWYDDORION) CBT

Mae CBT yn cyfuno technegau gwybyddol ac **ymddygiadol** i helpu cleientiaid, a dyna'r rheswm dros y teitl 'ymddygiadol gwybyddol'.

- Yr elfen wybyddol – bydd y therapydd yn gweithio gyda chleientiaid i'w helpu i ganfod y meddyliau negyddol sy'n cyfrannu i'w problemau.
- Yr elfen ymddygiadol – mae'r therapydd yn annog cleientiaid i roi prawf ar realiti yn ystod y sesiwn (e.e. drwy chwarae rôl) neu fel gwaith cartref.

Bydd y cleientiaid a'r therapydd yn chwarae rôl weithgar yn y therapi a bydd yn rhaid i'r cleientiaid, yn arbennig, weithio ar nifer o bethau y tu allan i'r sefyllfa therapiwtig i'w helpu i ymadfer.

Isod, mae disgrifiad o rai o'r technegau a gaiff eu defnyddio.

Dyddiadur camfeddyliau

Fel 'gwaith cartref', gofynnir i gleientiaid gadw cofnod o'r digwyddiadau a wnaeth arwain at emosiynau annymunol. Yna, dylen nhw gofnodi'r meddyliau 'negyddol' awtomatig a gysylltwyd â'r digwyddiadau hynny a nodi faint (ar raddfa o 1-100%) roedden nhw'n credu yn y meddyliau hynny. Yna, mae gofyn iddyn nhw lunio ymateb rhesymegol a nodi maint eu cred, unwaith eto ar ffurf canran, yn yr ymateb rhesymegol hwnnw. Yn olaf, dylai cleientiaid ail-nodi canran eu cred yn y meddyliau awtomatig.

Ailstrwythuro gwybyddol

Ar ôl i'r cleientiaid ddadlennu rhagor am eu patrymau meddwl i'r therapydd, gallan nhw weithio gyda'i gilydd i adnabod a newid patrymau meddwl negyddol. Yr enw ar hyn yw 'therapi yn ystod therapi'.

Gall cleientiaid deimlo'n ofidus am rywbeth y mae rhywun arall (unigolyn X) wedi dweud amdanyn nhw. Yn ystod CBT, caiff y cleientiaid eu dysgu i herio camfeddyliau awtomatig o'r fath, er enghraifft, drwy ofyn 'Ble mae'r dystiolaeth fod X yn siarad amdana i? Beth yw'r peth gwaethaf all ddigwydd os yw X yn siarad amdana i?' Drwy herio'r camfeddyliau hyn a gosod rhai mwy adeiladol yn eu lle, gall cleientiaid roi cynnig ar ffyrdd newydd o ymddwyn.

Amserlennu gweithgareddau dymunol

Mae'r dechneg hon yn gofyn i'r cleient gynllunio gweithgaredd dymunol i'w wneud ar gyfer pob diwrnod (dros gyfnod o wythnos, efallai). Gall fod yn rhywbeth sy'n meithrin teimlad o gyflawni (e.e. mynd i ddosbarth newydd yn y gampfa) neu rywbeth sy'n wahanol i drefn arferol bywyd (e.e. cael cinio i ffwrdd o'r ddesg yn y swyddfa).

Y gred yw bod cyflawni'r gweithgareddau dymunol hyn yn arwain at emosiynau mwy cadarnhaol a bod canolbwyntio ar bethau newydd yn llesteirio patrymau meddwl negyddol. Enghraifft o dechneg **ysgogi ymddygiad** yw hynny, sef helpu cleientiaid i newid eu *hymddygiad*.

Mae'r dechneg yn gofyn i gleientiaid gadw cofnod o'r profiad a nodi sut roedden nhw'n teimlo a beth oedd yr amgylchiadau penodol. Os nad aeth pethau yn unol â'r cynllun, anogir cleientiaid i ymchwilio i'r rhesymau ac i'r hyn y gellid ei wneud i newid hynny. Drwy weithredu mewn ffordd sy'n symud at ddatrysiad a nod cadarnhaol, bydd cleifion yn ymbellhau oddi wrth feddyliau negyddol ac ymddygiad camaddasol.

Ar gyfer pob therapi, bydd angen i chi allu:

- Disgrifio sut y caiff tybiaethau'r ymagwedd eu cymhwyso yn y therapi.
- Disgrifio prif gydrannau (egwyddorion) y therapi.
- Gwerthuso pa mor effeithiol yw'r therapi.
- Gwerthuso'r therapi o ran ystyriaethau moesegol.

Cwestiynau arholiad posibl:

1. Disgrifiwch sut y caiff tybiaethau'r ymagwedd wybyddol eu cymhwyso mewn **un** therapi. [6]
2. Disgrifiwch brif gydrannau (egwyddorion) CBT. [12]
3. Un o egwyddorion CBT yw 'ailstrwythuro gwybyddol'. Disgrifiwch **ddwy** egwyddor arall CBT. [8]
4. Gwerthuswch y materion moesegol a gaiff eu codi mewn CBT. [8]

Gwyn y gwêl

▲ 'Gwyn y gwêl y frân ei chyw'. Dyna grynhoi'r ymagwedd wybyddol – does dim 'realiti', a'r hyn sy'n bwysig yw'r ffordd rydych chi'n meddwl am realiti.

GWERTHUSO: EFFEITHIOLRWYDD

Ymchwil

Mae corff mawr o dystiolaeth yn awgrymu bod CBT yn hynod effeithiol wrth drin iselder ac, yn arbennig, wrth drin problemau sy'n gysylltiedig â gorbryder. Mae amryw o astudiaethau wedi cymharu effeithiolrwydd CBT â **therapi cyffuriau** o ran trin iselder difrifol. Er enghraifft, gwelodd Jarrett ac eraill (1999) fod CBT mor effeithiol â rhai cyffuriau **gwrthiselder** wrth drin 108 o gleifion ag iselder difrifol mewn treial dros 10 wythnos. Ond ni welodd Hollon ac eraill (1992) ddim gwahaniaeth mewn CBT o'i gymharu â math ychydig yn wahanol o gyffur gwrthiselder mewn sampl o 107 o gleifion mewn treial dros 10 wythnos: mae hyn yn awgrymu, felly, nad yw CBT yn rhagori ar bob cyffur gwrthiselder.

Cymhwysedd y therapydd

Ffactor sydd, i bob golwg, yn dylanwadu ar lwyddiant CBT yw cymhwysedd y therapydd. Ymhlith y cymwyseddau mewn CBT mae'r gallu i strwythuro sesiynau, y gallu i gynllunio ac adolygu aseiniadau (gwaith cartref), cymhwyso sgiliau ymlacio, a'r gallu i ymgysylltu a meithrin perthynas therapiwtig dda. Honnodd Kuyken a Tsivrikos (2009) y gall cymhwysedd y therapydd gyfrif am gymaint â 15% o'r **amrywiad** o fewn canlyniadau effeithiolrwydd CBT.

Gwahaniaethau rhwng unigolion

Am y gall CBT, fel pob therapi, fod yn fwy addas i rai pobl na'i gilydd, mae angen cymryd gwahaniaethau rhwng unigolion i ystyriaeth wrth astudio'i effeithiolrwydd. Er enghraifft, mae CBT fel petai'n llai addas i bobl â lefelau uchel o feddyliau afresymol a haearnaidd sy'n gwrthwynebu pob newid. Mae'n ymddangos hefyd ei fod yn llai addas mewn sefyllfaoedd lle mae'r lefelau uchel o straen ar yr unigolyn yn adlewyrchu elfennau realistig – na all therapi mo'u datrys – ym mywyd yr unigolyn (Simons ac eraill, 1995).

Grymuso

Mae CBT yn grymuso cleientiaid i ddatblygu eu strategaethau ymdopi eu hunain ac yn cydnabod bod gan bobl **ewyllys rydd** i wneud hynny. Mae CBT wedi datblygu'n ddewis mwyfwy poblogaidd yn lle therapi cyffuriau a **seicdreiddio**, yn enwedig yn achos pobl nad ydynt yn gallu ymdopi ag egwyddorion **penderfyniadol** yr ymagweddau hynny, h.y. mae'n gas ganddyn nhw'r syniad mai eu ffurfiant biolegol, neu'r gorffennol, sy'n achosi eu hymddygiad. Bellach, ac am y rheswm hwnnw'n rhannol, CBT yw'r therapi a ddefnyddir ehangaf gan seicolegwyr clinigol sy'n gweithio yn y Gwasanaeth Iechyd Gwladol.

GWERTHUSO: MATERION MOESEGOL

Bai'r claf

Mae'r ymagwedd wybyddol at therapi yn cymryd yn ganiataol mai'r cleifion sy'n gyfrifol am eu hanhwylder. Er bod hynny'n beth cadarnhaol am fod ganddyn nhw'r grym i newid y ffordd y maen nhw'n meddwl (h.y. mae ganddyn nhw ewyllys rydd), mae anfanteision i'r ymagwedd hon. Er enghraifft, gellir anwybyddu ffactorau sefyllfaol pwysig sy'n cyfrannu i'w hanhwylder, fel problemau teuluol neu ddigwyddiadau mewn bywyd nad yw'r cleientiaid mewn sefyllfa i'w newid. Felly, nid yw 'beio' unigolion am y ffordd y maen nhw'n meddwl/yn teimlo/yn ymddwyn yn help o reidrwydd am efallai bod angen i agweddau eraill ar eu bywydau newid i'w helpu nhw i deimlo'n well.

Beth yw 'rhesymegol'?

Mae dadl **foesegol** arall yn gofyn pwy sy'n barnu bod meddwl yn 'afresymegol'. Er y gall rhai meddyliau ymddangos yn afresymegol i therapydd a pheri i'r cleient deimlo bod rhaid eu newid, fe allan nhw beidio â bod mor afresymegol mewn gwirionedd. Awgrymodd Alloy ac Abrahamson (1979) fod tuedd i realwyr ag iselder weld pethau fel y maen nhw a bod tuedd gan bobl normal i gam-weld pethau'n gadarnhaol. Gwelwyd bod pobl ag iselder yn amlygu'r *effaith 'tristach ond doethach'* a'u bod yn gywirach nag unigolion heb iselder wrth amcangyfrif tebygolrwydd 'trychineb'. Y broblem foesegol yw y gall CBT wneud drwg i hunan-barch, sef enghraifft o **niwed seicolegol**.

I ba raddau y mae credoau hunandrechol yn amharu ar eich bywyd chi? Ceisiwch ateb holiadur yn: *www.testandcalc.com/Self_Defeating_Beliefs*

Cydberthnaswch eich sgôr ar hwnnw â rhyw fesur arall, fel hapusrwydd (lluniwch eich graddfa'ch hun ar ei gyfer neu chwiliwch am un ar y we – hapusrwydd yw pwnc Pennod 5).

Therapi 2: Therapi ymddygiad rhesymoli emosiwn (REBT)

Bydd seicolegwyr gwybyddol yn egluro pob ymddygiad yn nhermau meddyliau, credoau ac agweddau, h.y. byddan nhw'n astudio prosesau mewnol y meddwl. Elfen ganolog yr ymagwedd hon yw'r gred mai **sgemâu**, sef pecynnau trefnus o wybodaeth sy'n deillio o'n profiadau, sy'n llywio'n canfyddiadau ni o'r byd o'n hamgylch a'n hymateb ni i'n hamgylchedd.

Dim ond un therapi gwybyddol fyddwch chi'n ei astudio fel rhan o'ch cwrs – CBT neu REBT.

GOFYNION Y FANYLEB

Ar gyfer pob ymagwedd bydd angen:

- **Gwybod a deall sut mae defnyddio'r ymagwedd mewn therapi (un therapi i bob ymagwedd).**
- **Gwybod a deall prif gydrannau (egwyddorion) y therapi.**
- **Gwerthuso'r therapi (gan gynnwys ei effeithiolrwydd ac ystyriaethau moesegol).**

SUT MAE TYBIAETHAU GWYBYDDOL YN GYMWYS I REBT

Un o dybiaethau cyffredinol yr **ymagwedd wybyddol** yw mai'r dylanwad allweddol ar ymddygiad yw ffordd yr unigolyn o *feddwl* am sefyllfa. Canolbwyntiodd Albert Ellis ar y ffordd y bydd camfeddwl yn effeithio ar ymddygiad ac, yn arbennig, ar y ffordd y bydd credoau afresymegol yn arwain at anhwylderau meddyliol fel **iselder**. Felly, y ffordd o drin anhwylderau meddyliol yw troi credoau afresymegol yn rhai rhesymegol.

Enw cyntaf Ellis ar ei ymagwedd oedd 'therapi rhesymegol' i bwysleisio'r ffaith fod problemau seicolegol, yn ei farn ef, yn deillio o feddwl yn afresymegol. Yn ddiweddarach, galwodd ei therapi yn therapi rhesymoli emosiwn (*rational emotive therapy* – RET) am iddo sylweddoli mai'r canolbwynt oedd datrys problemau emosiynol. Yn ddiweddarach byth, ailenwyd y therapi yn **therapi ymddygiad rhesymoli emosiwn** (*rational emotive behavioural therapy* – **REBT**) am fod y therapi hefyd yn datrys problemau ymddygiad. Mae hynny'n perthnasu â'r dybiaeth ein bod ni'n defnyddio'n prosesau meddwl mewnol (meddyliau) i gyfarwyddo'n hymateb i'r byd o'n hamgylch (ymddygiad).

Yr ail dybiaeth berthnasol yw bod modd esbonio ymddygiadau yn nhermau sgemâu. Er enghraifft, gall cleientiaid ag iselder fod wedi datblygu sgemâu negyddol amdanyn nhw'u hunain ('rwy'n ddiwerth') neu'r byd o'u hamgylch ('does neb yn fy hoffi'). Yn ystod REBT, bydd y therapydd yn helpu'r cleientiaid i newid y sgemâu negyddol hyn drwy herio'u canfyddiadau ohonyn nhw'u hunain a'r byd o'u hamgylch. Mae'r herio hwn yn cynnwys gofyn am dystiolaeth o'u ffyrdd o feddwl er mwyn i'r therapydd allu annog cleientiaid i weld nad ydyn nhw wedi datblygu sgemâu *realistig* ohonyn nhw'u hunain neu o'r byd o'u hamgylch. Er enghraifft, efallai mai eu sgema 'gwaith' yw na chân nhw byth ddyrchafiad am nad yw eu rheolwr yn eu hoffi, ond yn ystod y therapi gellir sefydlu nad oes unrhyw dystiolaeth go-iawn wedi bod erioed nad yw'r rheolwr wedi'u hoffi.

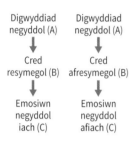

Digwyddiad negyddol (A) → Cred resymegol (B) → Emosiwn negyddol iach (C)

Digwyddiad negyddol (A) → Cred afresymegol (B) → Emosiwn negyddol afiach (C)

▲ Cawn brofiad o ddigwyddiadau negyddol drwy'r amser, fel cael gradd isel am draethawd neu weld ffilm drist. Ni fydd digwyddiadau negyddol o'r fath yn esgor ar emosiynau negyddol ond os dilynir hwy gan gred afresymegol yn hytrach nag un resymegol.

ANGHYTUNO

- **Anghytuno rhesymegol** – Ni fydd credoau hunandrechol yn dilyn yn rhesymegol o'r wybodaeth sydd ar gael (e.e. 'ydy meddwl fel hyn yn gwneud synnwyr?').
- **Anghytuno empirig** – Gall credoau hunandrechol beidio â bod yn gyson â realiti (e.e. 'ble mae'r prawf bod y gred honno'n gywir?').
- **Anghytuno pragmatig** – Bydd hwn yn pwysleisio diffyg defnyddioldeb credoau hunandrechol (e.e. 'sut mae'r gred hon yn debyg o'm helpu i?').

Effaith yr anghytuno yw troi credoau hunandrechol yn rhai mwy rhesymegol. Gall yr unigolyn symud o drychinebu ('fydd neb yn fy hoffi i byth') i ddehongliadau mwy rhesymegol o ddigwyddiadau ('mae'n fwy na thebyg bod meddwl fy nghyfaill ar rywbeth arall ac na wnaeth ef hyd yn oed mo 'ngweld i'). Bydd hynny yn ei dro'n helpu cleientiaid i deimlo'n well ac, yn y pen draw, i dderbyn eu hunain fel y maen nhw.

PRIF GYDRANNAU (EGWYDDORION) REBT

Model ABC

Cynigiodd Ellis (1957) mai'r ffordd i ymdrin â meddyliau afresymegol oedd defnyddio'r model ABC i'w hadnabod. (**A**) yw'r digwyddiad cychwynnol, sef y sefyllfa sy'n arwain at deimlo rhwystredigaeth a gorbryder. Gan fod y digwyddiadau hynny'n rhai go-iawn, byddan nhw wedi achosi gofid neu boen gwirioneddol. Gallan nhw esgor ar gredoau afresymegol (**B**) a fydd yn arwain at ganlyniadau hunandrechol (**C**). Er enghraifft:

- **A** (digwyddiad cychwynnol – **A**ctivating event): cyfaill yn eich anwybyddu chi ar y stryd
- **B** (cred – **B**elief): rhaid ei fod wedi penderfynu nad yw'n eich hoffi chi; does neb yn eich hoffi chi a rydych chi'n ddiwerth
- **C** (canlyniadau – **C**onsequences): osgoi sefyllfaoedd cymdeithasol yn y dyfodol.

ABCDE

Estynnwyd y model ABC i gynnwys D ac E, sef anghytuno â chredoau (**D**isputing beliefs) ac effeithiau'r anghytuno (**E**ffects of disputing) hwnnw (gweler y blwch ar y chwith). Y pwynt allweddol i'w gofio yw nad y digwyddiadau cychwynnol sy'n arwain at ganlyniadau anghynhyrchiol ond y credoau sy'n arwain at y canlyniadau hunandrechol. Bydd REBT felly'n canolbwyntio ar herio neu anghytuno â'r credoau a gosod credoau effeithiol a rhesymegol yn eu lle (gweler ar y chwith).

Meddwl yn rhaidweithiol

Ffynhonnell cred afresymegol yw meddwl yn rhaidweithiol, sef meddwl bod *rhaid* i rai syniadau neu dybiaethau penodol fod yn wir er mwyn i unigolyn fod yn hapus. Nododd Ellis y tair cred afresymegol bwysicaf.

- *Rhaid i mi* gael fy nghymeradwyo neu fy nerbyn gan y bobl sy'n bwysig i mi.
- *Rhaid i mi* wneud yn dda neu'n dda iawn, neu rwy'n ddiwerth.
- *Rhaid* i'r byd roi hapusrwydd i mi, neu fe fydda i'n marw.

Ymhlith tybiaethau afresymegol eraill mae:

- *Rhaid* i bobl eraill fy nhrin i'n deg a rhoi i mi'r hyn rwyf ei angen, neu maen nhw'n hollol ddrwg.
- *Rhaid* i bobl fodloni fy nisgwyliadau neu mae hyn yn ofnadwy!

Mae unigolion sy'n arddel tybiaethau o'r fath yn debygol o fod yn siomedig o leiaf ac, ar ei waethaf, yn isel eu hysbryd. Bydd unigolion sy'n methu arholiad yn mynd yn isel eu hysbryd nid am iddyn nhw fethu'r arholiad ond am fod ganddyn nhw gred afresymegol ynglŷn â'r methiant hwnnw (e.e. 'Os metha i, bydd pobl yn meddwl 'mod i'n dwp'). Mae angen herio'r 'rhaid' hwnnw i sicrhau iechyd meddwl da.

Parch cadarnhaol diamod

Yn raddol, sylweddolodd Ellis (1994) mai elfen bwysig mewn therapi llwyddiannus oedd argyhoeddi cleientiaid o'u gwerth fel bodau dynol. Os bydd cleientiaid yn teimlo'n ddiwerth, byddan nhw'n llai parod i ystyried newid eu credoau a'u hymddygiad. Ond os bydd y therapydd yn cynnig parch a gwerthfawrogiad beth bynnag y bydd y cleientiaid yn ei wneud a'i ddweud (h.y. **parch cadarnhaol diamod**), bydd hynny'n hwyluso newid yn eu credoau a'u hagweddau.

CORNEL ARHOLIAD

Ar gyfer pob therapi bydd angen i chi allu:

- Disgrifio sut y caiff tybiaethau'r ymagwedd eu cymhwyso yn y therapi.
- Disgrifio prif gydrannau (egwyddorion) y therapi.
- Gwerthuso pa mor effeithiol yw'r therapi.
- Gwerthuso'r therapi o ran ystyriaethau moesegol.

Cwestiynau arholiad posibl:

1. Disgrifiwch sut y caiff tybiaethau'r ymagwedd wybyddol eu cymhwyso mewn **un** therapi. [6]
2. Disgrifiwch brif gydrannau (egwyddorion) REBT. [12]
3. Amlinellwch **ddwy** o gydrannau (egwyddorion) REBT. [4 + 4]
4. Gwerthuswch effeithiolrwydd REBT. [6]

DYMA'R YMCHWILYDD

Tan ei farw yn 93 oed yn 2007, cynhaliodd **Albert Ellis** (1913–2007) gyfarfodydd agored i gynulleidfaoedd i arddangos ei ymagwedd ABC. Bob nos Wener, cynhaliai sesiynau bywiog gyda gwirfoddolwyr o'r gynulleidfa yn Sefydliad Albert Ellis yn Efrog Newydd am ddim ond $5.00, gan gynnwys teisennau a choffi!

Fel llawer seicolegydd, ymddiddorodd Ellis mewn maes ymddygiad a oedd yn her iddo ef ei hun. Parod ei brofiad ei hun o anhapusrwydd (cafodd ei rieni ysgariad pan oedd ef yn 12 oed, er enghraifft) iddo ddatblygu ffyrdd i helpu eraill. Er iddo gael ei hyfforddi'n seicdreiddiwr i gychwyn, fe gollod ei ffydd yn ymagwedd Freud a dechrau datblygu ei ddulliau ei hun. Mewn hanner canrif fe ysgrifennodd 54 o lyfrau a chyhoeddi 600 o erthyglau ar RET/REBT, yn ogystal â chyngor ynghylch perthnasoedd rhywiol da a phriodasau da.

GWERTHUSO: EFFEITHIOLRWYDD

Tystiolaeth ymchwil

Ar y cyfan, mae REBT wedi gwneud yn dda mewn astudiaethau o ganlyniadau (h.y. astudiaethau sydd wedi'u cynllunio i fesur yr ymatebion i driniaeth). Mewn **metaddadansoddiad**, er enghraifft, daeth Engels ac eraill (1993) i'r casgliad bod REBT yn trin amryw o wahanol fathau o anhwylder, gan gynnwys **ffobia cymdeithasol**, yn effeithiol. Honnodd Ellis (1957) iddo gael cyfradd lwyddo o 90% a chymryd 27 sesiwn ar gyfartaledd.

Gwnaeth Silverman ac eraill (1992) arolwg o 89 o astudiaethau o effeithiolrwydd REBT. Dangoswyd bod REBT yn fwy effeithiol neu'r un mor effeithiol â mathau eraill o therapi (fel **dadsensiteiddio systematig**) wrth drin amrywiaeth mawr o anhwylderau, gan gynnwys gorbryder, iselder, pwysau a chamddefnyddio alcohol. Mewn gair, dangosodd:

- 49 o astudiaethau fod REBT yn fwy effeithiol na thriniaethau eraill.
- 40 nad oedd unrhyw wahaniaeth rhwng REBT a thriniaethau eraill.

Priodoldeb

Cryfder arbennig REBT yw ei fod nid yn unig yn ddefnyddiol wrth drin poblogaethau **clinigol** (h.y. pobl sy'n dioddef o anhwylderau meddyliol neu ffobiâu), ond ei fod hefyd yn ddefnyddiol wrth drin poblogaethau **anghlinigol** (e.e. pobl a allai ddioddef o ddiffyg pendantrwydd neu o orbryder ynghylch arholiadau).

Ddim yn addas i bawb

Fel pob seicotherapi, wnaiff REBT ddim gweithio bob amser. Credai Ellis (2001) nad oedd pobl a *honnai* eu bod yn dilyn egwyddorion REBT weithiau'n rhoi eu credoau diwygiedig ar waith ac nad oedd y therapi, felly, yn effeithiol. Esboniodd Ellis hefyd y diffyg llwyddiant yn nhermau addasrwydd – does ar rai pobl ddim eisiau'r math uniongyrchol o gyngor y mae tuedd i ymarferwyr REBT ei roi. Gwell ganddyn nhw rannu eu gofidiau â therapydd heb ymroi i'r ymdrech wybyddol sydd ynghlwm wrth ymadfer (Ellis, 2001).

Amgylcheddau afresymegol

Mae REBT yn methu â rhoi sylw i'r broblem bwysig iawn fod yr amgylcheddau afresymegol y mae cleientiaid yn byw a bod ynddyn nhw'n parhau y tu hwnt i'r sefyllfa therapiwtig, e.e. mewn priodasau â phartneriaid sy'n bwlio neu mewn swyddi â rheolwyr gorfeirniadol. Canlyniad hynny yw bod yr amgylcheddau'n parhau i gynhyrchu ac atgyfnerthu meddyliau afresymegol ac ymddygiadau camaddasol. Er y gall REBT helpu unigolion i ymdopi â sefyllfaoedd o'r fath, mae yna derfyn ar effeithiolrwydd gwneud dim mwy na 'meddwl yn wahanol'.

GWERTHUSO: MOESEGOL

Trallod y cleient

Therapi grymus yw REBT a gall y therapydd ddefnyddio dulliau uniongyrchol ac ymosodol i herio meddylfryd y cleient. Dyna pam y mae'n anfoesegol ym marn y rhai sy'n credu bod hynny'n peri i'r cleient orbryderu'n ddiangen.

Bydd problemau hefyd yn codi pan fydd credoau'r cleient a'r therapydd yn rhai gwahanol. Prin iawn yw'r sylw sydd wedi'i roi, er enghraifft, i'r problemau **moesegol** unigryw sy'n codi pan fydd therapyddion REBT yn trin cleientiaid crefyddol iawn. *I'r therapydd*, gall anghytuno ynglŷn â'r hyn sydd fel petai'n gred afresymegol greu problemau moesol i'r cleient os yw'r gred 'afresymegol' honno wedi'i seilio ar ffydd grefyddol sylfaenol.

Beth sy'n 'rhesymegol'?

Mae dadl **foesegol** arall yn gofyn pwy sy'n barnu bod meddwl yn 'afresymegol'. Er y gall rhai meddyliau ymddangos yn afresymegol i therapydd a pheri i'r cleient deimlo bod rhaid eu newid, gallan nhw beidio â bod mor afresymegol mewn gwirionedd. Awgrymodd Alloy ac Abrahamson (1979) fod tuedd i realwyr ag iselder weld pethau fel y maen nhw a bod gan bobl normal duedd i gam-weld pethau'n gadarnhaol. Fe welson nhw fod pobl ag iselder yn amlygu'r *effaith 'tristach ond doethach'*, a'u bod yn gywirach nag unigolion heb iselder wrth amcangyfrif tebygolrwydd 'trychineb'.

Cynhyrchwyd ffilm o Albert Ellis yn holi cleient o'r enw Gloria. Gallwch ei gweld mewn pedair rhan ar YouTube (chwiliwch YouTube am 'Albert Ellis Gloria'). Mae'n cynnig sawl cipolwg defnyddiol ar broses REBT.

GWAITH I CHI

1. Meddyliwch am sefyllfa lle'r ydych chi'n teimlo'n rhwystredig neu'n anhapus.
2. Nodwch y *digwyddiad cychwynnol, y meddyliau hunandrechol a chanlyniadau* y meddwl afresymegol hwnnw.
3. Sut y gellid defnyddio REBT i newid y meddwl afresymegol hwnnw i arwain at ganlyniadau mwy cynhyrchiol i chi?

Tystiolaeth glasurol: Loftus a Palmer (1974)

AIL-LUNIO DINISTRIO CEIR:
ENGHRAIFFT O'R RHYNGWEITHIO RHWNG IAITH A'R COF

GOFYNION Y FANYLEB

Ar gyfer pob ymagwedd bydd angen:

• **Gwybod a deall darn clasurol o dystiolaeth (gan gynnwys methodoleg, dulliau gweithredu, canfyddiadau a chasgliadau).**

Mae ymchwil Elizabeth Loftus a John Palmer yn ymwneud â diffyg cywirdeb **tystiolaeth llygad-dystion** (**EWT**). Eglurhad a gynigir ynghylch y diffyg cywirdeb yw y gall yr holi gan yr heddlu neu swyddogion eraill ar ôl trosedd newid canfyddiad y tystion o'r digwyddiadau ac effeithio, felly, ar eu hatgofion yn ddiweddarach. Mae rhai cwestiynau'n fwy 'awgrymog' na'i gilydd. Mewn termau cyfreithiol, yr enw ar gwestiynau o'r fath yw **cwestiynau arweiniol** – cwestiwn sydd '*drwy ei ffurf neu ei gynnwys yn awgrymu wrth y tyst pa ateb y dymunir ei gael neu sy'n ei arwain at yr ateb a ddymunir*' (Loftus a Palmer, 1974, tudalen 585).

Nod Loftus a Palmer oedd ymchwilio i effaith cwestiynau arweiniol o ran amcangyfrif cyflymder. Dewiswyd amcangyfrifon o gyflymder am fod pobl yn eithaf gwael am farnu manylion damweiniau traffig yn nhermau ffigurau fel amser, cyflymder a phellter. Byddai cwestiynau arweiniol, felly, yn debyg o effeithio mwy arnyn nhw.

▲ Dangoswyd darnau o ffilm o wahanol ddamweiniau traffig i'r cyfranwyr a gofynnwyd iddyn nhw amcangyfrif cyflymder y ceir cyn i'r ddamwain ddigwydd. Amrywiwyd ffurf y cwestiwn er mwyn gofyn i rai cyfranwyr pa mor gyflym yr oedd y ceir yn teithio pan wnaethon nhw daro ('hit') ei gilydd ond gofynnwyd yr un cwestiwn i'r lleill gan ddefnyddio'r geiriau 'smashed', 'collided', 'bumped' neu 'contacted'.

BETH YW TYSTIOLAETH LLYGAD-DYSTION?

Term cyfreithiol yw 'tystiolaeth llygad-dystion' ac mae'n cyfeirio at ddefnyddio llygad-dyst (neu glust-dyst) i roi tystiolaeth mewn llys ynghylch pwy a gyflawnodd y drosedd. Tuedd seicolegwyr yw defnyddio'r term 'cof y llygad-dyst' yn hytrach na 'tystiolaeth' wrth ymchwilio i roi prawf ar gywirdeb tystiolaeth llygad-dystion.

Mae modd defnyddio'r gyfatebiaeth â chyfrifiadur i ddisgrifio cof y llygad-dyst:

• Bydd y tyst yn amgodio manylion y digwyddiad a'r bobl berthnasol i'r cof tymor-hir. Gall yr amgodio fod yn rhannol yn unig ac wedi'i ystumio, yn enwedig gan fod y mwyafrif o droseddau'n digwydd yn gyflym iawn, yn y nos yn aml ac yn cynnwys, yn fynych, llawer o weithredu cyflym, cymhleth a threisgar.

• Bydd y tyst yn cadw'r wybodaeth am gyfnod. Yn ystod y cadw, gall atgofion gael eu colli neu eu haddasu (bydd y rhan fwyaf o'r anghofio'n digwydd yn ystod yr ychydig funudau cyntaf) a gallai gweithgareddau eraill rhwng yr amgodio a'u hadalw ymyrryd â'r cof.

• Bydd y tyst yn adalw'r atgof o'r storfa. Gall yr hyn sy'n digwydd yn ystod ail-lunio'r cof (e.e. presenoldeb neu absenoldeb ciwiau adalw priodol neu natur yr holi) amharu cryn dipyn ar ei gywirdeb.

METHODOLEG

Mae'r astudiaeth hon yn cynnwys dau **arbrawf** a gynhaliwyd mewn labordy gan ddefnyddio **cynllun grwpiau annibynnol**. Cynhaliwyd pob arbrawf gyda set wahanol o gyfranwyr:

• Yn Arbrawf 1 roedd 45 o fyfyrwyr yn cyfrannu.
• Yn Arbrawf 2 roedd 150 o fyfyrwyr yn cyfrannu.

DULLIAU GWEITHREDU

Arbrawf 1

Dangoswyd saith darn o ffilm o wahanol ddamweiniau traffig i'r cyfranogwyr. Amrywiai hyd y darnau o 5 i 30 eiliad. Gwnaed y darnau'n wreiddiol fel rhan o ffilm ar ddiogelwch gyrwyr. Ar ôl pob pwt, cafodd y cyfranwyr **holiadur** a ofynnai iddyn nhw ddisgrifio'r ddamwain roedden nhw newydd ei gweld, a hefyd gyfres o gwestiynau penodol am y ddamwain. Yn eu plith roedd un 'hollbwysig' a oedd yn holi'r cyfranwyr: '*About how fast were the cars going when they _____ each other?*' Amrywiwyd y gair yn y gofod gwag o grŵp i grŵp. Roedd naw cyfrannwr ym mhob un o'r pum grŵp. Dyma'r cwestiynau:

• About how fast were the cars going when they *hit* each other?
• About how fast were the cars going when they *smashed* into each other?
• About how fast were the cars going when they *collided* with each other?
• About how fast were the cars going when they *bumped* into each other?
• About how fast were the cars going when they *contacted* each other?

Ym mhob grŵp, cafodd amcangyfrifon y cyfranwyr o gyflymder eu cofnodi yn nhermau milltiroedd yr awr.

Arbrawf 2

Ymchwiliodd yr ail arbrawf i weld a yw cwestiynau arweiniol yn *newid tuedd* ymateb unigolyn neu'n *newid* yr atgof sydd wedi'i storio.

Rhan 1

Dangoswyd i'r cyfranwyr ffilm o ddamwain a gynhwysai nifer o geir. Parodd y ddamwain lai na phedair eiliad. Yna, gofynnwyd set o gwestiynau i'r cyfranwyr, gan gynnwys y cwestiwn hollbwysig ynghylch cyflymder. Rhannwyd y cyfranwyr yn dri grŵp o 50 yr un.

• Gofynnwyd i **Grŵp 1** 'How fast were the cars going when they *smashed* into each other?'
• Gofynnwyd i **Grŵp 2** 'How fast were the cars going when they *hit* each other?'
• **Grŵp 3** Am mai hwn oedd y **grŵp rheolydd**, ni holwyd ei aelodau o gwbl.

Rhan 2

Wythnos yn ddiweddarach, gofynnwyd i'r cyfranwyr ddychwelyd i'r labordy seicoleg. Fe'u holwyd ymhellach am y ddamwain ar y ffilm. Y cwestiwn hollbwysig a ofynnwyd i'r holl gyfranwyr oedd: '*Did you see any broken glass?*' Doedd y ffilm ddim yn cynnwys unrhyw wydr a gawsai ei dorri, ond mae'n debyg y gallai'r rhai a oedd yn meddwl bod y car yn teithio'n gynt ddisgwyl y byddai gwydr wedi'i dorri.

Cyngor arholiad ...
Mewn cwestiwn arholiad lle byddai angen i chi efallai ddisgrifio canfyddiadau Loftus a Palmer, byddai disgwyl i chi gyfeirio at Arbrawf 1 ac Arbrawf 2. Cewch farciau am 'eu hysgrifennu'n llawn' neu am dynnu tablau o ganlyniadau ac arnyn nhw labeli priodol – efallai hefyd y gall llunio tabl arbed amser!

CANFYDDIADAU

Arbrawf 1

Cyfrifwyd cymedr amcangyfrifon o gyflymder pob **grŵp yn yr arbrawf** fel y dangosir yn y tabl ar y dde ac yn y graff isod. Roedd amcangyfrif y grŵp a gafodd y gair 'smashed' yn uwch nag un y grwpiau eraill (40.8 mya). Gan y grŵp a gafodd y gair 'contacted' y cafwyd yr amcangyfrif isaf o gyflymder (31.8 mya).

Berf	Cymedr yr amcangyfrifon o gyflymder
smashed	40.8
collided	39.3
bumped	38.1
hit	34.0
contacted	31.8

▲ Amcangyfrifon o gyflymder ar gyfer y gwahanol ferfau.

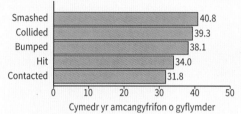

▲ Graff sy'n dangos y data o'r tabl uchod

Arbrawf 2

Rhan 1

Dangosir canfyddiadau Arbrawf 2 yn y tabl ar y dde. Rhoddodd y cyfranwyr amcangyfrifon uwch o gyflymder yn y cyflwr 'smashed', yn union fel y cyfranwyr yn Arbrawf 1.

	Cyflwr y ferf		
	Smashed	Hit	Rheolydd
Ie	16	7	6
Na	34	43	44

▲ Yr ymatebion 'Ie' a 'Na' i'r cwestiwn am wydr wedi'i dorri.

Rhan 2

Dychwelodd y cyfranwyr wythnos yn ddiweddarach ac ateb rhagor o gwestiynau am y ddamwain ar y ffilm. Fe welwch chi'r canfyddiadau yn y siart bar isod. Roedd y cyfranwyr yn y cyflwr 'smashed' fwy na dwywaith mor debygol o ddweud iddyn nhw weld gwydr wedi'i dorri na'r rhai yn y grŵp a gafodd y gair 'hit' neu yn y cyflwr rheolydd.

- **Grŵp 1 (y cyflwr 'smashed'):** dywedodd 16 iddyn nhw weld gwydr wedi'i dorri; dywedodd 34 eu bod heb weld gwydr wedi'i dorri.
- **Grŵp 2 (y cyflwr 'hit'):** dywedodd 7 iddyn nhw weld gwydr wedi'i dorri; dywedodd 43 eu bod heb weld gwydr wedi'i dorri.
- **Grŵp 3 (y cyflwr rheolydd):** dywedodd 6 iddyn nhw weld gwydr wedi'i dorri; dywedodd 44 eu bod heb weld gwydr wedi'i dorri.

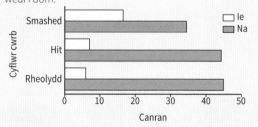

▲ Ymatebion 'Ie' a 'Na' i'r cwestiwn am 'wydr wedi'i dorri' yn Arbrawf 2.

CASGLIADAU

Mae'r canfyddiadau'n dangos y gall ffurf cwestiwn (newid un gair, yn yr achos hwn) effeithio'n amlwg ac yn systematig ar ateb tyst iddo.

Mae Loftus a Palmer yn cynnig dau eglurhad o'r canlyniad hwnnw.

1. **Ffactorau tuedd-yr-ymateb** – Mae'r gwahanol amcangyfrifon o gyflymder yn digwydd am fod y gair hollbwysig (e.e. 'smashed' neu 'hit') yn dylanwadu ar ymateb yr unigolyn neu'n ei dueddu.
2. **Mae cynrychiolaeth y cof wedi newid** – Mae'r gair hollbwysig yn newid atgof yr unigolyn ac yn effeithio ar ganfyddiad yr unigolyn o'r ddamwain. Byddai rhai geiriau hollbwysig yn peri i rywun dybio bod y ddamwain wedi bod yn fwy difrifol.

Os yw'r ail gasgliad yn wir, bydden ni'n disgwyl i gyfranwyr 'gofio' manylion eraill sydd heb fod yn wir. Rhoddodd Loftus a Palmer brawf ar hynny yn eu hail arbrawf. Yn y cyflwr 'smashed', mae'r ddau ddarn o wybodaeth yn cyfuno i ffurfio atgof o ddamwain sy'n ymddangos fel petai hi'n eithaf difrifol. Mae hynny'n arwain at ddisgwyliadau penodol – er enghraifft, bod gwydr yn debyg o fod wedi'i dorri yno.

Mae canfyddiadau Arbrawf 2 yn awgrymu nad canlyniad tuedd-yr-ymateb yw effaith cwestiynau arweiniol ond y gall cwestiynau arweiniol newid atgof yr unigolyn o'r digwyddiad.

Mae modd deall y canfyddiadau hyn mewn perthynas ag ymchwil i effeithiau labeli geiriol ar ffurfiau pethau-i'w-cofio, fel yn astudiaeth glasurol Carmichael ac eraill (1932) (gweler isod). Bydd labeli geiriol yn achosi newid yn y ffordd y cynrychiolir gwybodaeth yn y cof a'i gwneud hi'n debycach i'r awgrym a roir gan y label geiriol.

ASTUDIAETH GAN CARMICHAEL AC ERAILL (1932)

Fe ddarparodd yr astudiaeth hon gan Carmichael ac eraill dystiolaeth o blaid effaith labeli geiriol. Dangoswyd set o luniadau (yn y golofn ganol) i'r cyfranwyr ac yna fe gawson nhw ddisgrifiad geiriol (yn y golofn ar y chwith neu'r un ar y dde). Pan ofynnwyd yn ddiweddarach i'r cyfranwyr aildynnu'r llun, roedd y label geiriol wedi effeithio gan amlaf ar y gwrthrych a gafwyd. Dyma'r canlyniadau:

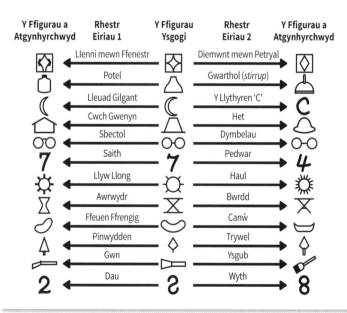

GWAITH I CHI

Lluniwch astudiaeth debyg i un Loftus a Palmer.
- Chwiliwch am bwt teledu o ddamwain ceir (chwiliwch ar YouTube).
- Penderfynwch ar set o gwestiynau i'w defnyddio gyda'ch cyfranwyr. Un ohonyn nhw fydd y cwestiwn hollbwysig am gyflymder.
- Penderfynwch sut y byddwch chi'n rhannu'ch cyfranwyr yn grwpiau. Caiff pob grŵp gwestiwn hollbwysig gwahanol.

Tystiolaeth glasurol: Loftus a Palmer (1974) (parhad)

Pennod 4 — Yr ymagwedd wybyddol

GOFYNION Y FANYLEB

Ar gyfer pob ymagwedd bydd angen:
- Ffurfio barn am ddarn clasurol o dystiolaeth, gan gynnwys y materion moesegol a'r goblygiadau cymdeithasol.

GWAITH I CHI

Pa gasgliad y dewch chi iddo am ddilysrwydd ecolegol astudiaeth Loftus a Palmer?

Cynhaliwch 'ffug dreial'. Tasg y naill dîm fydd dadlau bod dilysrwydd ecolegol i'r astudiaeth hon a rhaid i'r tîm arall gyflwyno'r ddadl groes. Efallai y gallech chi wneud tipyn o ymchwil ychwanegol yn gyntaf.

Beth yw casgliad eich dosbarth?

PETHAU I'W GWNEUD

WWW
Mae fideo gwych ar YouTube am gywirdeb y cof, 'False memory and eyewitness testimony', at: *www.youtube.com/watch?v=bfhIuaD183I&feature=PlayList&p=743ADEA0 6B23C9A7&index=0&playnext=1*

Yr erthygl wreiddiol
Cyfeiriad llawn yr astudiaeth glasurol hon yw Loftus, E.F. a Palmer, J.C. (1974) Reconstruction of automobile destruction: an example of the interaction between language and memory. *Journal of Verbal Learning and Verbal Behavior*, 13, 585–589.

Cewch chi'r erthygl gyfan yn: *https://webfiles.uci.edu/eloftus/LoftusPalmer74.pdf*

Adnoddau eraill
Clasur o lyfr gan Elizabeth Loftus yw *Eyewitness Testimony* (1996, fersiwn diwygiedig o'r llyfr a gyhoeddodd yn 1979).

Mae hi hefyd wedi ysgrifennu dau lyfr gyda Katherine Ketcham:
- *The Myth of Repressed Memory: False Memories and Allegations of Sexual Abuse* (1996).
- *Witness for the Defense: The Accused, the Eyewitness and the Expert Who Puts Memory on Trial* (1992).

Trafodir ymchwil Elizabeth Loftus mewn pennod yn *Opening Skinner's Box: Great Psychological Experiments of the Twentieth Century* gan Lauren Slater (2004), llyfr sy'n cynnwys y cefndir i amryw o astudiaethau allweddol mewn seicoleg. Ond cofiwch fod rhai pobl wedi beirniadu'r llyfr yn hallt (chwiliwch Google).

Ar y ddwy dudalen hyn, fe werthuswn ni'r astudiaeth glasurol drwy astudio'r problemau sy'n gysylltiedig â'i methodoleg a chymharu'r astudiaeth â thystiolaeth arall. Pan ddaw'n fater o werthuso, cewch chi benderfynu drosoch chi'ch hun. Rydyn ni wedi cyflwyno peth tystiolaeth a rhai datganiadau ac yn eich gwahodd chi i'w defnyddio i ffurfio'ch barn am yr astudiaeth graidd. Gallwch chi hefyd ddefnyddio'ch dealltwriaeth o ddulliau ymchwil.

GWERTHUSO: METHODOLEG A DULLIAU GWEITHREDU

Arbrawf dan reolaeth
Defnyddiodd Loftus a Palmer **arbrofion** i wneud eu hymchwil. Un o fanteision ymchwilio drwy wneud arbrofion yw ei fod yn dangos perthynas achosol. Drwy fanipwleiddio'n fwriadol y **newidyn annibynnol** (sef y ferf a ddefnyddiwyd i ddisgrifio'r gwrthdrawiad), gallwn weld yr effaith achosol ar y **newidyn dibynnol** (yr amcangyfrif o gyflymder) a thynnu casgliad achosol.

Mae hynny'n arbennig o wir mewn astudiaeth **labordy** lle caiff **newidynnau dryslyd** posibl eu rheoli'n ofalus er mwyn i unrhyw newid yn y newidyn dibynnol ddeillio o'r newidyn annibynnol ac nid o ffactorau eraill. Mewn arbrofion maes neu enghreifftiau o fywyd go-iawn, gall ffactorau ddylanwadu ar ymddygiad.

Dilysrwydd ecolegol
Yn yr astudiaeth hon gwyliodd cyfranwyr bytiau o ffilm o ddamweiniau. Dydy hynny ddim yr un fath â bod yn dyst i ddamwain go-iawn am na fydd pobl yn cymryd y dasg o ddifrif a/neu chân nhw mo'u cyffroi'n emosiynol fel y gwnaen nhw mewn damwain go-iawn. Gall y canfyddiadau, felly, beidio â chynrychioli bywyd go-iawn, h.y. maen nhw'n brin o **ddilysrwydd ecolegol**.

Mewn bywyd go-iawn, gall tystiolaeth llygad-dyston fod yn gywirach. Gwelodd Foster ac eraill (1994), er enghraifft, fod cyfranwyr a gredai eu bod yn gwylio lladrad go-iawn, ac a feddyliai hefyd y byddai eu hymatebion yn dylanwadu ar y treial, yn gywirach wrth adnabod y lleidr.

Gwelodd Yuille a Cutshall (1986) dystiolaeth hefyd o fwy o gywirdeb mewn bywyd go-iawn. Rhoddodd tystion i ladrad arfog yng Nghanada ddisgrifiadau cywir iawn o'r drosedd bedwar mis ar ôl y digwyddiad er iddyn nhw gael dau gwestiwn camarweiniol i gychwyn. Awgryma hynny y gall gwybodaeth gamarweiniol gael llai o ddylanwad ar dystiolaeth llygad-dyston mewn bywyd go-iawn.

Ar y llaw arall, gwnaeth Buckout (1980) astudiaeth o 'fywyd go-iawn' a gynhwysodd 2,000 o gyfranwyr. Dangoswyd ffilm fer iawn (13 eiliad) ar awr frig ar y teledu. Yn ddiweddarach, dangoswyd rhes adnabod ar y teledu a gwahoddwyd y gwylwyr i ffonio i enwi eu dewis o droseddwr. Dim ond 14% a enwodd yr un cywir!

Y sampl
Myfyrwyr coleg yn yr Unol Daleithiau oedd y cyfranwyr yn yr astudiaeth hon. Efallai fod gwybodaeth gamarweiniol yn fwy (neu'n llai) tebyg o effeithio ar grwpiau eraill o bobl. Er enghraifft, gall fod gwahaniaeth oedran. Gall hynny fod yn ganlyniad i **fonitro ffynonellau**. Fel rheol, caiff llygad-dyst wybodaeth o ddwy ffynhonnell: o wylio'r digwyddiad ei hun ac o awgrymiadau diweddarach (gwybodaeth gamarweiniol). Mae amryw o astudiaethau (e.e. Schacter ac eraill, 1991) wedi gweld bod yr henoed, o'u cymharu â phobl ifancach, yn cael trafferth cofio ffynhonnell eu gwybodaeth er nad oes unrhyw amharu wedi bod ar eu hatgof o'r wybodaeth. Maen nhw felly'n fwy tebyg o ddangos effaith gwybodaeth gamarweiniol wrth roi tystiolaeth.

GWERTHUSO: TYSTIOLAETH AMGEN

Cafwyd cryn gefnogaeth i ymchwil i effaith gwybodaeth gamarweiniol. Er enghraifft, gwnaeth Loftus astudiaeth gofiadwy a gynhwysai lun cardbord o Bugs Bunny (Braun ac eraill, 2002). Gofynnwyd i fyfyrwyr coleg werthuso deunydd hysbysebu Disneyland ac ynddo wybodaeth gamarweiniol am Bugs Bunny neu Ariel (allen nhw ddim bod wedi gweld y naill gymeriad na'r llall yn Disneyland am nad cymeriad Disney mo Bugs ac am nad oedd Ariel wedi ymddangos pan oedd y myfyrwyr yn blant).

Neilltuwyd y cyfranwyr i Bugs, Ariel neu **gyflwr rheolydd** (dim gwybodaeth gamarweiniol). Roedd pob un ohonyn nhw wedi ymweld â Disneyland. Roedd y cyfranwyr yng ngrŵp Bugs neu Ariel yn debycach o ddweud iddyn nhw ysgwyd llaw â'r cymeriadau hynny na'r grŵp rheolydd. Mae hynny'n dangos sut y gall gwybodaeth gamarweiniol greu cof ac atgof anghywir (ffug).

Athro o Fri ym Mhrifysgol California, Irvine, yw **Elizabeth Loftus** (1944–) a hi, mae'n debyg, yw un o'r seicolegwyr mwyaf adnabyddus sy'n fyw heddiw. Mae'n enwog am ei hymchwil helaeth i dystiolaeth llygad-dyston ac, yn fwy diweddar, i gof ffug. Caiff ei galw'n aml yn dyst arbenigol mewn achosion llys i dystio ynghylch anwadalrwydd y cof, fel yn achos Michael Jackson, ac mae hi wedi cael gwobrau di-ri', gan gynnwys Gwobr Cymrawd 2001 William James gan Gymdeithas Seicolegol America (am wneud 'astudiaethau ymchwil dyfeisgar a thrylwyr eu cynllun … o gwestiynau dyrys a dadleuol').

Myfyriwr seicoleg oedd **John Palmer** (1954–) pan gafodd gyfle i weithio gydag Elizabeth Loftus ar yr astudiaeth hon. Mae ef wedi mynd ymlaen i ganolbwyntio ar sylw gweledol ac yn Athro Ymchwil ym Mhrifysgol Washington, UDA.

MATERION MOESEGOL A GOBLYGIADAU CYMDEITHASOL

Diffyg cydsyniad dilys

Ni chafodd Loftus a Palmer **gydsyniad dilys** eu cyfranwyr. Petai'r cyfranwyr wedi gwybod am nod yr astudiaeth, byddai hynny wedi effeithio ar eu hymddygiad. Bydden nhw wedi gwybod bod y cwestiynau'n rhai 'arweiniol' ac wedi ymateb yn fwy gofalus. Fyddai eu hymddygiad ddim, felly, yn ddrych o dystiolaeth llygad-dyston mewn bywyd bob-dydd ac ni fyddai'n esgor ar fewnwelediadau defnyddiol.

Y cwestiwn yw a ydy **twyll** o'r fath yn dderbyniol. Gall yr ymchwilwyr ei gyfiawnhau yn nhermau pwysigrwydd yr ymchwil, ymchwil a gafodd effaith ddofn ar ein dealltwriaeth o anghywirdeb tystiolaeth llygad-dyston.

O safbwynt y cyfranwyr, gellid barnu bod y twyll yn un 'ysgafn'. Chawson nhw ddim niwed seicolegol na chorfforol a go brin y byddai gwybod gwir bwrpas yr astudiaeth wedi peri iddyn nhw wrthod cymryd rhan ynddi.

Niwed seicolegol

Un o'r beirniadaethau ar yr astudiaeth hon yw na fu'r cyfranwyr yn dystion i ddamwain go-iawn: gwylio pytiau ffilm o ddamwain wnaethon nhw. Gallan nhw felly fod wedi peidio ag ymateb i'r dasg yn y ffordd y byddai llygad-dyst wedi gwneud mewn damwain go-iawn.

Dewis arall fyddai i'r cyfranwyr fod yn dystion i ddamwain go-iawn. Ond gallai hynny fod wedi peri gofid mawr ac wedi achosi **niwed seicolegol** na fyddai'r ôl-drafod o reidrwydd wedi llwyddo i'w ddileu'n llwyr. Gallai'r effaith emosiynol fod wedi para'n hir.

Felly, defnyddiodd yr astudiaeth bytiau o ffilm i osgoi mater **moesegol** niwed seicolegol.

Ar y ddwy dudalen nesaf cewch drafodaeth ar oblygiadau moesegol a chymdeithasol pellach y pwnc hwn.

CORNEL ARHOLIAD

Bydd angen i chi allu gwneud yr isod ynghylch astudiaeth Loftus a Palmer (1974):

Disgrifio:
- Methodoleg yr astudiaeth (ei disgrifio a'i chyfiawnhau; cynnwys nodweddion sampl ond nid y dechneg samplu).
- Dulliau gweithredu'r astudiaeth (yr hyn a wnaeth yr ymchwilwyr; gan gynnwys y dechneg samplu).
- Canfyddiadau'r astudiaeth.
- Casgliadau'r astudiaeth.

Gwerthuso:
- Methodoleg yr astudiaeth.
- Dulliau gweithredu'r astudiaeth.
- Canfyddiadau'r astudiaeth (defnyddio methodoleg a/neu dystiolaeth arall).
- Casgliadau'r astudiaeth (defnyddio methodoleg a/neu dystiolaeth arall).
- Y materion moesegol a'r goblygiadau cymdeithasol.

Cwestiynau posibl yn yr arholiad:
1. 'Mae'r fethodoleg a ddefnyddiwyd yn ymchwil Loftus a Palmer (1974) *"Ail-lunio dinistrio ceir: enghraifft o'r rhyngweithio rhwng iaith a'r cof"* yn cynnig mewnwelediad gwyddonol gwerthfawr i ni i dystiolaeth llygad-dyston.' Trafodwch i ba raddau rydych chi'n cytuno â'r gosodiad hwn. [8]
2. Amlinellwch ganfyddiadau a chasgliadau ymchwil Loftus a Palmer (1974) *"Ail-lunio dinistrio ceir: enghraifft o'r rhyngweithio rhwng iaith a'r cof"*. [10]
3. 'Pa mor ddiddorol neu werthfawr bynnag yw'r canfyddiadau a gynigiwyd yn ymchwil Loftus a Palmer, mae problemau methodolegol a moesegol yn cyfyngu ar yr ymchwil.' Gwerthuswch ymchwil Loftus a Palmer (1974) *'Ail-lunio dinistrio ceir: enghraifft o'r rhyngweithio rhwng iaith a'r cof'.* [16]

GWAITH I CHI

Ymchwiliodd Elizabeth Loftus (1975) i gwestiynau arweiniol drwy ofyn i bobl: *'Fyddwch chi'n cael pen tost/cur pen yn aml?'*

Dywedodd y bobl a holwyd eu bod nhw'n cael 2.2 o gur pen/pen tost yr wythnos ar gyfartaledd. Ond pan ofynnwyd i bobl *'Fyddwch chi'n cael pen tost/cur pen ambell waith, ac os felly, pa mor aml?'* yr ateb oedd 0.7 cur pen/pen tost ar gyfartaledd! Cawsai'r ffordd y gofynnwyd y cwestiwn gryn effaith ar yr ateb.

Rhowch gynnig ar hyn drosoch chi'ch hun.

"Ydy'r geiriau 'chwythu', 'tŷ', ac 'i lawr' yn golygu rhywbeth i chi, Mr Blaidd?"

Y ddadl gyfoes: Pa mor ddibynadwy yw tystiolaeth llygad-dystion (gan gynnwys plant)

GOFYNION Y FANYLEB

Ar gyfer pob ymagwedd bydd angen:

- Deall yr hyn sydd wrth galon y ddadl.
- Cyfeirio at astudiaethau a damcaniaethau seicolegol.
- Ymchwilio i ddwy ochr y ddadl gyfoes o safbwynt seicolegol (gan gynnwys y goblygiadau moesegol, economaidd a chymdeithasol).

Ym Mryste yn 1969 cafwyd Lazlo Virag yn euog o ddwyn o fesuryddion parcio ac o ddefnyddio dryll. Er bod ganddo alibi a bod tystiolaeth arall o'i blaid, barn y llygad-dystion oedd mai Virag a gyflawnodd y drosedd. Wrth iddo dreulio amser yn y carchar, sylweddolwyd mai rhywun arall oedd wedi cyflawni'r drosedd a chafodd Virag bardwn ymhen hir a hwyr. Ymchwiliodd yr Arglwydd Devlin i'r achos hwnnw ac achosion eraill ac yn ei adroddiad yn 1976 argymhellodd hyn:

'Dylai hi fod yn ofynnol i'r barnwr mewn treial gyfarwyddo'r rheithgor nad yw'n ddiogel cael y cyhuddedig yn euog ar sail tystiolaeth un llygad-dyst yn unig onid oes tystiolaeth sylweddol i ategu hynny.'

Gan na ddaeth argymhelliad Devlin erioed yn gyfraith gwlad, a yw **tystiolaeth llygad-dystion** yn ddigon dibynadwy i fod yn ddefnyddiol yn y system gyfiawnder sydd ohoni?

Y GOBLYGIADAU MOESEGOL, CYMDEITHASOL AC ECONOMAIDD

Caiff rhai pobl sydd wedi'u cael yn euog o drosedd eu rhyddhau'n ddiweddarach am eu bod nhw'n ddieuog. Dywedodd Huff ac eraill (1986) fod bron 60% o 500 o gam-euogfarnau, yn America'n bennaf, yn deillio o gamgymeriadau gan lygad-dystion. Mae hynny'n awgrymu bod goblygiadau **moesegol** mawr ynghlwm wrth ddibynnu gormod ar dystiolaeth llygad-dystion.

Ar y llaw arall, gall fod peryglon ynghlwm wrth amau gormod ar dystiolaeth o'r fath. Dywed Greene (1990) fod y rheithwyr ar ffug-reithgorau a gafodd gais i benderfynu a oedd unigolyn yn euog neu'n ddieuog ar sail tystiolaeth llygad-dystion wedi sôn am eu gwybodaeth o gamgymeriadau oherwydd camadnabod. Am eu bod nhw'n gwybod am gamgymeriadau o'r fath drwy wylio eitemau ar y newyddion, roedden nhw'n fwy amheus ynghylch tystiolaeth llygad-dystion. Gan fod llygad-dystion yn ffynhonnell fawr o wybodaeth mewn unrhyw drosedd, mae'n bwysig rhoi peth sylw i'r dystiolaeth.

Mae modd sicrhau cydbwysedd. Yn y DU, mae elfennau diogelu wedi'u hymgorffori yn y System Gyfiawnder. Cynigiai Deddf yr Heddlu a Thystiolaeth Droseddol (PACE), a gyflwynwyd yn 1984 (diwygiwyd, 1995), god ymarfer y mae angen glynu wrtho wrth geisio adnabod troseddwyr. Er hynny, mae'n dal yn bosibl sicrhau euogfarn ar sail tystiolaeth un llygad-dyst.

Mae cost fawr i dystiolaeth annibynadwy llygad-dyst o ran cynnal ail-dreialon a thalu iawndal i'r rhai a gafwyd yn euog ar gam. Mae costau economaidd troseddu yn y DU yn enfawr. Yn ôl amcangyfrifon diweddar, maen nhw'n rhyw £124 biliwn y flwyddyn (Y Sefydliad dros Economeg a Heddwch, 2013), sef cymaint â 7.7% o gynnyrch gwladol crynswth y DU.

Ond efallai nad cost ariannol tystiolaeth annibynadwy gan lygad-dystion yw'r peth gwaethaf ond, yn hytrach, y risg i gymdeithas am fod y sawl a gyflawnodd y drosedd yn dal yn rhydd.

DYDY LLYGAD-DYSTION DDIM YN DDIBYNADWY

Gwybodaeth-wedi'r-digwyddiad

Yn astudiaeth glasurol (1974) Loftus a Palmer (gweler y pedair tudalen flaenorol), cafodd y wybodaeth a 'awgrymwyd' wedi'r digwyddiad ei hymgorffori yn yr atgof gwreiddiol.

Dangosodd Loftus a Zanni (1975) hefyd effeithiau **gwybodaeth-wedi'r-digwyddiad** o'r fath. Darganfuwyd bod 7% o'r rhai a gafodd y cwestiwn 'Did you see <u>a</u> broken headlight?' wedi cofio gweld 'headlight', tra bod 17% o'r rhai a gafodd y cwestiwn 'Did you see <u>the</u> broken headlight?' yn cofio gweld un. Y gair 'a' neu 'the' oedd y wybodaeth-wedi'r-digwyddiad. Mae'r ymchwil hwn yn dangos yn glir y gall hyd yn oed newidiadau cynnil yn y geiriau mewn cwestiynau ddylanwadu ar atgofion y cyfrannwr. Mae hynny'n awgrymu y gall atgof tyst o'r union ddigwyddiad gael ei aflunio pryd bynnag y caiff ef/hi ei holi gan yr heddlu, cyfreithwyr, cyfeillion ac ati.

Mae troseddau'n brofiadau emosiynol

Gall llygad-dyst beidio â bod yn ddibynadwy am fod y troseddau y maen nhw'n dystion iddyn nhw'n rhai annisgwyl ac yn drawmatig o emosiynol. Dadl Freud oedd y caiff atgofion poenus neu fygythiol dros ben eu gorfodi i fynd i'r meddwl anymwybodol. **Atalnwyd** yw'r broses honno, sef **mecanwaith i amddiffyn yr ego**. Erbyn heddiw, gallai seicolegwyr alw hynny'n 'anghofio dan gymhelliad', ond y naill ffurf neu'r llall efallai nad yw llygad-dystion yn ddibynadwy am fod eu hatgof o'r drosedd yn rhy drawmatig.

Dydy tystion sy'n blant ddim yn ddibynadwy

Am fod tuedd iddyn nhw ffantaseiddio ac i awgrymiadau gan bobl eraill effeithio'n arbennig ar eu cof, y farn yn aml yw nad yw plant yn llygad-dystion dibynadwy. Mae ymchwilwyr, felly, wedi ymddiddori mewn darganfod a yw plant yn llygad-dystion cywir, er enghraifft, wrth ddewis cyflawnydd trosedd o blith rhes o bobl.

Ni fydd rhesi o'r fath bob amser yn cynnwys yr unigolyn a *dargedir* am y gallai'r sawl a amheuir gael ei ddewis am ei fod yn cyd-fynd â disgrifiad anghywir. Yn aml, bellach, dywedir wrth lygad-dystion y gall y rhes o bobl gynnwys, neu beidio â chynnwys, y targed ('targed-bresennol' neu 'darged-absennol'). Tynnodd metaddadansoddiad Pozzulo a Lindsay (1998) ddata o amryw o astudiaethau a oedd, rhyngddyn nhw, wedi rhoi prawf ar fwy na 2,000 o gyfranwyr. Gwelodd yr ymchwilwyr fod plant dan 5 oed yn llai tebygol na phlant hŷn neu oedolion o adnabod cyflawnwyr pan oedd y targed yn bresennol. Doedd fawr o wahaniaeth rhwng plant 5-13 oed ac oedolion yn y cyflwr targed-bresennol, ond roedden nhw'n debycach o wneud dewis (un anghywir, yn anochel) yn y cyflwr targed-absennol. Barnwyd bod hynny'n digwydd am fod plant yn fwy sensitif ynghylch gwneud yr hyn y mae gofyn iddyn nhw ei wneud – a theimlo na allan nhw ddweud 'na' a bod rhaid rhoi rhyw ateb; yn yr achos hwn, ateb ffug-gadarnhaol.

Mae'r cof yn ail-lunio

Er y caiff **sgemâu** eu defnyddio i'n helpu ni i brosesu gwybodaeth yn gyflym, un o anfanteision sgemâu yw y gall y wybodaeth sydd eisoes yn ein sgemâu aflunio'n hatgof o ddigwyddiad. Er enghraifft, yn eich sgema o 'droseddwr', bydd gennych chi ryw ddarlun o bryd a gwedd troseddwr, a gall y darlun ddeillio o adroddiadau newyddion, ffilmiau a rhaglenni teledu. Pan fydd rhaid i ni adalw'r wybodaeth honno yn ddiweddarach, gall y disgwyliadau hynny fod wedi'u hymgorffori yn y cof gan olygu bod ein hatgofion ni'n anghywir.

Gofynnodd Yarmey (1993) i 240 o fyfyrwyr wylio fideos o 30 o wyrrod anhysbys a'u rhannu'n 'ddynion da' neu'n 'ddynion drwg'. Gwelwyd bod cytundeb mawr ymhlith y cyfranwyr ac mae hynny'n awgrymu bod gwybodaeth debyg yn eu sgemâu o'r 'dyn drwg' a'r 'dyn da'.

Yn yr un ffordd, gall unrhyw syniadau parod ynghylch nodweddion wynebau troseddwyr ddylanwadu wrth benderfynu ar y bobl sydd dan amheuaeth mewn rhes neu mewn cyfres o luniau. Mae hynny'n awgrymu y gall llygad-dystion ddewis y sawl sydd debycaf ei olwg i droseddwr yn hytrach na'r troseddwr go-iawn.

Gwyliwch y sgyrsiau TED gan Elizabeth Loftus, 'The fiction of memory', a Scott Fraser, 'Why eyewitnesses get it wrong' (gweler TED.com).

Yna, gallech chi lunio'ch sgwrs TED eich hun gan ddadlau o blaid neu yn erbyn dibynadwyedd llygad-dystion. Gallai hynny fod yn ddyfais adolygu wych i chi a'ch cyd-ddisgyblion!

Camadnabod Cotton
- Chwiliwch am achos Ronald Cotton a Jennifer Thompson.
- Pa ffactorau a barodd i Jennifer gamadnabod Ronald?
- Beth oedd effaith cael Ronald yn euog ar gam ar Ronald a Jennifer?

MAE LLYGAD-DYSTION YN DDIBYNADWY

Gwybodaeth-wedi'r-digwyddiad

Mae ymchwil i lygad-dystion yn gamarweiniol am fod tuedd iddo ganolbwyntio ar fanylion y mae'n anodd i ni eu hamcangyfrif (e.e. cyflymder), neu ar fanylion nad ydyn nhw'n ganolog i'r digwyddiad ac felly'n fwy agored i gael eu llygru.

Dydy'r holl ymchwil ddim yn awgrymu ychwaith fod gwybodaeth-wedi'r-digwyddiad yn gamarweiniol. Dangosodd Loftus (1979b) i gyfranwyr gyfres o sleidiau o ddyn yn dwyn pwrs coch mawr a llachar o fag menyw. Yn ddiweddarach, cafodd y cyfranwyr wybodaeth a gynhwysai wallau cynnil neu wall amlycach, sef honni mai brown oedd lliw'r pwrs. Er i'r cyfranwyr fod yn anghywir ynghylch eitemau 'ymylol' yn aml, cofiai 98% o'r cyfranwyr yn gywir mai coch oedd lliw'r pwrs. Mae hynny'n awgrymu y gall atgofion llygad-dystion o fanylion canolog neu allweddol fod yn llai tebyg o newid oherwydd gwybodaeth-wedi'r-digwyddiad nag a awgrymwyd cynt.

Mae troseddau'n brofiadau emosiynol

Barn rhai seicolegwyr yw ein bod ni, wrth fod yn llygad-dystion i ddigwyddiadau sy'n sioc emosiynol fawr a/neu'n rhai ag arwyddocâd personol, yn creu atgof arbennig o gywir a hirdymor, sef **atgof llachar**. Ceir tystiolaeth y gall yr **hormonau** sy'n gysylltiedig ag emosiwn, megis adrenalin, wella storio atgofion (Cahill a McGaugh, 1995). Mae hynny'n awgrymu y gall yr emosiwn o amgylch trosedd mewn gwirionedd arwain at atgofion mwy dibynadwy yn hytrach na rhai llai dibynadwy.

Mae plant sy'n dystion yn ddibynadwy

Adolygodd Davies ac eraill (1989) y llenyddiaeth a drafodai'r plant a ddefnyddiwyd yn dystion, ac fe ddaethon nhw i rai casgliadau diddorol. Bydd plant rhwng 6 a 7 a 10 ac 11 yn eithaf cywir wrth gofio digwyddiad. Fyddan nhw ddim fel arfer yn 'dychmygu pethau' nac yn dweud celwydd bwriadol wrth roi tystiolaeth. Yn ogystal, does fawr o newid yn eu hatgofion ynghylch manylion pwysig oherwydd i oedolion awgrymu pethau wrthyn nhw wedi'r digwyddiad. Mae'r casgliadau hynny'n herio llawer o honiadau ymchwilwyr eraill.

Hefyd, a yw hi'n wirioneddol deg honni nad yw plant sy'n llygad-dystion yn ddibynadwy pan fydd llawer o'r ymchwil yn defnyddio oedolion fel yr unigolion 'targed'? Gwelodd Anastasi a Rhodes (2006) fod pob grŵp oedran yn fwyaf cywir wrth adnabod troseddwr o'i grŵp oedran ei hun. Petai'r plentyn sy'n dyst wedi gweld plant yn cyflawni troseddau a gawsai eu llwyfannu, gallai hyn olygu y bydden nhw efallai yn fwy dibynadwy wrth eu hadnabod.

Gall y cof adlunio, ond dydy hynny ddim yn golygu ei fod yn annibynadwy

Gan fod llygad-dystion mewn llawer achos yn adnabod cyflawnydd y drosedd, does dim angen iddyn nhw gyfeirio at eu sgemâu. Er enghraifft, dywed RapeCrisis fod 90% o'r rhai sy'n cael eu treisio yn adnabod eu treiswyr. Mae gallu'r llygad-dyst i adnabod yr ymosodwr yn debyg, felly, o fod yn ddibynadwy iawn, hyd yn oed os yw'r troseddau'n rhai anhygoel o drawmatig.

Fel y gwelwn ni yn ymchwil Yuille a Custhall (gweler y ddwy dudalen flaenorol), mae tystiolaeth llygad-dystion i droseddau mewn bywyd go-iawn (yn hytrach na rhai mewn laboratory) yn llawer cywirach na'r hyn a awgrymir gan ymchwil mewn labordai. Petai'r cof yn ail-lunio, byddech chi wedi disgwyl i atgofion y llygad-dystion fod wedi pylu dros amser a hefyd wedi'u lliwio rywfaint gan gwestiynau arweiniol; ond nid dyna a welwyd yn achos ymchwil Yuille a Cutshall.

▲ Yn aml, bydd sgema llygad-dystion yn dylanwadu ar eu hatgofion. Gall llygad-dystion adalw nodweddion unigolion mewn hwdi ar sail eu disgwyliadau yn hytrach nag unrhyw beth a welson nhw mewn gwirionedd.

CORNEL ARHOLIAD

Bydd angen i chi allu:
- Trafod y ddadl a'r dystiolaeth o blaid credu nad yw llygad-dystion yn ddibynadwy.
- Trafod y ddadl a'r dystiolaeth o blaid credu bod llygad-dystion yn ddibynadwy.
- Cyflwyno casgliad y ddadl.
- Cynnwys trafod goblygiadau moesegol, economaidd a chymdeithasol y ddadl.

Cwestiynau arholiad posibl:
1. *'Am na allwch chi ddibynnu llawer ar dystiolaeth llygad-dystion, ni ddylid cael neb yn euog os tystiolaeth llygad-dyst yw'r unig dystiolaeth'.*
   Gan gyfeirio at y dyfyniad, trafodwch i ba raddau y cytunwch chi â'r gosodiad hwnnw. [20]
2. Trafodwch y farn fod llygad-dystion yn ddibynadwy. [20]

CASGLIAD

Er ei bod hi'n anodd i seicolegwyr brofi'n bendant bod llygad-dystion yn ddibynadwy neu'n annibynadwy, mae'r maes ymchwil hwn wedi bod yn fuddiol am ei fod wedi peri i ni fod yn fwy beirniadol o atgofion llygad-dystion. O ganlyniad, rydyn ni wedi datblygu dulliau sy'n golygu bod atgofion llygad-dystion yn llai agored i'w haflunio – dulliau fel **cyfweliadau gwybyddol** (dull o holi sy'n ceisio cynyddu maint a chywirdeb y wybodaeth a gaiff ei hadalw) a **rhesi dilyniannol** (lle bydd llygad-dystion yn gweld pobl fesul un yn hytrach nag i gyd yr un pryd). Oherwydd y defnyddio cynyddol ar systemau teledu cylch-cyfyng yn y DU, mae'n debyg y bydd diffyg dibynadwyedd tystiolaeth llygad-dystion yn llai o broblem yn y dyfodol.

Cyngor arholiad ...
Yng nghwestiwn 1 uchod, mae'r gosodiad yn cynnig y farn nad yw llygad-dystion yn ddibynadwy. I ateb y cwestiwn, felly, byddai angen i chi grynhoi'r pwyntiau a'r dystiolaeth sy'n ategu'r farn honno i gael 10 marc o gredyd AA1.

I gael 10 marc arall y credyd AA3, bydd angen i chi gyflwyno pwyntiau a thystiolaeth sy'n herio'r gosodiad hwnnw.

Byddai disgwyl i chi hefyd ddod i ryw fath o gasgliad ar sail y dystiolaeth rydych chi wedi'i chyflwyno.

Gwerthuso'r ymagwedd wybyddol

GWERTH CIWIAU ADALW

Ydych chi'n methu cofio rhywbeth? Os cewch chi gliw gan rywun, efallai y cofiwch chi'n syth.

Mae ymchwil wedi dangos y gall pobl, o gael y ciw cywir, gofio mwy nag a dybian nhw. Gwnaeth Tulving a Psotka (1971) arbrawf i ddangos hyn.

- Rhoesant chwe rhestr wahanol o eiriau i'r cyfranwyr, a 24 o eiriau ar bob rhestr.
- Rhannwyd pob rhestr yn chwe chategori gwahanol (ac felly roedd 36 o gategoriau yn y chwe rhestr i gyd, fel mathau o goed ac enwau cerrig gwerthfawr).
- Ar ôl i'r holl restri gael eu cyflwyno, gofynnwyd i'r cyfranwyr ysgrifennu pob gair y gallen nhw ei gofio (proses 'adalw rhydd').
- Yna, cawson nhw giwiau, sef enwau'r gwahanol gategorïau (e.e. 'coed' neu 'cerrig gwerthfawr') a chais i adalw'r geiriau unwaith eto (proses 'adalw â chiwiau').

Y darganfyddiad allweddol oedd bod pobl yn cofio rhyw 50% o'r geiriau pan gawson nhw brawf cychwynnol yn y cyflwr adalw rhydd, ond cododd hynny i 70% pan gawson nhw'r ciwiau. Mae hynny'n dangos bod mwy yn eich pen chi, yn aml, nag a gredwch chi, petai rhywun ond yn rhoi'r ciwiau iawn i chi!

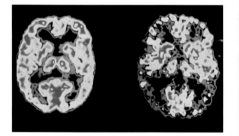

▲ Fel rheol, dangosir sganiau PET (gweler y testun) fel lluniau lliw lle mae'r lliwiau 'poeth', fel oren a choch, yn cynrychioli'r rhannau lle mae'r gweithgarwch mwyaf, a'r lliwiau 'oer', fel gwyrdd a glas, yn cynrychioli'r rhannau sydd â'r gweithgarwch lleiaf. Bydd sganiau PET yn dweud wrthym ni pa rannau o'r ymennydd sy'n brysur, ond nid hyn yn unig maen nhw'n ei wneud. Byddan nhw'n dangos y gwahaniaeth rhwng gweithgarwch 'normal' yr ymennydd (ar y chwith) ac mewn person â chlefyd Alzheimer (ar y dde). Mae llawer llai o weithgarwch yn ymennydd y claf sydd â chlefyd Alzheimer.

Rydych chi wedi astudio sawl un o dybiaethau'r **ymagwedd wybyddol** ac wedi cael mewnwelediad i'r ffordd y gallai hi esbonio ymddygiad. Rydych chi hefyd wedi astudio sut mae'r ymagwedd wybyddol yn gymwys mewn therapïau fel **CBT** ac **REBT**. Rydych chi hefyd wedi ystyried yr ymagwedd wybyddol yng nghyd-destun astudiaeth glasurol, a dadl.

Bellach, mae'n bryd i chi ddefnyddio'ch dealltwriaeth o'r ymagwedd wybyddol i ystyried cryfderau a gwendidau'r ymagwedd honno, a hefyd i ystyried sut y mae hi'n cymharu â'r ymagweddau eraill.

CRYFDERAU'R YMAGWEDD WYBYDDOL

1. Prosesau cyfryngu

Un o brif fanteision yr ymagwedd wybyddol, yn enwedig o'i chymharu ag **ymddygiadaeth**, yw ei bod hi'n hoelio sylw ar y 'prosesau' pwysig sy'n digwydd rhwng ysgogiad ac ymateb. Er na wnaeth ymddygiadwyr geisio ymchwilio i'r hyn sy'n digwydd y tu mewn i'r 'bocs du', mae seicolegwyr gwybyddol wedi mynd beth ffordd i egluro sut mae prosesau *cyfryngu* pwysig fel canfyddiad a'r cof yn effeithio ar y ffordd yr ymatebwn ni i'r byd o'n hamgylch.

Mae hynny wedi helpu i egluro elfennau ymarferol ymddygiad pobl. Er enghraifft, bydd seicolegwyr gwybyddol yn astudio ffyrdd o ddefnyddio ciwiau adalw i wella'r cof (gweler yr astudiaeth ar y chwith). Gall yr ymchwil hwnnw ddangos i ni pam y mae angen i ni lunio rhestri siopa cyn mynd i'r archfarchnad leol.

2. Cyfraniadau pwysig

Mae'r ymagwedd wybyddol wedi dylanwadu ar lawer o feysydd seicoleg. Yn ogystal â chael ei chymhwyso'n ddefnyddiol at therapi – fel mewn CBT i drin anhwylderau fel **iselder** yn llwyddiannus – mae hi hefyd wedi'i chymhwyso at faes seicoleg datblygiadol. Er enghraifft, mae damcaniaethau ynghylch sut mae meddwl plant yn datblygu wedi llywio arferion addysgu mewn ysgolion. Datblygodd Piaget (1970) ddamcaniaeth o'r fath, sef nad yw ffordd plant o feddwl yr un fath â ffordd oedolion o feddwl. Fe awgrymodd, er enghraifft, na all plant rhyw wyth neu naw oed feddwl yn haniaethol. Os dymunan nhw ddatrys problem fathemategol, bydd angen iddyn nhw ei weld yn ddiriaethol, fel manipwleiddio prennau cyfrif. Cafodd syniadau Piaget effaith fawr ar yr addysgu mewn ysgolion cynradd gan i athrawon sylweddoli ei bod hi'n bwysig defnyddio enghreifftiau diriaethol gyda phlant iau.

Yn ogystal, mae seicoleg wybyddol wedi symud yr ymchwil i'r cof yn ei flaen, ac mae un cymhwysiad ohono'n digwydd ym maes tystiolaeth llygad-dystion. Er enghraifft, mae gwaith Elizabeth Loftus wedi dangos sut y gall gwybodaeth-wedi'r-digwyddiad aflunio disgrifiadau'r llygad-dystion yn rhwydd ac mae hynny wedi cael effaith ar dechnegau cyfweld yr heddlu, fel dileu cwestiynau arweiniol wrth gyfweld.

3. Ymagwedd wyddonol

Fel llawer o'r ymagweddau, un arall o gryfderau'r ymagwedd wybyddol yw ei bod yn ei chynnig ei hun i ymchwil gwyddonol. Gan mwyaf, er enghraifft, mae'r ymchwil i'r cof wedi'i wneud o dan amodau llym mewn **labordai**, ac yn fwy diweddar mae hynny wedi cynnwys defnyddio technegau **sganio'r ymennydd** (e.e. **sganiau PET**, **sganiau MRI**, gweler tudalen 141) i nodi'r union fannau yn yr ymennydd sy'n ymwneud â'r cof tymor-byr a'r cof tymor-hir.

Niwrowyddoniaeth wybyddol yw'r enw ar y maes hwnnw ac mae'n ymroi i nodi'r union fecanweithiau biolegol sydd ynghlwm wrth ein prosesau gwybyddol. Felly, gall ymchwilwyr sefydlu'n wyddonol ac yn wrthrychol union gyfrifoldebau gwahanol rannau o'r ymennydd mewn perthynas â'n proses wybyddol ni. Mae niwrowyddoniaeth wybyddol hefyd yn ddefnyddiol wrth geisio deall yr hyn y mae'r ymennydd yn ei wneud pan fydd 'yn gorffwys' (h.y. heb fod yn cyflawni unrhyw dasg) gan ei astudio, felly, wrth iddo 'synfyfyrio'.

Mae'r ymagwedd wybyddol, felly, wedi datblygu'n faes hynod wyddonol mewn seicoleg lle mae modd rhagweld yn hyderus y perthnasoedd achosol rhwng emosiynau, gwybyddiaethau ac ymddygiadau.

► Astudio gefeilliaid

Os natur (yn hytrach na magwraeth) yw'r prif ddylanwad ar ymddygiad, bydden ni'n disgwyl i efeilliaid unfath (monosygotig) fod yn debycach nag efeilliaid eraill (rhai deusygotig) o ran ymddygiad targed fel deallusrwydd neu bersonoliaeth.

Y duedd yw i'r ymchwil weld **cydgordiad** o ryw 86% o ran cyniferydd deallusrwydd gefeilliaid unfath a rhyw 60% yn achos gefeilliaid eraill. Er nad yw 80% yn gydgordiad perffaith, mae'n awgrymu bod rhan fawr o ddeallusrwydd fel petai'n cael ei hetifeddu.

GWENDIDAU'R YMAGWEDD WYBYDDOL

1. Natur a magwraeth

Er bod yr ymagwedd wybyddol yn ystyried dylanwad ffactorau mewnol ac allanol ar ymddygiad (e.e. mae prosesau yn y meddwl yn 'fewnol' a rôl profiad wrth ffurfio **sgemâu** yn 'allanol'), mae'n methu ag ystyried elfennau pwysig **natur** a **magwraeth**. Er enghraifft, anwybyddir rôl **genynnau** mewn gwybyddiaeth ddynol, ond drwy **astudio gefeilliaid** mae'r ymchwil i ddeallusrwydd bob amser wedi ystyried dylanwad y genynnau.

Yn aml, hefyd, cam afrealistig i bob golwg yw anwybyddu ffactorau cymdeithasol a diwylliannol (magwraeth). Ym maes datblygu gwybyddiaeth, er enghraifft, methodd damcaniaethwyr allweddol fel Piaget (gweler y dudalen gyferbyn) ag ystyried dylanwad diwylliant a rhywedd ar ddatblygiad meddwl plant.

2. Ymagwedd benderfyniadol

Fel y gwelson ni, 'sgemâu' yw un o dybiaethau pwysig yr ymagwedd wybyddol (gweler tudalen 71). Bydd pobl yn caffael y sgemâu hynny drwy eu profiadau uniongyrchol. Awgrymodd Piaget, er enghraifft, mai datblygu sgemâu, yn ei hanfod, yw datblygiad gwybyddol. Yn ifanc iawn, gallai plentyn alw popeth sydd â phedair coes a blew yn 'gi'. Yn ddiweddarach, bydd y plentyn yn dysgu amrywiol sgemâu cysylltiedig – un ar gyfer ci ac un ar gyfer cath, ac ati.

Ffordd bwysig arall y byddwn ni'n caffael sgemâu yw'n rhyngweithiadau cymdeithasol ni. Byddwn ni'n caffael **stereoteipiau** am bobl a sefyllfaoedd, fel y gred bod menywod â gwallt golau yn ddwl ond yn hwyl, neu fod pobl â sbectol yn ddeallus. Stereoteipiau diwylliannol yw'r rhain ac fe allan nhw (neu sgemâu) benderfynu sut y byddwn ni'n dehongli sefyllfaoedd.

3. Yr ymagwedd fecanistig

Beirniadaeth arall ar yr ymagwedd wybyddol yw ei bod hi'n 'fecanistig' – mae'n portreadu ymddygiad pobl fel petai'n debyg i ymddygiad peiriant. Gan fod yr ymagwedd wybyddol wedi'i seilio ar 'ymddygiad' cyfrifiaduron, mae'n anochel mai golwg braidd yn fecanistig ar ymddygiad pobl fyddai'r canlyniad. Mae hynny'n codi cwestiynau eraill, mwy athronyddol, megis a allai cyfrifiadur fyth berfformio fel ymennydd dynol.

Y prif wrthwynebiad i esboniadau mecanistig o'r fath yw eu bod nhw'n anwybyddu ffactorau cymdeithasol ac emosiynol. Mae modd dangos hynny yn y persbectif gwybyddol ar salwch meddwl. Er enghraifft, gall unigolyn ag iselder fod â phatrymau meddwl diffygiol y mae modd eu newid; ond gall digwyddiadau pwysig mewn bywyd (e.e. mynd drwy ysgariad) achosi'r iselder. Er y gall newid patrymau meddwl helpu'r unigolyn, dydy hynny ddim yn newid yr ysgogiadau amgylcheddol na'r sefyllfa gymdeithasol sy'n achosi'r emosiynau y mae'n eu teimlo.

Mae'r olwg fecanyddol hon hefyd yn anwybyddu'r rôl bwysig y bydd emosiynau yn ei chwarae wrth ddylanwadu ar brosesau gwybyddol, ac mae hynny'n broblem wrth gymharu pobl â chyfrifiaduron. Dydy emosiwn ddim yn dylanwadu ar gyfrifiadur am fod hwnnw'n adalw gwybodaeth yn union fel y cafodd ei mewnbynnu; allwch chi ddim dweud hynny am fodau dynol.

Cyngor arholiad …
Wrth ateb cwestiwn 'cymharu a chyferbynnu', cofiwch fod yn rhaid i chi, i gael marciau, egluro'r tebygrwyddau a'r gwahaniaethau rhwng y ddwy ymagwedd, a hynny gan ddefnyddio'r materion a'r dadleuon allweddol a drafodwyd yn rhagymadrodd y llyfr hwn (gweler tudalen 7).

CYMHARU YMAGWEDDAU

Hyd yn hyn, rydych chi wedi dysgu cymharu a chyferbynnu'r ymagweddau o ran y problemau a'r dadleuon allweddol. I wella'ch sgiliau dadansoddi, dylech chi hefyd ystyried y therapïau sydd ynghlwm wrth bob ymagwedd unigol gan y bydd hynny'n cynnig pwynt ychwanegol o ran cymharu. Ceisiwch lenwi'r tabl isod:

	Biolegol	Gwybyddol
Pa fathau o therapïau a gaiff eu defnyddio yn yr ymagwedd hon?		
Sut mae'r therapi'n ceisio helpu pobl sydd â phroblemau?		
A yw'n therapi sy'n gorfforol ymwthiol?		
A yw'r therapi'n gofyn i'r claf wneud ymdrech fawr?		
A yw'n therapi llwyddiannus, a pha fath o broblemau y caiff ei ddefnyddio i'w trin?		

Gobeithio y gallwch chi weld sut mae modd defnyddio cymharu a chyferbynnu'r ymagweddau o ran eu therapïau i'ch helpu chi i ateb cwestiynau 'cymharu a chyferbynnu'!

CORNEL ARHOLIAD

Er mwyn gwerthuso'r ymagwedd mae angen i chi allu:

- Trafod y cryfderau (o leiaf **ddau** ohonyn nhw) yn llawn.
- Trafod y gwendidau (o leiaf **ddau** ohonyn nhw) yn llawn.
- Cymharu a chyferbynnu'r ymagwedd â'r pedair ymagwedd arall o ran y cwestiynau a'r dadleuon allweddol.

Cwestiynau arholiad posibl:

1. Gwerthuswch **ddau** o gryfderau a **dau** o wendidau'r ymagwedd wybyddol. [12]
2. Trafodwch wendidau'r ymagwedd wybyddol. [8]
3. '*I newid ymddygiad pobl, mae angen i ni ddeall patrymau meddwl ymwybodol, a gellir gwneud hynny drwy arsylwi'n wyddonol*'. Gan gyfeirio at y dyfyniad hwn, cymharwch a chyferbynnwch yr ymagweddau gwybyddol a seicodynamig mewn seicoleg. [12]

Gweithgareddau i chi

TYBIAETHAU

Techneg y jig-so

Yn nhechneg y jig-so, bydd pob person yn gyfrifol am ran o'r jig-so ac yna, fel grŵp, byddwch yn rhoi'r darnau'r jig-so wrth ei gilydd.

Rhannwch eich dosbarth yn grwpiau, a phedwar aelod i bob grŵp. Gorau oll os nad yw'r grwpiau'n 'grwpiau cyfeillgarwch'. Rhowch lythyren – A, B, C ac Ch – i bob person yn eich grŵp. Rhaid i bob un gyflawni'r dasg sy'n perthyn yn benodol i'r llythyren y mae ef/hi wedi'i chael - rhestrir enghreifftiau posibl isod.

Person A = Cyfatebiaeth â chyfrifiadur
Person B = Proses meddwl mewnol
Person C = Sgemâu
Person D = Eglurhad o ffurfio perthnasoedd

Er enghraifft, rhaid i'r rhai sydd â'r llythyren A baratoi deunyddiau ar dybiaethau'r ymagwedd wybyddol. Gallan nhw wneud hynny drwy gyfarfod â phob A arall yn y dosbarth. Rhaid iddyn nhw wneud hyn:

a. Llunio set o nodiadau byr a chofiadwy am eu pwnc.
b. Briffio'r grŵp ynglŷn â'u pwnc.
c. Llunio tri (neu ragor) o gwestiynau ar gyfer prawf ar eu pwnc.

Dylai'ch athro/athrawes gasglu'r holl gwestiynau sydd wedi'u llunio a'u defnyddio i lunio prawf dosbarth. Bydd pawb yn cymryd y prawf yn unigol – bydd eich perfformiad yn dibynnu ar safon y briffio y bydd aelodau'ch grŵp wedi'i roi i chi!

TYSTIOLAETH GLASUROL

Byddwch yn Elizabeth Loftus am ddiwrnod

Chwiliwch am bwt ar YouTube o ddamwain car. Dylech gael pytiau o raglenni fel 'Police, Camera, Action'.

Gwyliwch y pwt a lluniwch rai cwestiynau amdano, gan gynnwys un sy'n rhoi gwybodaeth gamarweiniol neu wybodaeth a allai ddylanwadu ar atgof y rhai sy'n gwylio'r pwt.

Casglwch sampl o fyfyrwyr a gofynnwch iddyn nhw wylio'r pwt ac yna rhowch y cwestiynau iddyn nhw.

Dadansoddwch yr ymatebion i weld faint ohonyn nhw y dylanwadwyd arnyn nhw gan y cwestiwn arweiniol.

TYSTIOLAETH GLASUROL

ATEBION AR DUDALEN 172

Cywir neu anghywir?

Gwiriwch y gosodiadau isod mewn perthynas ag astudiaeth Loftus a Palmer.

Yn Arbrawf 1, amcangyfrif cymedr cyflymder ar gyfer y grŵp 'smashed' oedd 40.8 mya	Cywir neu Anghywir
Yn Arbrawf 1, amcangyfrif cymedr cyflymder ar gyfer y grŵp 'collided' oedd 33.9 mya	Cywir neu Anghywir
Yn Arbrawf 1, amcangyfrif cymedr cyflymder ar gyfer y grŵp 'bumped' oedd 38.1 mya	Cywir neu Anghywir
Yn Arbrawf 1, amcangyfrif cymedr cyflymder ar gyfer y grŵp 'hit' oedd 30.4 mya	Cywir neu Anghywir
Yn Arbrawf 1, amcangyfrif cymedr cyflymder ar gyfer y grŵp 'contacted' oedd 31.8 mya	Cywir neu Anghywir
Yn Arbrawf 1, daeth Loftus a Palmer i'r casgliad y gall ffurf cwestiwn effeithio'n amlwg ac yn systematig ar ateb tyst i'r cwestiwn hwnnw.	Cywir neu Anghywir
Yn Arbrawf 2, yn y cyflwr 'smashed' – dywedodd 16 iddyn nhw weld gwydr wedi'i dorri a dywedodd 34 na welson nhw wydr wedi'i dorri.	Cywir neu Anghywir
Yn Arbrawf 2, yn y cyflwr 'hit' – dywedodd 43 iddyn nhw weld gwydr wedi'i dorri a dywedodd 7 na welson nhw wydr wedi'i dorri.	Cywir neu Anghywir
Yn Arbrawf 2, yn y cyflwr rheolydd – dywedodd 6 iddyn nhw weld gwydr wedi'i dorri a dywedodd 44 na welson nhw wydr wedi'i dorri.	Cywir neu Anghywir
Yn Arbrawf 2, daeth Loftus a Palmer i'r casgliad bod rhaid i hynny ddeillio o newid y gynrychiolaeth yn y cof a bod y cyfranwyr yn credu nad oedd unrhyw wydr wedi'i dorri.	Cywir neu Anghywir

DADL

Cynnal cyfweliad

Mae amryw o ddarnau ar deledu newyddion yr Unol Daleithiau am dystiolaeth llygad-dystion. Defnyddiwch y rheiny'n ysbrydoliaeth i greu'ch un chi!

Gallwch chi a'ch cyd-ddisgyblion ddefnyddio gwybodaeth sy'n berthnasol i dystiolaeth llygad-dystion a chyfweld unigolion sy'n cymryd arnyn nhw eu bod yn 'arbenigwyr' yn y maes. Recordiwch eich cyfweliadau.

THERAPÏAU

Darlunio'r technegau

Mae meddyliau negyddol wedi peri gofid i Bob dros yr ychydig flynyddoedd diwethaf. Does ganddo ddim hunanhyder ac mae'n credu ei fod yn colli cyfeillion ac y gall golli ei swydd yn y dyfodol. Mae meddyliau Bob yn amharu ar ei ymddygiad; mae'n cael trafferth mynd i'r gwaith ac yn osgoi unrhyw weithgarwch cymdeithasol.

Ewch ati mewn grwpiau i lunio poster sy'n dangos sut y gall y technegau a ddefnyddir mewn CBT neu REBT helpu Bob, a rhannwch eich syniadau gyda gweddill y grŵp.

Gweithgaredd estyn
Rhannwch y dosbarth yn ddau grŵp. Rhaid i'r naill a'r llall lunio deunydd ar gyfer dadl yn y dosbarth i drafod a yw therapïau gwybyddol yn fwy moesegol na therapïau ymddygiadol, a defnyddio ymchwil a chwestiynau allweddol i ategu eu syniadau.

Gallwch chi ddefnyddio rhai o'r gweithgareddau adolygu a ddisgrifir ar ddiwedd y penodau eraill. Er enghraifft, gallech chi gynhyrchu sioeau treigl neu lunio cyngor ynghylch arholiadau (gweler tudalen 105).

Yn sicr, dylech chi restru unwaith eto y geiriau allweddol yn y bennod hon a sicrhau eich bod chi'n eu deall.

Hwyl gyda nodiadau gludiog
Dylai pob myfyriwr fod â phentwr o nodiadau gludiog. Meddyliwch am yr holl dermau arbenigol rydych chi wedi'u dysgu wrth astudio'r ymagwedd wybyddol, ac ysgrifennwch bob un ar nodyn gludiog unigol.

Yna, dylai pob aelod o'r dosbarth roi ei nodiadau gludiog ar un wal yn yr ystafell ddosbarth a'u trefnu mewn rhyw ffordd. Er enghraifft, dylai pob nodyn gludiog sy'n gysylltiedig â thybiaethau fynd gyda'i gilydd, a phob nodyn gludiog am y therapi y gwnaethoch ei astudio fynd gyda'i gilydd. O fewn pob casgliad o nodiadau gludiog, gallwch chi drefnu rhagor arnyn nhw. Yn y diwedd, byddwch chi wedi creu map meddwl o'r bennod!

GWERTHUSO

Cymharu a chyferbynnu therapïau
Er mwyn gwella eich dealltwriaeth o'r ffordd y mae'r ymagwedd wybyddol yn cymharu â'r ymagweddau eraill, lluniwch ychydig o frawddegau mewn ymateb i'r gosodiadau isod.

Yn gyntaf, dywedwch a ydych chi o'r farn fod pob un ohonyn nhw'n wir neu'n gau (does dim ateb cywir), ac yna ewch ati i gyfiawnhau'ch eich ateb yn llawn.

Gosodiad	Gwir neu gau?	Cyfiawnhewch eich ateb
Mae'r ymagwedd wybyddol yn fwy gwyddonol na'r ymagwedd ymddygiadol.		
Mae'r ymagwedd wybyddol yn llai lleihaol na'r ymagwedd fiolegol.		
Fel yn achos yr ymagwedd seicodynamig, gellir ystyried bod yr ymagwedd wybyddol yn rhyngweithiadol (h.y. mae'n ystyried ffactorau mewnol ac allanol wrth egluro ymddygiad).		
Mae'r ymagwedd wybyddol, fel yr ymagwedd fiolegol, yn nomothetig .		
Mae'r ymagwedd wybyddol yn fwy llwyddiannus fel therapi o'i chymharu â'r ymagweddau eraill.		
Yn wahanol i'r ymagweddau ymddygiadol a seicodynamig, mae'r ymagwedd wybyddol yn defnyddio dulliau nomothetig **ac** idiograffig.		

Cymharwch eich atebion â rhai eich cyd-ddisgyblion. Oedd gennych chi'r un syniadau?

Defnyddio dulliau idiograffig
Ymchwiliwch i achos Clive Wearing (gallwch ei weld ar YouTube). Caiff yr achos hwn o niwed i'r ymennydd ei ddefnyddio'n aml i ddarlunio defnyddio'r dull **astudiaethau achos** (gweler tudalen 139) mewn seicoleg wybyddol ac, yn benodol, i gael gwybod rhagor am y ffordd y mae'n cof ni'n gweithio.

Mae astudiaethau achos yn rhan o'r ymagwedd idiograffig at astudio ymddygiad.

Gan ddefnyddio'ch ymchwil i'r achos hwn, rhestrwch gynifer ag y gallwch chi o fanteision ac anfanteision defnyddio'r ymagwedd idiograffig mewn seicoleg wybyddol.

Cwestiynau arholiad ac atebion

CWESTIWN YNGHYLCH TYSTIOLAETH GLASUROL

Disgrifiwch ganfyddiadau ymchwil Loftus a Palmer (1974)
'Ail-lunio dinistrio ceir: enghraifft o'r rhyngweithio rhwng iaith a'r cof'. [6]

Cynllun marcio ar gyfer y cwestiwn yma

Marc	Disgrifiad
5–6	Rhoddir canfyddiadau'r **ddau** arbrawf. Ni fydd yr **un** gwall mawr ond hyd at **ddau** wall bach.
4	Rhoddir canfyddiadau'r ddau arbrawf. Mae **un** gwall mawr a hyd at **ddau** wall bach.
3	Rhoddir canfyddiadau cywir **un** o'r arbrofion NEU rhoddir canfyddiadau o'r **ddau** arbrawf ond mae **dau** wall mawr a hyd at **ddau** wall bach.
1–2	Rhoddir y canfyddiadau o **un** arbrawf yn unig. Mae gwallau **mawr** ym mhob rhan o'r ateb.
0	Ateb **amhriodol / dim ymateb**

Ateb Bob

Yn Arbrawf 1 gwelodd Loftus a Palmer mai cymedr yr amcangyfrifon ar gyfer pob cyflwr oedd:

- Smashed = 40.8 mya
- Collided = 39.3 mya
- Hit = 38.1 mya
- Bashed = 34.0 mya
- Contacted = 31.8 mya

Yn Arbrawf 2 gwelson nhw fod y cyfranwyr yn rhoi amcangyfrifon uwch o gyflymder yn y cyflwr 'smashed'. Dyma welson nhw hefyd ymhen wythnos:

- Dywedodd 6 o'r 50 o gyfranwyr iddyn nhw weld gwydr wedi'i dorri pan oedd y ferf 'smashed' wedi'i defnyddio yr wythnos cynt.
- Dywedodd 7 o'r 50 o gyfranwyr iddyn nhw weld gwydr wedi'i dorri pan oedd y ferf 'hit' wedi'i defnyddio yr wythnos cynt.
- Dywedodd 6 o'r 50 o gyfranwyr iddyn nhw weld gwydr wedi'i dorri pan na ofynnwyd unrhyw gwestiwn yr wythnos cynt.

Ar sail y canfyddiadau hynny, daeth Loftus a Palmer i'r casgliad y gall cwestiynau arweiniol newid neu aflunio atgofion pobl o ddigwyddiad. 146 gair

> Mae Bob wedi cyflwyno'i ateb ar ffurf rhestr/tabl. Cam priodol, a strategaeth ddefnyddiol wrth ateb y math hwn o gwestiwn.

> Mae gan Bob amryw o fân wallau – beth ydyn nhw?

Ateb Megan

Dangosodd Loftus a Palmer fideo o ddamwain car i 45 o gyfranwyr a gofyn iddyn nhw amcangyfrif cyflymder gwrthdrawiad y ceir.

Rhannwyd y 45 yn 5 grŵp a defnyddiwyd berf wahanol wrth ofyn y cwestiwn i bob grŵp.

Gofynnwyd i Grŵp 1 'How fast were the cars going when they smashed into each other?' '40 mya' dywedodd y cyfranwyr.

Gofynnwyd i Grŵp 2 'How fast were the cars going when they collided?' '39.3 mya' ddywedon nhw. Gofynnwyd i Grŵp 3 'How fast were the cars going when they bumped into each other?' '38 mya' ddywedon nhw. Gofynnwyd i Grŵp 4 'How fast were the cars going when they hit each other?' '34 mya' ddywedon nhw. Gofynnwyd i'r grŵp olaf 'How fast were the cars going when they made contact?' '31 mya' ddywedon nhw.

Mewn astudiaeth ddilynol dangoswyd fideo i'r cyfranwyr unwaith eto a'u rhannu'n 3 grŵp. Gofynnwyd iddyn nhw amcangyfrif y cyflymder ac yna ddod yn ôl ymhen wythnos i ateb cwestiynau am yr hyn roedden nhw wedi'i weld.

Gofynnwyd i'r 3 grŵp gwestiwn hollbwysig ynghylch a oedden nhw wedi gweld gwydr wedi'i dorri. Grŵp 1 oedd y cyflwr 'smashed', a gwelodd 25 o'r 50 ohonyn nhw wydr wedi torri. Grŵp 2 oedd y cyflwr 'hit' a dim ond 2 o'r 50 a welodd wydr wedi torri. Grŵp rheolydd oedd Grŵp 3 a doedden nhw ddim wedi cael cais i amcangyfrif y cyflymder yr wythnos cynt. Un o'r 50 a welodd wydr wedi torri.

Hwnnw oedd y canfyddiad a barodd y syndod mwyaf.
253 gair

> Mae Megan wedi cynnwys elfennau o'r dulliau gweithredu – ni chaiff gredyd am hynny.

> Mae canfyddiadau Megan yn llai penodol na rhai Bob a does dim un o'r canfyddiadau a gynigir ar gyfer Arbrawf 2 yn gywir.

> Mae sylwadau a marciau'r arholwr ar dudalen 174.

GWAITH I CHI

Ystyriwch sylwadau'r arholwr yn y tabl isod a phenderfynwch a ydyn nhw'n ymwneud â Bob, Megan neu'r ddau ohonyn nhw.

Gwall mawr yn bresennol	Trafodwyd y canfyddiadau'n fanwl
Llai cywir a llai manwl.	Mae rhai canfyddiadau'n gywir a manwl iawn.
Ffordd ragorol o gyflwyno canfyddiadau'n gryno.	Mân wallau.
Ymdriniaeth briodol â'r ddau arbrawf.	Celfydd ei strwythur a hynod berthnasol.
Amherthnasol a heb fod yn haeddu credyd.	Ailadroddus a llai cryno.
Marc = 2/6	Marc = 4/6

CWESTIWN YNGLŶN Â'R DDADL

'Am na allwch chi ddibynnu llawer ar dystiolaeth llygad-dystion, ni ddylid cael neb yn euog os tystiolaeth llygad-dyst yw'r unig dystiolaeth'.

Gan ddefnyddio'ch gwybodaeth o seicoleg, trafodwch i ba raddau y cytunwch chi â'r gosodiad hwn. [20]

Ateb Megan

Tua 1980, cafwyd Ronald Cotton yn euog o dreisio Jennifer Thompson. Fe'i cafwyd yn euog ar sail tystiolaeth Jennifer fel llygad-dyst, ond flynyddoedd lawer yn ddiweddarach fe wrthbrofwyd ei thystiolaeth, a dangos ei bod hi'n anghywir ac yn annibynadwy. Canlyniad hyn oedd i Ronald dreulio dros ddeg mlynedd yn y carchar tra oedd y gwir dreisiwr yn rhydd i gyflawni troseddau pellach. Oherwydd achosion o'r fath, dydw i ddim yn credu y dylid defnyddio tystiolaeth llygad-dystion mewn achosion llys am na allwch chi ymddiried ynddi.

Ar ôl bod yn dyst i drosedd, cewch chi lawer o wybodaeth-wedi'r-digwyddiad, e.e. drwy adroddiadau newyddion, trin a thrafod gyda'ch teulu a'ch cyfeillion, cwestiynau'r heddlu ac, yn y diwedd, y cwestiynau gewch chi yn y llys. Gall hynny amharu'n fawr ar gywirdeb eich cof. Mae Loftus wedi gwneud llawer o ymchwil i hynny ac wedi profi'n wyddonol y gallwch chi newid atgof rhywun, e.e. o ddamwain traffig. Gwnaeth Loftus hynny drwy ddefnyddio cwestiynau arweiniol lle bu cyfranwyr yn gwylio pwt o ffilm o ddamwain car cyn cael eu holi fel hyn: 'Did you see a broken headlight?'. Dywedodd 7% iddyn nhw weld un ond pan ofynnwyd 'Did you see the broken headlight?', dywedodd 17% iddyn nhw weld un. Gwahaniaeth cynnil iawn yw hwnnw – 'a' neu 'the' yn yr holi-wedi'r-digwyddiad ond mae'r gwahaniaeth yn yr atgofion yn syfrdanol. Mae'r astudiaeth hon yn dangos yn glir pa mor hawdd yw hi i newid atgof rhywun am ddigwyddiad, a gallai hynny ddigwydd pan fydd yr heddlu yn eich holi chi. Petaen nhw'n gwneud hynny, fyddai'ch tystiolaeth chi ddim yn gywir a gallai'r rheithgor gael y cyhuddedig yn euog ar gam.

Bydd plant hefyd yn dystion i droseddau ac mae'n gwbl amlwg y gall eu hatgof beidio â bod yn gwbl gywir. Mae plant yn fwy agored i ffantaseiddio ac i bwysau gan bobl eraill i ddweud y peth 'iawn'. Dangosodd ymchwil Pozzula (1998) fod plant yn debycach o roi ateb anghywir am eu bod yn teimlo bod yn rhaid iddyn nhw roi ateb. Ni ddylid ymddiried ynddyn nhw.

Byddai Freud yn awgrymu bod dioddef trosedd neu hyd yn oed wylio trosedd dreisiol yn ddigwyddiad a barai ofid trawmatig. Awgrymodd fod hynny'n debyg o wthio'r wybodaeth yn ddwfn i'r meddwl anymwybodol lle na allwn ni fod yn ymwybodol ohoni ac na all hi, felly, roi pwysau arnon ni nac achosi gorbryder. Yn aml, yr unig ffordd o'i hadalw yw cael rhywbeth fel hypnosis. O ganlyniad, gall unrhyw wybodaeth y gwnewch ei hadalw beidio â bod yn ddibynadwy.

Yn olaf, y rheswm terfynol pam y mae tystiolaeth llygad-dystion yn annibynadwy yw rhywbeth o'r enw 'cof ailadeiladol'. Mae cof ailadeiladol yn golygu defnyddio'r holl wybodaeth sydd gennych chi, e.e. sgemâu i'ch helpu chi i wneud synnwyr o'r byd o'ch cwmpas. Sgemâu yw pecynnau o wybodaeth y byddwn ni'n cadw yn ein cof ynghylch gwrthrychau, digwyddiadau ac ati. Byddan nhw'n ein helpu ni i brosesu gwybodaeth yn gyflym a byddwn ni'n dibynnu llawer arnyn nhw. Gwaetha'r modd, gall ein sgemâu ni aflunio'n hatgof o ddigwyddiad. Er enghraifft, gall sgema'r mwyafrif o bobl o droseddwr ddeillio o'u disgwyliadau ar sail gweld ffilmiau ac adroddiadau newyddion a chlywed am brofiadau pobl eraill a datblygu sgema ar sail y wybodaeth honno. Petaech chi wedyn yn dioddef trosedd, byddech chi'n galw ar eich sgema i'ch helpu i lenwi unrhyw fwlch ac i ddeall yr hyn oedd wedi digwydd i chi. Byddai hynny'n golygu nad ydych chi'n adalw'n union yr hyn ddigwyddodd ond, yn hytrach, yn adalw manylion y sgema. Profodd ymchwilydd hynny gyda'i astudiaeth o'r dyn da/dyn drwg pan ddefnyddiodd ef ryw 250 o fyfyrwyr a dangos iddyn nhw 30 fideo o wrywod nad oedden nhw'n eu hadnabod. Yna, bu'n rhaid i'r myfyrwyr gategoreiddio'r gwrywod yn ddynion da neu'n ddynion drwg. Mae'r lefel uchel o gytundeb a gafwyd yn dystiolaeth bod gan bobl sgemâu tebyg iawn ar gyfer y dyn da a'r dyn drwg.

Rwy'n credu bod y dystiolaeth rwyf wedi'i chyflwyno yn dangos na ddylen ni ymddiried mewn tystiolaeth llygad-dystion mewn llys. Mae diffygion amlwg ynddi ac mae angen i seicolegwyr wneud rhagor o ymchwil i lwyr ddeall y rhesymau yn ogystal ag i astudio'r canlyniadau y gall tystiolaeth anghywir gan lygad-dystion arwain atyn nhw. Gall tystiolaeth annibynadwy gan lygad-dystion gostio'n ddrud o ran ail-dreialon a thalu iawndal, yn ogystal ag i gymdeithas drwyddi draw, am fod pob un a geir yn euog ar gam yn golygu bod y gwir droseddwr yn rhydd i droseddu eto, fel y dywedais ynghylch Ronald Cotton a Jennifer Thompson.

758 gair

Cynllun marcio ar gyfer y cwestiwn yma

Marc	AA1	AA3
10	Mae'r enghreifftiau o ymchwil/damcaniaeth wedi'u dewis yn gelfydd i ategu'r pwyntiau a wneir. **Dyfnder** ac **ystod** i'r deunydd a gynhwyswyd. Defnydd effeithiol o dermau.	**Dadansoddiad soffistigedig** a **chroyw** o'r ddadl. **Dadleuon cytbwys** a sylwebaeth werthusol. Strwythur rhagorol. Daethpwyd i **gasgliad priodol**.
7–9	Cyflwynir enghreifftiau priodol o ymchwil/damcaniaeth i ategu'r pwyntiau a wneir. Ceir **dyfnder** ac **ystod** i'r deunydd ond nid i'r un graddau. Defnydd da o dermau.	**Dadansoddiad da** o'r ddadl. Ategir y dadleuon yn gelfydd a **chytbwys**. Mae'n amlwg bod y sylwebaeth werthusol yn berthnasol i'r cyd-destun. Strwythur rhesymegol a **chasgliad priodol**.
4–6	Gall yr enghreifftiau beidio â bod yn briodol bob tro. **Dyfnder neu ystod** y deunydd. Rhai gwallau.	**Dadansoddiad rhesymol** o'r ddadl. Gall y dadleuon fod yn **unochrog** ac mae'r sylwebaeth werthusol yn generig a heb ei chyd-destunoli. Strwythur rhesymol ond **dim casgliad** na gosodiad generig.
1–3	**Nid yw'r** enghreifftiau yn **berthnasol**. Y manylion yn **ddryslyd/anghywir**.	Sylwebaeth sy'n **debyg i restr** ac mae'r ateb yn brin o eglurder. **Dim casgliad**.
0	**Dim ymateb** / ymateb **amhriodol**	**Dim ymateb** / ymateb **amhriodol**

GWAITH I CHI

Pa farc a roddech chi i Megan? Defnyddiwch y cwestiynau isod i'ch helpu i benderfynu.

Cyngor: Gallech fynd drwy'r ateb ag uwcholeuydd ac uwcholeuo'r casgliadau a'r ymchwil/damcaniaethau a gynigir – bydd hynny'n eich helpu chi i roi'ch sylwadau a rhoi marc terfynol.

Casgliadau o'r ymchwil – ydy Megan wedi egluro'r hyn y mae'r ymchwil yn ei awgrymu ynghylch pa mor ddibynadwy yw tystiolaeth llygad-dystion?

Ystod yr ymchwil/y damcaniaethau a drafodwyd – ydy Megan wedi defnyddio ystod (tri darn neu ragor) o'r ymchwil a'r damcaniaethau?

Ansawdd y dadleuon a gyflwynwyd – ydy Megan wedi cyflwyno dadleuon cytbwys ac wedi ystyried y gall tystiolaeth llygad-dystion fod, neu beidio â bod, yn annibynadwy?

Defnyddio termau – ydy Megan wedi defnyddio termau seicoleg yn gelfydd?

Casgliad cyffredinol – ydy Megan wedi tynnu casgliad ystyrlon ar sail y dystiolaeth y mae hi wedi'i chyflwyno ynghylch ymddiried, neu beidio, yn nhystiolaeth llygad-dystion?

Cydbwysedd y sgiliau – ydy Megan wedi cael yr un faint o AA1 ac AA3 yn ei hateb?

Mae ateb gan Bob ar dudalen 174 a gallwch chi hefyd ei farcio.

Mae sylwadau a marciau'r arholwr ar dudalen 174.

Pennod 5
Yr ymagwedd bositif

MANYLEB

Ymagwedd	Tybiaethau ac ymddygiad i'w egluro (yn cynnwys)	Therapi (un i bob ymagwedd)	Ymchwil clasurol	Dadl gyfoes
Positif	• cydnabod ewyllys rydd • dilysrwydd daioni a rhagoriaeth • canolbwyntio ar 'y bywyd da' Bydd disgwyl i ddysgwyr gymhwyso un o'r tybiaethau at ffurfio perthynas	meddylgarwch NEU therapi ansawdd bywyd	Myers, D.G. a Diener, E. (1995) Who is happy? *Psychological Science, 6(1)*, 10–17.	perthnasedd seicoleg bositif yn y gymdeithas sydd ohoni

CYNNWYS Y BENNOD

Nodwch dri pheth sydd wedi'ch gwneud chi'n hapus yn ystod y 24 awr ddiwethaf.

Cymharwch eich tri phrofiad â phrofiadau'r bobl sy'n eistedd o'ch amgylch.

Sut deimlad oedd sôn am y pethau a'ch gwnaeth chi'n hapus?

Wnaeth sôn am y pethau a'ch gwnaeth chi'n hapus eich gwneud chi'n hapus?

Tybiaethau'r ymagwedd bositif

Tua diwedd yr 20fed ganrif y cafodd yr **ymagwedd bositif** mewn seicoleg ei chyflwyno'n swyddogol gan Martin Seligman ac mae hi'n canolbwyntio'n bennaf ar yr agweddau cadarnhaol neu bositif ar y natur ddynol – y nodweddion da sydd gan bobl a ffyrdd o'u meithrin. Seilir ymagwedd seicoleg bositif at ddeall ymddygiad pobl ar y gred bod pobl yn awyddus i gyfoethogi a chynyddu ystyr eu bywydau, a chodi eu lefelau o hapusrwydd er mwyn teimlo'n fwy bodlon. Barn llawer ymchwilydd yw bod seicoleg fel disgyblaeth wedi canolbwyntio gormod ar batholeg, sef deall salwch meddwl, a bod angen 'shifft' er mwyn deall sut y gall pobl ffynnu fel unigolion.

TYBIAETH 1: CYDNABOD EWYLLYS RYDD

Mae'r ymagwedd bositif yn credu bod gan fodau dynol reolaeth dros eu hemosiynau a bod ganddyn nhw'r **ewyllys rydd** i newid y ffordd y maen nhw'n cyfeirio'u hemosiynau. Y dybiaeth yw ein bod ni, fel bodau dynol, yn hunan-gyfeirio ac yn ymaddasu ac y gallwn gael bywyd da os defnyddiwn ni'n cryfderau a'n rhinweddau i gyfoethogi'n bywydau. Yn ôl Seligman, nid o **enynnau** da neu lwc y bydd hapusrwydd yn deillio ond o adnabod ein cryfderau a gweithio i'w meithrin i wella'n bywydau a chwtogi cymaint â phosibl ar feddyliau negyddol.

Mae'r dybiaeth hon yn wahanol i rai ymagweddau eraill mewn seicoleg sydd wedi'u labelu'n rhai **penderfyniadol** mewn rhyw ffordd. Er enghraifft, mae'r **ymagwedd fiolegol** yn awgrymu mai'n ffurfiant ffisiolegol ni sy'n pennu'n meddyliau a'n teimladau, mae'r **ymagwedd seicodynamig** yn cynnig mai profiadau plentyndod sy'n pennu'n hymddygiad fel oedolion, ac mae'r **ymagwedd ymddygiadol** yn priodoli'n hymddygiad ni i ddylanwad ysgogiadau yn ein hamgylchedd.

Mae gwaith Ed Diener ar ymchwil i esbonio pam y mae pobl yn hapus yn cefnogi tybiaeth yr ewyllys rydd. Mae Diener wedi treulio llawer o amser yn ymchwilio i'r ffactorau sy'n cynyddu lles a hapusrwydd. Edrychodd ymchwil Diener a Seligman (2002) ar glymau myfyrwyr â'u cyfeillion a'u teuluoedd a mesur hynny yn nhermau faint o amser roedden nhw'n ei fuddsoddi yn y perthnasoedd hynny. Gwelodd yr ymchwilwyr fod y myfyrwyr â'r clymau cryfaf â'u cyfeillion a'u teuluoedd yn hapusach a hefyd fod **cydberthyniad negyddol** rhwng lefelau o hapusrwydd ac **iselder**. Mae hynny'n amlygu'r ffaith fod gennym ni reolaeth dros ein hapusrwydd am y gallwn ni ddewis ymroi i weithgareddau y gwyddon ni eu bod yn ein gwneud ni'n hapus ac yn lleddfu hwyliau isel.

TYBIAETH 2: DILYSRWYDD DAIONI A RHAGORIAETH

Mae'r dybiaeth hon yn datgan bod teimlo'n hapus a daionus mor naturiol â theimlo gorbryder a straen a bod angen i seicolegwyr, felly, neilltuo'r un faint o sylw i'r cyflyrau meddwl cadarnhaol hynny. Yn ôl Seligman (2002), rhwystr mewn ymchwil seicolegol fu'r gred bod nodweddion fel rhinwedd a hapusrwydd yn llai **dilys** na nodweddion a chyflyrau negyddol (e.e. gorbryder ac iselder).

Mae Seligman yn credu bod gennym ni nodweddion cynhenid, y mae'n eu galw'n 'signature strengths', fel caredigrwydd, haelioni a hiwmor. Mae angen i ni feithrin y cryfderau arbennig hynny i drawsffurfio'n bywydau.

Yn draddodiadol, mae seicoleg fel disgyblaeth wedi canolbwyntio ar anhwylderau (h.y. problemau iechyd meddwl) ac ar gyflyrau meddwl negyddol, a phrif nod yr ymagwedd bositif yw newid yr athroniaeth a'r ymarfer hwnnw drwy ganolbwyntio ar fawrygu'r pethau da mewn bywyd yn hytrach na chanolbwyntio ar y pethau gwaethaf.

Mae'r dybiaeth hon yn ddylanwadol mewn therapïau sydd wedi'u seilio ar yr ymagwedd bositif. Yn hytrach na cheisio cywiro'r hyn sydd o'i le, rôl y therapydd positif yw hwyluso lles cadarnhaol y cleient a helpu i sicrhau hunangyflawniad. Mae'r ymagwedd yn cynnig ffordd wahanol o leddfu salwch meddwl fel iselder ac mae modd ei chyflawni drwy ganolbwyntio ar nodweddion sy'n cynhyrchu daioni a rhagoriaeth yn yr unigolyn (e.e. ymddygiad anhunanol a/neu gymwyseddau'r unigolyn) a helpu pobl i ddeall bod modd meithrin rhagor ar y nodweddion naturiol a gwerthfawr hynny.

Mae'r ymagwedd bositif yn credu y bydd deall hynny'n helpu i rwystro'r unigolyn rhag cael problemau iechyd meddwl yn y dyfodol, yn ogystal â bod yn bwysig ynddo'i hun.

TYBIAETH 3: CANOLBWYNTIO AR 'Y BYWYD DA'

Un o brif ganolbwyntiau seicoleg bositif yw'r un ar y bywyd da, h.y. y ffactorau sy'n cyfrannu'n bennaf at fywyd sydd wedi cael ei fyw'n dda. Mae Seligman (2003) yn gwahaniaethu rhwng tri bywyd y dymunir eu cael:

- Y bywyd dymunol – daw hapusrwydd o fynd ar drywydd emosiynau cadarnhaol mewn perthynas â ddoe, heddiw ac yfory.
- Y bywyd da – daw hapusrwydd o fynd ar drywydd gweithgareddau y byddwn ni'n ymgolli'n llwyr ac yn gadarnhaol ynddyn nhw.
- Y bywyd ystyrlon – daw hapusrwydd o ymwybyddiaeth ddofn o hunangyflawni drwy fyw at ddiben sy'n llawer mwy na chi'ch hun.

Man cychwyn yw'r bywyd dymunol. Y cam nesaf yw'r bywyd da lle cewch chi hapusrwydd, perthnasoedd da a gwaith. Ond mae Seligman yn annog pobl i fynd ymhellach na'r 'bywyd da' a chwilio am fywyd ystyrlon yn eu hymgais barhaus i sicrhau hapusrwydd.

I gyrraedd y bywyd da, mae angen i ni feithrin ein cryfderau a'n rhinweddau (e.e. doethineb a gwybodaeth, dewrder, ysbrydolrwydd, cariad) am mai'r rheiny yw'r llwybrau naturiol at foddhad a'r rhai sy'n ein helpu ni i weithredu yn wyneb adfyd. Awgrym Seligman yw bod y bywyd da yn gyfuniad o dair elfen:

1. Cysylltiad cadarnhaol â phobl eraill – mae hynny'n cwmpasu'n gallu ni i garu, ymddiried, mwynhau hapusrwydd, maddau a meithrin cysylltiadau ysbrydol â ni'n hunain a phobl eraill.
2. Nodweddion unigol cadarnhaol – gall y rheiny gynnwys nodweddion personol fel didwylledd, moesoldeb, creadigrwydd, dewrder a gostyngeiddrwydd.
3. Nodweddion rheoli bywyd – dyma'r nodweddion y mae angen i ni eu meithrin i reoli a monitro'n hymddygiad er mwyn cyrraedd ein nodau. Gallan nhw gynnwys ymwybyddiaeth o annibyniaeth, ffydd yn ein penderfyniadau, a doethineb i lywio'n hymddygiad.

EGLURHAD POSITIF AM FFURFIO PERTHNASOEDD

Yn ôl yr ymagwedd bositif, bydd perthnasoedd positif yn cyfrannu at les iach – lles sy'n cynnwys cyfeillgarwch, perthnasoedd â'r teulu yn ogystal â pherthnasoedd rhamantus. Gan fod seicoleg bositif yn canolbwyntio'n bendant ar y cyflyrau lle bydd hapusrwydd yn ffynnu, mae pwnc perthnasoedd o'r pwys pennaf.

Dilysrwydd daioni a rhagoriaeth

I seicolegwyr positif, teimladau dilys yw cariad, caredigrwydd, haelioni a maddeuant a nodweddion positif eraill, a gall hynny esbonio pam y caiff perthnasoedd eu ffurfio. Mae cychwyn a chynnal perthynas yn fodd i unigolion feithrin a mynegi beth oedd Seligman yn eu galw 'signature strengths'. Yn eu tro, bydd unigolion yn ceisio sicrhau bywyd hapusach a mwy bodlon lle mae modd iddyn nhw feithrin y nodweddion hynny (e.e. ymarfer haelioni, caredigrwydd a maddeuant) drwy eu perthnasoedd. Yn ôl yr ymagwedd bositif, rydyn ni wedi'n rhaglennu'n gymdeithasol i weithio'n galed i gychwyn a meithrin perthnasoedd â phobl eraill. Yn eu tro, bydd y perthnasoedd hynny, os ydyn nhw'n rhai positif, yn cyfrannu'n sylweddol at ein hapusrwydd.

Y bywyd da

Byddai seicoleg bositif yn dadlau ein bod ni fel unigolion yn ymdrechu i sicrhau 'bywyd da' lle cawn hapusrwydd, perthnasoedd da a gwaith. Awgrym Seligman yw mai elfen mewn bywyd da yw 'cysylltiad positif â phobl eraill', a gall hynny esbonio ffurfio perthnasoedd. Mae 'cysylltiad positif â phobl eraill' yn cwmpasu'n gallu ni i garu, ymddiried, mwynhau hapusrwydd a maddau, ac mae'r rheiny i gyd yn hanfodol wrth ffurfio a chynnal perthnasoedd iach.

I Seligman, daw hapusrwydd a'r bywyd da o fynd ar drywydd y gweithgareddau y byddwn ni'n ymgolli'n llwyr ynddyn nhw. I lawer o bobl, bydd perthnasoedd cymdeithasol a rhamantus, yn ogystal â pherthnasoedd â'u teuluoedd, yn helpu i gyflawni hynny. Er enghraifft, bydd llawer o bobl yn ymserchu'n llwyr yn yr unigolyn arall ar ddechrau perthynas ramantus. Gall yr ymgolli hwnnw a'r ymroi i'r berthynas beri iddyn nhw deimlo'u bod yn byw'r bywyd da!

Mae ymchwil sy'n dangos bod pobl mewn perthynas yn hapusach na'r rhai sydd heb fod felly yn ategu'r syniad hwnnw, a honiad rhai seicolegwyr yw mai priodas yw'r dangosydd unigol mwyaf dibynadwy o hapusrwydd. Yn wir, dangosodd ymchwil y Pew Research Center yn 2005 fod 43% o'r ymatebwyr priod yn 'hapus iawn' o'i gymharu â 24% o ymatebwyr dibriod.

Enghraifft: Egluro ffurfio cyfeillgarwch

Fel bodau dynol, byddwn ni'n chwilio am gyfeillgarwch am amryw o resymau. Yn gyntaf, bydd cyfeillgarwch yn hybu mynegi llu o emosiynau dilys fel caredigrwydd, haelioni ac allgaredd gan y naill ochr a'r llall.

Yn ail, bydd y budd a gawn o gyfeillgarwch yn gymorth wrth wynebu heriau anodd bywyd ac yn helpu i atal datblygiad cyflyrau negyddol fel iselder a gorbryder.

Yn olaf, cyfeillgarwch, i seicoleg bositif, yw un o elfennau allweddol hapusrwydd. Bydd defnyddio'n cryfderau arbennig ni i hybu cyfeillgarwch defnyddiol ac anhunanol yn sicrhau lles corfforol, emosiynol a meddyliol. Gan amlaf, bydd pobl yn teimlo'n hapusach wrth gyflawni gweithgareddau sy'n meithrin eu cysylltiad â chyfaill (Howell ac eraill, 2009).

GWAITH I CHI

Rydyn ni wedi cymhwyso esboniadau positif o berthnasoedd at gyfeillgarwch, sef un yn unig o'r enghreifftiau yn y fanyleb.

Ceisiwch wneud yr un peth yn achos rhai o'r enghreifftiau eraill yn y fanyleb: brodyr a chwiorydd, mam a phlentyn, perchennog anifail anwes, a phartneriaid rhamantus. Ceisiwch gynnig eglurhad gwahanol bob tro.

Edrychwch ar y blog hwn ynglŷn â'r ymagwedd hapusrwydd:
www.blogpsicopositiva.com/en

DYMA'R YMCHWILYDD

Athro ym Mhrifysgol Pennsylvania yw **Martin Seligman** (1942–). Canolbwyntiodd ei ymchwil cynnar mewn seicoleg ar wahanol fathau o ddysgu. Gallwch ddarllen am ei ymchwil i barodrwydd biolegol ar dudalen 55. Mae honno'n ffordd o esbonio'r dysgu cyflym sy'n digwydd ar rai adegau, fel dysgu'r cysylltiad rhwng Pernod a chyfog ar ôl cael profiad gwael ohono.

Gwnaeth ef ymchwil hefyd i ddiymadferthedd sydd wedi'i ddysgu, syndrom sy'n datblygu pan fydd unigolion yn teimlo'n gyson na allan nhw reoli'r digwyddiadau yn eu bywydau ac un sy'n arwain at deimlo'n ddiymadferth yn barhaol ac, yn y pen draw, at iselder. Mae'r ymagwedd honno'n gysylltiedig â'r darlun gwybyddol o iselder (gweler tudalennau 72 a 74).

Yn y 1980au roedd ar flaen y gad ym mudiad newydd Seicoleg Bositif a chafodd ei alw'n 'dad' y mudiad. Gwrandewch arno ar *www.ted.com*.

GWAITH I CHI

Cymerwch y prawf hapusrwydd yn:
http://psychologytoday.tests.psychtests.com/take_test.php?idRegTest=1320
Pa feysydd y mae angen i chi weithio arnyn nhw i'ch gwneud chi'n hapusach?

CORNEL ARHOLIAD

Yn achos pob tybiaeth a enwyd yn y fanyleb bydd angen i chi allu:
- Amlinellu'r dybiaeth.
- Ymhelaethu'n llawn ar y dybiaeth a thynnu ar enghreifftiau ohoni ym myd seicoleg.

Mae angen i chi hefyd allu:
- Defnyddio o leiaf **un** dybiaeth sy'n esbonio ffurfio **un** berthynas.

Cwestiynau arholiad posibl:
1. Disgrifiwch **ddwy** o dybiaethau'r ymagwedd bositif. [8]
2. Esboniwch y dybiaeth bositif ynghylch 'dilysrwydd daioni a rhagoriaeth'. [3]
3. Disgrifiwch ffurfio perthnasoedd gan ddefnyddio **un neu ragor** o dybiaethau'r ymagwedd bositif. [6]

▲ Gall gweithred gadarnhaol gan gyfaill, fel cwtsh, wneud i chi deimlo'n well!

Therapi 1: Meddylgarwch ('Mindfulness')

Byddwch chi'n astudio un therapi positif yn unig fel rhan o'ch cwrs – meddylgarwch NEU QoLT

GOFYNION Y FANYLEB

Ar gyfer pob ymagwedd bydd angen:

- **Gwybod a deall sut mae defnyddio'r ymagwedd mewn therapi (un therapi i bob ymagwedd).**
- **Gwybod a deall prif gydrannau (egwyddorion) y therapi.**
- **Gwerthuso'r therapi (gan gynnwys ei effeithiolrwydd ac ystyriaethau moesegol).**

Canolbwyntio ar astudio pynciau fel hapusrwydd, optimistiaeth a lles goddrychol (canfyddedig) wna'r **ymagwedd bositif**. Mae'n ymwneud â thri mater, sef emosiynau positif, nodweddion positif yr unigolyn a sefydliadau positif. Yn wahanol i ymagweddau seicolegol eraill, nid yw'n canolbwyntio ar gynnig esboniadau neu driniaeth am salwch seicolegol ond, yn hytrach, mae'n mawrygu hapusrwydd a boddhad drwy feithrin nodweddion positif naturiol a lles cyffredinol yr unigolyn.

SUT MAE TYBIAETHAU POSITIF YN GYMWYS I FEDDYLGARWCH

Nod cyffredinol yr ymagwedd bositif mewn seicoleg yw helpu pobl i ffynnu, a dyna lle mae'n cyd-fynd â nodau hyfforddiant **meddylgarwch**. Bydd meddylgarwch yn meithrin nodweddion dynol sy'n ganolog i seicoleg bositif, gan gynnwys cryfderau a rhinweddau creiddiol cymeriad yr unigolyn, a lles seicolegol.

Un o dybiaethau'r ymagwedd bositif yw bod nodweddion dynol positif mor ddilys â'r rhai negyddol (tybiaeth **dilysrwydd** daioni a rhagoriaeth) a bod unigolion yn ymdrechu i ymgyflawni mwy mewn bywyd drwy feithrin eu cryfderau a'u rhinweddau naturiol. Yn unol â hynny, nod meddylgarwch yw cyfoethogi nodweddion positif yr unigolyn (e.e. optimistiaeth) drwy 'ddulliau seiliedig-ar-dderbyn' sy'n annog yr unigolyn i feithrin rhinweddau creiddiol fel diolchgarwch a hyblygrwydd yn ogystal ag optimistiaeth.

Tybiaeth arall yr ymagwedd bositif yw cydnabod **ewyllys rydd**. Elfen ganolog wrth ymarfer meddylgarwch yw bod yn ymwybodol o'ch meddyliau a'ch teimladau presennol, ac mae hynny'n golygu rheoli'ch sylw. Mae meddylgarwch, felly, yn cryfhau hunanreoleiddio ac yn annog pobl i fagu rheolaeth dros eu meddyliau a'u hemosiynau er mwyn esgor ar agwedd fwy cynhyrchiol tuag atyn nhw a rheoli faint o amser y maen nhw'n ei dreulio'n meddwl yn negyddol. Mae'r therapi hwn, sy'n seiliedig ar ewyllys rhydd, yn unol â'r ymagwedd bositif am fod cymryd rheolaeth dros ein teimladau ni'n ganolog i gynyddu'r boddhad a gawn ni o'n bywyd.

PRIF ELFENNAU (EGWYDDORION) MEDDYLGARWCH

Mewn arferion Bwdhaidd hynafol y mae gwreiddiau meddylgarwch. Mae'n ffordd o addysgu pobl i reoli eu meddwl eu hunain drwy roi sylw i'w meddyliau presennol a chynyddu eu hymwybyddiaeth ohonyn nhw. Er y gall meddylgarwch ymddangos fel petai'n beth amlwg, mae'n groes i'n harferion meddwl am fod ein meddwl ni fel rheol yn gweithio'n awtomatig ac yn canolbwyntio ar ddoe neu yfory.

Magu rheolaeth dros feddyliau

Mae meddylgarwch yn ein hyfforddi ni i ganolbwyntio ar ein meddyliau, ein hemosiynau a'n teimladau presennol. Fel rheol, bydd ein meddyliau'n canolbwyntio gormod ar y gorffennol (yn mynd dros hen deimladau) neu'n rhy brysur yn ystyried y dyfodol (yn poeni'n ddiangen). Mae meddylgarwch yn ein haddysgu ni i hoelio'n sylw ar y presennol, i fod yn ymwybodol o bob meddwl a theimlad sy'n codi, a hefyd i'w derbyn. Nod canolbwyntio ar y presennol yw magu ymwybyddiaeth helaethach o feddyliau di-fudd neu negyddol – sydd yn aml yn tra-arglwyddiaethu arnon ni – er mwyn i ni allu sicrhau rheolaeth drostyn nhw a threulio llai o amser yn delio â nhw.

Am fod meddyliau awtomatig negyddol yn gallu esgor ar orbryder ac **iselder**, bydd ymarfer meddylgarwch yn helpu unigolion i sylwi pryd y mae'r prosesau awtomatig hynny'n digwydd a newid eu hadwaith i fod yn un sy'n cynnwys mwy o fyfyrio.

Myfyrio ac anadlu'n feddylgar

Elfen ganolog mewn meddylgarwch yw myfyrio. Hyfforddiant ffurfiol eistedd a myfyrio yw'r ffordd fwyaf effeithiol o ddatblygu sgiliau meddylgarwch am fod hynny'n tynnu unigolion oddi wrth eu rhyngweithiadau beunyddiol â bywyd ac yn ei gwneud hi'n haws hoelio sylw'r meddwl. Fel rheol, caiff myfyrio'i ddysgu drwy gymysgedd o hyfforddiant dan gyfarwyddyd ac ymarfer personol. Bydd myfyrio dan gyfarwyddyd yn golygu cael cleientiaid i eistedd yn gyffyrddus, cadw eu meingefn yn syth a gofyn iddyn nhw gyfeirio'u sylw at eu hanadlu. Yna, fe gân nhw'u hannog i roi sylw i synwyriadau eu corff ac i'w meddyliau a'u hemosiynau. Mae hynny ynddo'i hun yn atal meddyliau negyddol a di-fudd rhag ymyrryd. Gan fod myfyrio'n helpu pobl i ailbrosesu eu profiadau mewnol, mae'n eu helpu i dderbyn mai byrhoedlog yw meddyliau (a'r emosiynau y maen nhw'n eu cyffroi) ac mai mynd a dod gwnân nhw. Bydd unigolion, felly, yn dysgu peidio ag ymateb yn awtomatig i'w meddyliau.

Arferion anffurfiol meddylgarwch

Ar ôl dysgu meddylgarwch, gallwn ei hymarfer drwy gydol ein bywyd beunyddiol, a hynny ymhlith gweithgareddau eraill fel gyrru, glanhau neu gael cawod. Ymarfer meddylgarwch yn anffurfiol yw'r gwrthwyneb i amldasgio – mae'n fater o benderfynu'n ymwybodol i hoelio'ch sylw ar un dasg yn unig. Mae ymarfer yn anffurfiol yn fater o gyfyngu'ch sylw i'r hyn sydd o'ch amgylch; er enghraifft, os ydych chi yn y gawod, sylwi ar synwyriadau'ch corff wrth i'r dŵr daro'ch croen, gwrando ar sŵn y dŵr sy'n disgyn, ac yn y blaen. Pan fydd sylw unigolion yn dechrau crwydro, dylen nhw ddod â'u sylw'n ôl at y synwyriadau hynny. Gall arferion anffurfiol o'r fath gael eu plethu i'n bywydau beunyddiol i roi egwyl i ni rhag ein prosesau meddwl arferol.

ANADLU'N OFALUS

Isod, cewch chi enghraifft o ffordd bosibl o anadlu'n ofalgar:

1. Eisteddwch yn gyffyrddus a chytbwys ar gadair neu ar y llawr mewn ystafell dawel.
2. Cadwch eich meingefn yn syth a chaewch eich llygaid.
3. Byddwch yn effro i synwyriadau'ch corff a'i symudiadau (e.e. anadlu ar lefel y fron a'r abdomen).
4. Daliwch i fod yn ymwybodol wrth anadlu i mewn ac allan o'r naill anadl i'r llall.
5. Gadewch i'r anadl lifo heb geisio'i newid na'i rheoli. Sylwch ar y synwyriadau sy'n digwydd gyda phob symudiad.
6. Cyn gynted ag y sylwch chi fod eich meddwl yn crwydro, ailganolbwyntiwch ar symudiadau'ch abdomen. Gwnewch hynny dro ar ôl tro.
7. Byddwch yn amyneddgar gyda chi'ch hun. Daw haul ar fryn.

CORNEL ARHOLIAD

Yn achos pob therapi, bydd angen i chi allu:

- Disgrifio sut y caiff tybiaethau'r ymagwedd eu cymhwyso yn y therapi.
- Disgrifio prif gydrannau (egwyddorion) y therapi.
- Gwerthuso pa mor effeithiol yw'r therapi.
- Gwerthuso'r therapi o ran ystyriaethau moesegol.

Cwestiynau arholiad posibl:

1. Disgrifiwch sut y caiff tybiaethau'r ymagwedd bositif eu cymhwyso mewn **un** therapi. [6]
2. Disgrifiwch brif gydrannau (egwyddorion) meddylgarwch. [12]
3. Gwerthuswch effeithiolrwydd meddylgarwch. [6]
4. Gwerthuswch meddylgarwch o ran materion moesegol. [6]

DYMA'R YMCHWILYDD

Athro Emeritws mewn Meddygaeth yw **Jon Kabat-Zinn** ac mae'n awdur ac yn athro myfyrio sydd wedi ymroi i ddod â meddylgarwch i brif ffrwd meddygaeth yn ogystal ag i gymdeithas. Ganed Kabat-Zinn yn 1944 ac astudiodd fioleg foleciwlaidd. Wrth iddo astudio, fe'i cyflwynwyd i gysyniadau meddylgarwch a myfyrio a throdd ganolbwynt ei ymchwil at y rhyngweithiadau hynny rhwng y meddwl a'r corff sy'n hybu iacháu.

Yn 1979 fe sefydlodd ef y Stress Reduction Clinic yn Ysgol Feddygol Prifysgol Massachusetts a chyfuno astudiaethau Bwdhaidd ynghylch meddylgarwch â lleddfu straen ac ymlacio i leddfu symptomau corfforol. Yr enw ar ei therapi yw *Lleddfu Straen drwy Feddylgarwch* (MBSR). Bellach, mae dros 250 o ganolfannau a chlinigau meddygol ledled y byd yn defnyddio model yr MBSR. Yn 1998, cafodd Kabat-Zinn Wobr Celfyddyd, Gwyddor ac Enaid Iacháu gan Ganolfan Feddygol California Pacific y Sefydliad Iechyd ac Iacháu.

GWERTHUSO: EFFEITHIOLRWYDD

Ei gydblethu â therapïau eraill

Fwy a mwy, caiff technegau ymarfer meddylgarwch eu hymgorffori mewn therapïau eraill fel **seicdreiddio** a **therapi ymddygiadol gwybyddol** (**CBT**), ac mae'n cynnig persbectif newydd a gwahanol mewn therapi. Er enghraifft, mae CBT sy'n seiliedig ar feddylgarwch (MCBT) yn ymagwedd therapïwtig pedwar-cam sy'n cydblethu meddylgarwch â CBT. Tra bo CBT traddodiadol yn ceisio addasu meddyliau a chredoau afrealistig pobl, bydd MCBT yn helpu i newid y broses o feddwl, nid dim ond *cynnwys* ein meddyliau. Dangosir felly bod meddylgarwch yn dechneg effeithiol.

Ei gymhwyso mewn Therapi Gwybyddol sy'n Seiliedig-ar-Feddylgarwch (MBCT)

Mae MBCT (*Mindfulness-Based Cognitive Therapy*) wedi'i ddefnyddio i helpu i rwystro cleifion sy'n dioddef yn fynych o iselder rhag ei ddioddef eto. Gwerthusodd Teasdale ac eraill (2000) effeithiolrwydd MBCT ymhlith 145 o gleifion a gâi iselder yn gyson. **Dyrannwyd** y cleifion **ar hap** i gael triniaeth fel arfer (TAU) neu TAU ac wyth dosbarth o MBCT. Aseswyd dychweliad/ailddigwyddiad **iselder mawr** dros gyfnod o 60 wythnos. Dywedodd Teasdale ac eraill fod MBCT yn cynnig y cymorth mwyaf i'r rhai a oedd wedi dioddef y nifer fwyaf o episodau blaenorol. Chafodd MBCT ddim effaith ar y rhai nad oedden nhw ond wedi cael dau episod o iselder yn y gorffennol, ond fe achosai ostyngiad sylweddol yn y perygl y byddai iselder yn digwydd eto yn y rhai a gawsai dri neu ragor o episodau blaenorol o iselder.

Ei gymhwyso mewn Lleddfu Straen Seiliedig-ar-Feddylgarwch (MBSR)

Mae MBSR (*Mindfulness-Based Stress Reduction*) wedi'i ddatblygu i'w ddefnyddio mewn ysbytai cyffredinol sydd â chleifion sy'n dioddef o gyflyrau a all fod yn boenus, yn gronig, yn peri anabledd neu'n derfynol (Kabat-Zinn, 1990). Yn ôl Reibel ac eraill (2001), llwyddodd MBSR i ostwng lefelau o orbryder ac iselder mewn 136 o gleifion a oedd wedi dilyn rhaglen o feddylgarwch a gynhwysai 20 munud o fyfyrio bob dydd am 8 wythnos. Gwelwyd y canlyniadau hynny hefyd flwyddyn yn ddiweddarach.

Meddylgarwch mewn grŵp v. meddylgarwch gan unigolyn

Yn achos rhai problemau seicolegol penodol, mae peth tystiolaeth yn awgrymu bod myfyrio mewn meddylgarwch yn fwy effeithiol o'i wneud mewn grŵp. Er enghraifft, ymchwiliodd Mantzios a Giannou (2014) i feddylgarwch mewn grwpiau ac mewn unigolion ymhlith cyfranwyr a oedd yn ceisio colli pwysau. Cafodd y 170 o gyfranwyr eu neilltuo ar hap i ymarfer myfyrio am chwe wythnos mewn grŵp neu i wneud hynny ar eu pennau eu hunain. Gwelodd yr ymchwilwyr fod y cyfranwyr yn y grŵp yn colli mwy o bwysau ac wedi gostwng eu lefelau o osgoi ymddygiadol-gwybyddol (e.e. osgoi gweithgareddau/gwahoddiadau cymdeithasol), a dod i'r casgliad bod angen edrych yn bwyllog ar fanteision myfyrio mewn meddylgarwch gan unigolion.

GWERTHUSO: YSTYRIAETHAU MOESEGOL

Ymagwedd 'bositif' at therapi

Yn wahanol i therapïau eraill (e.e. seicdreiddio), dyw meddylgarwch ddim yn golygu cloddio i'r gorffennol fel ffordd o geisio esbonio'r ymddygiad presennol. Mae hyn yn osgoi achosi gorbryder y cleient. Dyw meddylgarwch ddim yn cynnwys priodoli problemau heddiw i ddigwyddiadau ddoe; mae'r diffyg safbwynt **penderfyniadol** hwnnw'n hynod bositif i'r unigolyn. At hynny, dyw therapi meddylgarwch ddim yn canolbwyntio ar helpu i newid y broses o feddwl. Yn hytrach, mae'n hybu derbyn y broses o feddwl ac felly'n creu llai o rwystredigaeth i gleientiaid o'i gymharu â therapïau eraill fel CBT. Gall therapïau gwybodol beri i'r unigolion deimlo'n euog am eu prosesau meddwl, ond mae meddylgarwch yn addysgu cleientiaid i'w derbyn.

Meddylgarwch a moesoldeb

Mae'r rhai sy'n ymarfer meddylgarwch yn credu ei bod hi'n hanfodol wrth gynnal safonau moesol a **moesegol**. Addysgir meddylgarwch mewn sefydliadau i gynyddu sgiliau arwain am mai gwneud penderfyniadau sydd wrth galon yr ymarfer hwn.

Dangosodd Ruedy a Schweitzer (2010), er enghraifft, fod unigolion â meddylgarwch mawr yn llai tebyg o dwyllo wrth gyflawni tasg ac yn debycach o gynnal safonau moesegol (e.e. hunaniaeth foesol). Mewn gair, bydd gwella cyflwr ein meddwl drwy feddylgarwch yn peri i ni ddatblygu'n fwy moesol mewn llawer agwedd ar fywyd.

Cyngor arholiad ...

I ddangos eich bod chi'n deall effeithiolrwydd therapïau, dylech chi allu disgrifio'r trefniadau a/neu ddarganfyddiadau tystiolaeth yr ymchwil – ond yna, yn bwysicach na dim, ffurfio casgliadau ynglŷn â'r therapi.

GWAITH I CHI

Ydy myfyrio'n gwella eich gallu i ganolbwyntio? Rhannwch y dosbarth yn ei hanner. Rhowch 10 munud i'r naill hanner gyflawni'r ymarfer 'meddylgarwch ac anadlu' (ar y dudalen gyferbyn) ac anfonwch yr hanner arall allan o'r ystafell i sgwrsio. Ar ôl 10 munud, rhowch iddyn nhw i gyd dasg chwilio-geiriau i'w chwblhau ac amserwch faint y mae'n ei gymryd i bob unigolyn ei chwblhau. Gallwch chi ddefnyddio'r data i ddod o hyd i'r **cymedr/gwyriad safonol** a gweld a oes gwahaniaethau rhwng y grwpiau.

Therapi 2: Therapi Ansawdd Bywyd (QoLT)

Canolbwyntio ar astudio pynciau fel hapusrwydd, optimistiaeth a lles goddrychol (canfyddedig) wna'r **ymagwedd bositif**. Mae'n ymwneud â thri mater, sef emosiynau positif, nodweddion positif yr unigolyn a sefydliadau positif. Yn wahanol i ymagweddau seicolegol eraill, nid yw'n canolbwyntio ar gynnig esboniadau neu driniaeth am salwch seicolegol ond, yn hytrach, mae'n mawrygu hapusrwydd a boddhad drwy feithrin nodweddion positif naturiol a lles cyffredinol yr unigolyn.

Byddwch chi'n astudio un therapi positif yn unig fel rhan o'ch cwrs – meddylgarwch NEU QoLT

GOFYNION Y FANYLEB

Ar gyfer pob ymagwedd bydd angen:

- **Gwybod a deall sut mae defnyddio'r ymagwedd mewn therapi (un therapi i bob ymagwedd).**
- **Gwybod a deall prif gydrannau (egwyddorion) y therapi.**
- **Gwerthuso'r therapi (gan gynnwys ei effeithiolrwydd ac ystyriaethau moesegol).**

QoLI

Dyma'r 16 maes mewn bywyd y mae'r rhestr yn eu hasesu:

1. Iechyd
2. Hunan-barch
3. Nodau a gwerthoedd
4. Safonau byw economaidd
5. Boddhad o'ch gwaith
6. Chwarae, hamdden ac adloniant
7. Dysgu
8. Creadigrwydd
9. Cymorth a gweithredu sifig
10. Cariad
11. Cyfeillgarwch
12. Perthnasoedd â phlant
13. Perthnasoedd â pherthnasau
14. Y cartref
15. Perthnasoedd da â chymdogion
16. Y gymuned

▲ Rhowch y Tair Colofn gyda CASIO a QoLT, a dyna chi.

(colofnau: Teimlo cryfder · Ystyr mewn bywyd · Amser o ansawdd da)

Pennod 5 — Yr ymagwedd bositif

SUT MAE TYBIAETHAU POSITIF YN GYMWYS I QoLT

Yn unol â phrif dybiaethau'r ymagwedd bositif, mae QoLT yn canolbwyntio ar helpu unigolion i gael mwy o foddhad o'u bywydau drwy hybu eu **dilysrwydd**. Felly, cewch chi ganolbwynt canolog ar gynyddu hapusrwydd ac optimistiaeth (nodweddion naturiol) fel ffordd o wella ansawdd bywyd yr unigolyn gan arddel yr un nod â'r therapïau eraill, sef lleihau gorbryder a chamweithrediad.

Mae therapïau positif fel QoLT hefyd yn gweithio ar y dybiaeth waelodol bod gan fodau dynol yr **ewyllys rydd** i newid eu meddyliau, eu teimladau a'u hymddygiad. Mae hynny hefyd yn gysylltiedig â'r gred bod pobl â phroblemau iechyd meddwl yn aml yn teimlo nad oes ganddyn nhw ddim rheolaeth drostyn nhw'u hunain na'u tynged, ac mae'n dilyn felly fod eu helpu i adennill y teimlad o reolaeth yn golygu eu bod yn cael mwy o foddhad o fywyd. Cred yr ymagwedd bositif yw ein bod ni fel bodau dynol yn ein rheoleiddio'n hunain ac 'â gofal' am ein hapusrwydd am fod modd i ni feithrin ein cryfderau a'n rhinweddau unigryw i fyw bywyd cyfoethocach. Yn unol â hynny, mae QoLT yn addysgu cleientiaid bod hapusrwydd yn ddewis a bod gennym ni fel bodau dynol reolaeth dros ein hemosiynau. Ei nod sylfaenol yw helpu pobl i gynyddu eu hapusrwydd, a bydd hynny yn ei dro yn esgor ar well perthnasoedd, llwyddiant ac iechyd.

Yn unol ag un o dybiaethau eraill yr ymagwedd bositif, sef bod emosiynau positif yr un mor bwysig â rhai negyddol, mae QoLT yn annog cleientiaid i feithrin eu cryfderau a'u rhinweddau naturiol. Y gred yw y byddan nhw wedyn wedi'u harfogi'n well i ddelio â heriau bywyd yn hytrach na dim ond ymosod ar broblemau wrth iddyn nhw godi. Hynny yw, tybiaeth y therapi yw y gall emosiynau cadarnhaol naturiol gynnig gwydnwch a strategaethau ymdopi yn ystod cyfnodau anodd.

PRIF ELFENNAU (EGWYDDORION) THERAPI ANSAWDD BYWYD (QoLT)

Datblygodd Michael Frisch QoLT yn 2006 ac mae'n dadlau o blaid nod/persbectif bywyd-cyfan. Mae QoLT yn cyfuno egwyddorion a dynnwyd o **therapi ymddygiadol gwybyddol** Beck (gweler tudalen 72) ag egwyddorion seicoleg bositif, h.y. hybu hapusrwydd er mwyn i bobl fyw bywyd sy'n llawn boddhad a bodlonrwydd.

Y Rhestr Ansawdd Bywyd (QoLI)

Cam cyntaf y therapi ansawdd bywyd yw defnyddio'r QoLI i asesu bywyd y cleient a nodi meysydd problemus, cynllunio ymyriadau a mesur effeithiau'r ymyriadau. Bydd y QoLI yn asesu 16 maes mewn bywyd, sef y rhai y tybia Frisch eu bod nhw'n dylanwadu'n fwy na dim arall ar ansawdd ein bywyd. Mae rhestr ohonyn nhw ar y chwith.

Mae'r rhestr yn fodd i'r therapydd/cleient nodi'r meysydd mewn bywyd sy'n bwysig iddo (h.y. y meysydd y mae'n dymuno hoelio'u sylw arnyn nhw i gynyddu'r boddhad a mae'n ei gael o'i fywyd). Yna, gall yr ymyriadau ddechrau cynyddu bodlonrwydd a lles cyffredinol yn y meysydd mewn bywyd sy'n cael eu targedu.

Model CASIO

Elfen ganolog y QoLT yw Model 'CASIO', sef model pum-elfen o fodlonrwydd mewn bywyd. Mae'r model yn cynnig mai elfennau boddhad mewn unrhyw faes penodol mewn bywyd yw: *amgylchiadau* neu nodweddion maes mewn bywyd; *agwedd* yr unigolyn mewn perthynas â'r maes hwnnw mewn bywyd; gwerthusiad yr unigolyn o'r maes hwnnw mewn bywyd, neu ymgyflawni, ar sail ei *safonau*; y *pwys* y mae'r unigolyn yn ei roi ar y maes hwnnw mewn bywyd, a boddhad *cyffredinol* yr unigolyn â meysydd eraill mewn bywyd nad ydyn nhw'n peri pryder yn uniongyrchol. Y byrfodd Saesneg am y casgliad hwnnw o elfennau yw **CASIO**.

Wrth gael therapi, caiff cleientiaid eu hannog i ddilyn y model wrth adolygu'r meysydd mewn bywyd y maen nhw'n teimlo'n anfodlon yn eu cylch, ac i godi lefel gyffredinol eu bodlonrwydd â'u bywyd drwy ganolbwyntio ar feysydd eraill mewn bywyd y gallan nhw fod yn eu hanwybyddu. Er enghraifft, gall pobl fod â chymaint o obsesiwn ynghylch problemau yn eu gwaith nes esgeuluso'u perthnasoedd personol.

'Tair Colofn' QoLT

Yn ystod QoLT, gall y therapydd hefyd ganolbwyntio ar y Tair Colofn. Mae'r golofn gyntaf yn golygu helpu'r cleient i feithrin teimladau o gryfder neu helaethrwydd mewnol (teimlo'n ddigynnwrf ar ôl gorffwys ac yn barod i ateb heriau newydd). Mae gan y cleient, felly, yr ynni i fyw y tu hwnt i'r foment ac i ymdrechu i sicrhau gwell ansawdd bywyd.

Mae'r ail golofn yn golygu dod o hyd i ystyr mewn bywyd. Bydd hynny'n helpu'r cleient i ganfod a chyfleu nod ar gyfer pob un o feysydd gwerthfawr bywyd (a nodwyd yn y QoLI).

Y drydedd golofn yw amser o ansawdd da, lle caiff cleientiaid eu hannog i dreulio amser yn gorffwys, yn myfyrio ac yn datrys problemau.

Caiff y cleientiaid eu cyflwyno i'r Tair Colofn ar yr un pryd â dechrau ar yr ymyriadau (Model CASIO) ar yr 16 maes mewn bywyd, a dyna sail y QoLT a'r hyfforddi.

CORNEL ARHOLIAD

Yn achos pob therapi bydd angen i chi allu:

- Disgrifio sut y caiff tybiaethau'r ymagwedd eu cymhwyso yn y therapi.
- Disgrifio prif gydrannau (egwyddorion) y therapi.
- Gwerthuso pa mor effeithiol yw'r therapi.
- Gwerthuso'r therapi o ran ystyriaethau moesegol.

Cwestiynau arholiad posibl:

1. Disgrifiwch sut y caiff tybiaethau'r ymagwedd bositif eu cymhwyso mewn **un** therapi. [6]
2. Disgrifiwch brif gydrannau (egwyddorion) Therapi Ansawdd Bywyd. [12]
3. Gwerthuswch effeithiolrwydd Therapi Ansawdd Bywyd. [10]
4. Gwerthuswch Therapi Ansawdd Bywyd yn nhermau ystyriaethau moesegol. [6]

DYMA'R YMCHWILYDD

Athro ym Mhrifysgol Baylor yn Waco, Texas, yw **Michael B. Frisch** (1955–). Mae'n anarferol am ei fod yn addysgu a hefyd yn gweithio fel therapydd a hyfforddwr bywyd. Mae ef wedi'i alw'n 'ymchwilydd disgybledig, yn glinigydd angerddol ac yn addysgwr brwd'. Fe welwch chi hynny yn y fideo o Mike yn canu am yr holl bobl hapus ar dôn Eleanor Rigby y Beatles ar YouTube: *www.youtube.com/watch?v=FimEHZgh988*

GWERTHUSO: EFFEITHIOLRWYDD

QoLT i bobl ifanc

Ymchwiliodd Toghyani ac eraill (2011) i effeithiolrwydd QoLT o ran lles goddrychol dynion ifanc o Iran. Cafodd 20 o fyfyrwyr gwryw 15-17 oed a oedd â sgorau isel yn yr **holiadur** ynghylch lles goddrychol eu neilltuo ar hap i'r **grŵp arbrofol** neu i'r **grŵp rheolydd**. Cymerodd y rhai yn y grŵp arbrofol ran mewn wyth sesiwn o QoLT ac yn yr asesiad a ddilynodd fe ddangoson nhw welliant arwyddocaol yn eu lles goddrychol o'u cymharu â'r grŵp rheolydd.

QoLT i drin iselder

Astudiodd Grant ac eraill (1995) effeithiolrwydd QoLT i'r rhai ag **iselder** gyda chyfranwyr a oedd wedi dangos tueddfryd a diddordeb mewn dilyn bibliotherapi (math o therapi sy'n tynnu ar ddiddordeb y gwrthrych mewn llyfrau i'w helpu i oresgyn problemau iechyd meddwl). Fe fu 16 o wirfoddolwyr ag iselder clinigol yn cymryd rhan mewn cyfarfodydd wythnosol i drafod llawlyfr ynghylch ansawdd bywyd. Erbyn diwedd y driniaeth, dangosai'r holl gyfranwyr gynnydd arwyddocaol yn ansawdd eu bywyd a'u hunaneffeithiolrwydd (cred unigolion yn eu cymhwysedd eu hunain).

QoLT i gleifion sy'n dioddef o sglerosis ymledol

Astudiodd Aghayousefi a Yasin Seifi (2013) effaith QoLT ar 30 o gleifion â sglerosis ymledol. Cafodd y cleifion eu **paru** a'u **dyrannu ar hap** i'r grŵp arbrofol neu'r grŵp rheolydd. Cafodd y rhai yn y grŵp arbrofol 10 sesiwn o QoLT a ganolbwyntiai ar Fodel CASIO. Gwelodd yr ymchwilwyr ostyngiad arwyddocaol mewn iselder a gorbryder ymhlith y grŵp arbrofol ar ôl iddyn nhw gael y driniaeth.

QoLT o'i gymharu â therapïau positif 'eraill' mewn seicoleg

Doedd dim tystiolaeth bod cymryd rhan mewn QoLT damaid yn fwy effeithiol na mabwysiadu egwyddorion a rhinweddau seicoleg bositif mewn bywyd bob-dydd, fel ymarfer diolchgarwch (cyfri'ch bendithion). Gwelodd Emmons a McCullogh (2003), er enghraifft, i fyfyrwyr coleg a gadwodd ddyddlyfr dyddiol o'u diolchgarwch sôn am lefelau uwch o'r cyflyrau positif o fod yn effro, yn frwd ac yn benderfynol tra bu i'r rhai a gadwodd ddyddlyfr diolchgarwch yn wythnosol ymarfer yn fwy rheolaidd a theimlo'n well am eu bywydau cyfan ac yn fwy optimistaidd am yr wythnos nesaf na'r rhai a gofnododd broblemau neu ddigwyddiadau niwtral bywyd.

GWAITH I CHI

'Byddwch yn therapydd i chi'ch hun'
O blith yr 16 maes mewn bywyd sydd yn 'QoLI' Frisch, dewiswch ddau y teimlwch chi leiaf bodlon arnyn nhw. Cymhwyswch Fodel CASIO atyn nhw a byddwch yn onest! Allwch chi weld ffyrdd o gynyddu'ch boddhad â'ch bywyd yn gyffredinol? Os gallwch, ym mha ffyrdd?

GWERTHUSO: YSTYRIAETHAU MOESEGOL

Ymagwedd 'bositif' at therapi

Yn wahanol i therapïau eraill, fel y rhai sy'n seiliedig ar egwyddorion **seicodynamig**, dyw therapïau positif ddim yn golygu cloddio i'r gorffennol fel ffordd o gynnig esboniadau o'ch ymddygiad chi heddiw. Bydd hynny'n osgoi peri i'r cleient orbryderu. Ac yn wahanol i rai therapïau gwybodol, fel **REBT**, chaiff dim bai ei roi ar y cleient. Y rheswm dros hynny yw nad cyflyrau meddwl negyddol yw'r canolbwynt. Mae cydnabod bod nodweddion positif yn ddilys, eu bod nhw gan bob un ohonon ni ac y gallwn ni eu meithrin yn cydnabod yn llawn ewyllys rydd unigolion yn hytrach nag yn cynnig safbwynt penderfyniadol rhai therapïau eraill (e.e. seicdreiddio).

Yn symud yn rhy gyflym?

Dadl y beirniaid yw bod maes seicoleg bositif yn symud yn rhy gyflym, a pherygl hynny yw y gall therapyddion fod yn prysuro gormod i ddefnyddio'r strategaethau i hybu lles. Mae'r technegau a ddefnyddir mewn therapïau **QoLT** yn tybio bod pob cyflwr positif yn hanfodol i les pobl ac y dylid ei hybu. Ond barn oddrychol yw honno. Mae Azar (2011), er enghraifft, yn cyfeirio at ymchwil sydd wedi dangos y gall optimistiaeth ac agwedd bositif beidio â bod o les i bawb ac, yn wir, mai canlyniad posibl gorfodi 'pesimistiaid amddiffynnol' (y rhai sy'n delio â gorbryder drwy feddwl am bopeth a allai fynd o chwith) i fod yn optimistaidd ac i deimlo emosiynau positif eraill fydd amharu ar eu perfformiad.

Cyngor arholiad …
I ddangos eich bod yn deall effeithiolrwydd therapïau, dylech chi allu disgrifio'r trefniadau a/neu ddarganfyddiadau tystiolaeth ymchwil – ond yna, yn bwysicach na dim, dylech chi lunio casgliadau ynglŷn â'r therapi.

Tystiolaeth glasurol: Myers a Diener (1995)

PWY SY'N HAPUS?

Mae hapusrwydd wrth galon yr **ymagwedd bositif**. Nid yn unig y mae'r ymagwedd yn ceisio gwella bywydau pobl (eu gwneud nhw'n hapusach) ond mae hi hefyd yn ceisio dod o hyd i dystiolaeth sy'n dangos sut mae gwneud hynny. Gan mai ymagwedd seicolegol yw'r ymagwedd bositif, mae'n ceisio bod yn wyddonol a chael ei seilio ar dystiolaeth.

Yn yr astudiaeth glasurol hon, aeth David Myers ac Ed Diener ati i chwilio am dystiolaeth o'r hyn sy'n gwneud pobl yn hapus. Mae ymagwedd o'r fath yn wahanol i'r pwyslais traddodiadol mewn seicoleg ar yr hyn sy'n achosi emosiynau negyddol.

I bob pwrpas, does dim o'r 'trefniadau' arferol i'r astudiaeth hon – heblaw bod yr ymchwilwyr wedi chwilio am erthyglau a oedd yn gysylltiedig â'u nod o ddarganfod 'pwy sy'n hapus?'

METHODOLEG A DULLIAU GWEITHREDU

Mae'r erthygl hon yn **adolygiad** o'r ymchwil i hapusrwydd. Yn y 1980au a dechrau'r 1990au cafwyd toreth o ymchwil i ymwybyddiaeth pobl o'u lles. Dyma fwrw golwg, felly, dros yr hyn sydd wedi'i ddatgelu hyd yma.

Cyfweliadau a holiaduron

Un ffordd o asesu hapusrwydd yw ystyried teimlad pobl o'u hapusrwydd neu eu lles eu hunain, sef **lles goddrychol** (**SWB**).

Gwneir hynny drwy gyfweld pobl a defnyddio **cwestiwn caeedig** syml: '*Pa mor fodlon ydych chi ar hyn o bryd â'ch bywyd yn gyffredinol?*' – Yn fodlon iawn? / Ddim yn fodlon iawn? / Ddim yn fodlon o gwbl?

Dewis arall yw defnyddio graddfa aml-eitem (**holiadur** i bob pwrpas) ac ynddi amryw o gwestiynau am hapusrwydd.

Yn y naill achos a'r llall caiff mesur **meintiol** (gwerth rhifiadol) ei gynhyrchu i gynrychioli hapusrwydd.

Arsylwi

Un ffordd o ddarganfod beth y mae pobl yn ei wneud yw gofyn iddyn nhw ddweud beth y maen nhw'n ei wneud ar ddetholiad o adegau (math o **arsylwi** eu hymddygiad). Bydd ymchwilwyr yn defnyddio 'blipwyr' i atgoffa cyfranwyr i anfon neges i ddweud beth y maen nhw'n ei wneud a/neu'n ei feddwl ar adeg benodol. Ffordd o **samplu** ymddygiad pobl yw hynny.

Cydberthyniadau

Ffordd arall o ddeall hapusrwydd yw ystyried pa ffactorau sy'n cyd-amrywio ag ef. Gall rhai o'r ffactorau gyfrannu at beri i berson fod yn hapus tra bydd ffactorau eraill yn ganlyniad i fod yn hapus. Dyw hi ddim bob amser yn glir p'un yw'r achos a ph'un yw'r effaith. Er enghraifft, mae tuedd i bobl sydd â lefel uchel o SWB gloriannu digwyddiadau bywyd o'u hamgylch yn gadarnhaol. Ond fe allai hi fod fel arall. Os oes tuedd i berson weld digwyddiadau o'i (h)amgylch yn y goleuni gorau, gall hynny greu lefel uwch o SWB.

Adolygiadau

Mae'r astudiaeth hon yn adolygiad o ymchwil arall ac mae peth o'r ymchwil y cyfeirir ato hefyd wedi'i seilio ar amryw o astudiaethau. Mae rhai ohonyn nhw'n adolygiadau a rhai'n **fetaddadansoddiadau**.

CANFYDDIADAU

Mythau ynghylch hapusrwydd

Pwy yw'r bobl hapus?

Ydy hapusrwydd yn gysylltiedig ag oed?

Ni welodd arolwg o bron 170,000 o bobl o bob oedran mewn 16 o wahanol wledydd unrhyw wahaniaeth. Roedd pobl o bob oed yr un mor hapus – cymedr y sgôr oedd 80% o fodlonrwydd â'u bywyd (Inglehart, 1990).

Ond ffactorau gwahanol sy'n cyfrannu at hapusrwydd ar wahanol adegau mewn bywyd. Er enghraifft, bydd perthnasoedd cymdeithasol ac iechyd yn ffactorau mwyfwy pwysig wrth heneiddio (Herzog ac eraill, 1982).

Er bod pobl yn wynebu argyfyngau, dyw'r rheiny ddim yn gyfyngedig i oedran penodol fel yr argyfwng canol-bywyd y tybir ei fod yn digwydd ar ddechrau'r 40au (McCrae a Costa, 1990).

Ydy hapusrwydd yn gysylltiedig â rhywedd?

Gwelodd arolwg Inglehart o bobl mewn 16 o wahanol wledydd i 80% o ddynion ac 80% o fenywod ddweud eu bod yn 'eithaf bodlon' â'u bywyd.

Mewn astudiaeth arall cyfrifwyd bod rhywedd person yn cyfrif am 1% o les byd-eang (Haring ac eraill, 1984).

Ond mae ymchwil hefyd wedi gweld bod menywod ddwywaith mor agored i ddioddef iselder â dynion (Robins a Regier, 1991).

Ydy hapusrwydd yn gysylltiedig â hil neu ddiwylliant?

Mae Americanwyr o dras Affricanaidd ddwywaith mor hapus ag Americanwyr o dras Ewropeaidd (Diener ac eraill, 1993).

Mae gwahaniaethau nodedig rhwng gwledydd. Ym Mhortiwgal, dywedodd 10% o bobl eu bod yn hapus o'i gymharu â 40% yn yr Iseldiroedd (Inglehart, 1990).

Mae pobl mewn **diwylliannau unigolyddol** yn teimlo mwy o SWB nag mewn **diwylliannau cyfunol**. Mewn diwylliant unigolyddol mae pobl yn ymboeni mwy ynglŷn â'u hanghenion fel unigolion, ond mewn diwylliannau cyfunol bydd pobl yn canolbwyntio ar anghenion y grŵp. Mae'n fwy na thebyg ei bod hi'n gwneud synnwyr bod hapusrwydd yr unigolyn yn bwysicach mewn diwylliannau unigolyddol.

Ydy hapusrwydd yn gysylltiedig ag arian?

Gwelodd arolwg yn 1993 fod 75% o fyfyrwyr prifysgol yn America wedi dewis 'bod yn dda'u byd' yn un o nodau hanfodol bywyd, o'i gymharu â 39% yn 1970 (Astin ac eraill, 1987). Er nad yw pawb yn cytuno bod arian yn prynu hapusrwydd, mae'r mwyafrif yn cytuno y byddai bod â rhagor o arian yn eu gwneud nhw ychydig yn hapusach.

Ond digon cymedrol yw'r **cydberthyniad** rhwng incwm a hapusrwydd. Gwelodd Diener ac eraill (1993) gydberthyniad o +.12 rhwng incwm a hapusrwydd.

Dyw pobl gyfoethog ddim yn dweud eu bod yn hapusach. Gwelodd arolwg o bobl ar restr cyfoethogion Forbes fod 37% yn *llai* hapus na'r Americanwr cyffredin (Diener ac eraill, 1985). Yn ôl pobl sy'n ennill y loteri, dim ond am ychydig y maen nhw'n fwy hapus (Argyle, 1986).

Ar y llaw arall, nid yw diffyg pwysigrwydd arian yn gymwys mewn sefyllfaoedd lle mae pobl yn dlawd. Mewn gwlad dlawd fel Bangladesh, er enghraifft, dywed pobl ag arian fod eu SWB yn uwch na'r rhai sydd heb arian. Felly, hyd at bwynt yn unig y mae cyfoeth yn cynyddu hapusrwydd. Ar ôl cyrraedd lefel benodol o gyfforddusrwydd (bodloni'r anghenion sylfaenol o ran bwyd a gwres), wnaiff cynnydd mewn cyfoeth fawr o wahaniaeth (gweler y graff ar y dudalen gyferbyn).

Gwnewch eich ymchwiliad eich hun i hapusrwydd.

1. Defnyddiwch raddfa i asesu hapusrwydd person. Gallwch chi ddefnyddio un a luniwyd gan Diener (gweler *http://internal. psychology.illinois.edu/~ediener/SWLS.html*).

2. Asesuch ryw agwedd arall/agweddau eraill ar bob cyfrannwr, fel ei (h)oed a/neu ei r(h)ywedd, neu aseswch nodweddion seicolegol fel hunan-barch a/neu bersonoliaeth. Ar y we cewch chi lu o brofion i fesur nodweddion seicolegol.

3. Lluniwch siart bar neu ddiagram gwasgariad i ddadansoddi'ch darganfyddiadau.

Pobl hapus

Mae'n debyg bod rhai pobl yn hapusach na'i gilydd er gwaethaf helyntion bywyd. Gwelodd Costa ac eraill (1987) fod tuedd i'r bobl a ddywedodd eu bod yn hapus yn 1973 fod yn hapus ddegawd yn ddiweddarach.

Nodweddion pobl hapus

Isod, cewch chi restr o nodweddion allweddol pobl hapus. Dyw hi ddim yn amlwg ai'r nodweddion hynny sy'n peri i bobl fod yn hapusach neu a yw'r nodweddion yn datblygu am fod y person yn hapus:

- *Hunan-barch mawr* – mae unigolion o'r fath yn hoffi eu hunain ac fel rheol yn cytuno â gosodiadau fel 'Rwy'n gwmni difyr' ac 'Mae gen i syniadau da'.
- *Teimlo rheolaeth bersonol* – bydd pobl sy'n teimlo'n rymus yn hytrach nag yn ddiymadferth yn gwneud yn well yn yr ysgol, yn ymdopi'n well â straen ac fel rheol yn hapusach.
- *Optimistiaeth* – bydd pobl o'r fath yn cytuno â gosodiad fel 'Wrth ddechrau rhywbeth newydd bydda i'n disgwyl llwyddo'.
- *Allblygedd* – mae pobl sy'n fwy allblyg yn hapusach pan fyddan nhw gyda phobl eraill a hefyd pan fyddan nhw ar eu pennau eu hunain.

Perthnasoedd pobl hapus

I rai pobl, bydd perthnasoedd yn creu mwy o straen ac anhapusrwydd na hapusrwydd. Fel y dywedodd yr athronydd Jean-Paul Sartre (1973): *'Uffern yw pobl eraill.'*

I'r mwyafrif o bobl, mae manteision perthnasoedd yn drech na'r straen. Mae ymchwil yn dangos bod pobl sy'n gallu enwi sawl cyfaill agos yn iachach ac yn hapusach na phobl na allan nhw enwi cyfeillion agos (Burt, 1986).

Mae pobl briod yn hapusach na phobl ddi-briod. Y cyfraddau mewn un astudiaeth oedd 39% a 24% (Lee ac eraill, 1991). Mewn metaddadansoddiad o 93 o astudiaethau, dywedodd menywod a dynion priod a di-briod fod ganddyn nhw lefelau tebyg o hapusrwydd (Wood ac eraill, 1989).

Gwaith a 'llif' pobl hapus

Mae boddhad mewn gwaith yn effeithio ar hapusrwydd. Mae pobl sydd allan o waith yn llai hapus na'r rhai sydd mewn gwaith. Mae gwaith yn darparu hunaniaeth bersonol ac ymwybyddiaeth o bwysigrwydd eich bywyd, a hefyd ymwybyddiaeth o gymuned (gweithio gyda phobl eraill).

Ond gall gwaith fod yn ddiflas a/neu'n llawn straen. Os felly, mae'n gysylltiedig ag anhapusrwydd. Cyflwynodd Mihaly Csikszentmihalyi (MI-hi TSÎC-sent-mi-HAI-i) y cysyniad o 'lif', sef i ba raddau y byddwn ni'n ymgolli cymaint mewn gweithgaredd nes bod pethau eraill yn llai pwysig. Defnyddiodd Csikszentmihalyi blipwyr i holi pobl drwy gydol eu dydd am yr hyn roedden nhw'n ei wneud ac a oedden nhw'n hapus. Gwelodd fod pobl ar eu hapusaf pan oedden nhw'n wynebu her i'w meddwl ac yn profi'r 'llif'.

Ffydd pobl hapus

Dywed pobl grefyddol yng Ngogledd America ac Ewrop fod ganddyn nhw lefelau uwch o hapusrwydd (Poloma a Pendleton, 1990). Roedd pobl ag 'ymrwymiad ysbrydol' mawr ddwywaith mor debyg o ddweud eu bod yn hapus iawn, h.y. pobl sy'n cytuno â gosodiadau fel 'Fy ffydd grefyddol yw'r peth pwysicaf yn fy mywyd' (Gallup, 1984).

Mae hapusrwydd hefyd yn gysylltiedig â chryfder ymlyniad crefyddol ac amlder mynychu addoliad (Witter ac eraill, 1985).

CASGLIADAU

Gellir nodi tair elfen sy'n rhan o ddamcaniaeth hapusrwydd.

1. Pwysigrwydd ymaddasu

Bydd effeithiau digwyddiadau cadarnhaol a negyddol yn pylu dros amser. Er enghraifft, cynnydd tymor-byr yn eu hapusrwydd a gaiff pobl sy'n ennill y loteri. Ar y llaw arall, adfer eu gobaith a'u hapusrwydd wnaiff pobl sy'n wynebu trawma seicolegol, fel y rhai a oroesodd brofiadau dychrynllyd mewn gwersylloedd crynhoi. Gwelodd **astudiaeth hydredol** a wnaed yn ddiweddar mai digwyddiadau'r tri mis diwethaf yn unig sy'n dylanwadu ar SWB. Mae hyn oll i'w briodoli i allu pobl i ymaddasu i amgylchiadau bywyd.

2. Golwg ddiwylliannol ar y byd

Bydd agweddau diwylliannol yn rhagdueddu pobl i ddehongli digwyddiadau bywyd mewn ffyrdd gwahanol. Yn ôl rhai diwylliannau, mae'r byd yn lle caredig y mae modd ei reoli, tra bo diwylliannau eraill yn rhoi pwys ar emosiynau negyddol fel gorbryder, dicter ac euogrwydd.

3. Gwerthoedd a nodau

Mae gan bobl sydd â lefel uchel o SWB nodau fel uchelgais a phethau y maen nhw'n ceisio'u cyflawni. Dyw'r holl ffactorau eraill, fel arian neu ddeallusrwydd, ond o bwys os ydyn nhw'n berthnasol i'ch nodau. Mae hynny'n egluro pam y mae arian yn bwysicach mewn gwlad dlawd – mae'n berthnasol i'ch nodau. Mewn cymdeithas gyfoethocach, mae arian yn llai pwysig am nad dyna'r prif ffactor wrth gyrraedd eich nodau.

Y dyfodol

Er nad oes modd rhagweld hapusrwydd person ar sail oedran, rhywedd neu gyfoeth, mae'n ymddangos bod cysylltiad rhyngddo a hil a diwylliant. Mae gan bobl sy'n hapus rai nodweddion penodol, mae tuedd iddyn nhw fod â pherthnasoedd agos, maen nhw'n mwynhau eu gwaith ac maen nhw'n grefyddol.

Pwysigrwydd deall hynny yw y gall seicolegwyr helpu i adeiladu byd sy'n gwella lles pobl.

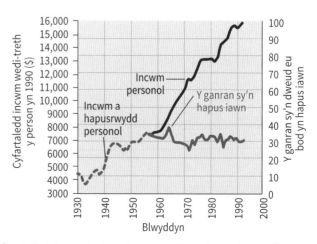

▲ Graff sy'n dangos y berthynas rhwng y cynnydd mewn incwm a hapusrwydd.

Mae Americanwyr yn gyfoethocach oddi ar 1930, a hyd at ryw bwynt fe gynyddodd hapusrwydd wrth i gyfoeth gynyddu. Ond ar ôl 1960 fe arhosodd y ganran o bobl hapus yn eithaf cyson.

Ar y ddwy dudalen hyn, byddwn ni'n gwerthuso'r astudiaeth glasurol drwy astudio'r problemau sy'n gysylltiedig â'i methodoleg a chymharu'r astudiaeth â thystiolaeth arall. Pan ddaw'n fater o werthuso, cewch chi benderfynu drosoch chi'ch hun. Rydyn ni wedi cyflwyno peth tystiolaeth a rhai gosodiadau ac yn eich gwahodd chi i'w defnyddio i ffurfio'ch barn am yr astudiaeth glasurol. Gallwch chi hefyd ddefnyddio'ch gwybodaeth o ddulliau ymchwil.

GOFYNION Y FANYLEB

Ar gyfer pob ymagwedd bydd angen:
- Ffurfio barn am ddarn clasurol o dystiolaeth, gan gynnwys y materion moesegol a'r goblygiadau cymdeithasol.

PETHAU I'W GWNEUD

WWW
Gwyliwch David G. Myers ar YouTube: er enghraifft: 'The scientific pursuit of happiness' (*https://www.youtube.com/watch?v=y3huf9nArhY*).

Gwyliwch Ed Diener ar YouTube; er enghraifft: 'The new science of happiness' at Happiness & Its Causes 2013 (*www.youtube.com/watch?v=EdxbmVbr3NY*).

Erthygl wreiddiol
Cyfeiriad llawn yr astudiaeth glasurol hon yw Myers, D.G. a Diener, E. (1995) Who is happy? *Psychological Science*, 6(1), 10–17.

Cewch ddarllen yr erthygl yn: *www.echocredits.org/downloads/2794689/Who.is.Happy.pdf*

Adnoddau eraill
Mihaly Csikszentmihalyi ar TED: 'Flow, the secret to happiness' (*www.ted.com/talks/mihaly_csikszentmihalyi_on_flow?language=en*).

▼ Yn y ffilm *Happy* (a wnaed yn 2011), mae'r gwneuthurwr ffilmiau Roko Belic yn teithio i ddwsin a rhagor o wledydd i geisio gweld beth sy'n gwneud i bobl fod yn hapus. Mae'n cyfuno storïau o fywyd go-iawn gan bobl o bedwar ban y byd. Mae'r cast yn cynnwys Ed Diener, Mihaly Csikszentmihalyi, Sonja Lyubomirsky a'r Dalai Lama.

GWERTHUSO: METHODOLEG A DULLIAU GWEITHREDU

Hunanadrodd
Mae'n anochel bod y data a gesglir am **les goddrychol** (**SWB**) yn oddrychol. Pan ddywed pobl eu bod yn hapus iawn, does gennym ni ddim ffordd o gadarnhau na herio hynny.

Efallai nad yw'r ymatebwyr yn dweud y gwir. Mewn **holiaduron** bydd pobl yn aml yn rhoi atebion sy'n gymdeithasol-ddymunol am fod arnyn nhw eisiau ymddangos yn dda. Mae ymchwil wedi gweld bod sgorau **dymunolrwydd cymdeithasol** yn cydberthynu'n rhesymol â sgorau hapusrwydd, h.y. mae tuedd i'r bobl sy'n eu cyflwyno'u hunain yn rhai hapus hefyd roi atebion sy'n gymdeithasol-ddymunol. Ond pan gaiff eu cyfeillion gais i raddio hapusrwydd yr un bobl, mae eu graddio nhw hefyd yn **cydberthynu** â sgorau dymunolrwydd cymdeithasol yr unigolyn targed. Mae hynny'n cadarnhau **dilysrwydd** yr atebion gwreiddiol.

Posibilrwydd arall yw mai meddwl eu bod yn hapus y mae pobl ond eu bod nhw mewn gwirionedd yn **atal** eu gwir deimladau o anhapusrwydd (darlun **seicodynamig**). Ond go brin bod hynny'n debygol am fod ymchwil wedi dangos bod y bobl sy'n dweud eu bod yn hapus ac yn fodlon â'u bywyd yn cael eu disgrifio yn yr un ffordd gan eu teuluoedd a'u cyfeillion.

Ar y cyfan, felly, mae rheswm dros gredu y gallwn ni ymddiried mewn adroddiadau goddrychol o hapusrwydd.

Cydberthyniadau
Mae llawer o'r darganfyddiadau'n **gydberthynol**. Allwn ni ddim cymryd yn ganiataol, felly, mai ffactor penodol yw *achos* hapusrwydd. Gall fod **newidynnau cysylltiol** pwysig. Er enghraifft, gall y cysylltiad rhwng priodas a hapusrwydd ddeillio o bethau mewn priodas heblaw'r berthynas. Efallai fod gan bobl briod fwy o arian i'w wario na phobl sengl am fod ganddyn nhw ddau incwm ond un tŷ ac un car ac yn y blaen, ac mae hynny'n eu gwneud nhw'n hapusach.

Problem bellach o ran data cydberthynol yw na wyddon ni gyfeiriad y berthynas. Er enghraifft, o ystyried priodas unwaith eto, mae'r ymchwil yn dangos bod pobl hapus yn fwy apelgar fel partneriaid mewn priodas (Mastekaasa, 1992). Mae'n bosibl, felly, fod hapusrwydd yn gwneud priodas yn fwy tebygol yn hytrach nag fel arall.

Y samplau
Mae llawer o'r data wedi'u seilio ar samplau o'r byd gorllewinol am mai Americanwyr yw'r ymchwilwyr ac am eu bod nhw wedi gwneud llawer o'u hymchwil yn yr Unol Daleithiau. Gall gwreiddiau hapusrwydd fod yn wahanol mewn diwylliannau eraill. Ceir awgrym o hynny yn yr erthygl wrth gymharu diwylliannau **unigolyddol** a **chyfunol**. Dywed pobl o'r diwylliannau unigolyddol fod ganddyn nhw lefelau uwch o hapusrwydd – ond efallai fod pobl mewn diwylliannau cyfunol yr un mor hapus ond nad ydyn nhw'n ei fynegi fel hapusrwydd. Daw eu pleser o lwyddiant y grŵp yn hytrach nag o lwyddiant yr unigolyn.

GWERTHUSO: TYSTIOLAETH ARALL
Un o'r syniadau sy'n codi o'r astudiaeth glasurol hon yw bod hapusrwydd yn aros ar lefel weddol wastad drwy gydol bywyd, heblaw am ambell uchafbwynt neu isafbwynt. Eich *pwynt gosod hapusrwydd* yw enw rhai ymchwilwyr ar hynny ac maen nhw'n credu y gallai hwnnw ddeillio, yn rhannol o leiaf, o'ch **geneteg**. Mae un genyn wedi'i gysylltu â hapusrwydd, sef gennyn 5-HTT sy'n rheoli lefelau'r **niwrodrosglwyddydd serotonin**. Mae gan rai pobl ffurf ar y genyn hwnnw ac yn dweud bod ganddyn nhw lefelau uwch o fodlonrwydd â'u bywyd (Schinka ac eraill, 2004).

Ond nid pob seicolegydd sy'n cytuno. Dadl Sonja Lyubomirsky (2013), er enghraifft, yw bod 50% o hapusrwydd yn deillio o eneteg a 10% o amgylchiadau. Achosir y 40% sy'n weddill gan 'hunanreolaeth', h.y. y ffactorau y gall unigolion eu hunain ddylanwadu arnyn nhw. Lluniodd Lyubomirsky y canrannau hynny ar sail adolygiad o astudiaethau a holodd pobl am eu hapusrwydd drwy gymharu lefelau hapusrwydd mewn gefeilliaid ac aelodau o deuluoedd (i amcangyfrif y ffactorau genetig) a chymharu pobl a oedd wedi cael bywyd 'rhwydd' a 'mwy anodd' (i amcangyfrif rôl ffactorau amgylchiadol).

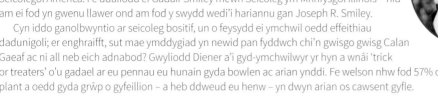

Mae **Ed Diener** (1946–) wedi'i alw'n 'Dr Happiness' am ei fod yn un o'r prif ymchwilwyr sy'n ymddiddori ym maes lles goddrychol. Mae ef wedi cyhoeddi dros 300 o erthyglau a llyfrau ar y pwnc ac yn ddiweddar cafodd ef Wobr Gyrfa Oes Gwyddonydd o Fri gan Gymdeithas Seicolegol America. Fe ddaliodd ef Gadair Smiley mewn Seicoleg ym Mhrifysgol Illinois – nid am ei fod yn gwenu llawer ond am fod y swydd wedi'i hariannu gan Joseph R. Smiley.

Cyn iddo ganolbwyntio ar seicoleg bositif, un o feysydd ei ymchwil oedd effeithiau dadunigoli; er enghraifft, sut mae ymddygiad yn newid pan fyddwch chi'n gwisgo gwisg Calan Gaeaf ac ni all neb eich adnabod? Gwyliodd Diener a'i gyd-ymchwilwyr yr hyn a wnâi 'trick or treaters' o'u gadael ar eu pennau eu hunain gyda bowlen ac arian ynddi. Fe welson nhw fod 57% o'r plant a oedd gyda grŵp o gyfeillion – a heb ddweud eu henw – yn dwyn arian os cawsent gyfle.

YSTYRIAETHAU MOESEGOL A GOBLYGIADAU CYMDEITHASOL

Niwed seicolegol

Un o fanteision y math hwn o ymchwil yw nad oes fawr ddim **risg o niwed** i'r cyfranwyr am nad oes dim manipwleiddio ar eu hymddygiad.

Er hynny, mae'n bosibl y gall rhai pobl sy'n anhapus, beidio â chroesawu cael eu holi am eu hapusrwydd ac, yn wir, fe allan nhw deimlo mwy o **iselder** ar ôl cael eu holi am eu lles. Rhaid, felly, i ymchwilwyr fod yn effro i anghenion y cyfranwyr ac **adrodd yn ôl** yn briodol iddyn nhw.

Pwynt pwysig i'w gofio yw bod **canllawiau moesegol** (fel cod moeseg Cymdeithas Seicolegol Prydain) yn cynghori seicolegwyr i ymarfer o fewn terfynau eu cymhwysedd. Ddylen nhw ddim, felly, geisio helpu pobl a allai, er enghraifft, ddechrau trafod eu hiselder yn ystod sesiwn adrodd yn ôl. Dyletswydd y seicolegydd fyddai argymell ffynhonnell dda o gymorth proffesiynol.

Ymchwil sy'n gymdeithasol-sensitif

Un rheswm dros ddynodi peth ymchwil yn 'gymdeithasol-sensitif' yw y gallai beri i ni fod yn debycach o feddwl (yn gadarnhaol neu'n negyddol) am grŵp penodol o bobl, megis diwylliant penodol, mewn ffordd benodol.

Mae ymchwil a ddyfynnir gan Myers a Diener (1995) yn tynnu casgliadau ynghylch hapusrwydd grwpiau diwylliannol penodol – fel darganfyddiadau Inglehart (1990) fod 10% o bobl ym Mhortiwgal yn dweud eu bod yn hapus o'i gymharu â 40% yn yr Iseldiroedd. Gall hynny beri i bobl dybio y bydd unrhyw bobl o Bortiwgal y byddan nhw'n cyfarfod â nhw yn anhapus a'ch bod chi'n debycach o gyfarfod â pherson hapus o'r Iseldiroedd.

Gall fod angen i ni hefyd fod yn bwyllog wrth drin ystadegau fel y rheiny am na wyddon ni a oedd y sampl a ddefnyddiwyd yn gynrychiolaeth deg o boblogaethau Portiwgal a'r Iseldiroedd.

Ar y ddwy dudalen nesaf cewch drafodaeth ar oblygiadau moesegol a chymdeithasol pellach y pwnc hwn.

CORNEL ARHOLIAD

Bydd angen i chi allu gwneud yr isod ynghylch astudiaeth Loftus a Palmer (1974):

Disgrifio:
- Methodoleg yr astudiaeth (ei disgrifio a'i chyfiawnhau; cynnwys nodweddion y sampl ond nid y dechneg samplu).
- Canfyddiadau'r astudiaeth.
- Casgliadau'r astudiaeth.

Gwerthuso:
- Methodoleg yr astudiaeth.
- Canfyddiadau'r astudiaeth (defnyddio methodoleg a/neu dystiolaeth arall).
- Casgliadau'r astudiaeth (defnyddio methodoleg a/neu dystiolaeth arall).
- Y materion moesegol a'r goblygiadau cymdeithasol.

Cwestiynau arholiad posibl:

1. *'Mae'r dulliau a ddefnyddiwyd yn ymchwil Myers a Diener (1995)* 'Who is happy?' *yn fodd i'r ymchwilwyr fod â ffydd yn y casgliadau y maen nhw'n dod iddyn nhw.'* I ba raddau rydych chi'n cytuno â'r gosodiad hwn? [8]
2. Amlinellwch gasgliadau ymchwil Myers a Diener (1995) *'Who is happy?'* [6]
3. Amlinellwch y fethodoleg a ddefnyddiwyd yn ymchwil Myers a Diener (1995) *'Who is happy?'* [6]

GWAITH I CHI

Ar y ddwy dudalen blaenorol, disgrifiwyd astudiaeth a ddefnyddiodd 'blipwyr' i gasglu data bob hyn a hyn. Gallech chi roi cynnig ar wneud hynny drosoch chi'ch hun. Gosodwch larwm ar eich ffôn symudol i ganu, dyweder, unwaith yr awr.

Bryd hynny, cofnodwch eich teimladau. Dewis arall fyddai disgrifio'ch hapusrwydd, pan fydd y blipiwr yn canu, ar raddfa 5-pwynt.

Gallech chi hefyd gofnodi'r hyn rydych chi wrthi'n ei wneud.

Cadwch gofnod am wythnos a thynnwch rai casgliadau ynglŷn â'r hyn a'ch gwnaeth chi'n hapus neu'n anhapus. Rhannwch eich darganfyddiadau gydag eraill yn eich dosbarth.

"All arian ddim prynu hapusrwydd, ond petai gen i dŷ mawr, car crand a set deledu enfawr, fyddai dim ots gen i fod yn anhapus."

Y ddadl gyfoes: Perthnasedd seicoleg bositif yn y gymdeithas sydd ohoni

Y GOBLYGIADAU MOESEGOL, CYMDEITHASOL AC ECONOMAIDD

All creu hapusrwydd, fel y mae seicoleg bositif yn ei awgrymu, gael effaith economaidd? Mae tystiolaeth yn awgrymu hynny.

Yn gyntaf, o edrych ar anhapusrwydd a straen, mae tystiolaeth eu bod yn costio'n ddrud i fusnesau a'r economi'n gyffredinol. Amcangyfrifwyd mai £26 biliwn y flwyddyn yw cost salwch staff, 'presenoliaeth' a throsiant staff i economi'r DU (Foresight Mental Capital and Wellbeing Project, 2008).

Yn ail, mewn ymchwil labordy a wnaed yn ddiweddar gan Oswald ac eraill (2009), gwelwyd bod gweithwyr hapus 12% yn fwy cynhyrchiol. Mae hynny'n awgrymu bod cysylltiad uniongyrchol rhwng hapusrwydd a chynhyrchedd.

Yn drydydd, er bod mesurau sy'n cynyddu hapusrwydd fel petaen nhw'n ddrud, gallan nhw arwain at arbedion cyffredinol yn y tymor hir. Amcangyfrifodd Adolygiad Boorman (2009), er enghraifft, y gallai'r GIG arbed £555 miliwn o fod ag amgylcheddau gweithio iachach. Yn y sector preifat, gwelodd Google (sydd yn aml ar frig y siartiau o ran y lleoedd hapusaf i weithio) fod costau cynyddu eu habsenoldeb mamolaeth safonol o 3 mis i system hyblyg o 5 mis yn gostwng lefel trosiant eu staff. Am eu bod yn hapusach â'u hamodau gweithio, gwnaeth nifer y staff benywaidd a adawodd y cwmni ostwng 50%.

Er bod effaith economaidd monitro a gwella lles y gweithlu fel petai'n amlwg ar raddfa fach, go brin y bydd cyflogwyr, tan i seicoleg bositif gynyddu ei phroffil a dangos y manteision hynny ar raddfa ehangach, yn fodlon neu'n gallu buddsoddi fel hyn, yn enwedig os yw cyflwr yr economi'n ansicr.

Awgrym Linley ac eraill (2006) yw bod seicoleg bositif 'yn taflu goleuni ymholi gwyddonol ar gorneli a arferai fod yn dywyll ac wedi'u hesgeuluso'. Prif ganolbwynt seicoleg bositif yw sicrhau bod pawb yn byw bywydau cynhyrchiol a llawn. Mae'n amlwg bod aelodau o'n cymdeithas ni'n gyfoethocach ac yn iachach ar y cyfan nag y maen nhw wedi bod erioed. Gallai hynny beri i ni feddwl, felly, y dylen ni hefyd fod yn hapusach ac yn fwy bodlon â'n bywydau. Ond nid felly y mae hi i lawer. Yn wir, yn 2014, nododd y *Gallup and Healthways Well-Being Index* nad oedd y Deyrnas Unedig ond yn safle 76 yn y byd o ran hapusrwydd. Chwiliwch am yr adroddiad ac efallai y cewch chi'ch synnu o weld pa gymdeithas y barnwyd mai hi oedd yr un hapusaf.

MAE SEICOLEG BOSITIF YN BERTHNASOL YN Y GYMDEITHAS SYDD OHONI

Addysg

Yn yr ysgol, all yr hyn a ddysgwn ni, neu sut y dysgwn ni ef, fod o fantais wirioneddol i'n hapusrwydd? Cynigiodd Martin Seligman, un o brif bleidwyr y mudiad seicoleg bositif, y gall cwricwlwm seicoleg bositif (PPC): (1) hyrwyddo sgiliau a chryfderau y mae'r mwyafrif o bobl, gan gynnwys rhieni, yn eu gwerthfawrogi fwyaf; (2) yn arwain at welliannau mesuradwy yn lles ac ymddygiad myfyrwyr; a (3) yn hwyluso ymgysylltiad myfyrwyr â dysgu a chyflawni (Seligman ac eraill, 2009).

Mae un cwricwlwm seicoleg bositif, y Penn Resiliency Program (PRP), wedi cynnig cefnogaeth i honiadau Seligman. Wrth ddilyn y rhaglen honno, dangosodd y myfyrwyr lai o symptomau **iselder** o'u cymharu â **grŵp rheolydd** (Gillham ac eraill, 1995). Yn wir, 24 mis ar ôl yr ymyriad, 22% yn unig o grŵp y PRP a ddangosodd symptomau, o'i gymharu â 44% o'r grŵp rheolydd.

Gwnaeth Seligman ac eraill (2009) ymchwil hefyd. Fe ddyrannon nhw 347 o fyfyrwyr blwyddyn naw **ar hap** i ddosbarth PPC neu ddi-PPC. Llanwodd y myfyrwyr, eu rhieni a'u hathrawon **holiaduron** safonol. Dangosodd yr astudiaeth fod myfyrwyr y PPC yn barotach i gydweithio a bod ganddyn nhw well sgiliau cymdeithasol. Honiad Seligman ac eraill yw *'nad yw cynyddu sgiliau lles ddim yn amharu ar nodau traddodiadol dysgu yn yr ystafell ddosbarth ond ei fod, yn hytrach, yn eu gwella nhw'.*

Gwaith

Mae ymchwil Mihaly Csikszentmihalyi wedi dangos y gall gwaith fod yn brif ffynhonnell ein hapusrwydd. Mae ei ddamcaniaeth ynghylch 'llif' (gweler tudalen 97) yn rhagdybio y bydd ein profiadau ni ar eu mwyaf cadarnhaol pan fydd lefelau'r heriau a'r sgiliau yn uchel; nid yn unig y mae'r person yn mwynhau'r foment ond mae hefyd yn estyn ei (g)alluoedd ac yn debygol o ddysgu sgiliau newydd a chynyddu ei hunan-barch. Y syndod yw i Csikszentmihalyi a LeFevre (1989) ddarganfod bod pobl yn cael profiad o sefyllfaoedd 'llif' fwy na theirgwaith cymaint yn y gwaith ag wrth hamddena. Mae hynny'n awgrymu bod ein hamgylcheddau gwaith fel rheol yn cynnig mwy o gyfle i ni gael profiadau positif, yn groes, mae'n debyg, i farn llawer o bobl.

Aeth Csikszentmihalyi a LeFevre ymlaen i ddweud y gallai gweithwyr, drwy gydnabod iddyn nhw'u hunain y gall gwaith fod yr un mor bleserus neu'n fwy pleserus na'r rhan fwyaf o'u hamser hamdden, weithio'n fwy effeithiol a hefyd, wrth wneud hynny, wella ansawdd eu bywydau eu hunain.

Cyngor ynghylch hamdden a ffordd o fyw

Mae Csikszentmihalyi a LeFevre (1989) yn dadlau bod pobl yn cynyddu eu profiad o lif ac yn gwella ansawdd eu bywydau drwy fod yn fwy ymwybodol o'u defnydd o amser hamdden a'i ddefnyddio'n fwy gweithgar. Mae seicoleg bositif yn amlwg mewn llawer 'prosiect' ar-lein sy'n ceisio gwneud bywyd yng nghymdeithas y DU yn well, fel Action for Happiness (www.actionforhappiness.org). Honiad Action for Happiness yw eu bod nhw'n fudiad sy'n hybu newidiadau cymdeithasol positif drwy dynnu ynghyd bobl – o bob maes – sy'n awyddus i chwarae rhan mewn creu cymdeithas hapusach i bawb. Er bod y wefan yn cynnig cymorth i'r rhai sy'n cael trafferth gyda phroblemau ac iselder, mae'r rhan fwyaf o'r wefan yn cynnig deunydd fel '10 allwedd i fyw'n hapusach'.

Iechyd

Dilynodd ymchwil Kubzansky a Thurston (2007) dros 6,000 o ddynion a menywod 25-74 oed am 20 mlynedd. Fe welson nhw fod y cyfranwyr a oedd â lefelau uchel o 'fywiogrwydd emosiynol' (brwdfrydedd, gobaith, ymgysylltiad â bywyd, a'r gallu i wynebu straen bywyd yn emosiynol gytbwys) â llai o risg o gael clefyd coronaidd y galon. Gallai proffesiynolion meddygol drin cleifion drwy roi cyngor iddyn nhw ynghylch cynyddu eu hapusrwydd, ynghyd â chynghorion eraill ynglŷn â'u ffordd o fyw.

CASGLIAD

Mae seicoleg bositif wedi ailgyfeirio canolbwynt seicoleg at ymchwil a chyngor sy'n helpu pobl i wella'u bywydau a gwella'r gymdeithas y maen nhw'n byw ynddi, yn hytrach nag ymwneud â materion negyddol fel ymddygiad ymosodol neu ddibyniaeth. Mae'n ganolbwynt sydd wedi arwain at rai trywyddion ymchwil diddorol ac ar raglenni newydd mewn ysgolion, gwaith a hamdden.

- Meddyliwch am yr addysg rydych chi wedi'i chael mewn ysgolion neu golegau. Ydych chi erioed wedi cael eich dysgu sut mae bod yn hapus?
- Cadwch ddyddiadur o'r gweithgareddau hamdden rydych chi'n cymryd rhan ynddyn nhw mewn wythnos. Yna, ystyriwch a ydyn nhw wedi cynnig unrhyw gyfle i chi gynyddu'ch 'llif'.
- Ar ôl ymchwilio i gynnwys gwefannau fel *www.actionforhappiness.org* a *www.randomactsofkindness.org*, lluniwch eich taflen, eich poster neu'ch gwe-dudalen eich hun i gynnig cyngor i bobl ynghylch cynyddu eu hapusrwydd.

▲ Mae ymchwil yn dangos bod gwaith yn un o brif ffynonellau hapusrwydd a'i fod yn cynyddu'ch hunan-barch – carwch eich swydd a charwch eich hunan.

DYDY SEICOLEG BOSITIF DDIM YN BERTHNASOL YN Y GYMDEITHAS SYDD OHONI

Addysg

Un broblem yw'r diffyg tystiolaeth empirig o blaid y mwyafrif o raglenni seicoleg bositif. Dadl Spence a Shortt (2007) yw bod tuedd i'r ymchwil sy'n bod fod yn seiliedig ar ymyriadau graddfa-fach neu dymor-byr. Ni ddylid dwyn y lledaenu eang ar seicoleg bositif yn yr ysgolion ymhellach heb wneud rhagor o ymchwil tymor-hir. Mae Seligman ac eraill (2009) hefyd wedi cyfaddef bod angen gwneud rhagor o ymchwil i sicrhau bod rhaglenni o'r fath '*yn effeithiol yn achos myfyrwyr o amrywiaeth o gefndiroedd economaidd-gymdeithasol a diwyllianol*'.

Ail broblem yw bod ychwanegu seicoleg bositif at y cwricwlwm yn debyg o olygu bod rhaid gollwng cyrsiau eraill. Am fod gan ysgolion gyllidebau cyfyngedig a llu o alwadau cwricwlaidd, allan nhw ddim ychwanegu technegau seicoleg bositif heb ddileu pynciau hanfodol eraill. Awgrymodd erthygl olygyddol yn y *Financial Times* (2007) y gall hynny olygu mai'r pen draw fydd i gymdeithas dalu mwy er mwyn i fyfyrwyr adael yr ysgol â llai o gyflawniadau academaidd.

Gwaith

Er y gall darganfyddiadau ymchwil i seicoleg bositif gefnogi'r cysyniad o '*dewiswch swydd rydych chi'n ei mwynhau, a fydd dim rhaid i chi weithio diwrnod yn eich bywyd*', nid syniad newydd mohono (bydd rhai hyd yn oed yn ei briodoli i'r gŵr doeth o China, Confucius, yn 551 CC). Rhaid i ni gwestiynu, felly, a yw seicoleg bositif yn y gweithle wedi cynnig unrhyw beth mwy i ni mewn gwirionedd na chefnogaeth empirig i rywbeth y mae llawer yn ein cymdeithas yn ei wybod yn barod.

Efallai y gall gwaith eich gwneud chi'n hapus ond dyw'r agwedd arall ar waith, sef bod â mwy o arian, ddim fel petai'n berthnasol i hapusrwydd. Ar dudalen 96 fe adolygon ni'r ymchwil i'r berthynas rhwng arian a hapusrwydd. Gwelodd Diener ac eraill (1993), er enghraifft, nad oedd ond cydberthyniad cymedrol o +.12 rhwng incwm a hapusrwydd.

Ond mewn cymdeithasau lle mae pobl yn dlawd, mae arian yn bwysicach a gall gwaith fod yn bwysig o ran cael arian yn hytrach na hapusrwydd. Efallai fod byd datblygedig y Gorllewin yn ffodus ei fod yn gallu chwilio am hapusrwydd drwy waith. Dyw mannau eraill ddim mor lwcus.

Cyngor ynghylch hamdden a ffordd o fyw

Mae gweithgareddau hamdden a all gynyddu profiadau o 'llif' yn debyg o fod yn waharddedig i lawer oherwydd diffyg amser hamdden pwrpasol neu oherwydd y gost ariannol.

Mae'n anodd asesu effaith mudiadau fel *Action for Happiness* ar gymdeithas yn y DU. I wneud ymchwil gwrthrychol, byddai angen rheoli pob newidyn. Er enghraifft, fe allai mai pobl gyfoethocach a gaiff eu denu at fudiadau o'r fath ac felly y gallai'r canlyniadau llesol ddeillio o'u cyfoeth yn hytrach na bod yn rhaglen ei hun yn achosi hapusrwydd.

Iechyd

Mae'n anodd profi perthynas 'achos ac effaith' rhwng hapusrwydd ac iechyd. Ydy pobl yn iach am eu bod nhw'n hapus neu'n hapus am eu bod nhw'n iach? Gallai seicoleg bositif fod yn ddylanwad o bwys yn y sector iechyd, ond efallai na chaiff hi ei chymryd lawn cymaint o ddifrif am ei bod hi'n cael trafferth gwneud ymchwil sy'n dod i gasgliadau clir ynghylch achos ac effaith.

Fodd bynnag, gall rhaglenni o'r fath fod yn ddim ond rhan fach o fywyd person, neu ddim ond ar gael i nifer fach o bobl, ac felly ni chân nhw fawr o effaith. Efallai hefyd fod yr ymagwedd bositif yn rhywbeth nad yw ond yn berthnasol i fyd datblygedig y Gorllewin.

Gan fod yr ymagwedd bositif yn gymharol newydd, gall gymryd amser i deimlo'i heffaith. Efallai mai'r ddadl y mae gwir angen ei hateb gyntaf yw sut mae peri bod seicoleg bositif yn fwy perthnasol yn y gymdeithas sydd ohoni.

CORNEL ARHOLIAD

Bydd angen i chi allu:

- Trafod y ddadl a'r dystiolaeth o blaid credu bod seicoleg gymdeithasol yn berthnasol yn y gymdeithas sydd ohoni.
- Trafod y ddadl a'r dystiolaeth yn erbyn credu bod seicoleg bositif yn berthnasol yn y gymdeithas sydd ohoni.
- Cyflwyno casgliad ar ddiwedd y ddadl.
- Cynnwys trafodaeth ar oblygiadau moesegol, economaidd a chymdeithasol y ddadl.

Cwestiynau arholiad posibl:

1. '*Dyw seicoleg bositif ddim wedi profi eto'i bod hi mor berthnasol yn y gymdeithas sydd ohoni ag yw agweddau seicolegol eraill*'. Trafodwch i ba raddau y mae'r ymagwedd bositif yn berthnasol yn y gymdeithas sydd ohoni. [20]
2. '*Mae ymagweddau eraill mewn seicoleg wedi cael effaith lawer mwy arwyddocaol ar y gymdeithas sydd ohoni na'r ymagwedd bositif*'. Trafodwch i ba raddau y cytunwch chi â'r gosodiad hwn. [20]

Yn 2014, y farn oedd mai Panama oedd y wlad hapusaf yn y byd. Ceisiwch wybod rhagor am y wlad honno a chymharwch hi â'r DU. Lle gwych i gychwyn eich ymchwiliad yw'r World Factbook gan y CIA (*www.cia.gov/library/publications/the-world-factbook*).

Gwerthuso'r ymagwedd bositif

GOFYNION Y FANYLEB

Ar gyfer pob ymagwedd bydd angen:
- Gwerthuso'r ymagwedd (gan gynnwys ei chryfderau a'i gwendidau a'i chymharu â'r pedair ymagwedd arall).

Rydych chi wedi astudio ymagwedd 'newydd', yr **ymagwedd bositif**, sydd â chanolbwynt gwahanol i un yr ymagweddau traddodiadol. Mae'n credu bod daioni pobl yn beth naturiol ac y dylid ei fawrygu a'i feithrin. Mae'r perspectif hwnnw'n cynnig canolbwynt gwahanol i'r ymagweddau eraill rydych chi wedi'u hastudio yn y llyfr hwn ac yn cynrychioli 'shift' mewn seicoleg i ffwrdd oddi wrth ganolbwyntio ar anhwylderau patholegol.

O gofio hynny, dylech chi allu cynnig peth gwerthuso ar gryfderau a gwendidau'r ymagwedd hon, un sydd ym marn llawer seicolegydd yn llesol i holl fyd seicoleg. Isod mae rhai pwyntiau gwerthuso ac efallai yr hoffech chi eu hystyried nhw.

CRYFDERAU'R YMAGWEDD BOSITIF

1. Shifft yng nghanolbwynt seicoleg

Un o gryfderau seicoleg bositif yw ei bod hi'n symud canolbwynt seicoleg y tu hwnt i esbonio a thrin anhwylder a salwch i fawrygu'r cymeriad dynol a dangos ffyrdd o feithrin ein **cryfderau dilys** i sicrhau bod ein bywydau ni'n rhai mwy bodlon. Mewn gair, mae'r ymagwedd bositif yn symud sylw o'r diddordeb mewn cyflyrau negyddol (e.e. gorbryder ac anhwylder) i gyflyrau positif (e.e. hapusrwydd, optimistiaeth). Sylfaen y canolbwynt hwnnw yw'r gred mai unig ganlyniad canolbwyntio ar anhwylder a chlefyd yw na chewch chi fwy na dealltwriaeth gyfyngedig o'r cyflwr dynol.

Mae Sheldon a King (2001) yn nodi bod seicoleg, yn draddodiadol, wedi methu â hybu twf pobl. Yn hytrach, gogwydd negyddol sydd iddi: '*pan fydd dieithryn yn helpu rhywun arall, bydd seicolegwyr yn mynd ati'n syth i ganfod y budd hunanol a gaiff ef neu hi o'r weithred*'. Yn hytrach nag astudio gwendid a niwed, a cheisio cywiro'r hyn sydd o'i le, roedd angen i seicoleg adeiladu ar yr hyn sy'n iawn am y natur ddynol.

Mae ymagweddau traddodiadol seicoleg hefyd wedi cynnwys golwg **benderfyniadol** ar abnormaledd ac wedi astudio gorffennol, yn hytrach na dyfodol, yr unigolyn. Yn wahanol i hynny, mae seicoleg bositif yn cydnabod bod ar bobl eisiau meddwl am eu dyfodol, bod yn fwyfwy rhagweithiol wrth newid eu tynged, a'u bod yn deall bod ganddyn nhw'r **ewyllys rydd** dros eu hemosiynau i wneud hynny.

Roedd Martin Seligman (2000) yn awyddus dros ben i sicrhau'r shifft hwnnw mewn meddwl. Credai mai '*Nod seicoleg bositif yw dechrau bod yn gatalydd i newid yng nghanolbwynt seicoleg rhag ymwneud yn unig ag atgyweirio'r pethau gwaethaf mewn bywyd a mynd ati hefyd i feithrin nodweddion positif*'.

2. Cymwysiadau

Mae tybiaethau sylfaenol seicoleg bositif wedi'u cymhwyso at lawer maes mewn bywyd i helpu unigolion, sefydliadau a chymunedau i ffynnu. Mae enghreifftiau i'w gweld ym myd addysg, rheoli straen, seicoleg alwedigaethol ac, wrth gwrs, mewn therapi.

Enghraifft nodedig o gymhwyso'r ymagwedd hon yw'r hyfforddiant gwydnwch i Fyddin UDA yn dilyn yr ymgyrchoedd maith yn Afghanistan ac Irac dros y blynyddoedd diwethaf. Nod yr hyfforddiant arbenigol yw cryfhau'r gwahanol agweddau ar wydnwch (e.e. emosiynol, ysbrydol) a cheisio cyfyngu ar amlder symptomau straen a hunanladdiad. Mae'r rhaglen yn defnyddio technegau o faes seicoleg bositif ac yn canolbwyntio ar feithrin gwydnwch y meddwl drwy ganfod a meithrin cryfderau arbennig (e.e. hiwmor, dewrder, dyfalbarhad), yn ogystal â rhwystro patholeg, er mwyn i filwyr allu dychwelyd adref heb broblemau difrifol o ran iechyd meddwl.

Cymhwysiad poblogaidd arall i seicoleg bositif yw hwnnw ym myd addysg. Yn UDA, yn arbennig, mae mwy a mwy o ysgolion yn cynnig cwricwla mewn seicoleg bositif (PPCs) sy'n cynnwys gweithgareddau bwriadol i wella lles cyffredinol drwy feithrin gwybyddiaethau, teimladau ac ymddygiadau positif. Yn 2002, dyfarnodd Adran Addysg UDA grant o 2.8 miliwn o ddoleri er mwyn i seicoleg bositif gael ei haddysgu i fyfyrwyr blwyddyn naw.

Yn 2007, pennodd Adran Plant, Ysgolion a Theuluoedd y DU 10 targed newydd i wella lles plant erbyn 2020. Rhagwelir felly y bydd ysgolion yn y DU yn dechrau cynnwys strategaethau seicoleg bositif yn eu cwricwlwm a dilyn ôl traed Coleg Wellington yn Berkshire a'i benderfyniad yn 2006 i amserlennu gwersi seicoleg bositif a hapusrwydd fel rhan o'i gwricwlwm craidd.

3. Ymagwedd 'ewyllys rydd'

Un o gryfderau'r ymagwedd bositif yw nad yw hi, yn wahanol i ymagweddau eraill (e.e. y rhai **biolegol**, **seicodynamig**, **ymddygiadol**) yn cynnig disgrifiad penderfyniadol o ymddygiad pobl. Sylfaen seicoleg bositif yw'r syniad nad yw unigolion yn gyfyngedig nac yn rhagosodedig. Mae ganddyn nhw'r rhyddid personol i dyfu a meithrin eu cryfderau arbennig a'u rhinweddau naturiol. Mae seicoleg wedi'i beirniadu ers tro byd am ei golwg benderfyniadol ar ymddygiad pobl, ac mae seicoleg bositif yn cwestiynu **dilysrwydd** rhai ymagweddau traddodiadol sy'n arddangos penderfyniaeth galed ac yn trin yr unigolyn fel dioddefydd ei nodweddion biolegol ac amgylcheddol ei hun. Mae ymagweddau traddodiadol seicolegol wedi cynnig y farn mai'r gorffennol sy'n pennu'r presennol a'r dyfodol, a barn Seligman yw bod pesimistiaeth o'r fath yn rhwystro datblygiadau priodol.

Mae seicolegwyr positif yn cydnabod bod bodau dynol yn eu rheoleiddio'u hunain ac nad ydyn nhw'n 'ddioddefwyr' eu gorffennol. Yn hytrach, mae ganddyn nhw gryfderau a rhinweddau y mae modd eu meithrin i wella'u bywydau a chyflawni mwy. Canlyniad y rheolaeth honno dros feithrin ein cryfderau dilys ni yw rheolaeth dros iechyd ein meddwl a'n lles gan arwain at fywyd hapus a bodlon. Mewn seicoleg bositif, nid yn unig y mae ewyllys rydd yn ddewis ond mae'n rheidrwydd er mwyn byw bywyd mwy bodlon. Yn ôl yr ymagwedd hon, rhaid i fodau dynol ffynnu drwy fod â'r cymhelliant i feithrin eu cryfderau dilys; fyddan nhw ddim yn cyflawni hynny ond pan sylweddolan nhw fod ganddyn nhw'r ewyllys rydd i sicrhau newid.

◀ Mae'r Fyddin wedi defnyddio'r dulliau a ddatblygwyd gan seicolegwyr positif i feithrin gwydnwch drwy ganolbwyntio ar gryfderau penodol fel hiwmor a dewrder.

GWENDIDAU'R YMAGWEDD BOSITIF

1. Nid syniad newydd

Er bod llawer o bobl yn mawrygu mudiad seicoleg bositif fel ymagwedd newydd a ffres at wella ymddygiad pobl, nid peth newydd mohoni o gwbl. Abraham Maslow a'r mudiad **seicoleg ddyneiddiol** tua diwedd y 1950au a dechrau'r 1960au oedd y cyntaf i fawrygu potensial positif bodau dynol. Dadl rhai o feirniaid seicoleg bositif yw bod pobl fel Seligman yn anwybyddu gwaith seicolegwyr – fel Abraham Maslow, Carl Rogers a Carl Jung – a oedd ymhlith y cyntaf i feirniadu'r ymagweddau mewn seicoleg ar y pryd fel rhai a oedd wedi'u gwreiddio mewn ystyriaethau negyddol. Adwaith oedd y mudiad dyneiddiol i brif ddamcaniaethau seicolegol yr oes ynghylch ymddygiadaeth a **seicdreiddio**, ac anogodd Maslow bobl i feddwl ynghylch rhoi sylw i'w huwch-anghenion a chydnabod bod unigolion wedi'u cyfarwyddo'n fewnol ac wedi'u hysgogi i gyflawni eu potensial fel pobl.

Dyw seicoleg bositif ddim yn unigryw nac yn newydd, felly, wrth adnabod y diffyg mewn ymchwil seicolegol. Mae gwrthdrawiad pellach rhwng y ddwy ymagwedd yn codi o awydd seicoleg bositif i ymwahanu oddi wrth seicoleg ddyneiddiol ar sail ei hymholiadau methodolegol. Tra bo seicoleg bositif yn honni ei bod yn ddatblygiad ar seicoleg ddyneiddiol am iddi fabwysiadu astudiaeth 'wyddonol' o les, mae seicolegwyr ddyneiddiol yn feirniadol o'u holynwyr ac yn credu bod diffyg gwybodaeth am ddulliau **ansoddol** yn esgor ar esboniadau cul o ymddygiad pobl.

Er mai amser a ddengys a wnaiff y ddwy ymagwedd gymodi, does dim modd gwadu nad mewn seicoleg ddyneiddiol y mae gwreiddiau seicoleg bositif ac, er mwyn deall y mudiad positif, mae angen i ni ddeall ei darddiad.

2. Oes modd mesur hapusrwydd?

Un o'r cwestiynau mwyaf sylfaenol mewn seicoleg bositif yw a oes modd diffinio a mesur hapusrwydd yn wyddonol. Mae diffinio hapusrwydd yn her am fod gan bawb syniad gwahanol o ystyr hapusrwydd iddo ef neu hi. Pan ddywed dau berson eu bod yn hapus, gallen nhw fod yn cyfeirio at ddau gyflwr meddwl cwbl wahanol. Gall hynny beidio â bod yn broblem ynddi'i hun, ond mae'n broblem pan ddaw'n fater o fesur hapusrwydd a datblygu mesuriadau 'gwyddonol' ar gyfer y cyflwr meddwl goddrychol hwnnw.

Er hynny, mae datblygiadau mewn **niwrowyddoniaeth** wedi caniatáu i ymchwilwyr fesur y profiad emosiynol o hapusrwydd yn wrthrychol. Yn ôl **metaddadansoddiad** Wager ac eraill (2003), er enghraifft, gwelwyd bod emosiynau positif yn debycach nag emosiynau negyddol o ysgogi'r **ganglia gwaelodol**.

Mae ymchwil niwrowyddonol i hapusrwydd yn codi cwestiwn newydd ynghylch a yw hapusrwydd yn emosiwn arwahanol y mae modd ei fesur mewn amser cyfyngedig mewn labordy neu a yw'n rhedeg ar hyd continwwm gydag emosiynau eraill.

Hunansylweddoli
Anghenion esthetig
Anghenion deallusol
Anghenion o ran parch
Anghenion cymdeithasol
Anghenion o ran diogelwch
Anghenion ffisiolegol

◀ Mae hierarchaeth anghenion Maslow yn enghraifft o'r ymagwedd ddyneiddiol mewn seicoleg. Ceisiodd yr ymagwedd honno, fel yr ymagwedd bositif, fod yn fwy cyfannol ac edrych y tu hwnt i elfennau sylfaenol ymddygiad pobl. Er enghraifft, uwch-anghenion Maslow oedd anghenion esthetig a hunansylweddoli.

3. Anwybyddu gwahaniaethau rhwng unigolion

Mae ymagwedd seicoleg bositif wedi'i beirniadu am anwybyddu gwahaniaethau rhwng unigolion a diwylliannau, am gynnig 'un athroniaeth i bawb' ac am ei chasgliadau ynghylch grym cadarnhaol.

Awgrym Christopher a Hickinbottom (2008) yw bod yr ymagwedd yn **ethnoganolog** ac wedi'i seilio ar syniadau'r Gorllewin ynghylch annibyniaeth yr unigolyn ac ymgyflawni. Maen nhw'n honni bod America'n ddiwylliant sy'n ymboeni gormod ynglŷn â'r syniad bod rhaid wrth emosiynau, agweddau a meddyliau cadarnhaol i fyw 'bywyd da' a bod emosiynau negyddol fel rheol yn cael eu hystyried yn bethau i'w hosgoi neu eu rheoli. Maen nhw'n nodi mai **cyfunoliaeth**, yn wahanol i **unigolyddiaeth**, yw prif safbwynt 70% o boblogaeth y byd ac na ddylid anwybyddu'r cyd-destun diwylliannol wrth bennu nodweddion cadarnhaol (cwyno).

Mae gwaith Julie Norem (2001) yn amlygu rhagor ar beryglon anwybyddu gwahaniaethau rhwng unigolion wrth dybio bod pob nodwedd bositif yn llesol ac y dylid eu meithrin ymhobman. Mae Norem yn astudio pobl y mae hi'n eu galw'n 'besimistiaid amddiffynnol' – y rhai sy'n delio â gorbryder drwy feddwl am bopeth a allai fynd o'i le mewn sefyllfa benodol (h.y. yn meddwl yn negyddol). Mae ei hastudiaethau'n dangos bod pesimistiaid amddiffynnol sy'n prosesu'r holl bosibiliadau realistig yn delio â'u gorbryder ac yn gweithio'n galetach i osgoi'r peryglon posibl. Yr awgrym yn astudiaethau Norem ac eraill yw y gall gorfodi optimistiaeth neu hwyliau cadarnhaol ar besimistiaid amddiffynnol pryderus amharu ar eu perfformiad.

CYMHARU YMAGWEDDAU

Yn yr arholiad, bydd gofyn i chi nid yn unig werthuso seicoleg bositif ond ei chymharu ag unrhyw un o'r ymagweddau eraill o ran y materion a'r dadleuon allweddol.

Ewch ati mewn parau/grwpiau bach i ailymweld â thybiaethau'r ymagwedd bositif. Yna, ysgrifennwch gwpl o frawddegau ar bob mater/dadl gan esbonio sut mae'r ymagwedd yn delio â phob mater/dadl unigol. Yna, dewiswch un ymagwedd arall (caiff pob unigolyn ddewis ymagwedd wahanol) a defnyddiwch y tabl isod i'w chymharu â'r ymagwedd bositif.

Mater/dadl	Yr ymagwedd bositif	Ymagwedd arall	Tebyg neu wahanol?
Natur–Magwraeth			
Gwyddonol–Anwyddonol			
Lleihadaeth–Cyfaniaeth			
Penderfyniaeth–Ewyllys rydd			

Yn y bennod ragarweiniol ar dudalen 7 cewch chi esboniad o'r materion a'r dadleuon sydd wedi'u rhestru yn y tabl uchod.

CORNEL ARHOLIAD

I werthuso'r ymagwedd mae angen i chi allu:

- Trafod y cryfderau (o leiaf **ddau** ohonyn nhw) yn llawn.
- Trafod y gwendidau (o leiaf **ddau** ohonyn nhw) yn llawn.
- Cymharu a chyferbynnu'r ymagwedd â'r pedair ymagwedd arall o ran y materion a'r dadleuon allweddol.

Cwestiynau arholiad posibl:

1. Disgrifiwch **ddau** o gryfderau'r ymagwedd bositif. [6]
2. *'Mae'r ymagwedd bositif yn wahanol i ymagweddau traddodiadol seicoleg mewn amryw o ffyrdd'.* Gan gyfeirio at y dyfyniad hwn, trafodwch gryfderau a gwendidau'r ymagwedd bositif o'i chymharu â'r ymagweddau eraill rydych chi wedi'u hastudio. [12]
3. Gwerthuswch **ddau** o wendidau'r ymagwedd bositif. [8]
4. Cymharwch a chyferbynnwch yr ymagweddau seicodynamig a phositif mewn seicoleg. [10]

Gweithgareddau i chi

TYBIAETHAU

ATEBION AR DUDALEN 172

Cywir neu Anghywir?

Ydy'r gosodiadau isod yn gywir neu'n anghywir o ran tybiaethau'r ymagwedd bositif? Rhowch gylch o gwmpas yr ateb cywir.

1	Mae Seligman yn cyfeirio at dri bywyd chwenychadwy: y bywyd dymunol, y bywyd gwych, a'r bywyd ystyrlon.	Cywir neu Anghywir
2	Yn y bywyd da, daw hapusrwydd o weithgareddau y byddwn ni'n ymgolli'n llwyr ac yn bositif ynddyn nhw.	Cywir neu Anghywir
3	I gyrraedd y bywyd da, mae angen i ni feithrin ein cryfderau a'n rhinweddau.	Cywir neu Anghywir
4	Mae'r ymagwedd bositif yn tybio bod hapusrwydd a daioni'n gyflyrau llai naturiol na gorbryder a straen.	Cywir neu Anghywir
5	'Cryfderau arbennig' yw'n nodweddion cynhenid ni, fel caredigrwydd a haelioni.	Cywir neu Anghywir
6	Mae seicoleg wedi astudio positifedd a hapusrwydd yn bennaf.	Cywir neu Anghywir
7	Mae'r ymagwedd bositif yn gwadu bod ewyllys rydd gan bobl.	Cywir neu Anghywir

Lluniwch eich holiadur 'Hapusrwydd' eich hun. Trafodwch gyda gweddill eich dosbarth rai o'r problemau a wynebwch wrth wneud hynny.

Dilysrwydd

Rhestrwch yr holl emosynau posibl a deimlwch pan fyddwch chi yn y sefyllfaoedd hyn:
1. Mewn perthynas
2. Newydd ddod allan o arholiad
3. Wedi cael dadl â chyfaill

Ticiwch yn awr yr emosynau a ymddangosodd gyflymaf (h.y. y rhai a gododd yn fwyaf naturiol). Ai emosynau positif neu negyddol oedd y rheiny'n bennaf?
Trafodwch eich atebion o ran y dybiaeth bositif ynghylch 'Dilysrwydd daioni a rhagoriaeth'.

DADL

Pwy yw'r gorau?

Cynhaliwch ddadl dda, hen-ffasiwn!

Defnyddiwch ddau dîm bach (2-4 o bobl yn y naill a'r llall) ac ymatebwch i'r cynnig hwn:

'Mae'r tŷ hwn yn credu bod yr ymagwedd bositif yn ychwanegiad defnyddiol at ymagweddau seicolegol.'

Bydd y naill dîm yn dadlau o blaid y cynnig a'r tîm arall yn dadlau yn erbyn y cynnig.

Cynhaliwch y ddadl gerbron cynulleidfa fach a gofynnwch iddyn nhw bleidleisio ar y mater ar ôl gwrando ar ddwy ochr y ddadl.

TYSTIOLAETH GLASUROL

Canfyddiadau

Adolygwch waith Myers a Diener (1995) a chrëwch fap meddwl sy'n amlygu'r darganfyddiadau allweddol.

Defnyddiwch y penawdau Oed, Rhywedd, Arian, Perthnasoedd, Pobl hapus, Gwaith a Ffydd, a rhowch liw gwahanol i bob un.

THERAPÏAU

PowerPoint

Ewch ati mewn grwpiau i lunio cyflwyniad PowerPoint sy'n esbonio prif gydrannau therapi meddylgarwch neu therapi ansawdd bywyd.

Yr her i chi yw defnyddio dim ond y lluniau yn eich cyflwyniad i esbonio'r prif gydrannau wrth weddill y grŵp.

GWERTHUSO

Nid syniad newydd

Un o'r beirniadaethau ar yr ymagwedd bositif yw bod ei thybiaethau wedi'u seilio ar seicoleg ddyneiddiol ac nad yw hi felly'n ymagwedd newydd (fel y byddai rhai'n honni).

Chwiliwch am ragor o wybodaeth am seicoleg ddyneiddiol. Defnyddiwch y wefan hon, er enghraifft:

www.simplypsychology.org/maslow.html

1. Beth sy'n cael ei olygu gan yr 'ymagwedd ddyneiddiol'?
2. Sut mae'r ymagwedd ddyneiddiol yn wahanol i ymagweddau eraill?
3. Beth yw asiantaeth bersonol a sut mae'n perthnasu â'r ymagwedd ddyneiddiol?
4. Yn ôl Rogers a Maslow, beth sy'n gymhelliant dynol sylfaenol a phwysig?
5. Pa fethodoleg y mae seicolegwyr dyneiddiol yn ei defnyddio?
6. Crynhowch 'Hierarchaeth Anghenion' Maslow.
7. Beth mae hunansylweddoli yn ei olygu?

GWERTHUSO

Mewn grwpiau

Trafodwch yr elfennau tebyg yn yr ymagwedd ddyneiddiol a'r ymagwedd bositif. Oes unrhyw wahaniaeth? Os oes, beth ydyn nhw?

GWERTHUSO

Ymadroddion allweddol

1. Yn achos pob ymadrodd allweddol, ceisiwch lunio brawddeg gyfan. Ceisiwch wneud hynny heb edrych ar eich nodiadau.
2. Yn achos pob brawddeg, ceisiwch lunio brawddeg bellach sy'n egluro pam y mae hwnnw'n gryfder neu'n wendid.

Shifft mewn canolbwynt   *Ewyllys rydd*

Cymwysiadau   *Unigolyn*   *Gwahaniaethau*

Mesur goddrychol   *Nid syniad newydd*

Gallwch chi ddefnyddio rhai o'r gweithgareddau adolygu a ddisgrifir ar ddiwedd y penodau eraill. Er enghraifft, gallech chi lunio gêm 'geiriau allweddol' neu fapiau meddwl (gweler tudalen 25).

Yn sicr, dylech chi fynd ati unwaith eto i restru'r geiriau allweddol yn y bennod hon a gwneud yn siŵr eich bod chi'n eu deall nhw.

Sioeau treigl

Sioe dreigl* yw cyfres o luniau, a phob un ohonyn nhw ar un sleid PowerPoint sy'n newid yn awtomatig bob hyn a hyn (bob pum eiliad, er enghraifft). Gan weithio mewn grwpiau, gall myfyrwyr lunio sioe dreigl am yr ymagwedd bositif (neu ddim ond un o'r pynciau yn y bennod hon), ac yna'i dangos i fyfyrwyr mewn grwpiau eraill sy'n gorfod dyfalu'r hyn y mae'r lluniau'n ei gynrychioli.

* Diolch i Mike Griffin a Cath Gellis am y syniad hwn o *Psychology AS: The Teacher's Companion for AQA*, a gyhoeddwyd gan OUP.

Cyngor ynglŷn â'r arholiad ysgrifenedig

Dyma restr o sawl cwestiwn arholiad posibl:

- **Disgrifiwch** dybiaethau'r ymagwedd bositif. [12]
- Nodwch therapi sy'n perthyn i'r ymagwedd bositif. **Trafodwch** sut mae tybiaethau'r ymagwedd bositif yn gymwys i'r therapi a nodwyd gennych. [8]
- **Gwerthuswch ddau** o gryfderau a **dau** o wendidau'r ymagwedd bositif. [20]

1. Dychmygwch eich bod chi'n llunio llyfr i fyfyrwyr sy'n astudio seicoleg. Nodwch **bedwar** (neu ragor) o'r cynghorion gorau i fyfyrwyr ynghylch ateb y cwestiynau hyn a chael y marciau uchaf.
2. Ar ôl i chi orffen llunio'r cyngor, dewiswch un o'r cwestiynau a lluniwch **ddau** ateb enghreifftiol ar ei gyfer:
   - Ateb *nad* yw'n dilyn eich cyngor.
   - Patrwm o ateb sy'n dilyn y cyngor.
3. Ar ôl i chi lunio'r naill fersiwn a'r llall, rhowch nhw i rywun arall i'w darllen a gofynnwch iddo/iddi ddweud p'un yw'r gorau, ac esboniwch pam y mae'r traethodau'n wahanol. (Ar ddiwedd pob pennod cewch chi gynlluniau marcio'r gwahanol fathau o atebion arholiad.)
4. Lluniwch nodiadau ar gyfer y patrwm o ateb gan amlygu'r hyn sy'n ei wneud yn batrwm o ateb.

Crëwch 'fwrdd hapus' yn eich ystafell ddosbarth

Mae angen i bawb yn eich grŵp ddod â llun o weithgaredd sy'n ei (g)wneud yn hapus. (Sylwch y dylai fod gradd PG ar y bwrdd hwn.)

Yna, mae angen i bob un esbonio wrth weddill y grŵp pam y mae'r gweithgaredd neu'r llun hwnnw'n ei (g)wneud yn hapus; gallai fod yn gysylltiedig â hobi neu ag atgofion am wyliau gwych.

Dyma rai lluniau sy'n gwneud yr awduron yn hapus ...

Cwestiynau arholiad ac atebion

CWESTIWN YNGHYLCH THERAPÏAU

Atebwch gwestiwn (a) neu gwestiwn (b):

(a Un egwyddor a ddefnyddir mewn meddylgarwch yw myfyrio. Nodwch ac esboniwch **un** egwyddor arall a ddefnyddir mewn therapi meddylgarwch. [4]

(b) Un o egwyddorion ansawdd therapi bywyd yw'r Tair Colofn. Nodwch ac esboniwch **un** o egwyddorion eraill therapi ansawdd bywyd. [4]

Ateb Bob ar gyfer (a)

Mae'r presennol yn bwysig iawn yn y therapi hwn, yn enwedig ein meddyliau a'n hemosiynau. Fel bodau dynol, byddwn ni fel rheol yn meddwl yn aml am ein gorffennol, yn enwedig os byddwn ni'n teimlo'n negyddol ynghylch rhywbeth; ar ben hynny, gallwn dreulio amser yn poeni am ein dyfodol ni hefyd. Gall hynny beri i ni fynd ati'n awtomatig i feddwl yn negyddol am sefyllfaoedd a allai esgor ar orbryder ac iselder. Mae therapi meddylgarwch yn peri i ni feddwl am y presennol ac yn ein haddysgu ni i gydnabod meddyliau'r gorffennol a phwyso a mesur pa mor ddefnyddiol oedden nhw. Yna, gallwn ni fyfyrio a'u haddasu nhw i fod yn fwy positif i'n helpu ni yma heddiw.

119 gair

Ateb Megan ar gyfer (b)

Yr egwyddor rwy'n mynd i'w disgrifio yw model CASIO. Mae hwnnw'n wirioneddol bwysig mewn QoLT ac yn helpu'r therapydd i ddeall beth sy'n gwneud i'r claf fod yn hapus a bodlon. Bydd yn defnyddio CASIO i wneud i chi asesu pa mor fodlon ydych chi ac, os nad ydych chi, bydd yn cyfeirio at y darnau nad ydych chi'n hapus gyda nhw ac yn eich helpu chi i deimlo'n hapusach yn eu cylch. Bydd hefyd yn gwneud i chi sylweddoli eich bod chi'n hapus gyda rhai rhannau o'ch bywyd er mwyn i chi ganolbwyntio ar y rhannau hynny yn hytrach na phoeni gormod am y darnau nad ydych chi'n eu hoffi.

111 gair

Cynllun marcio ar gyfer y cwestiwn yma

Marc	Disgrifiad
4	**Nodir** yr egwyddor **yn glir** ac mae'r esboniad yn **gywir** a **manwl**. Defnyddio termau'n effeithiol.
3	Mae'r egwyddor wedi'i **nodi'n glir** ac mae'r esboniad yn **rhesymol o gywir** a **manwl** NEU **heb ei henwi** ond yn **gywir** a **manwl**. Defnydd da o dermau.
2	Nodir yr egwyddor ac mae'r esboniad yn un **sylfaenol** NEU **nid yw wedi'i henwi** ond mae'n **rhesymol o fanwl**. Peth defnydd o dermau.
1	Ni chaiff yr egwyddor ond ei **nodi** NEU fe gynigir esboniad **arwynebol**. Defnyddio fawr ddim termau.
0	Ateb **amhriodol / dim ymateb**.

> Dyw Bob ddim wedi enwi'n benodol yr egwyddor y mae'n ei disgrifio.

> Mae esboniad Bob yn ei gwneud hi'n amlwg ei fod yn disgrifio 'magu rheolaeth dros feddyliau', nodwedd bwysig ar y therapi hwn.

> Mae disgrifiad Megan yn eithaf sylfaenol am nad yw hi wedi esbonio beth yw'r ffactorau CASIO.

> Mae Megan wedi nodi'n benodol pa egwyddor y mae hi'n ei disgrifio drwy ei henwi, h.y. CASIO.

CWESTIWN YNGHYLCH GWERTHUSO'R YMAGWEDD

'Yn bendant, mae'r ymagwedd bositif yn wahanol i ymagweddau seicolegol traddodiadol mewn amryw o ffyrdd'. Gan gyfeirio at y dyfyniad hwn, trafodwch gryfderau'r ymagwedd bositif. [8]

Ateb Bob

All y ffaith fod yr ymagwedd bositif 'yn bendant…. yn wahanol' ddim ond bod yn beth da i seicoleg. Nid yn unig y mae'n wahanol ond mae hi wedi symud seicoleg yn ei blaen ac wedi rhoi canolbwynt newydd i ymchwil. Bydd hynny'n ein helpu ni i ddeall rhagor ar ymddygiadau pobl. Oherwydd ei chanolbwynt ar ein cryfderau dilys, gall helpu i wella bywydau pawb, yn hytrach na bywydau'r rhai sy'n dioddef o salwch meddwl, sef canolbwynt pob ymagwedd arall, e.e. yr ymagwedd fiolegol. Mae hynny'n beth gwael am mai canlyniad canolbwyntio ar anhwylderau a chlefydau yw dealltwriaeth gyfyng o ymddygiad pobl ond, os canolbwyntiwch chi ar nodweddion positif, gall hynny gael ei gymhwyso at bawb mewn cymdeithas ac mae'n fwy cymwys i bawb yn gyffredinol.

Ymhellach, mae'r ymagwedd hon yn bositif o wahanol ac yn rhagori ar ymagweddau eraill am fod iddi fwy o bersbectif 'ewyllys rydd' sy'n gwneud y person yn gyfrifol am werthuso'i fywyd/bywyd a meddwl am y dyfodol ac yn ei (g)rymuso i fod yn rhagweithiol wrth newid ei dynged/ei thynged a theimlo'n hapus a bodlon. Mae honno'n athroniaeth wahanol iawn, e.e. i'r ymagweddau biolegol neu seicodynamig sy'n fwy penderfyniadol ac yn gweld ein bywydau fel *fait accompli* am mai ychydig iawn y gallwn ni ei wneud ynglŷn â'n genynnau neu'n profiadau ni fel plant ifanc. Mae'r ymagwedd bositif, felly, yn fodd i bobl fod â mwy o ryddid a chyfrifoldeb na'r ymagweddau eraill sy'n hybu diymadferthedd a diffyg cyfrifoldeb personol dros ein bywyd.

248 gair

Cynllun marcio ar gyfer y cwestiwn yma

Marc	Disgrifiad
7–8	Mae'r gwerthuso'n **fanwl iawn** ac yn cyfeirio'n **glir** at y dyfyniad. Dangosir dyfnder ac ystod.
5–6	Mae'r gwerthuso'n **rhesymol o fanwl** a cheir **peth** cyfeirio at y dyfyniad. Dangosir dyfnder neu ystod.
3–4	Mae'r gwerthuso'n **sylfaenol** heb fawr o gyfeirio at y dyfyniad.
1–2	Mae'r gwerthuso'n **arwynebol** heb unrhyw gyfeiriad at y dyfyniad.
0	Ateb **amhriodol / dim ymateb**.

I ba raddau y mae seicoleg bositif o les i'r gymdeithas sydd ohoni? [20]

Cynllun marcio ar gyfer y cwestiwn yma

Marc	AA1	AA3
10	Mae'r enghreifftiau o ymchwil / damcaniaeth wedi'u dewis yn gelfydd i ategu'r pwyntiau a wneir. **Dyfnder** ac **ystod** y deunydd a gynhwyswyd. Defnyddio termau'n effeithiol.	**Dadansoddi soffistigedig** a **llafar** ar y ddadl. **Dadleuon cytbwys** a sylwebaeth werthusol. Strwythur rhagorol. Daethpwyd i **gasgliad priodol**.
7–9	Cyflwynir enghreifftiau priodol o ymchwil / damcaniaeth i ategu'r pwyntiau a wneir. Ceir **dyfnder** ac **ystod** i'r deunydd ond nid i'r un graddau. Defnydd da o dermau.	**Dadansoddi da** ar y ddadl. Ategir y dadleuon yn gelfydd a **chytbwys**. Mae'n amlwg bod y sylwebaeth werthusol yn berthnasol i'r cyd-destun. Strwythur rhesymegol a **chasgliad priodol**.
4–6	Gall yr enghreifftiau beidio â bod yn briodol bob tro. **Dyfnder neu ystod** y deunydd. Rhai gwallau.	**Dadansoddi rhesymol** ar y ddadl. Gall y dadleuon fod yn **unochrog** ac mae'r sylwebaeth werthusol yn generig a heb ei chyd-destunoli. Strwythur rhesymol ond **dim casgliad** na gosodiad generig.
1–3	**Nid yw'r** enghreifftiau yn **berthnasol**. Y manylion yn **ddryslyd / anghywir**.	Sylwebaeth sy'n **debyg i restr** ac mae'r ateb yn brin o eglurder. **Dim casgliad**.
0	**Dim ymateb** / ymateb **amhriodol**	**Dim ymateb** / ymateb **amhriodol**

Ateb Megan

Mae tri chryfder i'r ymagwedd bositif, sef ewyllys rydd, ei chymhwyso, a'r ffaith ei bod hi'n astudio ymddygiadau cadarnhaol yn hytrach na rhai negyddol.

Mae seicoleg bositif yn awgrymu nad yw'n hymddygiad ni'n gyfyngedig nac wedi'i benderfynu ymlaen llaw. Mae gennym ni'r grym i fod yr hyn y dymunwn fod, e.e. os oes arnom ni eisiau bod yn hapus a chyflawn, mater i ni yw canolbwyntio ar ein cryfderau ac ar eu mawrygu yn hytrach na threulio'n hamser yn canolbwyntio ar elfennau negyddol bywyd. Maen nhw'n ein hannog ni i fod cystal ag y gallwn ac yn ein grymuso ni i wneud hynny.

Mae seicoleg bositif hefyd wedi'i chanmol am ei chymhwysiad at y byd go-iawn, e.e. mae'r Fyddin wedi defnyddio egwyddorion cadarnhaol yn ei rhaglenni hyfforddi i wneud milwr yn wytnach ac i ddioddef llai o anhwylder straen ôl-drawmatig. Bydd y Fyddin yn cynyddu gwydnwch meddyliol milwyr ac yn eu helpu i feithrin ymddygiad cadarnhaol fel hiwmor a dewrder. Mae hi hefyd wedi'i defnyddio ym myd addysg. Mae ymagwedd yn dda os yw hi o fudd mewn bywyd go-iawn.

Yn olaf, mae'r ymagwedd bositif yn dda am ei bod hi'n canolbwyntio ar nodweddion cadarnhaol yn hytrach na negyddol. Mae'n fwy cyffredinoladwy at gymdeithas am mai prin yw'r rhai sydd ag ymddygiadau negyddol fel salwch meddwl sydd fel petaen nhw'n ganolbwynt i ymagweddau eraill. Barn Seligman yw y dylen ni ymboeni nid yn unig ag atgyweirio'r pethau gwaethaf mewn bywyd ond hefyd ag adeiladu'r pethau da, a dyna y mae'r ymagwedd hon yn ei wneud.

255 gair

Sylwadau a marciau'r arholwr ar dudalen 175.

Rhowch gynnig ar fod yn arholwr

Aseswch yr ateb isod a lluniwch sylw arholwr: cyn rhoi'r marc terfynol iddo, amlygwch yr hyn sydd wedi'i wneud yn dda a'r hyn y gellid ei wella ar gyfer AA1 ac AA3.

Ateb Bob

Mae tybiaethau'r ymagwedd bositif wedi'u cymhwyso at lawer maes mewn bywyd i helpu unigolion, sefydliadau a chymunedau i ffynnu. Rwy'n bwriadu trafod sut mae hynny wedi'i wneud yn y lluoedd arfog, byd addysg ac amser hamdden. Mae seicoleg bositif wedi symud oddi wrth feysydd ymchwil traddodiadol sydd wedi canolbwyntio mwy ar ochr dywyll y natur ddynol a throi, yn hytrach, at astudio popeth da. Yr athroniaeth bennaf yw y dylid gwneud ymchwil i weld sut mae hybu a hyrwyddo cynhyrchedd a hapusrwydd.

Sefydliad sydd wedi mabwysiadu seicoleg bositif yw'r lluoedd arfog. Mae Byddin yr Unol Daleithiau wedi datblygu hyfforddiant arbenigol i wella a meithrin gwydnwch meddyliol milwyr drwy gael recriwtiaid i gydnabod eu cryfderau arbennig, fel dewrder a hiwmor, a sut mae meithrin y rheiny i'w rhwystro nhw rhag dioddef gormod oherwydd erchyllterau rhyfel. Mae hynny'n ffordd glasurol sy'n dangos sut mae tybiaethau'r ymagwedd bositif wedi'n helpu ni a'r gymdeithas sydd ohoni.

> Mae'n amlwg bod Bob wedi defnyddio amrywiaeth o enghreifftiau i ddangos sut mae'r ymagwedd bositif wedi'i chymhwyso at y gymdeithas sydd ohoni.

Caiff ei chymhwyso hefyd ym myd addysg lle mae rhai ysgolion wedi amserlennu gwersi mewn seicoleg bositif a hapusrwydd i'w disgyblion.

> Ffordd dda o gynyddu'ch marc AA1 yw disgrifio astudiaethau ymchwil i effeithiolrwydd cymhwyso'r ymagwedd.

Gwnaeth Seligman (2009) ymchwil i weld pa mor effeithiol oedd mentrau fel y rheiny. Defnyddiodd ef 350 o fyfyrwyr a neilltuwyd ar hap i ddosbarthiadau a ddilynai gwricwlwm seicoleg bositif (PPC) neu rai heb PPC; yr olaf oedd y grŵp rheolydd. Llanwodd pob rhanddeiliad— e.e. myfyrwyr, athrawon a rhieni – holiadur. Gwelodd Seligman fod y myfyrwyr a gafodd PPC yn barotach i gydweithredu a bod ganddyn nhw well sgiliau cymdeithasol na'r rhai yn y grŵp rheolydd. Daeth Seligman i'r casgliad nad oedd PPC yn fygythiad i addysg draddodiadol ond y gallai ei gwella a'i hyrwyddo.

Dyw addysg ddim yn gorffen yn yr ysgol a gall oedolion elwa o seicoleg bositif yn y gweithle hefyd. Mae cyflogwyr sy'n cynnig heriau a chyfleoedd i ddatblygu sgiliau newydd yn fodd i'r gweithwyr fwynhau eu gwaith, estyn eu galluoedd a chynyddu eu hunan-barch a'u hunan-werth. Nododd Csikszentmihalyi rywbeth o'r enw 'llif' ac awgrymodd fod gwaith yn cynnig llawer cyfle i lif ddigwydd a bod hynny, yn ei dro, yn cynyddu profiadau positif.

Caiff seicoleg bositif ei chymhwyso hefyd at ein hamser a'n diddordebau hamdden. Bydd grwpiau hunan-gymorth, elusennau a phrosiectau ar-lein i gyd yn ceisio hyrwyddo hapusrwydd eu defnyddwyr a'u dealltwriaeth o'u cryfderau er gwaetha'u gwendidau. Enghraifft o hynny yw'r prosiect ar-lein Action for Happiness sy'n cyhoeddi gwybodaeth ynghylch gwneud eich bywyd yn hapusach.

> Dyw Bob ond yn disgrifio'r ffyrdd y mae'r ymagwedd bositif wedi'i defnyddio, yn hytrach nag yn ymroi i ddadlau, e.e. ydy'r ymagwedd yn ddefnyddiol a buddiol neu beidio?

Ar sail hyn oll, e.e. yn y fyddin, byd addysg ac amser hamdden, mae'n amlwg bod seicoleg bositif yn ddefnyddiol i bobl heddiw.

414 gair

Ateb Megan ar dudalen 175.
Sylwadau a marciau'r arholwr ar dudalen 175.

Pennod 6
Ymchwilio i ymddygiad

CYNNWYS Y BENNOD

Canolbwynt arbennig ar feysydd ymchwil allweddol

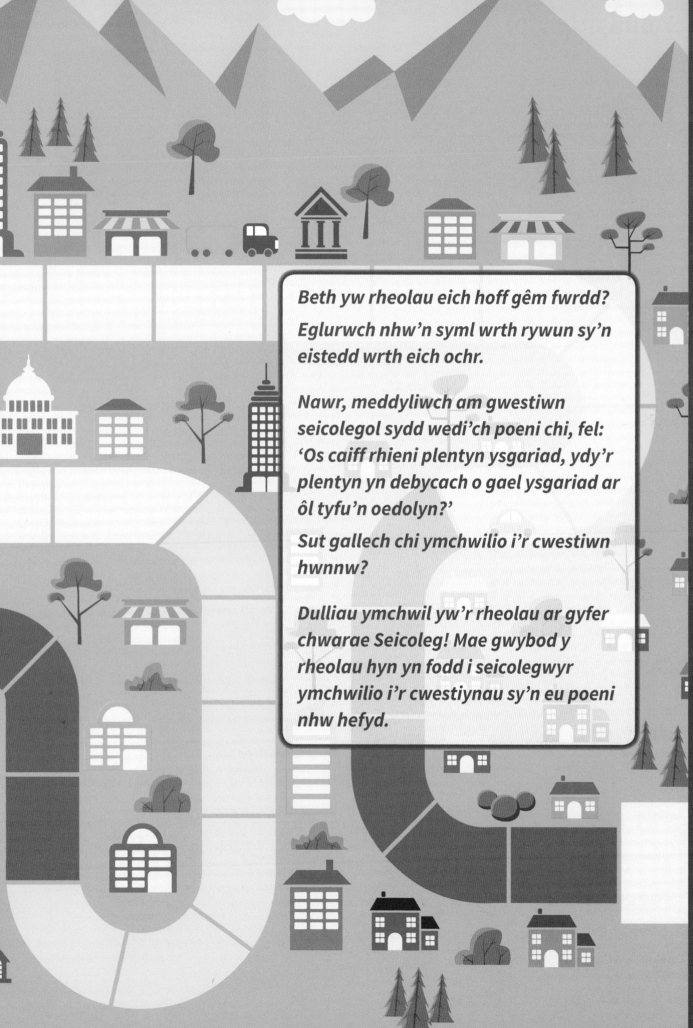

Beth yw rheolau eich hoff gêm fwrdd?

Eglurwch nhw'n syml wrth rywun sy'n eistedd wrth eich ochr.

Nawr, meddyliwch am gwestiwn seicolegol sydd wedi'ch poeni chi, fel: 'Os caiff rhieni plentyn ysgariad, ydy'r plentyn yn debycach o gael ysgariad ar ôl tyfu'n oedolyn?'

Sut gallech chi ymchwilio i'r cwestiwn hwnnw?

Dulliau ymchwil yw'r rheolau ar gyfer chwarae Seicoleg! Mae gwybod y rheolau hyn yn fodd i seicolegwyr ymchwilio i'r cwestiynau sy'n eu poeni nhw hefyd.

Y dull arbrofol

Dylai eich astudiaeth o seicoleg fod yn hwyl (!) ac yn berthnasol i'ch bywyd. Ffordd dda o ddechrau deall y broses ymchwilio, felly, yw ymchwilio i rywbeth ynghylch ymddygiad pobl sy'n ennyn eich diddordeb. Ond cyn cyffroi gormod, chewch chi ddim astudio unrhyw beth sy'n anfoesegol!

Bydd seicolegwyr yn defnyddio nifer o ddulliau a thechnegau gwahanol i wneud ymchwil, a dyna ganolbwynt y bennod hon. Bydd llawer o bobl yn meddwl mai arbrofion yw'r cyfan – yn wir, er bod pobl yn aml iawn yn dweud 'Fe wnaethon nhw arbrawf ar…', gwir ystyr hynny yw 'Fe wnaethon nhw ymchwiliad i…'. Gan fod rhai rheolau penodol iawn ynghylch cynnal arbrawf, dyna lle byddwn ni'n dechrau astudio dulliau ymchwil.

MATERION MOESEGOL

Pryd bynnag y gwnewch chi ymchwil, mae'n rhaid i chi bob amser ystyried **materion moesegol** a materion cysylltiedig yn ofalus.

- Peidiwch byth â defnyddio unrhyw un dan 16 oed fel cyfranogwr (nac, yn wir, unrhyw un y gellid ei alw'n 'fregus' mewn unrhyw ffordd).
- Cofiwch gael **cydsyniad dilys** pob cyfranogwr bob amser – dywedwch wrth eich cyfranogwyr yr hyn y bydd disgwyl iddyn nhw'i wneud a gadewch iddyn nhw wrthod cymryd rhan.
- Ar ôl gwneud yr astudiaeth, cynhaliwch sesiwn **adrodd yn ôl** gyda'ch cyfranogwyr i sôn am unrhyw **dwyll** a gadael iddyn nhw **dynnu** eu data **yn ôl** os byddan nhw, ar ôl ystyried, yn gwrthwynebu eu bod wedi cymryd rhan. Cyn cychwyn ar unrhyw astudiaeth, ymgynghorwch ag eraill ynglŷn â'r 'sgript' y byddwch chi'n ei defnyddio i gael y cydsyniad dilys ac i adrodd yn ôl.

Yn y bennod hon rydyn ni wedi diffinio rhai o'r termau allweddol ar y dudalen am fod dulliau ymchwil ynghlwm ag ystyr yr eirfa arbenigol.

GWAITH I CHI

Arsylwi bywyd bob dydd
Gallech chi feddwl am eich syniad eich hun, ond dyma un posibilrwydd. Mae llawer o fyfyrwyr yn gwneud eu gwaith cartref o flaen y teledu. Mae merch Cara'n credu ei bod hi'n gweithio llawn cystal o flaen y teledu ag wrth ddesg heb ddim i dynnu ei sylw. Fel y gallwch chi ddychmygu, dydy Cara ddim yn meddwl bod hynny'n wir.

Nod yr ymchwil
Ymchwilio i weld a yw pobl yn gweithio llawn cystal â'r teledu ymlaen, neu a fydd hynny'n amharu ar eu gwaith.

1. Gweithiwch gyda grŵp bach o fyfyrwyr eraill a thrafodwch y cwestiynau hyn:
   - Sut gallech chi ddarganfod bod pobl yn gallu gweithio lawn cystal â'r teledu ymlaen ag mewn ystafell dawel?
   - Beth fydd angen i chi ei fesur?
   - A fydd gennych chi ddau gyflwr gwahanol? Beth fyddwch chi'n ei newid ar draws y ddau gyflwr?
   - Faint o gyfranogwyr bydd eu hangen arnoch chi? A fydd pawb yn cymryd rhan yn y ddau gyflwr neu a fydd gennych chi ddau grŵp o gyfranogwyr?
   - Beth fyddwch chi'n disgwyl ei ddarganfod?
   - Beth fydd y cyfranogwyr yn ei wneud?
   - Beth y mae angen i chi ei reoli?

2. Ar ôl penderfynu ar yr hyn y byddwch chi'n ei wneud, ymunwch â grŵp arall ac eglurwch eich syniadau wrth eich gilydd. Gall y grŵp arall ofyn cwestiynau defnyddiol a fydd yn eich helpu chi i fireinio eich syniadau.

3. Gwnewch eich astudiaeth. Efallai y gallwch chi wneud hyn yn y dosbarth neu fe allai pob aelod o'ch grŵp fynd i ffwrdd a chasglu tipyn o ddata.

4. Crynhowch y data y mae eich grŵp wedi'u casglu a lluniwch bosteri i gyflwyno'ch canlyniadau a'ch casgliadau.

TERMAU ALLWEDDOL

Adrodd yn ôl Rhoi gwybod i'r cyfranogwyr am wir natur yr astudiaeth, a'u hadfer i'r un cyflwr ag yr oedden nhw ynddo ar ddechrau'r astudiaeth. Nid mater moesegol yw adrodd yn ôl; mae'n ffordd o ddelio â materion moesegol.

Arbrawf Dull ymchwil lle gellir tynnu casgliadau achosol am fod newidyn annibynnol wedi'i fanipwleiddio'n fwriadol er mwyn arsylwi'r effaith achosol ar y newidyn dibynnol.

Cydsyniad dilys Rhaid i'r cyfranogwyr gael gwybodaeth gynhwysfawr am natur a diben yr ymchwil a'u rôl ynddo er mwyn iddyn nhw allu gwneud penderfyniadau gwybodus ynghylch cymryd rhan ynddo.

Gweithdrefnau safonedig Set o weithdrefnau sydd yr un fath i bob cyfranogwr er mwyn gallu dyblygu'r astudiaeth. Mae hynny'n cynnwys cyfarwyddiadau safonedig, sef y cyfarwyddiadau a gaiff y cyfranogwyr i ddweud wrthyn nhw sut mae cyflawni'r dasg.

Gweithredoli Sicrhau bod newidynnau ar ffurf y gellir rhoi prawf arnyn nhw'n rhwydd. Mae angen pennu cysyniad fel 'cyrhaeddiad addysgol' yn gliriach os bwriadwn ymchwilio iddo. Er enghraifft, gellid ei weithredoli'n 'radd TGAU mewn Mathemateg'.

Materion moesegol Mae'r rhain yn ymdrin â'r hyn sy'n iawn a heb fod yn iawn. Maen nhw'n codi mewn ymchwil os yw'r setiau o werthoedd sydd gan ymchwilwyr a chyfranogwyr ynghylch cyrchnodau, gweithdrefnau neu ganlyniadau astudiaeth ymchwil yn gwrthdaro.

Newidyn annibynnol (IV) Rhyw ddigwyddiad sy'n cael ei fanipwleiddio'n uniongyrchol gan arbrofwr i roi prawf ar ei effaith ar newidyn arall, sef y newidyn dibynnol (DV).

Newidyn dibynnol Y newidyn y mae'r arbrofwr yn ei fesur.

Newidyn dryslyd Unrhyw newidyn sy'n amrywio'n systematig gyda'r newidyn annibynnol ac a allai effeithio, o bosibl, ar y newidyn dibynnol a thrwy hynny ddrysu'r canlyniadau.

Nodau Datganiad o'r hyn y mae'r ymchwilydd/ymchwilwyr yn bwriadu ei ddarganfod mewn astudiaeth ymchwil.

Rhagdybiaeth Datganiad manwl-gywir a phrofadwy am y berthynas dybiedig rhwng newidynnau. Mae gweithredoli'n rhan allweddol o wneud y datganiad yn brofadwy.

GAIR AM ARBROFION

Rydych chi newydd wneud yr hyn y mae seicolegwyr yn ei wneud, sef gwneud astudiaeth systematig o ymddygiad pobl. Dilynwyd y **dull gwyddonol**: sef arsylwi → egluro → datgan y disgwyliadau → cynllunio astudiaeth → gweld a oedd eich disgwyliadau'n gywir.

Bydd seicolegwyr yn defnyddio geiriau arbennig i nodi agweddau ar y broses ymchwil. Rydyn ni wedi defnyddio rhai o'r termau hynny eisoes yn y llyfr hwn ac mae'n fwy na thebyg y bydd y mwyafrif ohonyn nhw'n gyfarwydd am i chi eu defnyddio nhw mewn dosbarthiadau gwyddoniaeth.

- **Cwestiwn**: *Beth fyddwch chi'n ei fesur?* Yr enw ar hwn yw'r **newidyn dibynnol** (**DV**). Wrth i chi benderfynu beth yn union y byddech chi'n ei fesur, fe wnaethoch chi **weithredoli**'r DV. Dydy hi ddim yn ddigon cael pobl i wneud 'rhyw waith' – dylech chi fod wedi sicrhau bod pob cyfranogwr yn gwneud yr un dasg a byddech chi wedi pennu'r dasg honno (e.e. prawf ar y cof).

- **Cwestiwn**: *Beth yw eich dau gyflwr chi?* Yr enw ar hwn yw'r **newidyn annibynnol** (**IV**). Yn aml, bydd dau gyflwr i'r IV – yn yr achos hwn, bod â'r teledu ymlaen neu fod y teledu wedi'i ddiffodd.

  I gynnal arbrawf, mae angen i ni gymharu un cyflwr (astudio â'r teledu ymlaen) â chyflwr arall (astudio â'r teledu wedi'i ddiffodd). Y ddau gyflwr hyn yw gwahanol *lefelau'r* IV. Dylai astudiaeth dda bob amser fod â dwy (neu ragor) o lefelau i'r IV. Os nad oes gennym ni'r cyflyrau neu'r lefelau gwahanol hyn, does gennym ni ddim sylfaen i'w cymharu.

- **Cwestiwn**: *Beth fyddwch chi'n disgwyl ei weld?* Dyma eich **rhagdybiaeth**, sef datganiad o'r hyn y credwch ei fod yn wir. Dylai pob rhagdybiaeth dda gynnwys y ddwy lefel (neu ragor) o'r IV. Dyma ragdybiaeth bosibl, felly:

  Bydd myfyrwyr sy'n gwneud tasg gofio â'r teledu ymlaen yn cynhyrchu gwaith sy'n cael llai o farciau na'r rhai sy'n gwneud yr un dasg gyda'r teledu wedi'i ddiffodd.

  Mae hyn yn wahanol i **nodau**'r arbrawf. Y nodau fyddai ymchwilio i effaith teledu ar y gwaith y mae myfyriwr yn ei gynhyrchu. Mae'r nodau'n fwriadau neu, efallai, yn gwestiwn ymchwil ('Ydy sŵn yn effeithio ar ansawdd gwaith?'), tra bod rhagdybiaeth yn ddatganiad o'r berthynas rhwng y newidyn annibynnol a'r newidyn dibynnol.

- **Cwestiwn**: *Beth fydd y cyfranogwyr yn ei wneud?* Fe lunioch chi set o **weithdrefnau safonedig**. Mae'n bwysig sicrhau bod pob cyfranogwr wedi gwneud yn union yr un peth ym mhob cyflwr. Fel arall, gallai'r canlyniadau amrywio oherwydd newidiadau yn y gweithdrefnau yn hytrach nag oherwydd yr IV. Caiff gweithdrefnau unfath eu galw'n rhai 'safonedig'.

- **Cwestiwn**: *Beth mae angen i chi ei reoli?* Byddwch chi wedi ceisio rheoli rhai **newidynnau dryslyd** fel yr adeg o'r dydd (gallai pobl wneud yn well mewn prawf yn y bore nag yn y prynhawn ac felly dylai'r holl gyfranogwyr wneud y prawf tua'r un adeg o'r dydd).

Arbrawf yw'r astudiaeth rydych chi newydd ei gwneud. Prif nodwedd arbrawf yw bod yna IV sy'n cael ei newid yn fwriadol (y teledu ymlaen neu beidio) i weld a fyddai'n cael unrhyw effaith ar y DV (ansawdd y gwaith). Mae hyn yn fodd i ni dynnu *casgliadau achosol*. Am ein bod yn gallu cymharu effaith y ddwy lefel o'r IV sydd wedi'u manipwleiddio'n fwriadol, gallwn ni wneud datganiad ynghylch a yw bod â'r teledu ymlaen neu wedi'i ddiffodd yn achosi newid yn ansawdd y gwaith sy'n cael ei wneud.

▶ Ivy Deevy.

Caiff llawer o fyfyrwyr drafferth cofio p'un yw'r IV a ph'un yw'r DV – meddyliwch am y fenyw ddwl. Y peth sy'n dod gyntaf (Ivy) yw'r IV sy'n esgor ar newid yn y DV (Deevy).

CORNEL ARHOLIAD
Ymarfer ar gyfer senarios newydd

Isod, mae disgrifiadau o bedwar arbrawf. Yn achos pob arbrawf, atebwch y cwestiynau hyn:

1. Nodwch yr IV a'r DV (gan gynnwys dwy lefel yr IV). [2]
2. Eglurwch sut gallech chi weithredoli'r IV a'r DV. [2]
3. Nodwch **un** newidyn dryslyd posibl. [1]

Astudiaeth A Er mwyn astudio effeithiau cael eu hamddifadu o gwsg, caiff myfyrwyr gais i gyfyngu hyd eu cwsg i bum awr y noson am dair noson ac yna cysgu fel arfer y noson wedyn. Bob dydd caiff prawf cof ei ddefnyddio i asesu galluoedd gwybyddol y myfyrwyr.

Astudiaeth B Mae cyfranogwyr yn gwirfoddoli i gymryd rhan mewn astudiaeth. Dywedir wrthyn nhw mai astudiaeth o siarad cyhoeddus yw hi, ond y gwir nod yw gweld sut mae pobl yn ymateb i anogaeth gan bobl eraill. Mae rhai cyfranogwyr yn siarad o flaen grŵp o bobl sy'n gwenu arnyn nhw ond mae eraill yn siarad â grŵp sydd fel petaen nhw heb unrhyw ddiddordeb.

Astudiaeth C Caiff rhedwyr marathon eu hasesu i weld faint o gwsg maen nhw'n cael ar noson cyn rhedeg ras, a'r noson wedyn, i weld pa effaith y caiff ymarfer ar gysgu.

Astudiaeth Ch Mae athrawes yn dilyn cwrs seicoleg ac yn penderfynu rhoi cynnig ar wneud arbrawf bach gyda'i dosbarth o blant wyth oed. Mae'n rhoi prawf i hanner y dosbarth yn y bore ac mae'r hanner arall yn gwneud yr un prawf yn y prynhawn er mwyn gweld a yw'r adeg o'r dydd yn effeithio ar eu perfformiad.

CORNEL ARHOLIAD

1. Nodwch nodweddion allweddol arbrawf. [2]
2. Eglurwch y gwahaniaeth rhwng nodau astudiaeth a rhagdybiaeth. [2]
3. Eglurwch beth yw ystyr *gweithredoli*. [3]
4. Eglurwch pam y mae safoni'n bwysig mewn gweithdrefnau ymchwil. [2]

Dilysrwydd: Rheoli newidynnau

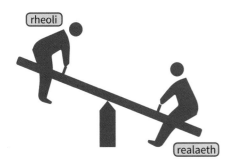

rheoli

realaeth

Mae'n anochel bod astudiaethau mewn seicoleg yn cynnwys rhyw fath o gydbwysedd rhwng **rheoli** a realaeth. Mewn **labordy** y gellir sicrhau'r rheolaeth fwyaf. Ond ni all neb fod yn siŵr i ba raddau y gellir cyffredinoli darganfyddiadau o'r labordy at amgylcheddau eraill, ac yn enwedig at yr amgylcheddau llai rheoledig bywyd bob-dydd.

Dadl rhai seicolegwyr yw na allwn ni ddarganfod pethau am ymddygiad ond drwy lwyddo i ddadlennu perthnasoedd achos-ac-effaith mewn arbrofion a wneir dan reolaeth lem mewn labordy.

Dadl eraill yw mai astudiaethau yn yr amgylchedd naturiol yw'r unig ddewis go-iawn i seicolegwyr sy'n ymddiddori yn y ffordd y caiff bywyd ei fyw.

TERMAU ALLWEDDOL

Dilysrwydd A yw'r effaith a arsylwyd yn un dilys.

Dilysrwydd allanol I ba raddau y mae modd cyffredinoli darganfyddiad ymchwil at sefyllfaoedd eraill (**dilysrwydd ecolegol**); at grwpiau eraill o bobl (**dilysrwydd poblogaeth**); dros amser (**dilysrwydd hanesyddol**).

Dilysrwydd mewnol I ba raddau roedd yr effaith a arsylwyd yn deillio o fanipwleiddio arbrofol yn hytrach nag o ffactorau fel newidynnau dryslyd/allanol.

Newidyn dryslyd Newidyn heblaw'r newidyn annibynnol (IV) sy'n cael ei astudio ond sy'n amrywio'n systematig gyda'r IV. Gall newidiadau yn y newidyn dibynnol ddeillio o'r newidyn dryslyd yn hytrach na'r IV, a pheri bod canlyniad yn ddiystyr.

Newidynnau allanol Nid yw'r rhain yn amrywio'n systematig gyda'r IV, ac felly ni fyddan nhw'n gweithredu fel IV arall ond fe allan nhw gael effaith ar y newidyn dibynnol. Newidynnau niwsans ydyn nhw: maen nhw'n cymylu'r sefyllfa ac yn ei gwneud hi'n anoddach canfod effaith arwyddocaol.

Realaeth gyffredin Y ffordd y mae astudiaeth yn adlewyrchu'r byd go-iawn. Bydd amgylchedd yr ymchwil yn realistig i'r graddau y mae'r profiadau a gafwyd yn amgylchedd yr arbrawf yn digwydd yn y byd go-iawn.

Rheoli Mae'n cyfeirio at hyd a lled cadw unrhyw newidyn yn gyson neu o dan reolaeth ymchwilydd.

RHEOLI

Newidynnau dryslyd

Ystyriwch ein harbrawf ar y ddwy dudalen flaenorol: **nod** dosbarth o fyfyrwyr seicoleg oedd gwneud astudiaeth i ddarganfod a allai cyfranogwyr wneud eu gwaith cartref yn effeithiol o flaen y teledu. Y **newidyn annibynnol** (IV) oedd a oedd y teledu ymlaen ai peidio. Y **newidyn dibynnol** (DV) oedd sgôr y cyfranogwyr ar y prawf cof. Os yw'r teledu'n tynnu sylw, dylai'r grŵp 'teledu wedi'i ddiffodd' wneud yn well yn y prawf.

Ond beth petai'r holl gyfranogwyr yn y cyflwr 'teledu wedi'i ddiffodd' wedi gwneud y prawf cof yn y bore a'r holl gyfranogwyr yn y cyflwr 'teledu ymlaen' wedi gwneud y prawf cof yn y prynhawn?

Bydd pobl yn fwy effro yn y bore (fel rheol) a gallai hynny olygu mai'r adeg o'r dydd, yn hytrach na'r diffyg sŵn, a achosodd y newid yn y DV. Yna, gellir ystyried bod yr adeg o'r dydd yn **newidyn dryslyd**.

Gall yr arbrofwr honni mai'r IV a achosodd newid yn y DV, ond efallai nad felly oedd hi mewn gwirionedd. Efallai mai newidyn(nau) dryslyd a achosodd y newid yn y DV. *Gall yr arbrofwr, felly, fod heb roi prawf ar yr hyn y bwriadai roi prawf arno.* Yn hytrach, rhoddwyd prawf ar newidyn gwahanol.

Rhaid i'r arbrofwr fod yn ofalus i reoli unrhyw newidyn dryslyd posibl. Yn achos ein harbrawf ni, dylai'r cyfranogwyr yn y ddau gyflwr gymryd y prawf yr un adeg o'r dydd.

Newidynnau allanol

Bydd rhai myfyrwyr yn cofio'n well na'i gilydd. Go brin y byddai pawb â gwell cof yn perthyn i'r grŵp 'teledu wedi'i ddiffodd'. Petai hynny'n digwydd, byddai'n newidyn dryslyd, ond mae'n fwy tebygol bod y newidyn hwnnw'n niwsans o newidyn am na allwn ni fyth â bod yn siŵr bod y naill gyflwr na'r llall yn amharu i'r un graddau ar bobl â chof da neu gof gwael. Mae'r gallu i gofio, fel newidyn allanol, yn ei gwneud hi'n anoddach canfod effaith oherwydd dylanwad ffactorau eraill.

Caiff y newidynnau hynny sy'n niwsans eu galw'n **newidynnau allanol** am y gallan nhw effeithio – ond nid mewn ffordd systematig – ar y DV. Maen nhw'n 'ychwanegol'. Dylid hefyd eu rheoli nhw os oes modd. Er enghraifft, rheoli elfennau fel sŵn.

REALAETH

Nod unrhyw astudiaeth seicolegol yw darparu gwybodaeth am y ffyrdd y bydd pobl yn ymddwyn mewn 'bywyd go-iawn', sef y sefyllfaoedd beunyddiol y caiff bywyd ei fyw ynddyn nhw. Os gwneir astudiaeth mewn sefyllfa rhy artiffisial, ni fydd y cyfranogwyr yn ymddwyn fel y bydden nhw'n ymddwyn fel rheol.

Er enghraifft, ymchwiliodd astudiaeth Loftus a Palmer (gweler tudalen 76) i dystiolaeth llygad-dystion drwy ddangos i'r cyfranogwyr ffilm o ddamwain car a'u holi ynghylch cyflymder un o'r ceir. Ond pa mor realistig yw hyn? Ydy gwylio'r ffilm yr un peth â gweld damwain go-iawn?

Bydd llawer o bethau'n effeithio ar *realaeth* astudiaeth seicolegol. Mae'r term **realaeth gyffredin** yn cyfeirio at y ffordd y mae arbrawf yn ddrych o'r byd go-iawn. Bydd diffyg realaeth gyffredin, felly, yn golygu rhywbeth nad yw'n debyg i brofiad bob-dydd. Mae gwylio damwain car ar ffilm yn brin o realaeth gyffredin am nad yw'n debyg i brofiad beunyddiol. Felly, gall canlyniadau'r astudiaeth beidio â bod yn ddefnyddiol iawn o ran deall ymddygiad yn y byd go-iawn.

Cyffredinoli

Diben realaeth mewn ymchwil seicolegol yw gallu *cyffredinoli*'r canlyniadau y tu hwnt i sefyllfa unigryw a phenodol yr ymchwil – ac, yn arbennig, gallu deall ymddygiad mewn bywyd bob-dydd (y 'byd go-iawn').

- Os yw'r *deunyddiau* a ddefnyddir yn yr astudiaeth yn rhai 'artiffisial' (fel clipiau ffilm), gall yr ymddygiad a arsylwir fod yn brin o realaeth.
- Os yw'r *amgylchedd* y gwneir yr astudiaeth ynddo'n un 'artiffisial' ac yn enwedig os yw'r cyfranogwyr yn gwybod eu bod yn cael eu hastudio, gall ymddygiad y cyfranogwyr fod yn brin o realaeth.
- Hyd yn oed os yw'r amgylchedd a'r deunyddiau'n rhai 'naturiol' neu real (h.y. realaeth uchel), gall astudiaeth ddal i beidio â bod yn gyffredinoladwy. Er enghraifft, os yw'r holl gyfranogwyr mewn astudiaeth yn fyfyrwyr prifysgol yn America, nid yw'n rhesymol cyffredinoli'r darganfyddiadau at ymddygiad pawb am fod gan Americanwyr (a myfyrwyr) nodweddion unigryw a all eu gosod nhw ar wahân, mewn rhyw ffordd, i bobl eraill.

Y cwestiwn y bydd seicolegwyr bob amser yn ei ofyn iddyn nhw'u hunain yw: 'I ba raddau y gallaf i gyffredinoli'r darganfyddiadau hyn at fywyd bob-dydd?'

Y cylch gwyddonol

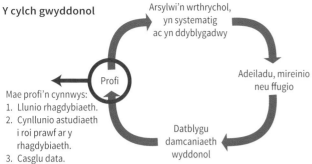

Arsylwi'n wrthrychol, yn systematig ac yn ddyblygadwy

Profi

Adeiladu, mireinio neu ffugio

Datblygu damcaniaeth wyddonol

Mae profi'n cynnwys:
1. Llunio rhagdybiaeth.
2. Cynllunio astudiaeth i roi prawf ar y rhagdybiaeth.
3. Casglu data.
4. Dadansoddi'r canlyniadau.
5. Cwestiynu dilysrwydd yr astudiaeth.
6. Llunio casgliadau.

DILYSRWYDD

Mae'r term **dilysrwydd** yn cyfeirio at ba mor wir neu ddilys yw rhywbeth fel eglurhad o ymddygiad. Mae'n cynnwys materion rheoli, realaeth a'r gallu i gyffredinoli.

Bydd myfyrwyr yn aml yn credu mai mater o 'fod yn gywir' yw dilysrwydd. Mae hyn yn gywir ac yn anghywir. Mae'n gywir am fod ymchwilwyr yn ceisio darganfod a yw eu **rhagdybiaeth** yn wir, h.y. yn gywir, ond mae'n anghywir os credwch chi mai ystyr bod yn gywir yw darganfod bod y disgwyliadau a ragwelwyd wedi'u cadarnhau. Nid mater o gadarnhau eich disgwyliadau yw dilysrwydd.

Gellir rhannu dilysrwydd yn **ddilysrwydd mewnol** ac yn **ddilysrwydd allanol**. Mae dilysrwydd mewnol yn ymwneud â rheoli a realaeth. Mae dilysrwydd allanol yn ymwneud â gallu cyffredinoli, ar sail cyfranogwyr yr ymchwil, at bobl mewn sefyllfaoedd eraill.

Dilysrwydd mewnol

Mae dilysrwydd mewnol yn ymwneud â'r hyn sy'n digwydd y tu mewn i astudiaeth. Mae'n ymwneud â phethau fel:
- Ai'r IV a gynhyrchodd y newid yn y DV (neu a wnaeth rhywbeth arall, fel newidyn dryslyd, effeithio ar y DV?).
- A roddodd yr ymchwilydd brawf ar yr hyn y bwriadai roi prawf arno? Er enghraifft, os hoffech chi ddarganfod a yw gwylio'r teledu'n amharu ar ansawdd gwaith cartref, allwch chi ddim bod yn sicr eich bod chi'n rhoi prawf ar 'wylio'r teledu' drwy ddim ond bod â'r teledu ymlaen (gall y person beidio â bod yn ei wylio).
- A oedd realaeth gyffredin i'r astudiaeth?

I sicrhau dilysrwydd mewnol uchel i'r ymchwil, rhaid i ymchwilwyr ei gynllunio'n ofalus, rheoli'r newidynnau dryslyd ac allanol a sicrhau eu bod yn rhoi prawf ar yr hyn roedden nhw'n bwriadu rhoi prawf arno.

Dilysrwydd allanol

Mae dilysrwydd mewnol yn effeithio ar ddilysrwydd allanol – allwch chi ddim cyffredinoli canlyniadau astudiaeth a oedd â dilysrwydd mewnol isel gan nad oes unrhyw ystyr go-iawn i'r canlyniadau o ran yr ymddygiad dan sylw.

Mae dilysrwydd allanol hefyd yn ymwneud â:
- Lleoliad yr ymchwil (**dilysrwydd ecolegol**). Efallai nad yw hi'n briodol cyffredinoli o sefyllfa ymchwil at sefyllfaoedd eraill ac, yn bwysicaf na dim, at fywyd bob-dydd.
- Y bobl sy'n cael eu hastudio (**dilysrwydd poblogaeth**). Os yw astudiaeth ymchwil yn cynnwys myfyrwyr neu ddynion neu Americanwyr ac ati yn unig, yna efallai nad yw'n briodol cyffredinoli'r darganfyddiadau at bawb.
- Y cyfnod hanesyddol (**dilysrwydd hanesyddol**). Efallai nad yw'n briodol cyffredinoli darganfyddiadau astudiaeth a wnaed yn y 1950au at bobl heddiw am fod llawer o ffactorau eraill yn effeithio ar ymddygiad erbyn hyn.

GWAITH I CHI

Mae dysgu am ddulliau ymchwil fel dysgu iaith dramor. Wrth ddysgu iaith dramor, rhaid i chi ddysgu set newydd o eiriau ac, yn fwy arbennig, rhaid i chi ddysgu eu hystyr. Un o'r ffyrdd gorau o wneud hynny yw *siarad* yr iaith.

Mae'r un peth yn wir am ddulliau ymchwil. Peidiwch â dal yn ôl – defnyddiwch y geiriau.

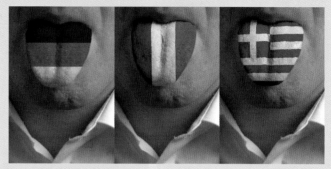

I'ch helpu chi i ddysgu'r iaith, gallech chi lunio'ch **Llyfr Geirfa Dulliau Ymchwil** eich hun i gofnodi'r holl dermau a ddefnyddir, eu hystyron a'u manteision a'u hanfanteision.

Yn eich llyfr, gallwch chi gynnwys copi o'r fanyleb o ran dulliau ymchwil a rhoi tic wrth bob term wedi i chi gofnodi'r manylion, a gwneud hynny drachefn pan deimlwch chi eich bod chi'n ei ddeall.

CORNEL ARHOLIAD
Ymarfer ar gyfer senarios newydd

1. Maes astudio sydd wedi denu seicolegwyr yw *ymarfer torfol v. gwasgaredig*, h.y. a wnewch chi ddysgu'n well os gwnewch chi ymarfer rhywbeth dro ar ôl tro ar yr un adeg (yn dorfol) neu os bydd eich cyfnodau ymarfer yn digwydd bob hyn a hyn (yn wasgaredig). Mae'r pwnc hwn wedi'i astudio mewn gwahanol sefyllfaoedd, er enghraifft:

   Astudiaeth 1: Gofynnwyd i gyfranogwyr adalw sillafau nonsens ar 12 achlysur dros 3 neu 12 diwrnod (Jost, 1897). Roedd lefel yr adalw'n uwch dros 12 diwrnod. Mae ymchwil diweddarach wedi ategu'r darganfyddiad hwn.

   Astudiaeth 2: Bu'n rhaid i weithwyr Swyddfa'r Post ddysgu teipio codau post i gyd gyda'i gilydd (yn dorfol) neu dros amser (yn wasgaredig) (Baddeley a Longman, 1978). Unwaith eto, gwelwyd bod ymarfer gwasgaredig yn rhagori.

   Cyflwynwch ddadleuon ynghylch pam y gellid ystyried bod i'r naill a'r llall o'r astudiaethau hyn ddilysrwydd allanol uchel ac isel.

2. Dewiswch **un neu ragor** o astudiaethau rydych chi'n gyfarwydd â nhw ac eglurwch pam, yn eich barn chi, y gallai'r astudiaeth fod:
   - Yn uchel mewn dilysrwydd mewnol
   - Yn isel mewn dilysrwydd mewnol
   - Yn uchel mewn dilysrwydd allanol
   - Yn isel mewn dilysrwydd allanol

CORNEL ARHOLIAD

1. Rhowch enghraifft o newidyn dryslyd yng nghyd-destun astudiaeth a enwir. [2]
2. Eglurwch pam mae'n bwysig rheoli newidynnau allanol mewn astudiaeth. [2]
3. Gwahaniaethwch rhwng newidynnau allanol a newidynnau dryslyd. [3]

Dychwelyd at ragdybiaethau a phethau eraill

Mae **rhagdybiaeth** yn ddatganiad o'r hyn y mae'r ymchwilydd yn credu ei fod yn wir. A bod yn fanwl-gywir, nid *rhagfynegiad* ymchwil mohono. Ni ddylid ei ddatgan yn yr amser dyfodol (h.y. 'bydd hyn yn digwydd...'). Ar ddiwedd astudiaeth bydd yr ymchwilydd yn penderfynu a yw'r dystiolaeth a gasglwyd yn ategu'r rhagdybiaeth.

Dydy rhagdybiaeth ddim ychwaith yr un peth â nodau astudiaeth ymchwil. Nodau yw'r datganiad cychwynnol o'r hyn y mae'r ymchwilydd yn bwriadu ymchwilio iddo, a rhagdybiaeth yw'r datganiad ffurfiol a phrofadwy o'r berthynas rhwng newidynnau.

Dyna'ch atgoffa o'r hyn wyddoch chi hyd yma a dyna chi, felly, yn barod ar gyfer y darn nesaf am ragdybiaethau ...

▶ Bydd babanod sy'n cysgu mwy yn gwneud yn well na babanod sy'n cysgu llai – rhagdybiaeth gyfeiriadol – ond sut byddech chi'n ei gweithredoli?

RHAGDYBIAETHAU CYFEIRIADOL AC ANGHYFEIRIADOL

Gadewch i ni ystyried arbrawf sy'n wahanol i'n hastudiaeth ni o'r teledu ymlaen/wedi'i ddiffodd. Gallwn ni ystyried effeithiau diffyg cwsg ar berfformiad yn yr ysgol. Nod ein hymchwil ni, felly, yw gweld a yw diffyg cwsg yn effeithio ar berfformiad yn yr ysgol.

Gallwn ni gynnig y rhagdybiaeth hon: Caiff pobl sy'n cael digon o gwsg (8 awr a rhagor, ar gyfartaledd, bob nos dros gyfnod o fis) well marciau mewn profion dosbarth na phobl sydd, ar gyfartaledd, yn cael llai o gwsg. (Sylwch fod y ddamcaniaeth hon wedi'i **gweithredoli**.)

Rhagdybiaeth gyfeiriadol yw'r rhagdybiaeth uchod – mae'n datgan *cyfeiriad* disgwyliedig y canlyniadau, h.y. rydych chi'n datgan bod pobl sy'n cysgu mwy yn gwneud yn well mewn profion dosbarth.

Petaech chi'n newid y rhagdybiaeth i 'Caiff pobl sy'n cael digon o gwsg (8 awr a rhagor bob nos ar gyfartaledd) farciau *is* mewn profion dosbarth na phobl sydd, ar gyfartaledd, yn cael llai o gwsg', mae honno'n dal yn rhagdybiaeth gyfeiriadol – rydych chi'n datgan wedyn bod disgwyl i'r canlyniadau fynd i'r cyfeiriad arall.

Mae **rhagdybiaeth anghyfeiriadol** yn datgan bod gwahaniaeth rhwng dau gyflwr ond dydy hi ddim yn datgan cyfeiriad y gwahaniaeth: caiff pobl sy'n cael digon o gwsg (8 awr a rhagor, ar gyfartaledd, y noson dros gyfnod o fis) farciau *gwahanol* mewn profion dosbarth na phobl sydd, ar gyfartaledd, yn cael llai o gwsg. Efallai ein bod ni'n teimlo y bydd diffyg cwsg yn effeithio ar berfformiad, ond does gennym ni ddim tystiolaeth go-iawn i ddweud ai effaith cadarnhaol neu negyddol yw hyn.

Dyma ddwy enghraifft arall:

Rhagdybiaeth gyfeiriadol	Mae pobl sy'n gwneud gwaith cartref heb y teledu ymlaen yn cael *gwell* canlyniadau na'r rhai sy'n gwneud gwaith cartref â'r teledu ymlaen.
Rhagdybiaeth anghyfeiriadol	Mae pobl sy'n gwneud gwaith cartref â'r teledu ymlaen yn cael canlyniadau sy'n *wahanol* i'r rheiny sy'n gwneud eu gwaith cartref â'r teledu wedi'i ddiffodd.

Sylwch fod yr IV a'r DV heb eu gweithredoli yn yr enghreifftiau uchod.

P'un ddylech chi ei ddefnyddio?

Pam bydd seicolegwyr weithiau'n defnyddio rhagdybiaeth gyfeiriadol yn hytrach nag un anghyfeiriadol (neu fel arall)? Bydd seicolegwyr yn defnyddio rhagdybiaeth gyfeiriadol pan fydd ymchwil yn y gorffennol (damcaniaeth neu astudiaeth) yn awgrymu y bydd y darganfyddiadau'n mynd i gyfeiriad penodol. Mae'n gwneud synnwyr, felly, iddyn nhw lunio'r rhagdybiaeth i'r cyfeiriad hwnnw.

Bydd seicolegwyr yn defnyddio rhagdybiaeth anghyfeiriadol os nad oes unrhyw ymchwil o'r gorffennol neu os yw'r ymchwil yn y gorffennol yn croesddweud ei hun. Gall rhagdybiaethau anghyfeiriadol fod yn fwy priodol os yw'r astudiaeth yn ymchwilio i faes newydd lle nad yw ymchwil wedi pennu disgwyliadau gwybodus ynghylch sut gallai pobl ymddwyn.

TERMAU ALLWEDDOL

Astudiaeth beilot Astudiaeth arbrofol ar raddfa fach i roi prawf ar unrhyw agwedd ar y cynllun er mwyn ei wella.

Cynghreiriwr (*Confederate*) Unigolyn mewn astudiaeth nad yw'n gyfranogwr go-iawn ynddi ac un sydd wedi cael cyfarwyddiadau gan yr ymchwilydd ynghylch ymddwyn.

Rhagdybiaeth anghyfeiriadol Mae'n rhagfynegi bod gwahaniaeth rhwng dau gyflwr neu ddau grŵp o gyfranogwyr, heb ddatgan cyfeiriad y gwahaniaeth.

Rhagdybiaeth amgen Unrhyw ragdybiaeth heblaw'r rhagdybiaeth nwl. Dyma'r dewis arall yn lle'r rhagdybiaeth nwl.

Rhagdybiaeth arbrofol Dyma'r term a ddefnyddir i ddisgrifio'r rhagdybiaeth amgen mewn arbrawf.

Rhagdybiaeth gyfeiriadol Mae'n datgan cyfeiriad y gwahaniaeth a ragfynegir rhwng dau gyflwr neu ddau grŵp o gyfranogwyr.

Rhagdybiaeth nwl Y dybiaeth nad oes perthynas (gwahaniaeth, cysylltiad, ac ati) rhwng y newidynnau a astudir.

RHAGDYBIAETHAU AMGEN, ARBROFOL A NWL

A chithau newydd feddwl eich bod chi'n deall rhagdybiaethau, dyma fanylu rhywfaint eto arnyn nhw:

Mae'r **rhagdybiaeth nwl** (H_0) yn ddatganiad nad oes effaith. Er enghraifft:

Does dim gwahaniaeth yn y marciau mewn profion dosbarth rhwng pobl sy'n cysgu 8 awr a rhagor y nos ar gyfartaledd a'r rhai sydd, ar gyfartaledd, yn cael llai o gwsg.

Mae'r **rhagdybiaeth amgen** (H_1) yn ddewis yn lle'r rhagdybiaeth nwl – dyma'r rhagdybiaeth a luniwyd yn gynharach:

Caiff pobl sy'n cael digon o gwsg (8 awr a rhagor, ar gyfartaledd, bob nos dros gyfnod o fis) well marciau mewn profion dosbarth na phobl sydd, ar gyfartaledd, yn cael llai o gwsg.

Yn achos arbrawf, caiff y rhagdybiaeth amgen honno ei galw'n **rhagdybiaeth arbrofol**. Fe eglurwn ni'r rhagdybiaeth nwl yn ddiweddarach yn y bennod hon (gweler tudalen 150).

AMBELL BETH ARALL

Astudiaethau peilot a nodau cynnal peilot

Os gwnaethoch chi'r astudiaeth ar dudalen 110 (neu unrhyw astudiaeth arall), mae'n fwy na thebyg eich bod chi'n sylweddoli bod diffygion yng nghynllun eich ymchwil. A wnaethoch chi sylweddoli ymlaen llaw y byddai diffygion? Neu a ddaeth rhai o'r diffygion i'r amlwg wrth, neu ar ôl, i chi wneud yr arbrawf?

Bydd gwyddonwyr yn delio â'r broblem hon drwy gynnal **astudiaeth beilot** yn gyntaf. Astudiaeth beilot yw rhoi cynnig ar gynllun ymchwil ar raddfa fach – cyn gwneud yr astudiaeth lawn – i weld a yw agweddau ar y cynllun yn gweithio. Er enghraifft, gall y cyfranogwyr beidio â deall y cyfarwyddiadau neu fe allan nhw ddyfalu diben yr arbrawf. Gallan nhw hefyd ddiflasu am fod gormod o dasgau neu gwestiynau.

Os yw ymchwilydd yn defnyddio dyrnaid o gyfranogwyr nodweddiadol i roi cynnig ar y cynllun, gall weld beth y mae angen ei addasu heb iddo fod wedi treulio gormod o amser, a gwario gormod o arian, ar astudiaeth lawn.

Sylwch fod canlyniadau unrhyw astudiaeth beilot o'r fath yn amherthnasol – nid y canlyniadau sydd o ddiddordeb i'r ymchwilydd, dim ond gweld i ba raddau y mae angen mireinio'r gweithdrefnau.

Cynghreiriaid

Weithiau, rhaid i ymchwilydd ddefnyddio person arall i chwarae rôl mewn arbrawf neu ymchwiliad arall. Er enghraifft, efallai yr hoffech chi weld a yw pobl yn ymateb yn wahanol i orchmynion gan rywun sy'n gwisgo siwt o'i gymharu â rhywun sy'n gwisgo dillad bob-dydd.

Yn yr arbrawf hwn, yr IV fyddai dillad y sawl y mae'r arbrofwr wedi'i gyfarwyddo i ymddwyn mewn ffordd benodol. Byddai'r arbrofwr yn trefnu i'r person hwnnw fod wedi gwisgo siwt neu ddillad bob-dydd cyn rhoi'r gorchmynion. Yr enw ar y person hwnnw yw **cynghreiriwr**.

Roedd astudiaeth Milgram o ufudd-dod (gweler tudalen 162) yn cynnwys cynghreiriwr a oedd yn chwarae rôl yr 'arbrofwr'.

Cyngor arholiad…
Anaml y bydd cwestiynau arholiad ynghylch astudiaethau peilot yn gofyn i chi egluro beth yw astudiaeth beilot – rydych chi'n debycach o gael eich holi sut byddai ymchwilydd yn cynnal astudiaeth beilot neu pam gallai ymchwilydd wneud un. Gwnewch yn siŵr eich bod chi'n delio â'r 'sut' neu 'pam' yn y cwestiynau hynny.

CORNEL ARHOLIAD

1. Eglurwch beth yw astudiaeth beilot. [2]
2. Eglurwch pam gallai ymchwilydd ddefnyddio astudiaeth beilot. [2]
3. Eglurwch yn fyr sut gellid gwneud astudiaeth beilot. [2]
4. Gwahaniaethwch rhwng rhagdybiaeth gyfeiriadol ac anghyfeiriadol. [2]
5. Y rhagdybiaeth amgen ar gyfer astudiaeth yw 'Mae bechgyn yn well na merched mewn mathemateg'. Beth fyddai'r rhagdybiaeth nwl ar gyfer yr astudiaeth hon? [2]
6. Eglurwch pam byddai ymchwilydd yn dewis defnyddio rhagdybiaeth anghyfeiriadol yn hytrach na rhagdybiaeth gyfeiriadol. [2]

▲ Mae'r wraig ar y chwith (cynghreiriwr) yn clebran yn swnllyd i weld pa effaith a gaiff hynny ar y person sy'n astudio.

CORNEL ARHOLIAD

Ymarfer ar gyfer senarios newydd

1. Darllenwch y datganiadau isod a nodwch pa rai sy'n nodau a pha rai sy'n rhagdybiaethau.
   a. Mae gan bobl iau well cof na phobl hŷn. [1]
   b. I weld a yw merched â gwallt golau yn cael mwy o hwyl na merched â gwallt tywyll. [1]
   c. Ydy pobl sy'n cysgu gyda thedi'n cysgu'n hirach na phobl sy'n cysgu heb dedi? [1]
   ch. Bydd disgwyliadau cadarnhaol yn esgor ar wahaniaethau mewn perfformiad. [1]
   d. Mae dynion â barf yn fwy deniadol. [1]
   dd. Gall diffyg cwsg effeithio ar waith ysgol. [1]
2. Yn achos pob un o'r canlynol, penderfynwch a yw'n rhagdybiaeth gyfeiriadol neu anghyfeiriadol neu'n rhagdybiaeth nwl.
   a. Caiff bechgyn a merched sgorau gwahanol mewn profion ymosodedd. [1]
   b. Does dim gwahaniaeth yn eu perffformiad mewn arholiadau rhwng myfyrwyr sydd â chyfrifiadur gartref a'r rhai sydd heb un. [1]
   c. Bydd pobl yn cofio'r geiriau sydd i'w gweld yn gynnar ar restr yn well na'r geiriau sy'n ymddangos yn ddiweddarach. [1]
   ch. Bydd pobl sy'n cael rhestr o eiriau sy'n emosiynol eu hergyd yn adalw llai o eiriau na chyfranogwyr sy'n cael rhestr o eiriau sy'n niwtral eu hemosiwn. [1]
   d. Mae bochdewion yn well anifeiliaid anwes na byjis. [1]
   dd. Caiff geiriau a gyflwynir ar ffurf ysgrifenedig eu hadalw'n wahanol i'r rhai a gyflwynir ar ffurf lluniau. [1]
3. Ewch ati nawr i lunio rhai eich hun. Isod cewch nodau ymchwil arbrofion posibl. Yn achos pob un, nodwch a gweithredolwch yr IV a'r DV ac yna lluniwch **dair** rhagdybiaeth: un gyfeiriadol, un anghyfeiriadol a rhagdybiaeth nwl.
   a. Ydy merched yn gwylio mwy o deledu na bechgyn? [1]
   b. Ydy athrawon yn rhoi marciau uwch i draethodau myfyrwyr deniadol nag i fyfyrwyr llai deniadol? [1]
   c. Mae ymchwilydd yn credu bod pobl hŷn yn cysgu mwy na phobl iau. [1]
   ch. Ydy pobl sy'n llwgu yn credu bod golwg fwy deniadol ar fwyd? [1]
   d. Mae ar athro eisiau darganfod a yw prawf mathemateg yn anoddach na phrawf mathemateg arall. [1]
4. Dewiswch **un** o'r arbrofion o gwestiwn 3.
   a. Eglurwch *pam* byddech chi'n gwneud astudiaeth beilot ar gyfer yr arbrawf hwn? [2]
   b. Disgrifiwch *sut* byddech chi'n gwneud hyn. [2]

Cynllun arbrofol

Ar y ddwy dudalen hyn cawn ni wybod ychydig yn rhagor am arbrofion. Fel y gwyddoch chi erbyn hyn, mae gan arbrawf **newidyn annibynnol (IV)** a **newidyn dibynnol (DV)**. I weld a wnaeth yr IV effeithio ar y DV, byddwn ni bob amser angen cyflwr cymharu, sef cyflwr lle mae lefel wahanol o'r IV.

Er enghraifft, ystyriwch yr arbrawf ynghylch cysgu. Os mai data am bobl a oedd yn cysgu wyth awr a rhagor bob nos yn unig sydd gennych, yna ni fydd hyn yn help i chi wybod unrhyw beth am eu perfformiad oni nai bod gennych chi gyflwr arall i'w cymharu nhw ag ef (pobl a gysgodd lai nag wyth awr). Dwy lefel yr IV, felly, yw: (1) 'cysgu wyth awr a rhagor' a (2) 'cysgu llai nag wyth awr'.

Mae'r un peth yn wir am yr arbrawf sy'n astudio effeithiau gwylio'r teledu wrth wneud eich gwaith cartref. Dwy lefel yr IV yw'r 'teledu ymlaen' a'r 'teledu wedi'i ddiffodd'.

Yr enw ar y ffordd y cyflwynir dwy lefel yr IV yw'r **cynllun arbrofol**.

MATHAU O GYNLLUN ARBROFOL

Math o gynllun arbrofol	Anfanteision	Dull o ddelio â'r anfanteision
Cynllun ailadrodd mesurau Caiff pob cyfranogwr bob lefel o'r IV; er enghraifft: • Bydd pob cyfranogwr yn gwneud y dasg â'r teledu ymlaen, e.e. yn gwneud prawf cof. • Ymhen wythnos, efallai, bydd pob cyfranogwr yn gwneud prawf tebyg gyda'r teledu wedi'i ddiffodd. Byddwn ni'n cymharu perfformiad (DV) y cyfranogwr yn y ddau brawf.	1. Gall trefn y cyflyrau effeithio ar berfformiad (**effaith trefn**). Er enghraifft, gall y cyfranogwr wneud yn well yn yr ail brawf oherwydd **effaith ymarfer** neu am eu bod nhw'n pryderu llai. Mewn rhai sefyllfaoedd gall y cyfranogwr wneud yn waeth yn yr ail brawf am fod gwneud y prawf am yr eildro'n eu diflasu (**effaith diflastod**). 2. Wrth i'r cyfranogwyr wneud yr ail brawf, efallai y byddan nhw'n dyfalu diben yr arbrawf. Gall hynny effeithio ar eu hymddygiad. Er enghraifft, gall rhai cyfranogwyr fynd ati o fwriad i wneud yn waeth yn yr ail brawf am eu bod nhw eisiau iddi ymddangos fel petaen nhw'n gweithio'n waeth yn y prynhawn.	Gall ymchwilwyr ddefnyddio dau brawf gwahanol i leddfu'r effaith ymarfer – ond rhaid i'r ddau brawf fod yn gywerth. Gellir gwneud hynny drwy lunio prawf o 40 eitem a'u hapddyrannu i Brawf A a Phrawf B. Y brif ffordd o ddelio ag effeithiau trefn yw defnyddio **gwrthbwyso** (gweler y dudalen gyferbyn). I osgoi sefyllfa lle mae cyfranogwyr yn dyfalu nodau astudiaeth, gellir cyflwyno stori i'w camarwain ynghylch diben y prawf.
Cynllun grwpiau annibynnol Rhoddir y cyfranogwyr mewn grwpiau gwahanol (annibynnol). Mae pob grŵp yn gwneud un lefel o'r IV; er enghraifft: • Mae Grŵp A yn gwneud y dasg â'r teledu ymlaen (un lefel o'r IV). • Mae Grŵp B yn gwneud y dasg gyda'r teledu wedi'i ddiffodd (lefel arall yr IV). Byddwn ni'n cymharu perfformiad (DV) y ddau grŵp.	1. Ni all yr ymchwilydd reoli effeithiau **newidynnau cyfranogwr** (h.y. gwahanol alluoedd neu nodweddion pob cyfranogwr). Er enghraifft, efallai fod cyfranogwyr yng Ngrŵp A yn cofio'n well na'r rhai yng Ngrŵp B. Dyna fyddai'r **newidyn dryslyd**. 2. Mae angen mwy o gyfranogwyr mewn cynllun grwpiau annibynnol nag mewn cynllun ailadrodd mesurau i gael yr un faint o ddata.	**Hapddyrannwch** y cyfranogwyr i gyflyrau sydd (yn ddamcaniaethol) yn dosbarthu newidynnau cyfranogwr yn wastad. Gellir eu hapddyrannu drwy roi enwau'r cyfranogwyr mewn het a thynnu allan yr enwau fel bod pob yn ail berson yn mynd i grŵp A. Gweler 'hapdechnegau' ar dudalen 125.
Cynllun parau cyffredin Cyfaddawd fyddai defnyddio dau grŵp o gyfranogwyr ond cydweddu'r cyfranogwyr o ran y nodweddion allweddol y credir eu bod yn effeithio ar eu perfformiad ar y DV (cyniferydd deallusrwydd neu'r amser a dreulir yn gwylio'r teledu). Dyrennir un aelod o'r pâr i Grŵp A a'r llall i Grŵp B. Yna bydd y drefn yr un fath ag ar gyfer grwpiau annibynnol. Mae'n bwysig sylweddoli bod yn rhaid i'r nodweddion cydweddu fod yn berthnasol i'r astudiaeth. Hynny yw, fyddai dim angen i chi gydweddu cyfranogwyr ar sail rhywedd os oeddech chi'n rhoi prawf ar eu cof – oni bai bod peth tystiolaeth bod menywod yn cofio'n well.	1. Proses faith ac anodd yw cydweddu cyfranogwyr o ran y newidynnau allweddol. Mae'n fwy na thebyg bod rhaid i'r ymchwilydd gychwyn drwy gael grŵp mawr o gyfranogwyr i sicrhau bod modd cael parau cyffredin o ran y newidynnau allweddol. 2. Does dim modd rheoli'r holl newidynnau cyfranogwr am na allwch chi ond cydweddu ar sail y newidynnau y mae'n hysbys eu bod yn berthnasol, ond gallai rhai eraill fod yn bwysig. Er enghraifft, mewn arbrawf ar y cof, gallech chi gydweddu ar sail galluoedd cofio ond darganfod yn ddiweddarach bod rhai o'r cyfranogwyr wedi ymwneud â rhaglen addysgu i wella'u sgiliau cofio ac y dylech chi fod wedi cydweddu ar sail hynny.	Cyfyngwch ar nifer y newidynnau i'w gwneud hi'n haws cydweddu. Gwnewch **astudiaeth beilot** i ystyried pa newidynnau allweddol a allai fod yn bwysig wrth gydweddu.

MANTEISION

Gallwch chi ganfod manteision pob cynllun arbrofol drwy astudio anfanteision y cynlluniau eraill.

Er enghraifft, un o anfanteision cynlluniau ailadrodd mesurau yw bod cyfranogwyr yn gwneud yn well mewn un cyflwr oherwydd effaith ymarfer. Felly, un o fanteision grwpiau annibynnol a chynlluniau parau cyffredin yw bod y cynlluniau hynny'n osgoi effeithiau trefn o'r fath, h.y. ni fyddai unrhyw effaith ymarfer am fod pob cyfranogwr yn gwneud un cyflwr yn unig.

Nodwch **ddwy** fantais i bob cynllun a restrwyd yn y tabl uchod.

Cynllun ailadrodd mesurau Mae pob cyfranogwr yn cymryd rhan ym mhob cyflwr yn y prawf, h.y. pob lefel o'r IV.

Cynllun arbrofol Set o weithdrefnau a ddefnyddir i reoli dylanwad ffactorau fel newidynnau cyfranogwr mewn arbrawf.

Cynllun grwpiau annibynnol Caiff cyfranogwyr eu dyrannu i ddau (neu ragor) o grwpiau sy'n cynrychioli gwahanol lefelau o'r IV. Fel rheol, byddan nhw'n cael eu hapddyrannu.

Cynllun parau cyffredin Caiff parau o gyfranogwyr eu cydweddu yn nhermau newidynnau allweddol fel oedran a chyniferydd deallusrwydd. Caiff un aelod o bob pâr ei ddyrannu i un o'r cyflyrau yn y prawf a chaiff yr aelod arall ei ddyrannu i'r cyflwr arall.

Effaith trefn Mewn cynllun ailadrodd mesurau, newidyn allanol sy'n codi o'r drefn y cyflwynir y cyflyrau ynddi, e.e. effaith ymarfer neu effaith blinder.

Gwrthbwyso Techneg arbrofol a ddefnyddir i oresgyn effeithiau trefn wrth ddefnyddio cynllun ailadrodd mesurau. Bydd gwrthbwyso'n sicrhau y profir pob cyflwr yn gyntaf neu'n ail i'r un graddau.

Hapddyrannu Defnyddio technegau 'ar hap' i ddyrannu cyfranogwyr i grwpiau arbrofol neu gyflyrau.

Mewn cynllun ailadrodd mesurau mae dwy (neu ragor) o lefelau o'r IV. Yr enw ar bob lefel yw 'cyflwr'. Yn hytrach na lefelau, gall fod cyflwr arbrofol a chyflwr rheoli.

Mewn cynllun grwpiau annibynnol neu gynllun parau cyffredin, bydd pob grŵp yn gwneud un cyflwr – mae'r grŵp arbrofol yn gwneud y cyflwr arbrofol a'r grŵp rheoli yn gwneud y cyflwr rheoli.

GWRTHBWYSO

Bydd **gwrthbwyso** yn sicrhau bod pob cyflwr mewn cynllun ailadrodd mesurau yn cael ei brofi'n gyntaf neu'n ail i'r un maint. Os yw'r cyfranogwyr yn gwneud yr un prawf cof yn y bore'n gyntaf ac yna yn y prynhawn, gallwn ni ddisgwyl iddyn nhw wneud yn well ar yr ail brawf am iddyn nhw fod wedi cael tipyn o ymarfer – neu fe allan nhw wneud yn waeth am fod y dasg yn eu diflasu. Gelwir y rhain yn 'effeithiau trefn', ac mae modd delio â nhw drwy ddefnyddio gwrthbwyso.

Mae dwy ffordd o wrthbwyso effeithiau trefn. Yn y naill achos a'r llall, mae gennym ni ddau gyflwr:
- Cyflwr A – prawf a wneir yn y bore.
- Cyflwr B – prawf a wneir yn y prynhawn.

Ffordd 1. AB neu BA

Rhannwch y cyfranogwyr yn ddau grŵp:
- Grŵp 1: bydd pob cyfranogwr yn gwneud A cyn gwneud B.
- Grŵp 2: bydd pob cyfranogwr yn gwneud B cyn gwneud A.

Sylwch fod hyn yn dal i fod yn gynllun ailadrodd mesurau er bod yna ddau grŵp o gyfranogwyr, am fod cymhariaeth yn cael ei gwneud ar gyfer pob cyfranogwr ar sail ei berfformiad yn y naill gyflwr a'r llall (bore a phrynhawn).

Ffordd 2. ABBA

Y tro hwn, bydd pob cyfranogwr yn cymryd rhan ym mhob cyflwr ddwywaith.
- Treial 1: Cyflwr A (bore)
- Treial 2: Cyflwr B (prynhawn)
- Treial 3: Cyflwr B (prynhawn)
- Treial 4: Cyflwr A (bore)

Yna, fe gymharwn ni'r sgorau ar dreialon 1 a 4 â sgorau treialon 2 a 3. Fel o'r blaen, cynllun ailadrodd mesurau yw hwn o hyd am ein bod ni'n cymharu sgorau'r un person.

CORNEL ARHOLIAD
Ymarfer ar gyfer senarios newydd

1. Yn achos pob un o'r arbrofion isod, a–dd, nodwch pa gynllun arbrofol sydd wedi'i ddefnyddio.
   Wrth geisio penderfynu, ystyriwch:
   - A fyddai'r darganfyddiadau yn cael eu dadansoddi drwy gymharu sgorau'r un person neu sgorau dau (neu ragor) o grwpiau o bobl?
   - Os yw'n ddau neu ragor o grwpiau o bobl, gofynnwch: 'Ydy'r bobl yn y gwahanol grwpiau yn perthyn (h.y. wedi'u cydweddu)?'

   a. Caiff sgorau bechgyn a merched mewn profion cyniferydd deallusrwydd eu cymharu. [1]
   b. Rhoddir prawf ar fochdewion i weld a yw un rhywogaeth enetig yn well nag un arall am ddod o hyd i fwyd mewn drysfa. [1]
   c. Rhoddir prawf ar amser ymateb cyn ac ar ôl gweithgaredd hyfforddi amser ymateb i weld a yw'r sgorau prawf yn gwella ar ôl cael hyfforddiant. [1]
   ch. Caiff myfyrwyr eu rhoi mewn parau ar sail eu graddau TGAU ac yna caiff un aelod o'r pâr brawf cof yn y bore ac un yn y prynhawn. [1]
   d. Caiff tri grŵp o gyfranogwyr restri o eiriau gwahanol i'w cofio i weld a yw enwau, berfau neu ansoddeiriau'n haws eu hadalw. [1]
   dd. Gofynnir i gyfranogwyr roi graddau i ffotograffau deniadol ac anneniadol. [1]

2. Lluniwch sefyllfaoedd lle gallai ymchwilydd ddefnyddio pob un o'r tri math o gynllun arbrofol.
   Disgrifiwch eich sefyllfaoedd wrth bartner; ydyn nhw'n gallu adnabod pa gynllun(iau) arbrofol y byddech chi'n ei/eu (h)ystyried yn briodol i'w d(d)efnyddio?

Cyngor arholiad...

Yn aml, bydd cwestiynau arholiad yn gofyn i chi nodi'r cynllun arbrofol a ddefnyddiwyd mewn astudiaeth benodol. Pan fydd myfyrwyr yn gweld yr ymadrodd 'cynllun arbrofol' mewn cwestiwn arholiad, byddan nhw'n aml yn methu â chofio ystyr 'cynllun arbrofol'.

Cofiwch mai'r ystyr yw'r un sydd yn y 'Termau Allweddol' uchod.

CORNEL ARHOLIAD

1. Eglurwch beth yw ystyr cynllun grwpiau annibynnol. [2]
2. Enwch **un** math arall o gynllun arbrofol ac eglurwch sut gellid ei ddefnyddio. [2]
3. Eglurwch **un** anfantais o ddefnyddio cynllun parau cyffredin. [3]

Lleoliad yr ymchwil

Gall y lleoliad y bydd seicolegydd yn dewis gwneud ei ymchwil ynddo ddibynnu ar y math o ddull y mae'n ei ddefnyddio, neu ar yr ymagwedd neu'r maes mewn seicoleg y mae'n ei astudio.

Yn draddodiadol, caiff arbrofion eu gwneud mewn labordai, ond maen nhw hefyd yn cael eu gwneud yn y maes ac ar-lein. Er mai arbrofion labordy sydd orau gan yr **ymagweddau biolegol**, **ymddygiadol** a **gwybyddol** fel rheol, tueddir yr **ymagweddau seicodynamig** a **chadarnhaol** yw defnyddio dulliau anarbrofol y tu allan i'r labordy.

▲ Gallai labordy seicoleg edrych fel yr ystafell uchod. Prif nodwedd labordy yw ei fod yn amgylchedd lle mae'n hawdd rheoli newidynnau. Yno, mae'n hawdd manipwleiddio'r newidyn annibynnol a mesur y newidyn dibynnol, ac mae modd rheoli'r newidynnau allanol/dryslyd.

Dydy cynnal astudiaeth ymchwil mewn amgylchedd o'r fath ddim yn golygu ei fod yn arbrawf labordy. Gallai beidio â bod yn arbrawf. Gallai hyd yn oed fod yn arbrawf naturiol neu'n lled-arbrawf; byddwch chi'n astudio'r rheiny ar y ddwy dudalen nesaf.

GWNEUD YMCHWIL...

...mewn labordy

Gwneud ymchwil mewn **labordy** yw'r ffordd fwyaf gwyddonol o wneud ymchwil. Er eich bod chi, efallai, yn meddwl am labordy fel ystafell sy'n llawn o diwbiau profi a pheiriannau a bod yno hefyd, wrth gwrs, wyddonydd mewn cot labordy gwyn, nid golwg felly sydd ar labordy seicoleg mewn gwirionedd.

Dim ond ystafell ac ynddi'r offer sy'n fodd i wneud ymchwil a mesur yn wyddonol yw labordy. Er bod tuedd i'r rhan fwyaf o ymchwil seicoleg mewn labordy fod yn arbrofol, nid felly yw hi bob amser. Bydd llawer o ymchwilwyr yn gwneud ymchwil drwy **arsylwi** mewn labordy. Enghraifft o hynny yw *Strange Situation* gan Ainsworth (gweler y llun isod).

...yn y maes

Mae gwneud ymchwil yn **y maes** yn golygu bod seicolegwyr yn gwneud ymchwil ac yn casglu data mewn sefyllfa fwy naturiol y tu allan i labordy. Gall ymchwil maes ddigwydd mewn llawer man, fel canolfan siopa, trên, ysbyty ac ati. Gall amgylcheddau o'r fath fod yn rhai newydd i'r cyfranogwyr, h.y. nid dyna'u hamgylcheddau naturiol, ond fel rheol bydd y sefyllfa'n un fwy naturiol.

Gallai ysbyty ymddangos fel petai'n amgylchedd dan dipyn o reolaeth ac yn un sy'n ei gwneud hi'n anodd gwahaniaethu rhwng y labordy a'r maes. Un ffordd o wneud hynny yw ystyried a yw'r cyfranogwyr wedi mynd at yr ymchwil (labordy) neu a yw'r ymchwilydd wedi mynd at y cyfranogwyr (maes).

...ar-lein

Dim ond dros yr ugain mlynedd diwethaf y mae'r dull hwn o wneud ymchwil wedi datblygu. Mae bod **ar-lein** yn fodd i ymchwilwyr allu cyrraedd cyfranogwyr drwy'r we neu ar offer rhwydweithio cymdeithasol. Gall unrhyw un ymweld â gwefannau fel *www.onlinepsychresearch.co.uk* neu *www.socialpsychology.org/expts.htm* a chyfrannu at ddarn o ymchwil seicolegol. Yn aml, caiff y math o ymchwil ei wneud drwy **holiadur** neu, efallai, drwy arbrawf.

TERMAU ALLWEDDOL

Ar-lein Mae hwn yn cyfeirio at fod â chyswllt â ffynhonnell arall drwy'r we. Efallai eich bod chi wedi eich cysylltu â gwefan neu wrthi'n defnyddio ap ar ffôn symudol. Mae modd casglu data oddi wrth unigolion.

Labordy Amgylchedd y gall yr ymchwilydd ei reoli, yn enwedig os yw'r ymchwilydd yn dymuno rheoli newidynnau allanol a bod angen iddo fanipwleiddio'r newidynnau annibynnol mewn arbrawf. Mae'n hawdd gwneud hynny mewn amgylchedd sydd dan reolaeth.

Y maes Dydy hwn ddim yr un peth â 'maes'. Fel rheol, bydd gwneud ymchwil yn 'y maes' yn golygu gweithio gyda chyfranogwyr mewn amgylchedd sy'n fwy cyfarwydd iddyn nhw.

CORNEL ARHOLIAD

1. Eglurwch beth yw ystyr amgylchedd *labordy*. Rhowch enghraifft yn eich ateb. [2]
2. Eglurwch beth yw ystyr *ymchwil maes*. [2]
3. Eglurwch beth yw ystyr *ymchwil ar-lein*. [2]

▲ Techneg ymchwil yw *Strange Situation* gan Ainsworth sy'n cael ei defnyddio i asesu'r math o ymlyniad sydd gan faban. Caiff yr ymchwil ei wneud mewn arsylwad labordy sydd â chamerâu fideo i recordio ymddygiad mamau a'u plant. Mae'r labordy'n cynnwys dwy gadair esmwyth, bwrdd isel a set o deganau.

GWERTHUSO...

...mewn labordy

Manteision

Mae labordai'n caniatáu i ymchwilwyr fesur newidynnau ymchwil yn haws a hefyd yn ei gwneud hi'n haws rheoli **newidynnau dryslyd** neu **allanol**. Bydd hi hefyd yn haws i ymchwilwyr eraill ddyblygu'r ymchwil.

Wrth ymchwilio, mae angen i rai seicolegwyr ddefnyddio offer sy'n anodd eu cludo. Mae peiriannau **PET** fel y rhai a ddefnyddiwyd gan Raine ac eraill (gweler tudalen 18), yn fawr iawn a heb fod yn arbennig o gadarn.

Anfanteision

Am eu bod nhw mewn labordy, gall cyfranogwyr ymddwyn mewn ffordd artiffisial am fod hynny'n eu hatgoffa eu bod yn cymryd rhan mewn darn o ymchwil. Gall cyfranogwyr, felly, ymddwyn ar eu gorau.

Oherwydd natur yr ymddygiad yr ymchwilir iddo, does dim modd gwneud pob ymchwil mewn labordy. Gall rhai ymddygiadau ddigwydd mewn poblogaethau bach ac anhygyrch, fel arsylwi arferion bridio *dugongs* (y Barriff Mawr) neu efallai fod ymddygiad yn cymryd amser anymarferol o hir i'w amlygu, fel cyfnod cyfebru 22-fis eliffant Affricanaidd.

...yn y maes

Manteision

Mae ymchwil maes yn arbennig o ddefnyddiol os ydych chi am leihau cymaint â phosibl ar natur artiffisial yr ymchwil. Mewn amgylchedd beunyddiol go-iawn, mae pobl yn llai tebyg o gofio'u bod nhw'n cymryd rhan mewn ymchwil ac efallai y byddan nhw, felly, yn ymddwyn yn fwy naturiol.

Mae ymchwil maes yn fodd i seicolegwyr astudio ymddygiad mewn amrywiaeth enfawr o gyd-destunau y byddai'n anodd eu darparu mewn labordy. Petawn i'n awyddus i ymchwilio i'r ffordd y mae cyfraddau hapusrwydd yn cynyddu ar ôl treulio peth amser mewn ardal o harddwch naturiol eithriadol fel Parc Cenedlaethol Yosemite, mae ymchwil maes yn caniatáu i mi wneud hynny. Mewn labordy, byddai ymchwilydd ond yn gallu cynnig lluniau neu, ar y gorau, gynrychiolaeth realiti rhithwir o'r parc.

Anfanteision

Er nad yw'n amhosibl, mae'n anoddach mesur newidynnau ymchwil. Mae hi hefyd yn anoddach rheoli newidynnau dryslyd neu allanol. Os bydd ymchwilydd arall yn dyblygu'r ymchwil, efallai na fydd yn cael yr un darganfyddiadau oherwydd gwahaniaethau yn y sefyllfaoedd.

Mae'n anodd i ymchwilwyr ddefnyddio ystod lawn o offer. Fel y dywedwyd eisoes, nid yw'n rhwydd cludo peiriannau sganio'r ymennydd, ac felly nid yw'n hawdd i ymchwilwyr maes eu defnyddio. Ond rhaid nodi bod gwelliannau mewn technoleg, fel defnyddio sbectol sy'n dilyn y llygaid, yn dangos sut mae ymchwilwyr yn cynyddu'n gyson eu gallu i ddefnyddio offer yn y maes.

...ar-lein

Manteision

Gall yr ymchwilydd gysylltu â grŵp mawr o gyfranogwyr. Yn wir, casglodd Nosek ac eraill (2002) 1.5 miliwn o atebion cyflawn i'w hymchwil. Mae hynny, felly, yn fodd i ymchwilwyr chwilio am sampl amrywiol a allai fod â llai o duedd diwylliannol na phetaen nhw'n gwneud ymchwil dim ond ar eu hisraddedigion eu hunain.

Mae gwneud ymchwil ar-lein yn gost-effeithiol. Yn aml, bydd ymchwilwyr yn defnyddio meddalwedd rhad, neu am ddim, sy'n fodd iddyn nhw roi eu hymchwil ar y we'n gyflym. Fel rheol, bydd costau gwneud hynny'n llai na chostau postio arolygon neu gost talu am gynorthwywyr ymchwil i gynnal cyfweliadau dros ffôn. Fel arfer, bydd hi'n gynt dadansoddi'r data am fod y cyfranogwyr eisoes wedi trawsgrifio'u hymatebion a bod modd bwrw ati i'w dadansoddi.

Anfanteision

Y duedd yw i'r dulliau a ddefnyddir mewn ymchwil ar-lein fod yn gyfyngedig am mai arolygon neu holiaduron yw'r mwyafrif ohonyn nhw. Caiff peth ymchwil arbrofol ei wneud ar-lein, ond y duedd yw iddo beidio â digwydd yn aml.

Gall hi fod yn fwyfwy anodd delio â **materion moesegol** fel **cydsyniad** a diogelu'r cyfranogwyr rhag unrhyw **risg o achosi niwed**. Gofynnir i fwyafrif o ddefnyddwyr y we wneud dim mwy na thicio bocs i ddangos eu bod wedi darllen y telerau a'r amodau. A yw ymchwilwyr ar-lein, felly, yn sicr bod y cyfranogwyr wedi rhoi cydsyniad dilys? Mae hi hefyd yn anodd **adrodd yn ôl** yn briodol i'r cyfranogwyr os bydd angen. Mae Cymdeithas Seicolegol Prydain yn cynnig canllawiau ynghylch gwneud ymchwil foesegol ar-lein.

ARBRAWF YN Y MAES

Gwnaeth Piliavin ac eraill (1969) rai arbrofion maes enwog iawn ar Reilffordd Danddaearol Efrog Newydd. Roedden nhw eisiau ymchwilio i 'ymddygiad helpu'. Roedd ymchwil labordy a gyhoeddwyd y flwyddyn gynt gan Darley a Latané (1968) wedi awgrymu bod pobl yn llai tebyg o helpu os oedden nhw'n credu bod pobl eraill hefyd yn gallu cynnig cymorth. Ond credai Piliavin ac eraill y gallai pobl ymddwyn yn wahanol mewn sefyllfaoedd bob-dydd, yn enwedig os bydden nhw wyneb-yn-wyneb â'r sawl oedd angen help.

Felly, yn ystod taith o 7½ munud rhwng Harlem a'r Bronx yn ninas Efrog Newydd, chwaraeodd **cynghreiriaid** rôl 'dioddefwyr' a oedd naill ai'n feddw neu'n sâl, yn groenddu neu'n groenwyn. Yn y cyflwr meddw, roedd y dioddefwr yn drewi o alcohol ac roedd ganddo fag papur brown. Yn y cyflwr sâl, cariai'r dioddefwr ffon ddu. Yn y ddau gyflwr, roedd gwisg y dioddefwr yr un fath ac fe lewygodd mewn cerbyd yn y trên. Roedd 40-45 o deithwyr yn y cerbyd ac wyth neu naw yn agos at y dioddefwr bob tro y llewygodd y cynghreiriwr.

Mewn 81 o'r 103 o dreialon rhoddodd un neu ragor o deithwyr gymorth i'r dioddefwr. Roedd hynny'n uwch o lawer na'r lefel o gymorth a awgrymwyd gan yr ymchwil yn y labordy.

CORNEL ARHOLIAD

Ymarfer ar gyfer senarios newydd

1. Ystyriwch y sefyllfaoedd ymchwil isod. Pa leoliad y gallai ymchwilydd ei ddefnyddio – labordy, y maes neu ar-lein?

   a. Cyfraddau yfed alcohol oedolion dan oed. [1]

   b. Mae cymudwyr yn llai parod i helpu ar eu ffordd i'r gwaith nag wrth ddychwelyd adref. [1]

   c. Ydy myfyrwyr yn camymddwyn mwy mewn gwersi athrawon profiadol neu athrawon dibrofiad? [1]

   ch. Oes gwahaniaeth yn amserau ymateb gemwyr (gamers) a phobl eraill i ysgogiadau gweledol? [1]

   d. Ydy hi'n well gan fenywod gyfarfod â chyfeillion mewn siop goffi neu mewn bar? [1]

   dd. Ydy pobl yn fwy ffafriol eu barn am ffilmiau os ydyn nhw'n eu gwylio gyda'u cyfeillion? [1]

2. Yna, trafodwch eich atebion gyda phartner. Gall fod mwy nag un lleoliad addas i bob astudiaeth ymchwil unigol.

Lled-arbrofion

Nid arbrawf 'gwir' yw **lled-arbrawf** am na chaiff y **newidyn annibynnol** (**IV**) ei fanipwleiddio'n fwriadol. Does dim modd honni, felly, mai'r newidyn annibynnol sy'n achosi'r newidiadau yn y **newidyn dibynnol** (**DV**).

Fodd bynnag, o dan rai amgylchiadau, defnyddio lled-arbrawf yw'r unig ffordd i astudio ymddygiad.

Gwnaed gyda Chynhwysion NATURIOL

▲ Beth yw 'naturiol'?

Ystyr 'naturiol' yw 'wedi'i gynhyrchu gan natur a heb ei wneud na'i achosi gan y ddynolryw'.

Mewn arbrawf naturiol, y peth sy'n naturiol yw'r IV. Mewn arbrawf naturiol, gall yr amgylchedd beidio â bod yn naturiol. Er enghraifft, gall y DV gael ei brofi mewn labordy.

TERMAU ALLWEDDOL

Astudiaethau gwahaniaeth Math o led-arbrawf. Nid yw'r newidyn annibynnol mewn gwirionedd yn rhywbeth sy'n amrywio o gwbl – mae'n gyflwr sy'n bod. Bydd yr ymchwilydd yn cofnodi effaith y 'lled-IV' hwn ar newidyn dibynnol (DV). Fel yn achos arbrawf naturiol, mae'r diffyg manipwleiddio ar yr IV a'r diffyg hapddyrannu yn golygu mai casgliadau achosol petrus yn unig y gellir eu tynnu.

Lled-arbrawf Astudiaethau sydd 'bron' yn arbrofion. Dyma ddull ymchwil lle nad yw'r arbrofwr wedi manipwleiddio'r newidyn annibynnol (IV) yn uniongyrchol. Byddai'r IV yn amrywio p'un a oedd yr ymchwilydd â diddordeb neu beidio. Bydd yr ymchwilydd yn cofnodi effaith yr IV ar newidyn dibynnol (DV), a gall y DV hwnnw gael ei fesur mewn labordy. A bod yn fanwl-gywir, mae arbrawf yn cynnwys manipwleiddio IV yn fwriadol am fod yr arbrofwr yn ei hapddyrannu i gyflyrau. Dydy'r naill na'r llall o'r rheiny'n gymwys i led-arbrawf ac felly, casgliadau achosol petrus yn unig y gellir eu tynnu.

LLED-ARBROFION

Mae dau fath o led-arbrawf, sef y rhai ag IV (**arbrofion naturiol**) a'r rhai heb unrhyw IV (**astudiaethau gwahaniaeth**).

Arbrofion naturiol

Cynhelir arbrawf naturiol pan nad oes modd manipwleiddio IV yn fwriadol am resymau moesegol neu ymarferol. Dywedir, felly, fod yr IV yn amrywio'n 'naturiol' (a dyna pam y defnyddir y term 'arbrawf naturiol'). Mae modd rhoi prawf ar y DV mewn **labordy**.

Ystyriwch yr enghreifftiau hyn:

- **Effeithiau gwylio trais** Casglodd Berkowitz (1970) ystadegau misol yr FBI am droseddau ynghylch amlder troseddau treisgar o fis Ionawr 1960 tan fis Rhagfyr 1966. Gwelodd fod cynnydd serth yn nifer y troseddau treisgar a gofnodwyd ar ôl Tachwedd 1963. Cynigiodd fod hynny wedi digwydd am fod poblogaeth America wedi gweld lluniau teledu o lofruddiaeth John F. Kennedy. Yn yr astudiaeth hon, yr IV oedd gwylio lluniau teledu o lofruddiaeth Kennedy.
- **Effeithiau'r teledu** Cyn 1995, doedd dim teledu gan y bobl oedd yn byw ar ynys fach St Helena yng nghanol Cefnfor Iwerydd. Bu dyfodiad y teledu'n gyfle i ymchwilwyr weld sut gallai gwylio rhaglenni'r byd Gorllewinol ddylanwadu ar ymddygiad. Ar y cyfan, ni welodd Charlton ac eraill (2000) lawer o wahaniaeth o ran gwell na gwaeth ymddygiad cymdeithasol ar ôl dyfodiad y teledu. Yn yr astudiaeth hon, yr IV oedd dim teledu a gwylio'r teledu'n ddiweddarach.

Yn y ddwy enghraifft hyn, nid yr ymchwilwyr oedd yn rheoli'r IV. Manteisio wnaethon nhw ar rywbeth a fyddai'n eithaf anodd ei reoli'n ymarferol ac yn foesegol.

Astudiaethau gwahaniaeth

Mewn astudiaeth gwahaniaeth mae'r IV ymddangosiadol hefyd yn digwydd yn naturiol ac mae modd mesur y DV mewn labordy. Y nodwedd allweddol yw nad oes neb wedi peri i'r IV amrywio. Dim ond gwahaniaeth sy'n bod rhwng pobl yw'r IV. Felly, nid yw'r IV yn newidyn o gwbl mewn gwirionedd. Caiff 'astudiaethau gwahaniaeth' o'r fath eu cynnwys fel lled-arbrofion.

Ystyriwch yr enghreifftiau hyn:

- **Gwahaniaethau rhwng y ddau ryw** Rhoddodd Sheridan a King (1972) brawf ar ufudd-dod drwy ofyn i gyfranogwyr gwryw roi siociau trydan go-iawn a mwy a mwy pwerus i gi bach. Gwelwyd bod 54% o'r cyfranogwyr gwryw yn rhoi'r sioc fwyaf (nid un angheuol) ond bod y gyfradd ufuddhau yn achos benywod gymaint â 100%! Yr IV yn yr astudiaeth hon oedd rhywedd – gwahaniaeth nad oes modd ei fanipwleiddio ac nad yw, felly, yn 'wir' IV.
- **Galluoedd arogleuol unigolion di-weld** Cymharodd Rosenbluth ac eraill (2000) alluoedd arogleuol plant a allai weld a phlant di-weld. **Cydweddwyd** grŵp o 30 o blant di-weld â 30 o blant a allai weld, o ran eu hoedran, eu rhyw a'u hethnigrwydd. Er i'r ymchwilwyr ganfod nad oedd fawr o wahaniaeth rhwng y ddau grŵp o blant o ran eu galluoedd arogleuol, cafodd y plant di-weld sgôr uwch (12.1 allan o uchafswm o 25) wrth labelu arogleuon o'u cymharu â'r plant a allai weld (10.4).

Yn y ddwy enghraifft hyn, nodweddion pobl, rhywedd neu allu gweledol yw'r hyn yr ymchwilir iddo a dyna, felly, IV yr ymchwil.

◄ Bydd llawer o astudiaethau mewn seicoleg yn cymharu ymddygiad pobl hŷn a phobl iau – er enghraifft, o ran cywirdeb eu tystiolaeth fel llygad-dystion. Yn yr astudiaethau hynny, oedran yw'r IV. Dyma 'gyflwr' yr unigolyn ac ystyrir felly bod yr astudiaethau hynny'n lled-arbrofion.

Nid oedran sydd wedi achosi'r ymddygiad ond nodweddion sy'n amrywio yn ôl oedran fel, er enghraifft, y tebygolrwydd y gall rhai o'r cyfranogwyr fod â dementia neu eu bod nhw'n llai medrus o ran cyflawni'r dasg sy'n destun y prawf.

GWERTHUSO

Mae sawl rheswm pam na all ymchwilwyr dynnu casgliadau achos-ac-effaith o led-arbrofion.

Manipwleiddio'r IV

Oherwydd y diffyg rheolaeth dros yr IV allwn ni ddim dweud gyda sicrwydd mai'r IV a achosodd unrhyw newid yn y DV. Er enghraifft, os oedd unrhyw **newidyn dryslyd** a oedd heb ei reoli, gallai'r newidiadau a arsylwyd yn y DV beidio â bod wedi'u hachosi gan yr IV. (Cofiwch y gall cynllun gwael i arbrofion olygu nad oes modd cyfiawnhau casgliadau achosol mewn arbrawf labordy nac mewn arbrawf yn y maes – ac felly does dim sicrwydd ynghylch casgliadau achosol.)

Hapddyrannu

Mewn arbrawf gyda chynllun **grwpiau annibynnol** caiff y cyfranogwyr eu **hapddyrannu** i gyflyrau. Nid yw hyn yn bosibl mewn arbrofion naturiol na lled-arbrofion. Gall fod tueddiadau yn y gwahanol grwpiau o gyfranogwyr.

Er enghraifft, yn yr astudiaeth a ymchwiliodd i alluoedd arogleuol unigolion di-weld (gweler y dudalen gyferbyn), cydweddwyd y cyfranogwyr di-weld ag unigolion a allai weld. Er i hynny gael ei wneud gyda'r bwriad o ddileu unrhyw dduedd bosibl, gall barhau i olygu bod yr unigolion a gynhwyswyd yn y ddau gyflwr yn rhai gwahanol iawn.

Oherwydd y diffyg hapddyrannu, felly, efallai fod yna newidynnau dryslyd sydd heb eu rheoli.

Nodweddion unigryw'r cyfranogwyr

Gall y sampl a astudir fod â nodweddion unigryw. Er enghraifft, yn yr astudiaeth o St Helena (ar y dudalen gyferbyn), roedd y bobl yn rhan o gymuned arbennig o gymdeithasgar a pharod ei chymwynas, a gallai hynny egluro pam nad effeithiodd y trais ar y teledu ar eu hymddygiad er i astudiaethau eraill ddangos i ddyfodiad y teledu gael effaith.

Oherwydd nodweddion unigryw'r sampl, does dim modd cyffredinoli'r darganfyddiadau at grwpiau eraill o bobl (h.y. gellir disgrifio'r astudiaeth yn un sydd â lefel isel o **ddilysrwydd poblogaeth**).

Gwahanol fathau o arbrawf

Caiff rhai arbrofion eu gwneud mewn labordy ac eraill eu gwneud yn y maes. Lled-arbrawf yw'r trydydd math o arbrawf ac mae'n ymddangos fel petai'n eithaf 'naturiol'. Ystyriwch y tabl isod.

	IV	DV, a fesurir gan arbrofwr
Labordy	Caiff ei fanipwleiddio gan yr ymchwilydd.	Yn y labordy. Mae'n fwy na thebyg bod y cyfranogwyr yn sylweddoli bod eu hymddygiad yn cael ei fesur.
Maes	Caiff ei fanipwleiddio gan yr ymchwilydd.	Mewn amgylchedd naturiol.
Lled-arbrawf	Byddai'n amrywio hyd yn oed pe na fyddai diddordeb gan yr arbrofwr.	Mewn labordy (neu mewn amgylchedd dan reolaeth), yn fwy na thebyg, ond fe all gael ei fesur yn y maes. Mae'n debyg bod y cyfranogwyr yn sylweddoli bod eu hymddygiad yn cael ei fesur.

Dyma astudiaeth i chi feddwl amdani: gwnaeth y seicolegydd gwybyddol Alan Baddeley astudiaeth o'r cof a dangos bod y cyd-destun yn helpu wrth adalw. Defnyddiodd ddeifwyr tanddwr fel cyfranogwyr.

- Dysgodd Grŵp 1 eiriau dan ddŵr ac yna gofynnwyd iddyn nhw'u hadalw dan ddŵr (yr un cyd-destun).
- Dysgodd Grŵp 2 eiriau dan ddŵr ac yna gofynnwyd iddyn nhw'u hadalw ar dir (cyd-destun gwahanol).
- Dysgodd Grŵp 3 eiriau ar dir ac yna gofynnwyd iddyn nhw'u hadalw ar dir (yr un cyd-destun).
- Dysgodd Grŵp 4 eiriau ar dir ac yna gofynnwyd iddyn nhw'u hadalw dan ddŵr (cyd-destun gwahanol).

Adalwodd y cyfranogwyr y rhestri geiriau'n well yn yr un cyd-destun.

Mae hyn yn ymddangos fel astudiaeth 'naturiol' iawn am iddi gael ei chynnal mewn amgylchedd naturiol – ond fe ddefnyddiodd restri geiriau (eitemau wedi'u llunio) a rhoddodd brawf ar bobl dan ddŵr (amgylchedd anarferol).

Pennod 6 Ymchwilio i ymddygiad

CORNEL ARHOLIAD

1. Eglurwch beth yw ystyr *lled-arbrawf*. [2]
2. Trafodwch ddefnyddio lled-arbrofion mewn ymchwil seicolegol. Rhowch enghreifftiau yn eich ateb. [6]

Cyngor arholiad…

Wrth baratoi ar gyfer yr arholiad, efallai y bydd arnoch chi eisiau defnyddio'ch gwybodaeth o'r gwahanol fathau o arbrofion (labordai, maes, lled-arbrawf/arbrawf naturiol) i lunio coeden benderfynu.

CORNEL ARHOLIAD
Ymarfer ar gyfer senarios newydd

Isod, disgrifir chwe astudiaeth. Yn achos pob astudiaeth: (a) nodwch yr IV a'r DV [2]; (b) dywedwch a yw'n astudiaeth mewn labordy, yn astudiaeth maes neu'n lled-arbrawf [2]; (c) eglurwch eich penderfyniad [2]; ac (ch) eglurwch pam y credwch y byddai lefel uchel neu isel o ddilysrwydd i'r astudiaeth [2].

1. Mae dwy ysgol gynradd yn defnyddio cynlluniau darllen gwahanol. Ar ddiwedd y flwyddyn mae astudiaeth seicolegol yn cymharu'r sgorau darllen i weld pa gynllun oedd yr un mwyaf effeithiol.
2. Mae plant yn cymryd rhan mewn treial i gymharu llwyddiant rhaglen fathemateg newydd. Gosodir y plant mewn un o ddau grŵp – y naill yn cael y rhaglen fathemateg newydd a'r llall yn cael yr un draddodiadol – a'u haddysgu yn y grwpiau hynny am dymor.
3. Ymchwilir i werth defnyddio cyfrifiaduron yn hytrach na llyfrau drwy ofyn i'r plant ddefnyddio cyfrifiadur neu lyfr i ddysgu rhestri o eiriau.
4. Caiff pobl sy'n cael sgôr uchel ar raddfa 'personoliaeth awdurdodol' eu cymharu â phobl sy'n isel ar y raddfa honno o ran eu parodrwydd i ufuddhau i orchmynion.
5. Astudir effaith hysbysebion ar stereoteipiau o'r ddau ryw drwy ofyn i'r cyfranogwyr edrych ar hysbysebion lle mae menywod yn gwneud tasgau benywaidd neu dasgau niwtral, ac yna'u holi ynghylch stereoteipiau rhywedd.
6. Mae astudiaeth yn ymchwilio i effeithiau gwrthgymdeithasol y teledu drwy fonitro a yw pobl sy'n gwylio llawer o deledu (dros bum awr y dydd) yn fwy ymosodol na'r rhai nad ydyn nhw'n gwneud hynny.

Bygythiadau i ddilysrwydd, a delio â nhw

Mae amryw o broblemau'n codi mewn arbrofion sy'n bygwth **dilysrwydd mewnol** arbrawf. Rydyn ni eisoes wedi ystyried **newidynnau allanol** a **dryslyd**. Ar y ddwy dudalen yma fe ystyriwn ni ragor o faterion a all fod yn newidynnau allanol neu ddryslyd.

▲ Efallai y bydd ar gyfranogwyr eisiau cynnig help llaw. Os ydyn nhw'n gwybod eu bod mewn arbrawf, byddan nhw fel rheol yn awyddus i blesio'r ymchwilydd a bod o gymorth. Fel arall, pam y maen nhw yno? Bydd hynny'n golygu weithiau eu bod nhw'n rhy barod i gydweithredu – ac yn ymddwyn yn artiffisial.

Ond bydd rhai cyfranogwyr yn ymateb i'r gwrthwyneb – yr effaith 'yma i fod yn lletchwith' lle bydd cyfranogwr yn ymddwyn yn fwriadol mewn ffordd sy'n difetha arbrawf.

CYFRANOGWYR NEU ODDRYCHAU (*SUBJECTS*)?

Mewn ymchwil seicolegol cynnar, galwyd y bobl yn yr astudiaethau'n 'oddrychau' (*subjects*). Yn y 1990au symudwyd i ddefnyddio'r term 'cyfranogwr' ('*participant*') yn hytrach na 'goddrych' (*subject*).

Un rheswm dros y newid yw bod y term 'cyfranogwr' yn adlewyrchu'r ffaith bod yr unigolion hynny yn cyfrannu'n weithgar i astudiaeth ac nid yn aelodau goddefol ohoni. Gan eu bod nhw'n chwilio am giwiau am beth i'w wneud, gallan nhw ymddwyn fel y mae'r ymchwilwyr yn disgwyl ac nid fel y bydden nhw mewn bywyd bob-dydd. Mae defnyddio'r term 'cyfranogwr' yn cydnabod yr ymwneud gweithgar hwnnw.

Rheswm arall dros y newid yw bod y term '*subject*' yn lled-awgrymu bod yn rhaid i'r rhai sy'n cymryd rhan ufuddhau a'u bod nhw'n ddi-rym, ond y gwir amdani yw bod ar seicolegwyr ddyled fawr iddyn nhw am eu parodrwydd i gymryd rhan – partneriaeth gyfartal yw hi.

NODWEDDION AWGRYMU YMATEB

Am fod cyfranogwyr yn awyddus i helpu, byddan nhw'n rhoi sylw i giwiau yn y sefyllfa arbrofol a allai lywio'u hymddygiad. Ystyriwch yr astudiaeth hon gan Martin Orne:

> Bu'n rhaid i'r cyfranogwyr eistedd mewn ystafell ar eu pennau eu hunain am bedair awr. Ar ddechrau'r astudiaeth, gofynnwyd i un grŵp o'r cyfranogwyr lofnodi ffurflen a oedd yn rhyddhau'r arbrofwr rhag unrhyw gyfrifoldeb petai rhywbeth yn digwydd iddyn nhw yn ystod yr arbrawf. Cawson nhw hefyd fotwm panig i'w wasgu petaen nhw'n teimlo'u bod dan ormod o straen. Chafodd y grŵp arall ddim gwybodaeth i gyffroi eu disgwyliadau. Dangosodd y grŵp cyntaf arwyddion eithafol o ofid pan oedden nhw ar eu pennau eu hunain. Does dim eglurhad am hyn ond o ran y disgwyliadau roedd y sefyllfa'n eu creu. (Orne a Scheibe, 1964)

Dyfeisiodd Orne y term **nodweddion awgrymu ymateb** ('demand characteristics') i ddisgrifio effaith disgwyliadau, a'i ddiffinio fel hyn:

> *Bydd yr holl giwiau sy'n cyfleu rhagdybiaeth yr arbrawf i'r [cyfranogwr] yn datblygu'n elfennau sy'n pennu ymddygiad y [cyfranogwr].*
> (Orne, 1962)

Nodweddion awgrymu ymateb bob-dydd

Wrth wylio gêm bêl-droed yn eich cartref byddwch chi'n eistedd yn gymharol dawel, ond ar faes pêl-droed byddech chi'n canu a gweiddi ac yn neidio i fyny ac i lawr. Mae'r sefyllfaoedd gwahanol hynny'n creu disgwyliadau gwahanol ac yn 'mynnu' ymddygiadau gwahanol.

Nodweddion awgrymu ymateb arbrofol

Mewn arbrawf, bydd y cyfranogwyr yn aml yn ansicr ynghylch beth i'w wneud. Byddan nhw'n chwilio'n weithgar am gliwiau ynghylch sut y dylen nhw ymddwyn yn y sefyllfa honno. Mae'r cliwiau hynny'n 'nodweddion awgrymu ymateb' sydd, gyda'i gilydd, yn cyfleu rhagdybiaeth yr arbrawf i'r cyfranogwyr. Er enghraifft:

- Caiff cyfranogwr ddau brawf cof (**cynllun ailadrodd mesurau**), y naill yn y bore a'r llall yn y prynhawn. Gallai cyfranogwyr geisio dyfalu pam y maen nhw'n cael dau brawf a sylweddoli'n gywir bod yr astudiaeth yn ceisio gweld effeithiau'r adeg o'r dydd ar eu perfformiad. Gallai hyn beri i'r cyfranogwr geisio perfformio'r un fath yn y naill brawf a'r llall.
- Caiff bechgyn a merched eu cymharu i weld pwy sy'n fwyaf cyfeillgar. Defnyddir holiadur i asesu pa mor gyfeillgar ydyn nhw. Mae'n gwbl amlwg bod y cwestiynau'n holi ynghylch cyfeillgarwch ac felly'n arwain y cyfranogwr i ddyfalu diben yr holiadur. Mae'r merched eisiau helpu a byddan nhw'n rhoi atebion sy'n dangos pa mor gyfeillgar ydyn nhw. Mae'r bechgyn ychydig yn lletchwith ac yn rhoi atebion sy'n dangos pa mor anghyfeillgar ydyn nhw.

Yn y ddau achos, y canlyniad yw nad yw'r cyfranogwyr yn ymddwyn fel y bydden nhw fel rheol. Maen nhw wedi newid eu hymddygiad oherwydd y ciwiau yn y sefyllfa ymchwil. Felly, gall nodweddion awgrymu ymateb weithredu fel newidyn allanol 'dryslyd'.

TUEDD YR YMCHWILYDD

Mae **tuedd yr ymchwilydd** yn cyfeirio at wybodaeth (heblaw'r IV) a roddir gan ymchwilydd sy'n annog y cyfranogwr i ymddwyn mewn ffyrdd penodol, a gallai hynny arwain at gyflawni disgwyliadau'r ymchwilydd. Newidynnau allanol neu ddryslyd yw ciwiau o'r fath.

Ystyriwch yr astudiaeth hon gan Robert Rosenthal a Kermit Fode (1963):

> Gofynnwyd i fyfyrwyr hyfforddi llygod mawr i ddysgu llwybr drwy ddrysfa. Dywedwyd wrth y myfyrwyr bod dau grŵp o lygod mawr: y naill grŵp yn 'ddysgwyr cyflym' gan iddyn nhw gael eu magu i ddatblygu'r nodweddion hynny, a'r grŵp arall yn 'ddysgwyr araf'. Mewn gwirionedd doedd dim gwahaniaeth rhyngddyn nhw. Ond dangosodd darganfyddiadau'r astudiaeth i'r rhai 'disgleiriaf' wneud yn well. Pan holwyd y myfyrwyr yn ddiweddarach am eu llygod mawr, dywedodd y rhai â llygod mawr 'a ddysgai'n gyflym' eu bod nhw'n fwy clyfar, atyniadol a hoffus nag yn y disgrifiadau a roddwyd gan y grŵp arall o fyfyrwyr. Yr unig eglurhad posibl yw i ddisgwyliadau'r myfyrwyr effeithio ar berfformiad y llygod mawr.

Felly, fe effeithiodd disgwyliadau'r ymchwilydd hyd yn oed ar y llygod mawr. Sut wnaethon nhw hynny?

Yn anymwybodol, bydd ymchwilwyr yn rhoi anogaeth i'r cyfranogwyr – er enghraifft, drwy dreulio mwy o amser gydag un grŵp o gyfranogwyr neu fod yn fwy cadarnhaol gyda nhw. Er enghraifft, mae ymchwil wedi gweld bod gwrywod yn fwy dymunol a chyfeillgar gyda chyfranogwyr benyw na gyda chyfranogwyr gwryw eraill (Rosenthal, 1966).

Neu (gyda chyfranogwyr dynol), gall y ffordd y mae ymchwilydd yn holi *arwain* cyfranogwr i roi'r ateb y mae'r ymchwilydd ei 'eisiau' (tebyg i **gwestiynau arweiniol**; gweler tudalen 76).

Effeithiau anuniongyrchol yr ymchwilydd

Cewch chi hefyd effeithiau anuniongyrchol yr ymchwilydd, fel *effaith cynllun arbrofol yr ymchwilydd*. Gall yr ymchwilydd **weithredoli** mesur y newidynnau mewn ffordd sy'n golygu bod yr ateb y dymunir ei gael yn fwy tebygol, neu fe all gyfyngu ar hyd yr astudiaeth am yr un rheswm.

Mae *effaith trefn rydd yr ymchwilydd* yn cyfeirio at sefyllfaoedd lle gall ymchwilydd beidio â phennu'r **cyfarwyddiadau safonedig** a/neu'r **gweithdrefnau safonedig** yn glir gan adael lle i'r arbrofwr ddylanwadu ar y canlyniadau.

▲ Enghraifft o nodweddion awgrymu ymateb.

March oedd **dêr Kluge Hans** (Hans Clyfar – ei enw llawn oedd Hans von Osten) a'i berchennog oedd Wilhelm von Osten. Dangosodd Hans allu syfrdanol i wneud rhifyddeg. Byddai rhywun yn gofyn cwestiwn rhifyddol syml fel 'Beth yw 7 a 4?' ac yna'n dechrau cyfrif yn uchel. Pan fyddai'n cyrraedd 11, byddai'r ceffyl yn dechrau curo'r llawr â'i garnau. Ond dangosodd profion trwyadl nad oedd yn adio. Roedd yn ymateb i giwiau anymwybodol a chynnil gan ei berchennog – roedd Wilhelm yn cyfleu disgwyliadau a oedd yn nodweddion awgrymu ymateb. Ymateb i'r ciwiau wnâi'r ceffyl, nid dibynnu ar ei allu. Canlyniad i nodweddion awgrymu ymateb yw cyflawni disgwyliadau.

DELIO Â'R PROBLEMAU HYN

Cynllun sengl-ddall

Mewn **cynllun sengl-ddall** dydy'r cyfranogwr ddim yn gwybod nodau'r ymchwil na pha gyflwr o'r arbrawf y mae'n ei gael. Mae hynny'n atal y cyfranogwr rhag chwilio am giwiau ynglŷn â'r nodau ac ymateb iddyn nhw.

Cynllun dwbl-ddall

Mewn **cynllun dwbl-ddall** nid yw'r cyfranogwr *a'r* person sy'n cynnal yr arbrawf yn ymwybodol o'r nodau a/na'r rhagdybiaeth. Mae'r sawl sy'n gwneud yr ymchwiliad, felly, yn llai tebygol o gynhyrchu ciwiau am yr hyn y mae'n disgwyl ei weld.

Realaeth arbrofol

Os bydd yr ymchwilydd yn llunio tasg arbrofol ddigon diddorol, bydd y cyfranogwyr yn rhoi eu sylw i'r dasg ac nid i'r ffaith eu bod yn cael eu harsylwi.

NEWIDYNNAU ALLANOL ERAILL (EVs)

Newidynnau cyfranogwr

Newidyn cyfranogwr yw unrhyw nodwedd sydd gan y cyfranogwyr unigol. Nid yr un peth yw newidynnau cyfranogwr ag **effeithiau cyfranogwr**. Mae nodweddion awgrymu ymateb yn un o effeithiau ymddygiad y cyfranogwyr (effaith cyfranogwr) ond un o nodweddion cyfranogwyr yw newidyn cyfranogwr.

Bydd newidyn cyfranogwr yn newidyn allanol dim ond os defnyddir cynllun grwpiau annibynnol. Os defnyddir cynllun ailadrodd mesurau, caiff y newidynnau cyfranogwr eu rheoli. Mewn cynllun parau cyffredin, y gobaith yw rheoli newidynnau cyfranogwr.

Ymhlith newidynnau cyfranogwr mae oedran, deallusrwydd, cymhelliant, profiad, rhywedd ac ati. Yn aml, bydd myfyrwyr yn galw rhywedd yn newidyn allanol, ac fe all fod. Er enghraifft, dywedodd Alice Eagly (1978) y gall menywod fod yn fwy parod na dynion i **gydymffurfio**. Os oes mwy o fenywod nag o ddynion mewn un cyflwr mewn arbrawf, felly, gallai hynny guddio effeithiau'r IV. Ond mae'n bwysig sylweddoli bod rhywedd yn EV o dan rai amgylchiadau yn unig. Er enghraifft, fydden ni ddim yn rheoli rhywedd mewn arbrawf ar y cof oni bai bod gennym reswm dros ddisgwyl iddo fod yn bwysig. Wrth ystyried newidynnau cyfranogwr fel EVs, does ond angen i ni ganolbwyntio ar y rhai sy'n berthnasol i'r dasg.

Newidynnau sefyllfaol

Newidynnau sefyllfaol yw'r nodweddion hynny ar *sefyllfa* ymchwil a allai ddylanwadu ar ymddygiad cyfranogwyr a bod, felly, yn EVs neu'n newidynnau dryslyd. Enghraifft o newidyn sefyllfaol yw **effeithiau trefn**, a ddisgrifiwyd ar dudalen 116. Gall gwelliant ym mherfformiad cyfranogwr ddigwydd oherwydd ymarfer (newidyn dryslyd) yn hytrach na'r IV.

Fydd newidynnau sefyllfaol ond yn ddryslyd os byddan nhw'n amrywio'n systematig gyda'r IV – er enghraifft, os caiff holl aelodau un grŵp brawf yn y bore a phob aelod o'r ail grŵp brawf yn y prynhawn.

TERMAU ALLWEDDOL

Nodweddion awgrymu ymateb Ciw sy'n gwneud cyfranogwyr yn ymwybodol-anymwybodol o nodau astudiaeth neu sy'n helpu'r cyfranogwyr i sylweddoli'r hyn y mae'r ymchwilydd yn disgwyl ei ddarganfod.

Tuedd (yr) ymchwilydd Unrhyw beth y mae ymchwilydd yn ei wneud ac sy'n cael effaith ar berfformiad cyfranogwr mewn astudiaeth heblaw'r hyn a fwriadwyd. Mae hynny'n cynnwys effeithiau uniongyrchol (o ganlyniad i ryngweithiad yr ymchwilydd â'r cyfranogwr) ac effeithiau anuniongyrchol (o ganlyniad i'r ffaith mai'r ymchwilydd a gynlluniodd yr astudiaeth). Gall effeithiau'r ymchwilydd fod yn newidyn dryslyd neu allanol.

Samplu

Erbyn hyn, fe wyddoch chi mai'r enw ar bobl sy'n cael eu hastudio mewn ymchwiliad yw 'cyfranogwyr'. Fel rheol, grŵp bach o bobl fydd hwnnw ac efallai na fydd ond 20 neu 30 ohonyn nhw. Sut mae seicolegydd yn dewis y grŵp hwnnw o bobl? Enw'r broses yw **samplu** a gellir defnyddio amrywiaeth o dechnegau i gael hyd i'r sampl o bobl a ddefnyddir yn yr astudiaeth.

POBLOGAETHAU TARGED A SAMPLAU

Mewn unrhyw astudiaeth, y **boblogaeth darged** yw'r grŵp o unigolion y mae gan ymchwilydd ddiddordeb ynddo: er enghraifft, 'babanod yn y byd Gorllewinol', 'pobl yn y DU', neu 'bobl ifanc sy'n byw ym Mangor'. Ar ddiwedd yr astudiaeth, mae'r ymchwilydd eisiau gallu llunio datganiad am y boblogaeth darged honno o bobl.

Mae'n amlwg na all yr ymchwilydd astudio pawb yn y boblogaeth darged. Yn hytrach, bydd yr ymchwilydd yn dechrau drwy adnabod grŵp llai o faint, sef y **ffrâm samplu**. Er enghraifft, os oedd yr ymchwilydd yn ymddiddori yn 'holl fabanod y byd Gorllewinol', gallai ddewis babanod a anwyd mewn dau ysbyty yng Nghaerdydd ym mis Ionawr 2015.

Yna, bydd yr ymchwilydd yn tynnu **sampl**. Yn ddelfrydol, bydd y sampl yn gynrychioliadol o'r boblogaeth darged fel bod modd llunio **cyffredinoliadau** am y boblogaeth darged.

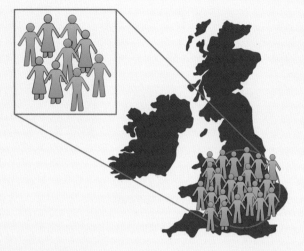

Dull samplu	Mantais; pam defnyddio'r dull hwn?	Anfantais
Samplu cyfle Sut? Recriwtio'r bobl sy'n fwyaf cyfleus neu ar gael fwyaf – er enghraifft, pobl sy'n cerdded heibio i chi yn y stryd neu fyfyrwyr yn eich ysgol chi.	Y dull hawsaf am eich bod yn defnyddio'r cyfranogwyr addas cyntaf y gallwch chi ddod o hyd iddyn nhw. Bydd hi felly'n cymryd llai o amser i ddod o hyd i'ch sampl na phetai chi'n defnyddio un o'r technegau eraill.	Mae **tuedd** yn anochel am fod y sampl wedi'i dynnu o ran fach o'r boblogaeth darged. Er enghraifft, os dewisoch chi sampl o blith pobl sy'n cerdded o amgylch canol tref ar fore Llun, fyddai hi ddim yn debygol o gynnwys pobl broffesiynol (am eu bod nhw wrth eu gwaith) na phobl o gefn gwlad.
Hapsamplu Sut? Gweler 'hapdechnegau' ar y dudalen gyferbyn.	Dim tuedd; mae gan yr holl aelodau o'r boblogaeth darged yr un siawns o gael eu dewis.	Mae angen bod â rhestr o holl aelodau'r boblogaeth darged ac yna cysylltu â phob un sydd wedi'i ddewis. Gall hynny gymryd peth amser.
Samplu pelen eira Sut? Bydd y cyfranogwyr cyfredol yn recriwtio rhagor o gyfranogwyr o blith y bobl y maen nhw'n eu hadnabod. Felly, mae'r grŵp sampl fel petai'n tyfu fel pelen eira.	Mae'n fodd i ymchwilydd ddod o hyd i grwpiau sy'n anodd eu cyrraedd, fel y rhai sy'n gaeth i gyffuriau.	Dydy'r sampl ddim yn debyg o fod yn groestoriad da o'r boblogaeth gan mai cyfeillion i gyfeillion sydd ynddi.
Samplu hunan-ddetholedig / gwirfoddoli Sut? Hysbysebu mewn papur newydd neu ar hysbysfwrdd neu ar y we.	Mae'n fodd i gyrraedd amrywiaeth o gyfranogwyr (e.e. pawb sy'n darllen papur newydd penodol). Gall hynny olygu bod y sampl yn fwy cynrychioliadol a bod llai o duedd iddi.	Mae tuedd i'r sampl mewn ffyrdd eraill am fod cyfranogwyr yn debycach o fod â chymhelliant mawr i helpu, a/neu fod ganddyn nhw fwy o amser ar eu dwylo. Canlyniad hynny yw **tuedd y gwirfoddolwr**.
Samplu haenedig a samplu cwotâu Sut? Nodir is-grwpiau (neu haenau) mewn poblogaeth darged (e.e. bechgyn a merched, neu grwpiau oedran: 10–12 oed, 13–15, ac ati). Ceir cyfranogwyr o bob haen mewn cyfrannedd â'u niferoedd yn y boblogaeth darged. Yn achos sampl haenedig, defnyddir hapsamplu i ddewis o blith yr haenau. Yn achos sampl gwota, defnyddir techneg nad yw'n hapsamplu i ddewis cyfranogwyr.	Mae'n debyg o fod yn fwy cynrychioliadol na dulliau eraill am fod cynrychiolaeth gyfrannol o is-grwpiau.	Mae'n cymryd amser maith i nodi is-grwpiau ac yna ddewis cyfranogwyr a chysylltu â nhw.
Samplu systematig Sut? Defnyddio system ragosodedig i ddewis cyfranogwyr, fel dewis pob 6ed, 14eg, 20fed (neu beth bynnag) person o lyfr ffôn. Caiff y cyfwng rhifiadol ei gymhwyso'n gyson.	Mae'n ddiduedd oherwydd defnyddir system wrthrychol i ddethol y cyfranogwyr.	Dydy hwn ddim yn gwbl ddiduedd/ar hap oni bai i chi ddefnyddio hap-ddull i ddewis rhif a dechrau gyda'r person hwn ac yna ddewis pob $n$fed person.

Dull o ddod o hyd i gyfranogwyr yw dull samplu, NID pwy fydd yn cymryd rhan yn y pen draw. Pa bynnag ddull samplu a ddefnyddir, efallai y bydd rhai cyfranogwyr yn gwrthod cymryd rhan, ac felly bydd gan yr ymchwilydd sampl â thuedd ynddi – sampl dim ond o'r rhai sy'n barod i gymryd rhan.

Ond dydy hynny ddim yn gymwys yn y mwyafrif o arbrofion maes. Os nad yw cyfranogwyr yn gwybod eu bod nhw'n cael eu hastudio, allan nhw ddim gwrthod.

TERMAU ALLWEDDOL

Cyffredinoli Cymhwyso darganfyddiadau astudiaeth benodol at y boblogaeth darged.

Ffrâm samplu Y deunydd ffynhonnell y tynnir sampl ohono.

Hapsamplu Defnyddio hapdechneg i gynhyrchu sampl o gyfranogwyr fel bod gan bob aelod o'r boblogaeth darged sy'n cael y prawf yr un siawns o gael ei ddewis.

Poblogaeth darged Y grŵp o bobl y mae gan ymchwilydd ddiddordeb ynddo. Y grŵp o bobl y tynnir sampl ohono. Y grŵp o bobl y gellir cyffredinoli yn ei gylch.

Sampl pelen eira Mae'n dibynnu ar y cyfranogwyr cychwynnol i ddod â chyfranogwyr ychwanegol at y sampl.

Samplu Dewis cyfranogwyr o'r ffrâm samplu i gynhyrchu detholiad cynrychioliadol o bobl o'r grŵp hwnnw.

Samplu cwotâu Tebyg i sampl haenedig ond ni ddefnyddir techneg hapsamplu i ddewis cyfranogwyr o blith haenau.

Samplu cyfle Caiff sampl o gyfranogwyr ei chynhyrchu drwy ddewis y bobl sydd ar gael yn fwyaf hwylus adeg yr astudiaeth.

Samplu haenedig Sampl o gyfranogwyr a gynhyrchwyd drwy adnabod is-grwpiau yn ôl eu hamlder yn y boblogaeth darged. Yna, caiff y cyfranogwyr eu hapddewis o is-grwpiau.

Samplu hunan-ddetholedig/ gwirfoddoli Sampl o gyfranogwyr sy'n dibynnu'n llwyr ar wirfoddolwyr i ffurfio'r sampl. Cewch hefyd y term 'gwirfoddoli'.

Samplu systematig Ceir sampl drwy ddewis pob nfed person (lle mae n yn unrhyw rif). Gall fod yn hapsampl os defnyddir hapddull i ddewis y person cyntaf; yna byddwch chi'n dewis pob nfed person ar ôl hynny.

Tuedd Ystumiad systematig.

Cyngor arholiad...

Sgiliau Mathemategol

Bydd rhyw 10% o'ch cwestiynau arholiad (yn UG neu Safon Uwch) yn perthnasu â syniadau mathemategol. Cewch chi restr lawn ohonyn nhw ar dudalen 142. Mae'r rhestr yn cynnwys egwyddorion samplu fel y cân nhw'u cymhwyso at ddata gwyddonol – er enghraifft, egluro sut gellid cael hapsampl neu sampl haenedig o boblogaeth darged.

HAPDECHNEGAU

Y duedd yw i bobl ddefnyddio'r elfen 'hap' i olygu 'beth bynnag ddaw i mewn i 'mhen'. Mewn gwyddoniaeth, mae ystyr benodol iawn i 'hap', sef bod gan bob eitem mewn poblogaeth darged siawns hafal o gael ei dewis. Defnyddir amrywiol hapdechnegau i gael **hapsampl** (a hefyd i sicrhau hapddyrannu cyfranogwyr i grwpiau).

Dull loteri

Y ffordd hawsaf o gael hapddewis yw tynnu rhifau neu enwau 'allan o het'. Gelwir hynny weithiau'n **ddull loteri**. Mae tri cham pwysig iddo:

1. Cael rhestr o bawb sydd yn y boblogaeth darged. Gall fod yn enwau pawb sydd yn eich ysgol chi yn unig.
2. Rhoi'r holl enwau mewn baril neu het loteri.
3. Dewis y nifer o enwau y mae gofyn eu cael.

Os yw ymchwilydd yn defnyddio'r dull hwn i hapddyrannu cyfranogwyr i grwpiau, gallai roi'r 10 enw cyntaf a dynnir yng ngrŵp A a'r ail set o 10 enw yng ngrŵp B.

Cynhyrchwyr haprifau

Mae gan gyfrifianellau, fel sydd gan gyfrifiaduron ac apiau ar ffonau, ffwythiannau sy'n cynhyrchu haprifau.

1. Rhifwch bob aelod o'r boblogaeth darged.
2. Defnyddiwch Microsoft Excel, er enghraifft, a theipiwch =RAND(100) i gael haprif rhwng 1 a 100.

CORNEL ARHOLIAD

Ymarfer ar gyfer senarios newydd

Nodwch y dull samplu ym mhob un o'r astudiaethau isod, ac ym mhob achos nodwch **un** o fanteision defnyddio'r dull samplu hwnnw ar gyfer yr astudiaeth.

1. Mae ymchwilydd yn dymuno astudio cof plant 5–11 oed. Mae'n cysylltu â phrifathro'i ysgol gynradd leol ac yn trefnu rhoi prawf ar y plant yn yr ysgol. [3]
2. Mae astudiaeth o arferion cysgu yn canfod amryw o is-grwpiau yn y boblogaeth darged ac yna'n hapddewis aelodau o bob is-grŵp. [3]
3. Mae adran mewn prifysgol yn defnyddio holiadur i wneud astudiaeth o ddefnyddio ffonau symudol gan bobl ifanc. Caiff yr holiadur ei roi i grŵp o fyfyrwyr mewn ysgol gyfun leol. Caiff y sampl ei dewis drwy roi enwau'r holl fyfyrwyr mewn cynhwysydd a thynnu 50 o enwau ohono. [3]
4. Mae dosbarth o fyfyrwyr seicoleg yn gwneud astudiaeth o'r cof. Maen nhw'n rhoi hysbyseb yn ystafell gyffredin y chwechdod dosbarth sy'n gofyn am gyfranogwyr sydd ag awr i'w sbario. [3]
5. Mae ar ymchwilydd eisiau cyfweld rhai yn eu harddegau ynghylch apêl y 'boy band' diweddaraf. Ar ôl cyfweld un sydd yn ei harddegau, mae'r seicolegydd yn gofyn iddi gysylltu â ffans eraill yn eu harddegau a gofyn iddyn nhw am gael eu cyfweld. [3]

GWAITH I CHI

- Mynnwch fag o felysion sy'n cynnwys amrywiaeth o liwiau (e.e. *Skittles* neu *Smarties*).
- Arllwyswch gynnwys y pecyn i gwpan. Nodwch gyfanswm y melysion a nifer y melysion o bob lliw unigol.

- Ewch ati i ymarfer dewis sampl (rhyw 10% o gyfanswm y melysion yn y pecyn).
- Defnyddiwch rai o'r gwahanol dechnegau samplu ar y ddwy dudalen yma i gadw cofnod o'r nifer o felysion o wahanol liwiau sy'n cael eu cynnig ym mhob dull samplu.

Ydy unrhyw un o'r samplau a ddewiswch chi'n gynrychiolaeth deg o nodweddion y melysion pan agoroch chi'r pecyn?

CORNEL ARHOLIAD

1. Eglurwch y gwahaniaeth rhwng poblogaeth darged a sampl. [3]
2. Nodwch **un** dull samplu a ddefnyddir mewn ymchwil seicolegol ac eglurwch sut y defnyddir y dull hwnnw i gael sampl. [3]
3. Eglurwch sut mae tuedd yn broblem mewn samplu cyfle. [2]
4. Eglurwch beth yw ystyr *cyffredinoli*. [2]
5. Nodwch **un** o anfanteision defnyddio sampl hunan-ddewisedig. [2]

Materion moesegol

Beth yw *mater* (*issue*)? Mae'n wrthdaro rhwng dau safbwynt. Mewn seicoleg, mae **mater moesegol** yn wrthdaro rhwng:

1. yr hyn y mae angen i ymchwilydd ei wneud i gynnal ymchwil defnyddiol ac ystyrlon, a
2. hawliau'r cyfranogwyr.

Mae materion moesegol yn wrthdrawiadau ynglŷn â'r hyn sy'n dderbyniol. Mae disgwyl i bawb sy'n gwneud ymchwil seicolegol, gan gynnwys myfyrwyr seicoleg, fod yn ymwybodol o'u cyfrifoldeb i sicrhau eu bod nhw'n trin cyfranogwyr yn briodol o foesegol. Pryd bynnag y gwnewch chi ymchwil, rhaid i chi sicrhau eich bod chi'n delio'n gywir â phob un o'r materion moesegol.

Y risg i werthoedd, credoau, perthnasoedd, statws neu breifatrwydd y cyfranogwyr

Mae'r mater moesegol hwn yn gofyn i seicolegwyr nid yn unig ystyried y cyfranogwr i'r ymchwil fel rhan o astudiaeth ymchwil, ond hefyd i ystyried yn ehangach yr effaith y gall eu hymchwil ei gael ar y cyfranogwr. Rhaid i ymchwilwyr wneud darpariaeth i sicrhau na chaiff agweddau a barn y cyfranogwyr eu bychanu ac na chaiff eu cysylltiadau â phobl eraill eu niweidio drwy iddyn nhw gymryd rhan yn yr ymchwil. Yn olaf, ddylai cymryd rhan ynddo ddim peryglu eu sefyllfa mewn sefydliad neu gymdeithas yn gyffredinol. Mae modd delio â'r mwyafrif o'r elfennau yn y mater hwn yn rhwydd drwy roi gweithdrefnau cyfrinachedd digonol ar waith i sicrhau preifatrwydd y cyfranogwyr.

Gweithio gydag unigolion sy'n agored i niwed (gan gynnwys plant)

Mae angen rhoi ystyriaethau moesegol arbennig ar waith wrth wneud ymchwil gydag unigolion sy'n agored i niwed. Barn y BPS yw bod poblogaethau sy'n agored i niwed yn cynnwys '*plant dan 16 oed, pobl ag anawsterau dysgu neu gyfathrebu, cleifion mewn gofal, pobl yn y ddalfa neu ar brofiannaeth, a phobl sy'n ymroi i weithgareddau anghyfreithlon fel cam-drin cyffuriau*' (BPS, 2009). Mae angen cael cydsyniad dilys y sawl sy'n gyfreithiol gyfrifol am yr unigolyn, fel rhiant neu warcheidwad. Gellir annog ymchwilwyr i ofyn am y cydsyniad hwnnw am mai'r farn yw y gall unigolion sy'n agored i niwed beidio â llwyr ddeall y rhesymau dros yr ymchwil ac na allan nhw felly roi cydsyniad 'gwybodus' i gymryd rhan.

Gweithio gydag anifeiliaid

Daw ymchwil o dan ddeddfwriaeth fel Deddf Anifeiliaid (Gweithdrefnau Gwyddonol) 1986. Yn ogystal, mae gofynion caeth ynghylch trin anifeiliaid yn foesegol. Caiff aelodau o'r BPS, er enghraifft, eu '*hatgoffa o'u rhwymedigaeth gyffredinol i osgoi neu o leiaf i gwtogi hyd yr eithaf ar anghysur i anifeiliaid byw*' (Y Canllawiau i Seicolegwyr sy'n Gweithio gyda Anifeiliaid, 2012). Gofynnir i ymchwilwyr ystyried dulliau eraill, fel efelychiadau cyfrifiadurol, yn lle defnyddio anifeiliaid. Os nad oes modd osgoi defnyddio anifeiliaid, mae argymhellion caeth ynghylch ffactorau fel y math o rywogaeth, y gofynion gofal, ac ati, y mae angen i'r ymchwilydd eu bodloni.

MATERION MOESEGOL

O safbwynt yr ymchwilydd	
Cydsyniad dilys	Mae cydsyniad dilys yn golygu dadlennu gwir **nodau**'r astudiaeth – neu o leiaf ddweud wrth y cyfranogwyr beth sy'n mynd i ddigwydd.
	Ond gall dadlennu'r manylion beri i'r cyfranogwyr ddyfalu beth yw nodau'r astudiaeth. Er enghraifft, gallai seicolegydd fod yn awyddus i ymchwilio i weld a yw pobl yn fwy ufudd i athro nag i athrawes. Os caiff y cyfranogwyr wybod nod yr arbrawf cyn i'r astudiaeth gael ei gwneud, gallai hynny newid y ffordd y byddan nhw'n ymddwyn – gallan nhw geisio bod yr un mor ufudd i'r naill a'r llall. Ni fydd ymchwilwyr felly, bob amser yn awyddus i ddadlennu'r gwir nodau, na hyd yn oed fanylion llawn, yr hyn sy'n mynd i ddigwydd.
Twyllo	Gall fod angen twyllo'r cyfranogwyr ynghylch gwir nodau'r astudiaeth. Fel arall, gallai'r cyfranogwyr newid eu hymddygiad a difetha'r astudiaeth. Ond dylid gwahaniaethu rhwng dal rhai o fanylion yr ymchwil yn ôl (sy'n rhesymol o dderbyniol) a mynd ati'n fwriadol i roi gwybodaeth ffug (sy'n llai derbyniol).
Y risg o niwed (straen, gorbryder, cywilydd neu boen)	Gall astudio rhai o'r cwestiynau pwysicaf mewn seicoleg olygu rhywfaint o risg o achosi niwed (seicolegol neu gorfforol) i'r cyfranogwyr. Gan ei bod hi hefyd yn anodd rhagfynegi canlyniad rhai gweithdrefnau (fel yn astudiaeth Milgram o ufudd-dod, gweler tudalen 162), mae'n anodd gwarantu diogelwch rhag unrhyw risg o niwed.
Cyfrinachedd	Gall fod yn anodd diogelu cyfrinachedd am fod yr ymchwilydd yn awyddus i gyhoeddi'r darganfyddiadau. Gall ymchwilydd warantu **anhysbysedd** (sef peidio â datgelu enwau'r cyfranogwyr), ond hyd yn oed wedyn fe allai fod yn amlwg pwy sydd wedi cymryd rhan mewn astudiaeth. Gallai gwybod bod astudiaeth wedi'i gwneud o blant mewn ysbyty ym Mangor, er enghraifft, fod yn fodd i rai pobl allu adnabod y cyfranogwyr am fod y grŵp targed yn eithaf cyfyng.
Preifatrwydd	Gall hi fod yn anodd osgoi ymyrryd â phreifatrwydd wrth astudio cyfranogwyr heb yn wybod iddyn nhw – er enghraifft, mewn **arbrawf maes**.

Cyfrinachedd a phreifatrwydd – beth yw'r gwahaniaeth?

Er bod y geiriau 'cyfrinachedd' a 'preifatrwydd' yn cael eu defnyddio weithiau fel petaen nhw'n gyfystyr, mae gwahaniaeth rhyngddyn nhw. Mae cyfrinachedd yn ymwneud â chyfleu gwybodaeth bersonol o un person i un arall gan fod yn ffyddiog y caiff y wybodaeth honno ei diogelu. Mae preifatrwydd yn cyfeirio at barth o anhygyrchedd meddwl neu gorff, gan hyderu na fydd unrhyw ymyrryd ag ef.

Mewn geiriau eraill, mae gennym ni hawl i breifatrwydd. Os ymyrrir â hwnnw, dylid parchu cyfrinachedd.

TERMAU ALLWEDDOL

Cydsyniad dilys Caiff y cyfranogwyr wybodaeth gynhwysfawr am natur a diben yr ymchwil, a'u rôl ynddo, er mwyn iddyn nhw allu gwneud dewis gwybodus ynghylch cymryd rhan ynddo.

Cyfrinachedd Mae'n ymwneud â chyfleu gwybodaeth bersonol o un person i un arall, a'r ffydd y caiff y wybodaeth ei diogelu.

Preifatrwydd Hawl person i reoli'r llif o wybodaeth amdano.

Twyllo Ni chaiff cyfranogwyr wybod gwir nodau astudiaeth (e.e. yr hyn y bydd cymryd rhan yn ei gynnwys), ac felly ni allan nhw roi cydsyniad dilys.

Y risg o niwed Yn ystod astudiaeth ymchwil, ni ddylai cyfranogwyr wynebu effeithiau corfforol neu seicolegol negyddol, fel anaf corfforol, lleihau eu hunan-barch ac embaras, y tu hwnt i'r hyn y bydden nhw'n ei wynebu fel rheol.

O safbwynt y cyfranogwyr

Dylai'r cyfranogwyr gael gwybod yr hyn y bydd gofyn iddyn nhw ei wneud yn yr astudiaeth er mwyn iddyn nhw allu penderfynu'n wybodus a fyddan nhw'n dymuno cymryd rhan ynddi. Hawl ddynol sylfaenol yw honno ac fe'i sefydlwyd yn ystod y treialon rhyfel yn Nuremberg. Yn ystod yr Ail Ryfel Byd gwnaeth meddygon y Natsïaid amrywiol arbrofion ar garcharorion heb eu cydsyniad, ac ar ôl y treialon rhyfel fe benderfynwyd y dylai cydsyniad fod yn hawl i gyfranogwyr sy'n ymwneud ag unrhyw astudiaeth.

Hyd yn oed os yw ymchwilwyr wedi cael cydsyniad dilys, dydy hynny ddim yn gwarantu y bydd cyfranogwyr yn deall beth yn union y maen nhw wedi cytuno i gymryd rhan ynddo. Gwelodd Epstein a Lasagna (1969) mai traean yn unig o'r cyfranogwyr a wirfoddolodd ar gyfer arbrawf oedd yn deall yn iawn yr hyn roedden nhw wedi cytuno i gymryd rhan ynddo.

Problem arall yw'r gofyniad i'r ymchwilydd dynnu sylw at unrhyw fantais neu risg tebygol sy'n codi o gymryd rhan. Ni all ymchwilwyr bob amser ragfynegi'n fanwl-gywir risgiau neu fanteision cymryd rhan mewn astudiaeth.

Mae twyllo'n anfoesegol – ni ddylai'r ymchwilydd dwyllo neb heb achos da. Yn bwysicach, efallai, bydd twyllo'n rhwystro cyfranogwyr rhag gallu rhoi cydsyniad dilys. Gallan nhw gytuno i gymryd rhan heb wybod mewn gwirionedd beth maen nhw wedi cytuno i'w wneud ac fe allai'r profiad achosi llawer o ofid iddyn nhw.

Gall twyllo hefyd beri i bobl weld seicolegwyr fel pobl na allwch chi ymddiried ynddyn nhw. Gallai olygu hefyd y gall cyfranogwr beidio â dymuno cymryd rhan mewn ymchwil seicolegol yn y dyfodol.

Ni ddylai unrhyw beth ddigwydd iddyn nhw sy'n peri niwed yn ystod astudiaeth. Mae llawer o ffyrdd posibl o achosi niwed i gyfranogwyr, rhai ohonyn nhw'n rhai corfforol (e.e. eu cael nhw i ysmygu neu i yfed gormod o goffi) a rhai'n seicolegol (e.e. gwneud iddyn nhw deimlo'n annigonol neu'n lletchwith). Credir ei bod hi'n dderbyniol os nad yw'r risg o gael niwed ddim mwy nag y byddai cyfranogwyr yn debyg o'i wynebu mewn bywyd arferol ac os yw'r cyfranogwyr yn yr un cyflwr ar ôl astudiaeth ag yr oedden nhw cynt, oni bai eu bod nhw wedi rhoi cydsyniad dilys i gael eu trin fel arall.

Mae'r Ddeddf Diogelu Data'n gwneud cyfrinachedd yn hawl gyfreithiol. Dydy hi ond yn dderbyniol i ddata personol gael eu cofnodi os na threfnir i'r data fod ar gael mewn ffurf sy'n fodd i adnabod y cyfranogwyr.

Fydd pobl ddim yn disgwyl i bobl eraill eu harsylwi mewn sefyllfaoedd penodol – er enghraifft, yn eu cartrefi eu hunain – ond gallan nhw ddisgwyl hynny wrth eistedd ar fainc mewn parc cyhoeddus.

CORNEL ARHOLIAD

1. Un mater moesegol yw'r 'risg o niwed'. Eglurwch sefyllfaoedd lle gellid ystyried bod niwed ymddangosiadol yn dderbyniol. [4]
2. Nodwch **un** mater moesegol arall mewn ymchwil seicolegol ac eglurwch pam y mae'n fater llosg. [2]
3. Eglurwch pa faterion penodol sy'n codi wrth wneud ymchwil gyda phlant. [3]
4. Trafodwch faterion moesegol o ran cynllunio a gwneud astudiaethau seicolegol. Cyfeiriwch at enghreifftiau o astudiaethau yn eich ateb. [10]

▲ Gwnaeth Middlemist ac eraill arbrawf maes mewn toiled i ddynion. Roedd tri chyflwr: **cynghreiriwr** yn sefyll yn union yn ymyl cyfranogwr, un wrinal i ffwrdd, neu nad oedd unrhyw gynghreiriwr yno. Cofnododd arsylwr faint o amser y cymerodd hi i'r cyfranogwyr ddechrau gollwng dŵr, hynny fel arwydd o ba mor gyffyrddus y teimlai'r cyfranogwr. Ym marn rhai seicolegwyr, mae'n astudiaeth bwysig o ofod personol.

CORNEL ARHOLIAD
Ymarfer ar gyfer senarios newydd

Mae materion moesegol yn codi problemau am nad oes unrhyw ateb hawdd iddyn nhw. Ar y dde cewch chi ddisgrifiadau o amrywiol astudiaethau. Wrth eu hystyried, gallai fod yn ddefnyddiol i chi drafod eich meddyliau mewn grwpiau bach ac yna gyflwyno eich sylwadau i'r dosbarth. Ym mhob astudiaeth:

1. Nodwch unrhyw faterion moesegol y mae'r astudiaeth yn eu codi. [2]
2. Ystyriwch i ba raddau y maen nhw'n dderbyniol o safbwynt yr ymchwilydd. [2]
3. Ystyriwch i ba raddau y maen nhw'n dderbyniol o safbwynt y cyfranogwyr. [2]
4. Penderfynwch a ydych chi'n credu bod yr astudiaeth yn foesegol dderbyniol, a rhowch eich rhesymau. [2]
5. Awgrymwch yr hyn y credwch chi y gallai'r ymchwilydd fod wedi gwneud i beri i'r astudiaeth fod yn fwy moesegol dderbyniol. [3]

Astudiaeth A Ymchwiliodd Middlemist ac eraill (1976) i ofod personol (gweler uchod).

Astudiaeth B Ymchwiliodd Piliavin ac eraill (1969) i ymddygiad pobl a oedd yn ymyl sefyllfa argyfyngus i weld pa mor gyflym y bydden nhw'n cynnig helpu rhywun (cynghreiriwr) a oedd wedi llewygu ar drên tanddaearol yn Efrog Newydd (gweler tudalen 119). Rhoddodd y cynghreiriwr yr argraff ei fod yn feddw neu'n anabl. Cofnododd yr arsylwyr faint o amser a gymerodd hi i unrhyw un gynnig help. Doedd dim cyfle i adrodd yn ôl i'r cyfranogwyr.

Astudiaeth C Gwelodd Orne (1962) fod pobl yn ymddwyn mewn ffyrdd go anarferol os ydyn nhw'n credu eu bod yn cymryd rhan mewn arbrawf seicoleg. Er enghraifft, fe ofynnodd i gyfranogwyr adio colofnau o rifau ar ddalen o bapur ac yna rhwygo'r darn papur ac adio'r colofnau unwaith eto. Roedd rhai'n fodlon parhau â'r dasg am fwy na chwe awr!

Delio â materion moesegol

Rhan o unrhyw drafodaeth ar **faterion moesegol** (gweler y ddwy dudalen flaenorol) yw ffyrdd o ddelio â'r materion hynny. Er enghraifft, caiff mater **cydsyniad dilys** ei drin drwy ofyn i'r cyfranogwyr roi eu cydsyniad dilys; caiff mater y **risg o niwed** ei drin drwy sicrhau bod pobl yn yr un cyflwr ar ôl astudiaeth ag yr oedden nhw cynt, oni bai eu bod nhw wedi cydsynio. Mae cod ymarfer y BPS (gweler tudalen 5) yn nodi materion ac, ar yr un pryd, yn awgrymu sut mae delio â nhw. Mae rhywfaint o orgyffwrdd, felly, rhwng y ddwy dudalen flaenorol a'r ddwy dudalen yma.

Y ffordd amlycaf o ddelio â materion moesegol yw defnyddio codau ymarfer (canllawiau) a gynhyrchwyd gan sefydliad proffesiynol. Mae gan seicolegwyr, fel gwyddonwyr eraill, ffyrdd eraill o ddelio â materion moesegol.

Cyngor arholiad...
Materion v. canllawiau

Nid yr un peth yw materion â chanllawiau er bod cydsyniad dilys yn fater ac yn ganllaw. Mae mater yn wrthdaro; ffordd o ddatrys y gwrthdaro hwnnw yw canllaw.

Sylwch nad yw adrodd yn ôl yn fater. Mae'n ffordd o ymdrin â materion moesegol fel twyll, niwed seicolegol a diffyg cydsyniad dilys.

STRATEGAETHAU I DDELIO Â MATERION MOESEGOL

Canllawiau moesegol (cod ymddygiad)

Bydd y BPS yn diweddaru'r **canllawiau moesegol (cod ymddygiad)** yn gyson. Y fersiwn cyfredol yw'r 'Code of Ethics and Conduct' (BPS, 2009). Bwriad canllawiau o'r fath yw dweud wrth seicolegwyr pa ymddygiadau sydd heb fod yn dderbyniol, a rhoi canllawiau ynghylch delio â chyfyng-gyngor moesegol.

Yr hawl i dynnu'n ôl

Os bydd cyfranogwyr yn dechrau teimlo'n anghyffyrddus neu'n ofidus, dylen nhw fod â'r **hawl i dynnu'n ôl**. Mae hyn yn arbennig o bwysig os yw cyfranogwyr wedi'u twyllo ynglŷn â'r nodau a/neu'r gweithdrefnau. Ond hyd yn oed os yw cyfranogwyr wedi cael gwybodaeth lawn, gall y profiad o gymryd rhan fod yn eithaf gwahanol i'r disgwyl, ac felly fe ddylen nhw allu tynnu'n ôl.

Adrodd yn ôl

Ar ddiwedd astudiaeth, caiff cyfranogwyr amrywiol fathau o wybodaeth am yr astudiaeth y cymeron nhw ran ynddi. Nod **adrodd yn ôl** fel hyn yw rhoi gwybod i'r cyfranogwyr am wir natur yr astudiaeth a'u hadfer i'r un cyflwr ag yr oedden nhw ynddo ar ddechrau'r astudiaeth. Nid mater moesegol yw adrodd yn ôl; ffordd yw hi o ddelio â materion moesegol fel twyll a niwed seicolegol ac unrhyw **niwed seicolegol** na ragwelwyd mohono ond a all fod wedi codi yn ystod yr ymchwil.

Os twyllwyd y cyfranogwyr ynghylch gwir nodau'r astudiaeth, byddan nhw'n cael gwybod y nodau yn ystod yr adrodd yn ôl. Efallai na thwyllwyd y cyfranogwyr ond hwyrach na chawson nhw wybod *holl* fanylion yr astudiaeth. Er enghraifft, gall yr astudiaeth fod wedi cynnwys sawl cyflwr, fel cyflwr plasebo. Yn ystod yr adrodd yn ôl dylen nhw gael unrhyw wybodaeth arall am yr astudiaeth er mwyn iddyn nhw ddeall eu rôl yn llawn. Os caiff y cyfranogwyr niwed mewn unrhyw ffordd (e.e. straen neu rywbeth a barodd iddyn nhw deimlo'n lletchwith), dylid cynnig sicrwydd iddyn nhw fod eu hymddygiad yn normal ac, os oes angen, dylid cynnig rhagor o gynghori iddyn nhw.

Dylid cynnig i'r cyfranogwyr yr hawl i ddal eu data'n ôl os ydyn nhw'n gwrthwynebu iddyn nhw fod wedi cymryd rhan.

Pwyllgorau moeseg

Mae gan y mwyafrif o sefydliadau lle mae ymchwil yn digwydd **bwyllgor moeseg** sy'n gorfod cymeradwyo unrhyw astudiaeth cyn iddi gychwyn. Bydd y pwyllgor yn astudio pob mater moesegol posibl sy'n codi yn y cynnig ymchwil ac, ar ôl ystyried sut mae'r ymchwilydd yn awgrymu delio â'r materion hynny, yn pwyso a mesur manteision yr ymchwil yn erbyn y costau posibl i'r cyfranogwyr. Yn aml, bydd aelodau o'r pwyllgor yn cynnwys pobl leyg yn ogystal ag arbenigwyr yn y maes.

Cosbi

Os bydd seicolegydd yn ymddwyn yn anfoesegol, fel gwneud ymchwil annerbyniol, bydd y BPS yn adolygu'r ymchwil ac fe all benderfynu gwahardd y person rhag ymarfer fel seicolegydd. Nid mater cyfreithiol mohono (ni fydd y seicolegydd yn cael ei anfon i'r carchar).

GWERTHUSO

Canllawiau moesegol

Mae'n anochel bod yr ymagwedd 'rheolau a sancsiynau' braidd yn gyffredinol am ei bod hi bron yn amhosibl ymdrin â phob sefyllfa bosibl y gallai ymchwilydd ddod ar ei thraws.

Ymagwedd ychydig yn wahanol gewch chi yng Nghanada. Yno fe gyflwynir cyfres o ddilemâu rhagdybiaethol a gwahoddir seicolegwyr i'w trafod. Mantais yr ymagwedd hon yw ei bod hi'n hybu trafodaeth, ond y duedd yw i ymagwedd y BPS gyfyngu'r drafodaeth am yr hyn sy'n iawn a heb fod yn iawn am ei bod hi'n rhoi'r atebion.

Mae canllawiau hefyd yn symud unrhyw gyfrifoldeb oddi ar ysgwyddau'r ymchwilydd unigol: gall ddweud yn ddigon syml 'Gan i mi ddilyn y canllawiau, mae f'ymchwil i'n dderbyniol'.

Yr hawl i dynnu'n ôl

Gall cyfranogwyr deimlo na ddylen nhw dynnu'n ôl am y bydd hynny'n difetha'r astudiaeth.

Mewn llawer astudiaeth, caiff y cyfranogwyr dâl neu ryw fath o wobr, ac efallai y teimlan nhw na allan nhw dynnu'n ôl.

Adrodd yn ôl

Os gall niwed fod wedi'i achosi drwy dwyll, ac os yw hynny'n peri gofid, bydd adrodd yn ôl yn ceisio cywiro'r cydbwysedd. Ond ni all droi'r cloc yn ôl. Gallai cyfranogwyr ddal i deimlo'u bod wedi cael eu twyllo neu deimlo'n lletchwith oherwydd eu hymddygiad er gwaethaf unrhyw sicrwydd i'w cysuro. Ateb rhannol ar y gorau, felly, yw adrodd yn ôl.

Er y gellid dadlau mai Stanley Milgram a wnaeth beth o'r ymchwil seicolegol mwyaf moesegol-ddadleuol erioed (gweler tudalen 162), y duedd yw anwybyddu'r ffaith iddo arloesi wrth ddefnyddio technegau fel adrodd yn ôl mewn dull a alwyd ganddo'n 'ddad-dwyllo' ('*dehoax*'). Er enghraifft, cynigiodd gyfle i'w holl gyfranogwyr drafod yr hyn wnaethon nhw yn ystod yr ymchwil gyda seiciatrydd annibynnol.

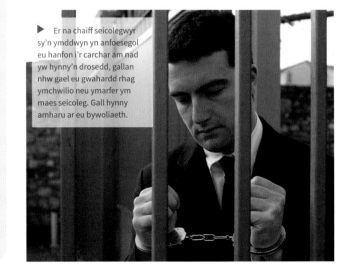

▶ Er na chaiff seicolegwyr sy'n ymddwyn yn anfoesegol eu hanfon i'r carchar am nad yw hynny'n drosedd, gallan nhw gael eu gwahardd rhag ymchwilio neu ymarfer ym maes seicoleg. Gall hynny amharu ar eu bywoliaeth.

COD MOESEG AC YMDDYGIAD Y BPS

Mae cod moeseg y BPS yn nodi materion moesegol ac yn rhoi cyngor i seicolegwyr ynghylch delio â'r materion hyn:

Cydsyniad dilys

Os methir â datgelu gwybodaeth lawn cyn cael cydsyniad dilys, rhaid ychwanegu camau i ddiogelu lles ac urddas y cyfranogwyr.

Os gwneir ymchwil gyda phlant (o dan 16 oed) neu gyda chyfranogwyr sydd â namau sy'n cyfyngu cymaint ar eu dealltwriaeth a/neu eu gallu i gyfathrebu fel nad ydyn nhw'n gallu rhoi eu cydsyniad, mae angen cymryd camau diogelu arbennig.

Twyllo

Yr ystyriaeth ganolog yw adwaith y cyfranogwyr pan ddatgelir y twyll; os bydd y cyfranogwyr yn teimlo'n anghysurus, yn ddig neu'n wrthwynebus, mae'r twyll yn amhriodol.

Y risg o niwed

Os gallai'r ymchwil beri niwed, anghysur anarferol neu ganlyniadau negyddol eraill i fywyd yr unigolyn yn y dyfodol, rhaid i'r ymchwilydd gael cymeradwyaeth ddiduedd ymgynghorwyr annibynnol, rhoi gwybod i'r cyfranogwyr a chael cydsyniad dilys a go-iawn pob un ohonyn nhw.

Cydsyniad dilys

Yn yr astudiaeth hon cewch chi weld rhestri o eiriau a chewch gais yn ddiweddarach i'w hadalw. Bydd yr holl ddata'n gyfrinachol. Ddylech chi ddim teimlo dan straen ar unrhyw adeg ond, os gwnewch chi, gofynnwch i'r ymchwilydd ac fe gewch chi adael. Does dim rhaid i chi aros a byddwch chi'n dal i gael eich talu am gymryd rhan. Cewch chi eglurhad o nodau'r astudiaeth a'r darganfyddiadau ar y diwedd.

Llofnodwyd _____

▲ Gofynnir i gyfranogwyr lofnodi ffurflen cydsyniad dilys i ddangos eu bod wedi cael gwybodaeth a'u bod yn cydsynio o'u gwirfodd i gymryd rhan.

DELIO Â MATERION MOESEGOL PENODOL

Mater moesegol	Sut mae delio ag ef	Anfanteision
Cydsyniad dilys	Gofynnir i'r cyfranogwyr nodi'n ffurfiol eu cytundeb i gymryd rhan, er enghraifft, drwy lofnodi dogfen sy'n rhoi gwybodaeth gynhwysfawr am natur a diben yr ymchwil a'u rôl ynddo. Dewis arall yw cael **cydsyniad rhagdybiol**. Rhaid i ymchwilwyr hefyd gynnig yr hawl i dynnu'n ôl.	Os caiff cyfranogwr wybodaeth lawn am astudiaeth, gall hynny annilysu diben yr astudiaeth. Hyd yn oed os bydd ymchwilwyr wedi cael cydsyniad dilys, dydy hynny ddim yn gwarantu bod y cyfranogwyr yn deall yn iawn beth maen nhw wedi cytuno iddo. Y broblem ynghylch cydsyniad rhagdybiol yw y gall yr hyn y mae pobl yn disgwyl y byddan nhw, neu na fyddan nhw, yn poeni yn ei gylch fod yn wahanol i'r profiad a gân nhw mewn gwirionedd.
Twyllo	Dylai pwyllgor moeseg bwyso manteision (yr astudiaeth) yn erbyn y costau (i'r cyfranogwyr) cyn cymeradwyo'r angen i dwyllo. Dylid adrodd yn ôl yn llawn wrth y cyfranogwyr ar ôl yr astudiaeth. Mae hynny'n cynnwys rhoi gwybod iddyn nhw am wir natur yr astudiaeth. Dylid cynnig cyfle i'r cyfranogwyr drafod unrhyw bryderon a all fod ganddyn nhw ac i ddal data'n ôl o'r astudiaeth – ffurf ar gydsyniad dilys ôl-weithredol.	Mae penderfyniadau cost a budd yn ddiffygiol am eu bod yn golygu arfer barn wrthrychol, ac na fydd y costau a/neu'r manteision bob amser yn amlwg tan ar ôl yr astudiaeth. Gall adrodd yn ôl ddim troi'r cloc yn ôl – gall cyfranogwr ddal i deimlo'n lletchwith neu fod â llai o hunan-barch.
Risg o niwed	Osgoi unrhyw risg sy'n fwy na'r hyn a geir mewn bywyd bob-dydd. Ataliwch yr astudiaeth os oes amheuaeth o niwed.	Gall niwed beidio â bod yn amlwg adeg yr astudiaeth ac ni ellir barnu iddo ddigwydd ond wrth edrych yn ôl yn ddiweddarach.
Cyfrinachedd	Ni ddylai ymchwilwyr gofnodi enw unrhyw gyfranogwr; dylen nhw ddefnyddio rhif neu enw ffug.	Weithiau, bydd modd gweithio allan pwy oedd y cyfranogwyr ar sail y wybodaeth sydd wedi'i rhoi – er enghraifft, lleoliad daearyddol ysgol. Yn ymarferol, felly, gall cyfrinachedd beidio â bod yn bosibl.
Preifatrwydd	Peidiwch ag astudio neb heb gael cydsyniad dilys ganddo oni bai eich bod chi'n gwneud hynny mewn lle cyhoeddus (e.e. byddai hyn yn cau allan eiliadau tyner rhwng cyplau mewn parc).	Does dim cytundeb cyffredinol ynglŷn â'r hyn yw lle cyhoeddus.

TERMAU ALLWEDDOL

Adrodd yn ôl Cynnal cyfweliad ar ôl gorffen yr ymchwil i roi gwybod i'r cyfranogwyr am wir natur yr astudiaeth a'u hadfer nhw i'r cyflwr roedden nhw ynddo ar ddechrau'r astudiaeth. Gellir hefyd ei ddefnyddio i gael adborth defnyddiol am weithdrefnau'r astudiaeth. Nid mater moesegol yw adrodd yn ôl; mae'n ffordd o ddelio â materion moesegol.

Canllawiau moesegol (cod ymddygiad) Set o egwyddorion sydd wedi'u cynllunio i helpu proffesiynolion i ymddwyn yn onest ac unplyg.

Cydsyniad rhagdybiol Dull o ddelio â diffyg cydsyniad dilys neu dwyll drwy ofyn i grŵp o bobl sy'n debyg i'r cyfranogwyr a fydden nhw'n cytuno i gymryd rhan mewn astudiaeth. Os yw'r grŵp hwnnw o bobl yn cydsynio â gweithdrefnau'r astudiaeth a gynigir, fe *ragdybir* y byddai'r cyfranogwyr go-iawn hefyd wedi cytuno.

Hawl i dynnu'n ôl Gall cyfranogwyr wrthod parhau i gymryd rhan mewn astudiaeth os teimlan nhw'n anghyffyrddus mewn unrhyw ffordd. Mae hynny'n arbennig o bwysig mewn achosion lle nad oedd modd rhoi cydsyniad dilys. Dylai cyfranogwyr hefyd fod â'r hawl i wrthod caniatáu i'r ymchwilydd ddefnyddio unrhyw ddata a gynhyrchwyd ganddyn nhw.

Pwyllgor moeseg Grŵp o bobl mewn sefydliad ymchwil y mae'n rhaid iddyn nhw gymeradwyo astudiaeth cyn iddi gychwyn.

CORNEL ARHOLIAD
Ymarfer ar gyfer senarios newydd

Ailddarllenwch y tair astudiaeth ar y ddwy dudalen flaenorol ac ystyriwch sut gallai ymchwilydd ddelio â'r materion moesegol ym mhob achos. [3 marc yr un]

CORNEL ARHOLIAD

1. Disgrifiwch **un** ffordd y mae seicolegwyr wedi delio â materion moesegol mewn ymchwil seicolegol. [3]
2. Trafodwch sut mae seicolegwyr yn delio â materion moesegol mewn ymchwil seicolegol. Yn eich ateb, cyfeiriwch at enghreifftiau o astudiaethau ymchwil. [12]

Technegau arsylwi

Mewn astudiaeth arsylwi, bydd ymchwilydd yn gwylio neu'n gwrando ar gyfranogwyr yn cyflawni pa bynnag ymddygiad sy'n cael ei astudio. Cofnodir yr arsylwadau.

Agwedd bwysig ar arsylwadau, ac un sy'n werth ei nodi, yw eu bod nhw'n aml yn cael eu defnyddio mewn arbrawf fel ffordd o fesur y **newidyn dibynnol**.

Mae arsylwadau, felly, yn llai o ddull ymchwil ac yn fwy o dechneg i'w defnyddio gyda dulliau eraill o ymchwilio.

GWAITH I CHI

Ceisiwch ddeall pa mor anodd yw hi i arsylwi. Gweithiwch gyda phartner a chymerwch eich tro i arsylwi'ch gilydd. Bydd y naill ohonoch chi'n Berson A a'r llall yn Berson B.
- Dylai Person A fod â thasg anodd i'w gwneud (e.e. ateb un set o'r cwestiynau yn y llyfr hwn).
- Dylai Person B fod â thasg ddiflas i'w gwneud (e.e. copïo o lyfr).

Dylai'r naill berson dreulio pum munud ar y dasg a dylai'r person arall ei arsylwi. Dylai'r arsylwr nodi popeth y mae ei bartner yn ei wneud.

TERMAU ALLWEDDOL

Arsylwi cudd Nid yw cyfranogwyr yn gwybod eu bod yn cael eu harsylwi. Gall yr arsylwr wylio drwy ddrych unffordd neu fod yn guddiedig mewn rhyw ffordd arall.

Arsylwi anghyfranogol Mae'r arsylwr ar wahân i'r bobl sy'n cael eu harsylwi.

Arsylwi cyfranogol Arsylwadau a wneir gan rywun sydd hefyd yn cymryd rhan yn y gweithgaredd sy'n cael ei arsylwi. Gall hynny effeithio ar ei wrthrychedd.

Categorïau o ymddygiad Rhannu ymddygiad targed (fel straen neu ymosodedd) yn is-set o ymddygiadau penodol a gweithredoledig.

Dibynadwyedd rhyng-gyfraddwyr I ba raddau y mae cytundeb rhwng dau neu ragor o arsylwyr sy'n ymwneud ag arsylwi ymddygiad.

Gweithredoli Sicrhau bod y newidynnau ar ffurf y mae'n hawdd rhoi prawf arnynt.

Samplu digwyddiad Techneg arsylwi lle cedwir cyfrif o'r nifer o weithiau y bydd ymddygiad (digwyddiad) penodol yn digwydd.

Samplu amser Techneg arsylwi lle mae'r arsylwr yn cofnodi ymddygiadau o fewn hyn a hyn o amser, e.e. nodi'r hyn y mae unigolyn targed yn ei wneud bob 15 neu 20 eiliad neu funud. Gall yr arsylwr ddewis un neu ragor o gategorïau o ymddygiad i'w ticio adeg yr amser hwnnw.

Tuedd dymunolrwydd cymdeithasol Ystumiad yn y ffordd y mae pobl yn ateb cwestiynau – mae tuedd iddyn nhw ateb cwestiynau mewn ffordd sy'n rhoi gwell argraff ohonyn nhw'u hunain.

Tuedd (yr) arsylwr Bydd disgwyliadau'r arsylwyr yn effeithio ar yr hyn y mae'n nhw'n ei weld neu'n ei glywed. Mae hyn yn lleihau dilysrwydd yr arsylwadau.

Cyngor arholiad...
Peidiwch â drysu rhwng y gweithdrefnau samplu yma a'r rhai a drafodwyd ar dudalen 124. Yr un peth ydyn nhw mewn gwirionedd, sef defnyddio dull i ddewis beth i ganolbwyntio arno. Yn achos y samplu ar dudalen 124, rydyn ni'n dewis cyfranogwyr. Yma, rydyn ni'n dewis pa ymddygiadau i'w cofnodi.

MATHAU O ARSYLWI

Arsylwi cyfranogol ac anghyfranogol

Gan amlaf, y cyfan y mae arsylwr yn ei wneud yw gwylio (neu wrando ar) ymddygiad pobl eraill ac mae **arsylwi anghyfranogol**. Bydd yr arsylwr yn arsylwi o bellter a heb ryngweithio â'r bobl sy'n cael eu harsylwi.

Y dewis arall yw **arsylwi cyfranogol**. Yn yr achos hwn, mae'r arsylwr yn rhan o'r grŵp sy'n cael ei arsylwi.

Fe allech chi dybio mai peth rhwydd yw llunio arsylwadau, ond os rhoesoch chi gynnig ar y gweithgaredd ar y chwith dylech chi sylweddoli erbyn hyn ei bod hi'n anodd am ddau brif reswm:

1. Mae'n anodd gweithio allan beth i'w gofnodi a beth i beidio â'i gofnodi.
2. Mae'n anodd cofnodi popeth sy'n digwydd.

Fel rheol, felly, mae'n ddefnyddiol bod â dulliau i helpu *strwythuro* arsylwadau.

STRWYTHURO ARSYLWADAU

Arsylwadau distrwythur

Bydd yr arsylwr yn cofnodi'r holl ymddygiad perthnasol ond does ganddo ddim system, fel yn y gweithgaredd ar y chwith. Y broblem amlycaf yw efallai fod gormod i'w gofnodi. Problem arall yw mai'r ymddygiadau a gofnodir fydd, yn aml, y rhai sydd fwyaf gweladwy neu sy'n dal sylw'r arsylwr ond efallai nad y rheiny, o reidrwydd, fydd yr ymddygiadau mwyaf pwysig neu berthnasol.

Arsylwadau strwythuredig

Nod technegau arsylwi, fel pob techneg ymchwil, yw bod yn wrthrychol a thrylwyr. Dyna pam y mae'n well defnyddio **arsylwadau strwythuredig**, h.y. amrywiol 'systemau' i drefnu'r arsylwadau. Y ddwy brif ffordd o strwythuro arsylwadau yw defnyddio **categorïau o ymddygiad** a gweithdrefnau **samplu**.

Categorïau o ymddygiad

Am fod ein canfyddiad o ymddygiad yn aml yn ddi-fwlch, un o'r agweddau anoddaf ar y dull arsylwi yw penderfynu sut y dylid categoreiddio'r gwahanol ymddygiadau. Pan wyliwn ni rywun yn cyflawni gweithred benodol, fe welwn ni lif di-dor o weithredu yn hytrach na chyfres o gydrannau gwahanol o ymddygiad.

I arsylwi'n systematig, mae angen i ymchwilydd wahanu'r llif o ymddygiad yn gategorïau o ymddygiad. Yr hyn y mae ei angen yw **gweithredoli** – rhannu'r ymddygiad a astudir yn set o gydrannau. Wrth arsylwi ymddygiad babanod, er enghraifft, gallwn ni fod â rhestr sy'n cynnwys pethau fel gwenu, crïo, cysgu ac ati neu, wrth arsylwi'r olwg ar wyneb rhywun, yn cynnwys gwahanol gyfuniadau o'r geg, y bochau, yr aeliau ac ati.

Gweithdrefnau samplu

Wrth arsylwi'n ddistrwythur, dylai'r arsylwr gofnodi pob achos o'r ymddygiad mor fanwl â phosibl. Bydd hynny'n ddefnyddiol os nad yw'r ymddygiadau sydd o ddiddordeb yn digwydd yn aml iawn. Ond gan nad oes modd arsylwi'n ddi-dor mewn llawer sefyllfa am y byddai gormod o ddata i'w cofnodi, rhaid bod â dull systematig o samplu arsylwadau:

- **Samplu digwyddiad** Cyfrif faint o weithiau y mae ymddygiad (digwyddiad) penodol yn digwydd mewn unigolyn neu unigolion targed. Er enghraifft, cyfrif sawl gwaith y bydd person yn gwenu mewn deg munud.
- **Samplu amser** Cofnodi ymddygiadau o fewn hyn a hyn o amser. Er enghraifft, nodi'r hyn y mae'r unigolyn targed yn ei wneud bob 30 eiliad neu ryw gyfwng amser arall. Bryd hynny gall yr arsylwr roi tic wrth un neu ragor o gategorïau mewn rhestr wirio.

GWERTHUSO

Astudiaethau arsylwi yn gyffredinol

Gan fod yr hyn y mae pobl yn dweud eu bod yn ei wneud yn aml yn wahanol i'r hyn y maen nhw'n ei wneud mewn gwirionedd, bydd arsylwadau'n rhoi darlun o ymddygiad sy'n wahanol i'r un a gewch chi drwy ddulliau ymchwil eraill. Gall astudiaethau o'r fath hefyd ddal ymddygiad digymell ac annisgwyl.

Ond y mater difrifol yw **tuedd yr arsylwr**. Mae'n anodd bod yn wrthrychol am fod disgwyliadau pobl o'r hyn sy'n debygol, neu y bydden nhw'n gobeithio'i weld, yn ystumio'u harsylwadau. Gall defnyddio mwy nag un arsylwr leihau'r risg y bydd tuedd yr arsylwr yn amharu ar **ddilysrwydd** yr arsylwadau.

Er bod arsylwadau'n rhoi gwybod am yr hyn y mae pobl yn ei wneud mewn gwirionedd, dydyn nhw ddim yn rhoi gwybod am yr hyn y mae pobl yn ei feddwl neu'n ei deimlo.

Arsylwi cyfranogol ac arsylwi anghyfranogol

Bydd arsylwi pobl anghyfranogol yn debyg o fod yn fwy gwrthrychol am nad ydyn nhw'n rhan o'r grŵp sy'n cael ei arsylwi. Ond gall arsylwi cyfranogol gynnig mewnwelediadau arbennig i ymddygiad o'r 'tu mewn' a'r rheiny'n rhai na ellir eu cael fel arall.

Mae arsylwi cyfranogol yn debycach o fod yn amlwg, h.y. bydd y cyfranogwyr yn gwybod eu bod yn cael eu harsylwi ac felly fe gân nhw broblemau o ran eu hymwybyddiaeth o'r arsylwad. Yn y sefyllfaoedd hyn, bydd y cyfranogwyr yn addasu eu hymddygiad i wneud gwell argraff. Yr enw ar hyn yw **tuedd dymunolrwydd cymdeithasol**. Gallai hefyd ddigwydd bod y cyfranogwyr yn addasu eu hymddygiad i gyd-fynd â disgwyliadau'r ymchwilydd, sef enghraifft o **nodweddion awgrymu ymateb**.

Nid yw pob arsylwad cyfranogol yn amlwg (gweler 'Ymwelwyr o'r gofod pell' isod). Pan fydd arsylwadau'n **gudd** mae **materion moesegol** yn codi am na all y cyfranogwyr roi eu cydsyniad ac fe allan nhw deimlo bod rhywun wedi tarfu ar eu preifatrwydd. Fel rheol, credir ei bod hi'n dderbyniol arsylwi pobl mewn mannau cyhoeddus lle byddan nhw'n cymryd yn ganiataol bod pobl eraill yn eu gwylio nhw beth bynnag.

Gweithdrefnau samplu

Mae'r ddau ddull samplu-drwy-arsylwi a ddisgrifiwyd ar y dudalen gyferbyn yn golygu bod y dasg o arsylwi ymddygiad yn haws ei chyflawni.

Mae samplu digwyddiad yn ddefnyddiol os nad yw'r ymddygiad sydd i'w gofnodi ond yn digwydd o dro i dro. Ond os oes gormod o bethau'n digwydd yr un pryd, gall yr arsylwr golli rhai digwyddiadau a byddai hynny'n lleihau dilysrwydd yr arsylwadau.

Gall samplu amser beidio bob amser â chynrychioli'r hyn sy'n digwydd am y gall rhai ymddygiadau penodol beidio â digwydd ar yr adegau a gaiff eu samplu. Gall yr arsylwr golli pethau pwysig.

Ymwelwyr o'r gofod pell

Yn y 1950au fe ddarllenodd y seicolegydd cymdeithasol Leon Festinger adroddiad mewn papur newydd am gwlt crefyddol a honnai ei fod yn cael negeseuon o'r gofod pell. Rhagfynegai'r negeseuon hynny y byddai llifogydd yn digwydd i roi diwedd ar y byd ar ddyddiad penodol. Byddai aelodau'r cwlt yn cael eu hachub gan soser hedegog ac felly fe ymgasglon nhw i gyd gyda'u harweinydd, Mrs Keech. Roedd Festinger yn awyddus i wybod beth fyddai ymateb aelodau'r cwlt o weld nad oedd unrhyw sail i'w cred, yn enwedig gan fod llawer ohonyn nhw wedi rhoi cyhoeddusrwydd mawr iddi. I arsylwi hynny'n uniongyrchol, bu i Festinger a rhai cydweithwyr esgus eu bod nhw'n aelodau o'r cwlt ac fe fuon nhw'n bresennol wrth i'r amser tyngedfennol agosáu. Pan ddaeth hi'n amlwg nad oedd y llifogydd ar ddod, dywedodd Mrs Keech, arweinydd y grŵp, mai eu gweddïau nhw oedd wedi arbed y ddinas. Gwrthododd rhai aelodau gredu hyn a gadael y cwlt, ond i bobl eraill roedd hyn yn brawf o rym y cwlt (Festinger ac eraill, 1956).

CORNEL ARHOLIAD

Ymarfer ar gyfer senarios newydd

1. Ym mhob un o'r astudiaethau a ddisgrifir isod, penderfynwch a oedd yr astudiaeth yn cynnwys arsylwadau a oedd yn rhai: (a) cyfranogol neu anghyfranogol [1]; a (b) yn foesegol dderbyniol (eglurwch eich ateb). [2]

   a. Defnyddiodd Mary Ainsworth y Sefyllfa Ddieithr (gweler tudalen 118) i astudio patrymau ymlyniad plant. Rhoddwyd babanod a gofalwyr mewn ystafell gyda set ragbenodedig o deganau. Cawson nhw'u harsylwi drwy ddrych unffordd rhag i bresenoldeb yr arsylwr aflonyddu ar y babanod. Rhoddodd y gofalwyr gydsyniad dilys.

   b. Cofnododd Festinger ac eraill (1956) ymddygiad cwlt crefyddol a ddisgwyliai ddyfodiad ymwelwyr o'r gofod pell (gweler isod ar y chwith).

   c. Arsylwodd Middlemist ac eraill (1976) ymddygiad dynion mewn toiled; gweler tudalen 127.

   ch. Treuliodd Moore (1922) wythnosau'n cerdded o amgylch Efrog Newydd gan gofnodi popeth a glywodd. Fe ddadlennodd rai sgyrsiau diddorol rhwng y bobl a arsylwodd.

2. Ym mhob un o'r arsylwadau isod, dywedwch pa ddull samplu ymddygiad a fyddai'n fwyaf priodol ac eglurwch sut byddech chi'n ei weithredu:

   a. Cofnodi achosion o ymddygiad ymosodol mewn plant sy'n chwarae ar fuarth ysgol. [3]

   b. Lleisiadau (geiriau, synau) a wneir gan blant ifanc. [3]

   c. Cerddwyr yn cydymffurfio â chroesfannau cerddwyr dan reolaeth. [3]

   ch. Gollwng sbwriel mewn parc cyhoeddus. [3]

   d. Ymddygiad perchnogion cŵn wrth gerdded eu cŵn. [3]

3. Penderfynodd grŵp o fyfyrwyr astudio ymddygiad myfyrwyr yn llyfrgell yr ysgol.

   a. Awgrymwch **un neu ragor** o ragdybiaethau y gallech chi ymchwilio iddyn nhw. [2]

   b. Rhestrwch **bum** categori o ymddygiad y gallech chi eu cynnwys mewn rhestr gwirio ymddygiad. [3]

   c. Nodwch ddull samplu addas ac eglurwch sut byddech chi'n eu gweithredu. [3]

   ch. Sut gallech chi arsylwi'r myfyrwyr heb iddyn nhw wybod eu bod nhw'n cael eu harsylwi? [2]

   d. Pa faterion moesegol y gallai'r astudiaeth arsylwi honno eu codi? [2]

   dd. Yn achos pob mater a nodwyd yn eich ateb i (d), eglurwch sut gallech chi ddelio â'r mater hwnnw a dywedwch a fyddai hynny'n dderbyniol. [3]

   e. Ydy'r arsylwadau'n strwythuredig neu'n ddistrwythur? [1]

CORNEL ARHOLIAD

1. Eglurwch beth yw ystyr *arsylwi cyfranogol*. [2]

2. Eglurwch beth yw ystyr *samplu digwyddiad*. [2]

3. Eglurwch y gwahaniaeth rhwng arsylwi cyfranogol ac arsylwi anghyfranogol. [4]

4. Nodwch ac eglurwch **un** mater moesegol sy'n gysylltiedig ag arsylwadau cyfranogol. [2]

5. Nodwch **un** o anfanteision ac **un** o fanteision defnyddio arsylwi anghyfranogol fel dull o gasglu data. [2 + 2]

131

Technegau hunanadrodd

Nod seicolegwyr yw darganfod rhagor am ymddygiad. Un ffordd o wneud hynny yw gwneud arbrofion. Dull arall yw arsylwi, sef dull anarbrofol. Dull neu dechneg anarbrofol arall yw holi pobl am eu profiadau a/neu eu credoau. **Technegau hunanadrodd** yw'r rheiny am fod pobl yn rhoi gwybod am eu meddyliau/teimladau eu hunain. Mae hynny'n cynnwys holiaduron a chyfweliadau. Gan fod modd cyflwyno **holiadur** ar ffurf ysgrifenedig neu ei ddarllen mewn amser real (wyneb-yn-wyneb neu dros y ffôn), caiff ei alw'n **gyfweliad**.

Gall astudiaeth gynnwys holiadur yn unig neu gyfweliad yn unig, ond yn aml defnyddir y technegau hyn fel ffordd o fesur y **newidyn dibynnol (DV)**. Ystyriwch y ddwy enghraifft hyn:

Efallai mai nodau astudiaeth yw cael gwybod am arferion ysmygu pobl ifanc. Byddai'r ymchwilydd yn llunio holiadur i gasglu data am yr hyn y mae pobl yn ei wneud, a pham. Yn yr achos hwn, holiadur yw'r astudiaeth gyfan. Dyna'r dull ymchwil.

Ar y llaw arall, nodau posibl i astudiaeth fyddai gweld a oes gan blant sy'n dilyn rhaglen addysgol gwrth-ysmygu agweddau at ysmygu sy'n wahanol i'r rhai sydd gan blant nad ydyn nhw'n dilyn rhaglen o'r fath. Byddai'r ymchwilydd yn defnyddio holiadur i gasglu data am agweddau at ysmygu, ond byddai'r dadansoddiad yn golygu cymharu'r ddau grŵp o blant – astudiaeth arbrofol sy'n defnyddio holiadur fel techneg ymchwil i fesur y DV.

CWESTIYNAU

Mewn holiaduron a chyfweliadau mae dau fath o gwestiwn ac mae'r naill a'r llall yn casglu math penodol o ddata.

Cwestiynau caeedig – mae ystod o'r atebion posibl wedi'i phennu, fel rhestru pum ateb posibl i ymatebwyr ddewis o'u plith neu ofyn cwestiwn ac ateb 'ie/na/efallai'. Mae'n haws dadansoddi cwestiynau caeedig o'r fath ond gallan nhw orfodi ymatebwyr i ddewis atebion nad ydyn nhw'n cynrychioli eu meddyliau na'u hymddygiad go-iawn.

Ystod gyfyngedig o atebion sydd i gwestiynau caeedig ac fe gynhyrchan nhw **ddata meintiol**. Mae'r ddwy agwedd hyn ar gwestiynau caeedig yn ei gwneud hi'n haws defnyddio graffiau a mesurau fel y **cymedr** i ddadansoddi'r atebion.

Cwestiynau agored – mae ystod ddi-ben-draw o atebion posibl. Er enghraifft, wrth ofyn i 50 o bobl 'Beth rydych chi'n ei hoffi fwyaf am eich swydd?' neu 'Beth sy'n gwneud i chi deimlo dan straen yn y gwaith?', gallwch chi gael 50 o wahanol atebion.

Bydd cwestiynau agored yn cynhyrchu **data ansoddol** (a drafodir ar dudalen 148) sy'n anoddach eu crynhoi am fod cymaint o amrywiaeth o ymatebion yn debygol. Mewn unrhyw astudiaeth ymchwil, byddwn ni'n chwilio am batrymau er mwyn gallu tynnu casgliadau ynglŷn â'r ymddygiad a astudir. Os cewch chi lu o wahanol atebion, mae'n anoddach crynhoi'r data a chanfod patrymau clir.

HOLIADURON A CHYFWELIADAU

Holiaduron

Set o gwestiynau ysgrifenedig yw holiadur ac mae wedi'i gynllunio i gasglu gwybodaeth am fwnc neu bynciau.

Mae cwestiynau'n caniatáu i ymchwilydd ddarganfod yr hyn y mae pobl yn ei feddwl ac yn ei deimlo, yn wahanol i arsylwadau sy'n dibynnu ar 'ddyfalu' yr hyn y mae pobl yn ei feddwl a'i deimlo ar sail eu hymddygiad. Drwy ddefnyddio holiadur, gallwch chi holi pobl yn uniongyrchol; mater arall yw a allan nhw ac a fyddan nhw'n rhoi atebion gonest i chi.

Cyfweliadau strwythuredig a lled-strwythuredig

Bydd holiaduron bob amser yn rhagbenodedig, h.y. yn strwythuredig, ond gall cyfweliad fod yn strwythuredig neu'n ddistrwythur.

Mewn **cyfweliad strwythuredig** penderfynir ar y cwestiynau ymlaen llaw; yn ei hanfod, felly, mae'n holiadur a ddefnyddir wyneb-yn-wyneb (neu dros y ffôn) heb wyro dim oddi wrth y cwestiynau gwreiddiol. Caiff ei gynnal mewn amser real – bydd y cyfwelydd yn holi a'r ymatebydd yn ateb.

Mae i **gyfweliad lled-strwythuredig** lai o strwythur! Yn ei hanfod, mae'r 'strwythur' hwnnw'n cyfeirio at y cwestiynau y penderfynwyd arnyn nhw ymlaen llaw. Mewn cyfweliad distrwythur, datblygir cwestiynau newydd yn ystod cyfweliad. Gall y cyfwelydd ddechrau drwy enwi nodau cyffredinol a gofyn ambell gwestiwn parod, ond bydd y cwestiynau ar ôl hynny'n datblygu ar sail yr atebion sydd wedi'u rhoi.

Gelwir hynny weithiau'n *gyfweliad clinigol* am ei fod braidd yn debyg i'r math o gyfweliad y gallech chi ei gael â meddyg. Bydd ef neu hi'n gofyn rhai cwestiynau parod i ddechrau ond yn datblygu cwestiynau pellach ar sail eich atebion.

TERMAU ALLWEDDOL

Cwestiynau agored Cwestiynau sy'n gwahodd ymatebwyr i roi eu hatebion eu hunain yn hytrach na dewis ateb parod. Y duedd yw iddyn nhw esgor ar ddata ansoddol.

Cwestiynau caeedig Cwestiynau sydd ag ystod ragbenodedig o atebion, a bydd ymatebwyr yn dewis un ohonyn nhw. Maen nhw'n cynhyrchu data meintiol.

Cyfweliad Dull neu dechneg ymchwil sy'n cynnwys rhyngweithio wyneb-yn-wyneb ag unigolyn arall mewn amser 'real' ac sy'n arwain at gasglu data.

Cyfweliad lled-strwythuredig Bydd y cyfwelydd yn cychwyn drwy enwi rhai nodau cyffredinol ac, efallai, yn gofyn rhai cwestiynau cyn gadael i atebion yr ymatebydd lywio'r cwestiynau o hynny ymlaen.

Cyfweliad strwythuredig Unrhyw gyfweliad lle penderfynir ar y cwestiynau ymlaen llaw.

Data ansoddol Data anrhifiadol.

Data meintiol Data mewn rhifau.

Holiadur Cesglir data drwy ddefnyddio cwestiynau ysgrifenedig.

Tuedd (y) cyfwelydd Effaith disgwyliadau cyfwelydd – a gaiff eu cyfleu'n anymwybodol – ar ymddygiad ymatebydd.

Tuedd dymunolrwydd cymdeithasol Ystumiad yn y ffordd y bydd pobl yn ateb cwestiynau – mae tuedd iddyn nhw ateb cwestiynau mewn ffordd sy'n rhoi gwell argraff ohonyn nhw'u hunain.

Enghreifftiau o gwestiynau agored

1 Pa ffactorau sy'n cyfrannu at wneud eich gwaith yn straen?
2 Sut byddwch chi'n teimlo pan fyddwch chi dan straen?

Enghreifftiau o gwestiynau caeedig

1 Pa un neu rai o'r isod sy'n gwneud i chi deimlo dan straen? (Cewch roi tic wrth gynifer o'r atebion ag y dymunwch.)

☐ Sŵn yn y gwaith ☐ Diffyg rheolaeth
☐ Gormod i'w wneud ☐ Cydweithwyr
☐ Dim boddhad o'r gwaith

2 Faint o oriau'r wythnos y byddwch chi'n gweithio?

☐ Dim
☐ Rhwng awr a 10 awr
☐ Rhwng 11 ac 20 awr
☐ Mwy nag 20 awr

3 Graddfa Likert

Mae gwaith yn straen:
☐ Cytuno'n gryf ☐ Cytuno ☐ Ddim yn siŵr
☐ Anghytuno ☐ Anghytuno'n gryf

4 Graddfa'ch barn

Faint o straen rydych chi'n ei deimlo? (Rhowch gylch o gwmpas y rhif sy'n disgrifio'ch teimladau chi orau.)

Yn y gwaith:
Llawer o straen 5 4 3 2 1 Dim straen o gwbl

Gartref:
Llawer o straen 5 4 3 2 1 Dim straen o gwbl

Wrth deithio i'r gwaith:
Llawer o straen 5 4 3 2 1 Dim straen o gwbl

5 Cwestiwn sy'n gorfodi dewis

Dewiswch un ateb
A Y pechod cymdeithasol gwaethaf yw bod yn ddigywilydd
B Y pechod cymdeithasol gwaethaf yw diflasu pobl eraill

GWERTHUSO

Technegau hunanadrodd

Mae nifer o fanteision ac anfanteision yn gyffredin i bob dull hunanadrodd. Y fantais yw'r mynediad y mae technegau o'r fath yn ei roi i'r hyn y mae pobl yn ei feddwl a'i deimlo ac i'w profiadau a'u hagweddau.

Un o anfanteision allweddol holiaduron yw y gall pobl beidio â rhoi atebion gonest. Mae arsylwadau'n rhoi mynediad llawer mwy uniongyrchol i ymddygiadau go-iawn. Nid bod pobl yn dweud celwydd: y broblem yw y gallan nhw ateb mewn ffordd sy'n gymdeithasol-ddymunol (**tuedd dymunolrwydd cymdeithasol**). Er enghraifft, os gofynnir a ydyn nhw'n arweinydd neu'n ddilynwr, byddai'n well gan lawer o bobl beidio â'u galw eu hunain yn ddilynwyr, hyd yn oed os dyna ydyn nhw.

Ac am nad yw pobl weithiau'n gwybod beth maen nhw'n ei feddwl neu'n ei deimlo, bydd eu hateb yn brin o **ddilysrwydd**.

Mater pellach yw'r **sampl** o bobl a ddefnyddir mewn unrhyw astudiaeth sy'n defnyddio hunanadrodd. Am fod sampl, er enghraifft, yn gallu bod yn brin o **gynrychioldeb**, does dim modd cyffredinoli'r data a fydd wedi'u casglu.

Holiadur

Dywed llawer myfyriwr mai mantais holiaduron yw eu bod nhw'n hawdd – ond mae hynny'n anwybyddu'r ffaith y gallan nhw gymryd tipyn o amser i'w llunio. Y fantais yw bod modd dosbarthu holiadur, wedi i chi ei lunio a rhoi prawf arno, i nifer fawr o bobl yn gymharol rad a chyflym a chael data gan sampl fawr o bobl.

Mantais bellach i holiadur yw y gall ymatebwyr deimlo'n fwy parod i ddatgelu gwybodaeth bersonol/gyfrinachol nag mewn cyfweliad. Mewn cyfweliad, bydd ymatebwyr yn gwybod bod y cyfwelydd yn clywed eu hateb. Gall hynny beri i'r ymatebwyr deimlo'n hunanymwybodol a bod yn fwy pwyllog.

Gall natur amhersonol holiadur hefyd leihau'r duedd dymunolrwydd cymdeithasol o'i gymharu â chyfweliad.

Anfantais holiaduron fel ffordd o gasglu data yw mai dim ond pobl sy'n medru darllen ac ysgrifennu sy'n gallu eu llenwi a hefyd yn barod i dreulio amser yn eu llenwi. Mae'n debyg, felly, y bydd tuedd yn y sampl.

Cyfweliad strwythuredig

Gellir yn hawdd ail-gynnal cyfweliad strwythuredig (yn ogystal â holiadur) am fod y cwestiynau **wedi'u safoni**. Mae hynny'n golygu bod modd cymharu atebion gwahanol bobl. Mae'n golygu hefyd ei fod yn haws ei ddadansoddi na chyfweliad distrwythur am fod yr atebion yn fwy rhagfynegadwy (*predictable*).

Ar y llaw arall, gall cymharu fod yn broblem mewn cyfweliad strwythuredig (ond nid holiadur) os yw cyfwelydd yn ymddwyn yn wahanol ar adegau gwahanol neu os yw gwahanol gyfwelwyr yn ymddwyn yn wahanol (**dibynadwyedd** isel).

Un o anfanteision cyfweliadau strwythuredig a distrwythur yw y gall disgwyliadau'r cyfwelydd ddylanwadu ar yr atebion y mae'r ymatebydd yn eu rhoi (ffurf ar effaith ymchwilydd a elwir yn **duedd y cyfwelydd**). Rhaid i bob cyfwelydd fod yn fedrus wrth ddileu cymaint â phosibl ar duedd y cyfwelydd.

Cyfweliad lled-strwythuredig

Mewn cyfweliad lled-strwythuredig, gellir fel rheol gael gwybodaeth fanylach gan bob ymatebydd nag mewn cyfweliad strwythuredig, a hynny am fod y cyfwelydd yn addasu'r cwestiynau yn ôl yr ymatebion penodol a chael mewnwelediadau dyfnach i deimladau a meddyliau'r ymatebydd.

Am fod yn rhaid i'r cyfwelydd ddatblygu cwestiynau newydd yn y fan a'r lle, mae cyfweliadau distrwythur yn gofyn iddo fod yn fwy medrus nag mewn cyfweliad strwythuredig. Gall cwestiynau o'r fath fod yn debycach o fod yn brin o wrthrychedd na'r rhai y penderfynwyd arnyn nhw ymlaen llaw am fod eu natur digymell yn golygu nad oes amser i'r cyfwelydd fyfyrio ynglŷn â'r hyn y mae'n mynd i'w ddweud.

Mae'r gofynion ar gyfer cyfwelwyr sydd wedi'u hyfforddi'n dda yn golygu bod cyfweliadau distrwythur yn ddrutach i'w cynnal o'u cymharu â chyfweliadau strwythuredig am nad oes angen cyfwelwyr arbenigol arnyn nhw.

MATHAU ERAILL O HUNANADRODD

Nid yw dulliau hunanadrodd wedi'u cyfyngu i holiaduron a chyfweliadau'n unig. Er bod astudiaethau dyddiadur yn ddull ymchwil y bydd gwyddonwyr cymdeithasol eraill, fel cymdeithasegwyr, yn defnyddio mwy arnyn nhw'n draddodiadol, mae eu defnyddio nhw'n tyfu'n fwyfwy poblogaidd ym myd seicoleg. Gofynnir i'r cyfranogwr yn yr ymchwil lunio adolygiad beunyddiol o ymddygiadau neu ddigwyddiadau ar ddiwrnod penodol. Bydd y cyfranogwyr yn cadw'r lòg, ac fel rheol byddan nhw'n cael eu cyfweld ynglŷn â'r cynnwys ar ddiwedd y cyfnod ymchwil.

Mantais hynny yw nad oes rhaid i'r cyfranogwyr ddwyn i gof union fanylion digwyddiadau o gyfnod maith yn ôl, felly nid oes problemau wrth adalw. Gall yr ymchwilydd ddefnyddio'r cofnodion yn y dyddiaduron yn fan cychwyn i holi pellach ac i ddeall yr ymddygiad sy'n destun yr ymchwil.

Mae dyddiaduron yn codi problemau am y gall y cyfranogwyr beidio â dymuno cofnodi eu profiadau beunyddiol am gyfnodau maith. Bydd beirniaid yn cwestiynu geirwiredd y cynnwys sydd mewn dyddiaduron yn yr un ffordd ag a wnân nhw, i raddau helaeth, yn achos dulliau hunanadrodd eraill fel cyfweliadau a holiaduron.

▲ Dydy cael ei gyfweld gan fenyw ddeniadol ddim yn debyg o effeithio ar ei ymddygiad…

CORNEL ARHOLIAD

Ymarfer ar gyfer senarios newydd

1. Hoffai grŵp o fyfyrwyr astudio defnyddio ffonau symudol gan bobl 14-18 oed. Pam y gallai hi fod yn well:
   a. Cynnal cyfweliad yn hytrach na defnyddio holiadur? [2]
   b. Defnyddio holiadur yn hytrach na chynnal cyfweliad? [2]
2. Dychmygwch, yn lle hynny, y byddai'r myfyrwyr yn dymuno cael gwybodaeth am gymryd cyffuriau. Atebwch yr un cwestiynau ag yn (a) a (b) uchod.
3. Yn achos y naill a'r llall o'r astudiaethau a ddisgrifiwyd yng nghwestiynau 1 a 2, awgrymwch **ddau** fater moesegol a ddylai beri pryder i'r myfyrwyr ac awgrymwch sut gallen nhw ddelio â'r rheiny. [2 + 2]

CORNEL ARHOLIAD

1. Eglurwch beth yw ystyr *technegau hunanadrodd*. [2]
2. Eglurwch y gwahaniaeth rhwng holiadur a chyfweliad. [3]
3. Eglurwch y gwahaniaeth rhwng cyfweliad strwythuredig ac un lled-strwythuredig. [3]
4. Disgrifiwch **un** o anfanteision defnyddio holiadur yn hytrach na chyfweliad strwythuredig i gasglu data. [2]

Dibynadwyedd

Mae'r cysyniadau o **ddibynadwyedd** a **dilysrwydd** yn ganolog i ymchwil da. Mae cydberthyniad rhwng y cysyniadau hyn a bydd myfyrwyr yn drysu'n hawdd rhyngddyn nhw.

Mae dibynadwyedd yn ymwneud â chysondeb.

Mae dilysrwydd yn gofyn a yw'r data sydd wedi'u casglu mewn astudiaeth yn cynrychioli 'realiti' – a yw'r canlyniadau'n dangos sut mae pobl yn ymddwyn mewn gwirionedd neu a ydyn nhw mewn rhyw ffordd yn arteffact o'r ymchwil?

▲ Dilysrwydd a dibynadwyedd

▼ Bydd gwahanol saethwyr yn cynhyrchu'r patrwm isod o saethau:

Dibynadwy, ond heb fod yn ddilys | Heb fod yn ddibynadwy nac yn ddilys | Dibynadwy a dilys

Ystyr bod yn ddibynadwy yw bod yn gyson, ond i fod yn ddilys rhaid taro'r targed (mae'n perthyn i'r hyn yr anelwch at ei wneud).

Bydd astudiaeth sy'n brin o ddibynadwyedd, felly, yn brin o ddilysrwydd. Er enghraifft, os yw arsylwr yn anghyson wrth gofnodi arsylwadau (e.e. yn cofnodi arsylwadau pan nad oedd yn siŵr beth roedd yr unigolyn targed yn ei wneud), mae'r canlyniadau'n ddiystyr, h.y. yn brin o ddilysrwydd.

Ond fe allwch chi gael astudiaeth sy'n ddibynadwy ond heb fod yn ddilys. Er enghraifft, os bydd arsylwr yn defnyddio system godio nad yw'n drwyadl iawn, ac os yw'r unigolyn targed weithiau'n gwneud pethau nad oes modd eu cofnodi, gall yr arsylwadau fod yn berffaith ddibynadwy ond yn brin o ddilysrwydd am i'r rhestr wirio o'i ymddygiad fod yn un wael.

CORNEL ARHOLIAD
Ymarfer ar gyfer senarios newydd

1. Penderfynodd seicolegydd arsylwi'r ymddygiadau dieiriau rhwng dau berson a oedd yn sgwrsio. (Ymddygiadau dieiriau yw'r rhai nad ydyn nhw'n cynnwys iaith, fel gwenu, cyffwrdd ac ati.)
   a. Nodwch **un** mater o ddibynadwyedd yn yr ymchwil hwnnw, a disgrifiwch sut gallech chi ddelio â'r mater hwnnw o ddibynadwyedd. [3]
   b. Nodwch **un** mater o ddilysrwydd yn yr ymchwil hwnnw, a disgrifiwch sut gallech chi ddelio â'r mater hwnnw o ddilysrwydd. [3]
2. Mae grŵp o fyfyrwyr yn dymuno astudio defnyddio ffonau symudol gan bobl 14–18 oed. Atebwch gwestiynau (a) a (b) uchod.
3. Caiff ymchwilydd wybod y gall ei holiadur hapusrwydd fod yn brin o ddilysrwydd. Eglurwch sut gallai ddefnyddio dilysrwydd cydamserol i asesu dilysrwydd ei holiadur. [3]

DIBYNADWYEDD

Os defnyddiwch chi bren mesur i fesur uchder cadair heddiw a gwirio'r mesuriad hwnnw eto yfory, byddwch chi'n disgwyl i'r pren mesur fod yn ddibynadwy (yn gyson) a rhoi'r un mesuriad. Byddech chi'n tybio bod unrhyw newid yn digwydd am fod dimensiynau'r gadair wedi newid mewn rhyw ffordd. Os oedd y newid yn deillio o ryw newid yn y pren mesur, fyddai hwnnw fawr o werth fel offeryn mesur – nid yw'n ddibynadwy nac yn gyson.

Rhaid i unrhyw offeryn a ddefnyddir i fesur rhywbeth fod yn ddibynadwy, e.e. prawf seicolegol sy'n asesu personoliaeth, neu gyfweliad ynghylch arferion yfed, neu arsylwadau dau arsylwr ar unigolyn sy'n darged.

Os yw'r 'offeryn' yn mesur yr un peth, dylai roi'r un canlyniad bob tro. Os yw'r canlyniad yn wahanol, bydd angen i ni fod yn siŵr mai'r peth (y gadair neu'r bersonoliaeth) sydd wedi newid neu sy'n wahanol, ac nid yr offeryn mesur.

Dibynadwyedd arsylwadau

Mewn ymchwil-drwy-arsylwi, y peth pwysig yw y dylai unrhyw arsylwadau fod yn gyson. Os ydyn nhw'n gyson, bydden ni'n disgwyl i ddau arsylwr gynhyrchu'r un arsylwadau'n union. Yr enw ar hyd a lled cytundeb dau (a rhagor) o arsylwyr yw **dibynadwyedd rhyng-gyfraddwyr** (*inter-rater reliability*).

Mesurir dibynadwyedd rhyng-gyfraddwyr drwy **gydberthyn** arsylwadau dau neu ragor o arsylwyr. Y rheol gyffredinol yw: os oes mwy nag 80% o gytundeb ynglŷn â'r arsylwadau, mae i'r data ddibynadwyedd rhyng-gyfraddwyr:

Cytundeb llwyr / cyfanswm yr arsylwadau > 80%

Delio â materion dibynadwyedd mewn arsylwadau

I gynyddu dibynadwyedd, dylid hyfforddi arsylwyr i ddefnyddio system godio/rhestr wirio o ymddygiad. Dylen nhw ymarfer ei defnyddio, a thrafod eu harsylwadau. Yna, gall yr ymchwilydd wirio pa mor ddibynadwy yw eu **harsylwadau**.

Dibynadwyedd hunanadrodd

Mae **dibynadwyedd mewnol** yn fesur o hyd a lled cysondeb rhywbeth ag ef ei hun. Er enghraifft, dylai'r holl gwestiynau mewn prawf ar gyniferydd deallusrwydd (sy'n fath o **holiadur**) fod yn mesur yr un peth. Gall hynny beidio â bod yn berthnasol i bob holiadur am nad yw cysondeb mewnol bob amser yn bwysig. Er enghraifft, gallai holiadur ynghylch cael profiad o ofn ystyried llawer agwedd wahanol ar fod yn ofnus.

Mae **dibynadwyedd allanol** yn fesur o gysondeb dros sawl achlysur gwahanol. Petai cyfwelydd yn cynnal cyfweliad, er enghraifft, ac yna'n cynnal yr un cyfweliad â'r un cyfwelai wythnos yn ddiweddarach, dylai'r canlyniad fod yr un peth. Fel arall, dydy'r cyfweliad ddim yn ddibynadwy.

Defnyddir y **dull hollt dau hanner** i asesu dibynadwyedd mewnol. Caiff grŵp o gyfranogwyr brawf unwaith. Caiff atebion y cyfranogwyr i gwestiynau'r prawf eu rhannu'n ddau hanner, a hynny, er enghraifft, drwy gymharu'r holl atebion i'r cwestiynau odrif â'r holl atebion i gwestiynau eilrif. Dylai sgorau'r unigolyn ar ddau hanner y prawf fod yn debyg iawn. Gellir cymharu'r ddwy sgôr drwy gyfrifo **cyfernod cydberthyniad** (gweler tudalen 136).

Defnyddir y **dull prawf-ailbrawf** i asesu dibynadwyedd allanol. Caiff grŵp o gyfranogwyr brawf, holiadur neu gyfweliad unwaith ac yna rywbryd eto (ar ôl i'r cyfranogwyr gael cyfle i'w anghofio). Gellir cymharu'r atebion ac fe ddylen nhw fod yr un peth. Os yw'r profion yn cynhyrchu sgorau, gellid eu cymharu drwy gyfrifo cyfernod cydberthyniad.

Sylwch fod rhaid rhoi'r prawf i'r un person ar y ddau achlysur gwahanol.

Delio â materion dibynadwyedd mewn hunanadroddiadau

Os oes lefel isel o ddibynadwyedd mewnol, gellir dileu cwestiynau i weld a oes lefel uchel o ddibynadwyedd yn sgôr y prawf hollt dau hanner.

Yn achos dibynadwyedd allanol, gall cwestiynau sydd wedi'u llunio'n wael achosi dryswch a gall fod angen eu hail-lunio. Os oes dibynadwyedd isel i gyfweliad, efallai fod angen ailhyfforddi'r cyfwelydd i fod yn fwy cyson.

Lefel A2 yn unig:
Mathau o ddilysrwydd

Fe drafodon ni ddilysrwydd mewnol ac allanol ar dudalen 113. Ar y dudalen hon, fe eglurwn ni rai mathau pellach o ddilysrwydd.

MATHAU O DDILYSRWYDD

Mae ymchwilydd yn penderfynu cynnal prawf i weld ai dynion neu fenywod sydd dan fwyaf o straen. I wneud hynny, mae'n penderfynu defnyddio holiadur i fesur straen. Fel y trafodwyd ar y dudalen gyferbyn, gallwn ni asesu dibynadwyedd ei fesuriadau. Gall yr holiadur fod yn ddibynadwy – ond a yw'n ddilys? A yw'n mesur straen mewn gwirionedd?

Mae amryw o ffyrdd o asesu dilysrwydd ein holiadur ynghylch straen:

Dilysrwydd wyneb Y cwestiwn yma yw a yw mesur hunanadrodd yn edrych fel petai'n mesur yr hyn y bwriadai'r ymchwilydd ei fesur? Er enghraifft, a yw cwestiynau'r holiadur ynghylch straen yn perthnasu'n amlwg â'r straen? Dydy dilysrwydd wyneb ond yn galw am fesur greddfol.

Dilysrwydd cynnwys Mae hwn yn golygu ystyried eich dull mesur a phenderfynu a yw'n mesur y cynnwys y bwriadwyd iddo'i fesur. Gallech chi ofyn i arbenigwr annibynnol ar asesu straen werthuso'r mesur sydd i'w ddefnyddio. Gallai'r arbenigwr awgrymu gwelliannau, neu fe allai gymeradwyo'r dull, ac ymdrin, felly, â dilysrwydd cynnwys.

Dilysrwydd cydamserol Mae hwn yn golygu cymharu'r dull cyfredol o fesur straen ac un a ddilyswyd ynghynt ar yr un pwnc. I wneud hynny, caiff y cyfranogwyr y ddau fesur ar yr un pryd ac yna caiff eu sgorau eu cymharu. Bydden ni'n disgwyl i bobl gael sgorau tebyg ar y ddau fesur a thrwy hynny gadarnhau dilysrwydd cydamserol.

Dilysrwydd lluniad Mae hwn yn asesu i ba raddau y mae prawf yn mesur y lluniad targed. I fesur straen, bydden ni'n troi at ddiffiniad o straen ac yn ystyried a oedd y cwestiynau'n berthnasol i'r lluniad hwnnw.

Dilysrwydd rhagfynegi Mae hwn yn gofyn a yw'r sgorau mewn prawf yn rhagfynegi'r hyn y byddech chi'n disgwyl iddyn nhw ei ragfynegi! Er enghraifft, bydden ni'n disgwyl i bobl sy'n cael sgôr uchel ar holiadur straen fod â phwysedd gwaed uwch. Felly, gallwn ni wirio hynny fel ffordd o asesu'r dilysrwydd rhagfynegi sydd i fesur.

Delio â materion dilysrwydd

Os yw'r mesuriadau o **ddilysrwydd mewnol** yn isel, bydd angen diwygio'r eitemau yn yr holiadur/cyfweliad/prawf – er enghraifft, i sicrhau gwell cyplysu rhwng y sgorau ar y prawf newydd ac un sydd wedi ymsefydlu.

Mater arall yw **dilysrwydd allanol**. Er enghraifft, gall y dull samplu a ddefnyddir mewn holiadur esgor ar sampl anghynrychioliadol, ac mae modd gwella hynny.

NID MATER O FESURIADAU'N UNIG YW DILYSRWYDD

Mewn arbrawf, gall rheolaeth wael dros **newidynnau allanol**, **nodweddion awgrymu ymateb** a **thuedd yr ymchwilydd** amharu ar ddilysrwydd mewnol. Trafodwyd y rheiny'n gynharach yn y bennod hon (gweler tudalennau 122 ac 123) ynghyd â ffyrdd o ddelio â materion o'r fath.

Mewn arsylwadau, gall defnyddio **categorïau o ymddygiad** sydd wedi'u diffinio'n wael amharu ar ddilysrwydd mewnol fel nad yw'r arsylwadau'n cofnodi'n fanwl-gywir yr hyn y maen nhw'n ei weld.

Mewn hunanadroddiadau, gall **tuedd dymunolrwydd cymdeithasol** neu **gwestiynau arweiniol** amharu ar ddilysrwydd mewnol.

▲ **Seicofesur deallusrwydd**

Cafwyd awgrym y gellid defnyddio cylchedd pen person i fesur deallusrwydd. Mae hwnnw'n debyg o fod yn fesur eithaf DIBYNADWY o ddeallusrwydd am fod maint pen oedolyn yn gyson o flwyddyn i flwyddyn.

Gallwch chi hyd yn oed deimlo bod hwnnw'n fesur DILYS o ddeallusrwydd. Wedi'r cyfan, os oes gennych chi ymennydd mwy o faint, efallai eich bod chi'n fwy deallus. Ond dydy'r ymchwil ddim yn cadarnhau hynny. Does dim cysylltiad rhwng deallusrwydd a maint yr ymennydd na'r pen. Mae'r mesur hwn o ddeallusrwydd, felly, yn brin o DDILYSRWYDD.

PROFION SEICOLEGOL

Wrth drafod ffyrdd o asesu dilysrwydd, rydyn ni'n canolbwyntio'n bennaf ar brofion seicolegol. Tasg neu set o dasgau sy'n mesur rhyw agwedd ar ymddygiad pobl yw prawf seicolegol. Er enghraifft, bydd profion ar gynifferydd deallusrwydd yn mesur deallusrwydd, profion personoliaeth yn asesu'r math o bersonoliaeth, ac mae graddfeydd agwedd yn rhoi gwybod am deimladau a barn pobl.

A bod yn fanwl-gywir, dydy profion seicolegol a graddfeydd agwedd ddim yn dechnegau hunanadrodd, ond am eu bod nhw fel arfer yn cynnwys llenwi holiadur mae llawer o'r materion a drafodwyd ar y ddwy dudalen flaenorol yn berthnasol.

TERMAU ALLWEDDOL

Dibynadwyedd Cysondeb.

Dibynadwyedd allanol Mae'n ymwneud â faint y mae mesur yn amrywio o achlysur i achlysur. Byddai dibynadwyedd allanol isel yn golygu bod tipyn o amrywio dros amser.

Dibynadwyedd mewnol Mesur o faint y mae rhywbeth yn gyson ag ef ei hun.

Dilysrwydd Mae'n cyfeirio at y cwestiwn a yw'r effaith a arsylwyd yn un go-iawn.

Dilysrwydd allanol I ba raddau y gall darganfyddiad ymchwil gael ei gyffredinoli at sefyllfaoedd a phobl eraill.

Dilysrwydd cydamserol Ffordd o sefydlu dilysrwydd allanol drwy gymharu prawf neu holiadur sy'n bod yn barod â'r un y mae gennych chi ddiddordeb ynddo.

Dilysrwydd mewnol I ba raddau y mae astudiaeth neu brawf yn mesur yr hyn y bwriadwyd ei fesur.

Dilysrwydd rhagfynegi Cydberthyn canlyniadau prawf â rhyw enghraifft arall o'r ymddygiad sy'n destun prawf.

Dilysrwydd cynnwys Mae'n ceisio dangos bod cynnwys (e.e. cwestiynau) prawf/mesur yn cynrychioli'r maes diddordeb; mae'n ymwneud â dilysrwydd mewnol.

Dilysrwydd lluniad Dangosir i ba raddau y mae perfformiad yn y prawf yn mesur lluniad gwaelodol a nodwyd; mae'n ymwneud â dilysrwydd mewnol.

Dilysrwydd wyneb Ffurf ar ddilysrwydd mewnol, sef i ba raddau y mae'r eitemau mewn prawf yn edrych fel yr hyn y mae'r prawf yn honni ei fod yn ei fesur.

CORNEL ARHOLIAD

1. Eglurwch y gwahaniaeth rhwng 'dibynadwyedd' a 'dilysrwydd'. [4]
2. Eglurwch sut byddech chi'n asesu dibynadwyedd mewnol prawf ar gynifferydd deallusrwydd. [4]
3. Nodwch **un** dull a ddefnyddir i asesu dilysrwydd ac eglurwch sut byddech chi'n ei ddefnyddio. [3]

Astudiaethau cydberthynol

Dylai'r cysyniad o **gydberthyniad** fod yn gyfarwydd i chi o faes mathemateg TGAU. A bod yn fanwl-gywir, mae cydberthyn yn ddull a ddefnyddir i ddadansoddi data. Nid dull ymchwil mohono. Defnyddir cydberthyniad i ddadansoddi'r cysylltiad rhwng dau newidyn. Yn yr achos hwn, **cyd-newidynnau** ydyn nhw.

Dylai astudiaeth sy'n defnyddio dadansoddiad cydberthynol gael ei galw'n 'astudiaeth sy'n defnyddio dadansoddiad cydberthynol'. Ond gan fod hynny'n dipyn o lond ceg, byddwn ni fel rheol yn dweud dim ond 'cydberthyniad' neu 'astudiaeth gydberthynol'.

▶　**Diagramau gwasgariad**

Mae'r graff gwasgariad uchaf yn dangos cydberthyniad positif. Mae'r graff gwasgariad yn y canol yn dangos cydberthyniad negyddol. Cydberthyniad sero sydd yn y graff gwasgariad isaf.

Cyfernodau cydberthyniad y tri graff yw: (1) +.76, (2) –.76, a (3) –.006. Mae'r arwydd plws neu finws yn dangos a yw'n gydberthyniad positif neu negyddol. Mae'r cyfernod (rhif) yn dweud wrthym ni pa mor agos yw'r berthynas rhwng y cyd-newidynnau. Mae –.76 yn gydberthyniad sydd yr un mor agos â +.76.

Diagramau gwasgariad sy'n dangos y berthynas rhwng oedran a harddwch

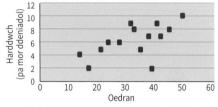

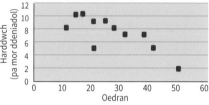

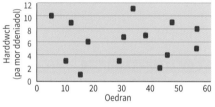

"FE SYNNWCH CHI, OND RWY'N HŶN NA 'NGOLWG I!"

▶　**Tabl arwyddocâd**

Mae'r tabl ar y dde yn rhoi syniad bras o'r gwerthoedd y mae eu hangen i gydberthyniad gael ei ystyried yn un arwyddocaol. Po fwyaf o barau o sgorau sydd gennych chi, lleiaf yn y byd y gall y cyfernod fod.

Byddai cyfernod o –.45 neu +.45 yn arwyddocaol os byddai 16 pâr o ddata, ond nid os byddai 14 pâr.

Mae maint y rhif yn dweud wrthym am arwyddocâd, ac mae'r arwydd yn dweud wrthym i ba gyfeiriad y mae'r cydberthyniad (positif neu negyddol).

I fod yn arwyddocaol, rhaid i'r cyfernod fod yn hafal i'r rhif yn y tabl, neu'n fwy nag ef.

Tabl arwyddocâd N =	
4	1.000
6	0.829
8	0.643
10	0.564
12	0.503
14	0.464
16	0.429
18	0.401
20	0.380
22	0.361
24	0.344
26	0.331
28	0.317

ASTUDIAETHAU CYDBERTHYNOL

Mae cydberthyniad yn gysylltiad systematig rhwng dau **newidyn di-dor**. Mae oedran a harddwch yn cyd-amrywio. Wrth i bobl heneiddio, bydd eu harddwch nhw'n cynyddu. **Cydberthyniad positif** yw hwn am fod y ddau newidyn yn *cynyddu* gyda'i gilydd.

Efallai eich bod yn anghytuno ac yn meddwl bod pobl yn llai a llai deniadol wrth heneiddio. Rydych chi'n credu bod cysylltiad systematig rhwng oedran a harddwch, ond **cydberthyniad negyddol** yw hwn. Wrth i'r naill newidyn gynyddu bydd y llall yn lleihau.

Neu efallai y teimlwch chi nad oes unrhyw berthynas rhwng oedran a harddwch. **Cydberthyniad sero** yw hwn.

Rhagdybiaeth gydberthynol

Wrth ddefnyddio dadansoddiad o gydberthyniadau i wneud astudiaeth, bydd angen i ni lunio **rhagdybiaeth** gydberthynol. Bydd honno'n datgan y cysylltiad y disgwylir ei weld rhwng y cyd-newidynnau (mewn arbrawf roedden ni'n ystyried y gwahaniaeth rhwng dau gyflwr **newidyn annibynnol**).

Yn ein henghraifft ni, oedran a harddwch yw'r cyd-newidynnau. Felly, dyma ragdybiaethau posibl:

- Mae cydberthyniad positif rhwng oedran a harddwch (cydberthyniad positif, **rhagdybiaeth gyfeiriadol**).
- Wrth i bobl heneiddio, barn rhai yw eu bod nhw'n harddach (cydberthyniad positif, rhagdybiaeth gyfeiriadol).
- Wrth i bobl heneiddio, bydd eu harddwch yn pylu (cydberthyniad negyddol, rhagdybiaeth gyfeiriadol).
- Mae cydberthyniad rhwng oedran a harddwch (cydberthyniad positif neu negyddol, **rhagdybiaeth anghyfeiriadol**).
- Does dim cydberthyniad rhwng oedran a harddwch (cydberthyniad sero, rhagdybiaeth anghyfeiriadol). [Mewn gwirionedd, **rhagdybiaeth nwl** yw hon am nad yw'n datgan unrhyw berthynas.]

Diagramau gwasgariad

Gellir defnyddio **diagram gwasgariad** i ddarlunio cydberthyniad. Yn achos pob unigolyn, fe gawn ni ddwy sgôr a'u defnyddio i blotio un dot ar gyfer yr unigolyn hwnnw – y cyd-newidynnau sy'n penderfynu lle mae safle x ac y y dot (mae x yn cyfeirio at y safle ar yr echelin x ac mae y yn cyfeirio at y safle ar yr echelin y). Gwasgariad y dotiau sy'n dangos faint o gydberthyniad sydd rhwng y cyd-newidynnau.

Cyfernod cydberthyniad

Os plotiwch chi ddiagram gwasgariad, sut mae gwybod a yw patrwm y dotiau'n cynrychioli cysylltiad ystyrlon a systematig? Gallwch chi edrych ar y graff a phenderfynu a yw'n ymddangos bod y dotiau'n ffurfio llinell o'r brig ar y chwith i'r dde ar y gwaelod (cydberthyniad negyddol cryf) neu o'r gwaelod ar y chwith i'r brig ar y dde (cydberthyniad positif cryf). Ond dull braidd yn amaturaidd yw hynny o benderfynu a oes cydberthyniad ystyrlon.

Yn hytrach, bydd ymchwilwyr yn defnyddio **prawf casgliadol** i gyfrifo'r **cyfernod cydberthyniad**, sef mesur maint y cydberthyniad sy'n bodoli rhwng y cyd-newidynnau.

- Rhif yw'r cyfernod cydberthyniad.
- Uchafswm gwerth cyfernod cydberthyniad yw 1 (+1 yw'r cydberthyniad positif perffaith a –1 yw'r cydberthyniad negyddol perffaith).
- Caiff rhai cyfernodau cydberthyniad eu hysgrifennu fel –.52 ac eraill fel +.52. Mae'r arwydd plws neu finws yn dangos a yw'n gydberthyniad positif neu negyddol.
- Mae'r cyfernod (rhif) yn dweud wrthym ni pa mor agos yw'r berthynas rhwng y cyd-newidynnau.

Y cam terfynol i'w gymryd yw darganfod a yw'n cyfernod cydberthyniad ni'n **arwyddocaol**. I wneud hynny, fe ddefnyddiwn ni dablau arwyddocâd (fel yr un ar y chwith) i weld pa mor fawr y mae angen i'r cyfernod fod i'r cydberthyniad gyfrif fel un arwyddocaol (ystyrlon).

GWERTHUSO

Y gwahaniaeth rhwng cydberthyniadau ac arbrofion

Nodwedd unigryw arbrawf yw bod yr ymchwilydd yn newid **newidyn annibynnol** yn fwriadol er mwyn arsylwi'r effaith ar y **newidyn dibynnol**. Heb y newid bwriadol hwnnw, does dim modd tynnu casgliadau achosol.

Mewn cydberthyniad, y cyfan a wnewch chi yw mesur y newidynnau – does dim newid bwriadol. Felly, does dim modd dod i gasgliadau bod y naill gyd-newidyn yn achosi'r llall. Ystyriwch, er enghraifft, astudiaeth a ddangosodd fod cydberthyniad positif rhwng record presenoldeb myfyrwyr mewn ysgol a'u cyflawniad academaidd. Ni allai ymchwilydd ddod i'r casgliad mai'r lefel o bresenoldeb a *achosodd* y gwelliant mewn cyflawniad. Casgliadau achosol o'r fath yw mantais arbennig arbrofion.

Anfanteision

Mae anfanteision eraill i ymchwil cydberthyniadau. Yn yr enghraifft uchod, bydd pobl yn dod i gasgliadau achosol. Mae hynny'n broblem am y gall dehongli o'r fath ar gydberthyniadau olygu bod pobl yn llunio rhaglenni gwella ar seiliau ffug. Er enghraifft, os yw prifathrawes yn credu ar gam mai lefel uwch o bresenoldeb a achosodd y cyflawniad academaidd gwell, gallai ddisgwyl ar gam y byddai gwella presenoldeb yn gwella canlyniadau'r arholiadau. Wrth gwrs, gallai'r cysylltiad achosol fod yn wir er nad yw hynny wedi'i gyfiawnhau gan ymchwil i gydberthyniadau, ond bydd pobl yn aml yn gweithredu ar sail cydberthyniadau ffug o'r fath.

Yn yr achosion hynny, yr hyn y maen nhw wedi methu â'i ystyried yw y gall newidynnau eraill, sydd efallai'n anhysbys ac a elwir yn **newidynnau cysylltiol**, egluro pam y mae cysylltiad rhwng y cyd-newidynnau sy'n cael eu hastudio. Yn ein henghraifft ni, efallai mai'r myfyrwyr nad ydyn nhw'n dod i'r ysgol yw'r rhai nad ydyn nhw'n hoffi'r ysgol a bod hynny hefyd yn effeithio ar eu perfformiad mewn arholiadau. Y newidyn cysylltiol pwysicaf yw'r ffaith nad ydyn nhw'n hoffi'r ysgol – ac mae'n debyg bod newidynnau eraill.

Anfantais arall i'w hystyried yw y gall cydberthyniad, fel yn achos arbrofion, fod yn brin o **ddilysrwydd mewnol/allanol**. Er enghraifft, gall y dull a ddefnyddir i fesur cyflawniad academaidd fod yn brin o ddilysrwydd neu efallai nad oes modd **cyffredinoli'r sampl** a ddefnyddiwyd.

Manteision

Mae gan gydberthyniadau eu gwerth arbennig eu hunain. Fe'u defnyddir i ymchwilio i dueddiadau mewn data. Os yw cydberthyniad yn arwyddocaol, mae hynny'n cyfiawnhau ymchwilio ymhellach. Os nad yw cydberthyniad yn arwyddocaol, mae'n fwy na thebyg nad oes perthynas achosol yn bod.

Fel yn achos arbrofion, mae modd ail-weithredu'r gweithdrefnau mewn cydberthyniad yn rhwydd, ac mae hynny'n golygu bod modd cadarnhau'r darganfyddiadau.

LLINOL A CHROMLINOG

Mae'r cydberthyniadau rydyn ni wedi'u hystyried i gyd yn rhai llinol – mewn cydberthyniad positif perffaith (+ 1) byddai'r holl werthoedd yn gorwedd mewn *llinell* syth o'r gwaelod ar y chwith i'r brig ar y dde.

Ond ceir math gwahanol o gydberthyniad, sef cydberthyniad **cromlinog** (*curvilinear*). Crwm, nid llinol, yw'r berthynas. Mae perthynas ragfynegadwy'n dal i fod. Er enghraifft, does dim perthynas linol rhwng straen a pherfformiad. Fydd perfformio wrth gyflawni llu o dasgau ddim cystal os yw'r straen yn ormod neu'n rhy isel; mae ar ei orau pan fydd y straen yn gymedrol.

TERMAU ALLWEDDOL

Arwyddocâd Term ystadegol sy'n dynodi bod darganfyddiadau'r ymchwil yn ddigon cryf i ni dderbyn y rhagdybiaeth ymchwil y rhoddwyd prawf arni.

Cydberthyniad Penderfyniad ynghylch faint o berthynas sydd rhwng dau newidyn; efallai nad oes unrhyw gysylltiad rhwng cyd-newidynnau (**cydberthyniad sero**), gall y ddau gynyddu gyda'i gilydd (**cydberthyniad positif**), neu mae'r naill gydberthyniad yn cynyddu a'r llall yn lleihau (**cydberthyniad negyddol**).

Cydberthyniad cromlinog Perthynas aflinol rhwng cyd-newidynnau.

Cydberthyniad llinol Perthynas systematig rhwng cyd-newidynnau a gaiff ei diffinio gan linell syth.

Cyfernod cydberthyniad Rhif rhwng –1 a +1 sy'n dweud wrthym pa mor agos yw'r berthynas rhwng cyd-newidynnau mewn dadansoddiad o gydberthyniadau.

Diagram gwasgariad Cynrychioliad graffigol o'r cysylltiad (h.y. y cydberthyniad) rhwng dwy set o sgorau.

Newidyn cysylltiol Newidyn sy'n dod rhwng dau newidyn arall ac a gaiff ei ddefnyddio i egluro'r cysylltiad rhwng y ddau newidyn. Er enghraifft, os gwelir bod cydberthyniad positif rhwng gwerthiant hufen iâ a thrais, gellir egluro hynny drwy ddefnyddio newidyn cysylltiol – gwres – sy'n achosi'r cynnydd mewn gwerthiant hufen iâ a'r cynnydd mewn trais.

Newidyn di-dor Newidyn a all gymryd unrhyw werth mewn amrediad penodol. Mae hoffi pêl-droed (ar raddfa o 1–10) yn ddi-dor ond nid felly'r tîm pêl-droed y mae person yn ei gefnogi. Gellir gosod yr olaf mewn unrhyw drefn.

CORNEL ARHOLIAD

1. Eglurwch beth yw ystyr *cydberthyniad sero*. [2]
2. Eglurwch y gwahaniaeth rhwng arbrofion a chydberthyniadau. [4]
3. Mae'r data o astudiaeth gydberthynol yn cynhyrchu diagram gwasgariad ac arno'r dotiau wedi'u trefnu mewn llinell o'r gwaelod ar y chwith i'r brig ar y dde. Pa fath o gydberthyniad yw hwn? [1]
4. Cynhyrchodd astudiaeth ymchwil gydberthyniad negyddol rhwng dau gyd-newidyn. Beth yw ystyr hyn? [2]

CORNEL ARHOLIAD
Ymarfer ar gyfer senarios newydd

Roedd Guiseppe Gelato bob amser wedi hoffi ystadegaeth yn yr ysgol. Am ei fod ef bellach yn berchen ar ei fusnes hufen iâ ei hun, mae'n cadw amrywiol gofnodion. Er syndod iddo, mae'n gweld bod cydberthyniad diddorol rhwng gwerthiant ei hufen iâ a throseddau ymosodol. Mae'n dechrau poeni y gall fod yn anghyfrifol wrth werthu hufen iâ am ei bod hi'n ymddangos bod hynny'n peri i bobl ymddwyn yn fwy ymosodol. Dyma'i ddata:

Yr holl ddata wedi'u talgrynnu i 1000oedd	Ion	Chwe	Maw	Ebr	Mai	Meh	Gorff	Awst	Medi	Hyd	Tach	Rhag
Gwerthiant hufen iâ	10	8	7	21	32	56	130	141	84	32	11	6
Troseddau ymosodol	21	32	29	35	44	55	111	129	99	36	22	25

1. Brasluniwch ddiagram gwasgariad o ddata Guiseppe. Gwnewch yn siŵr eich bod chi'n labelu'r echelinau ac yn rhoi teitl i'r diagram gwasgariad. [3]
   a. Pa gasgliad y gallwch chi ei lunio ar sail y data a'r diagram gwasgariad? (Mae casgliadau'n ddehongliad o'r darganfyddiadau.) [2]
   b. Pa newidyn cysylltiol a allai fod yn well eglurhad o'r berthynas rhwng hufen iâ ac ymosodedd? [1]
   c. Disgrifiwch sut byddech chi'n cynllunio astudiaeth i ddangos i Guiseppe fod (neu nad yw) hufen iâ yn achosi ymddygiad ymosodol. (Bydd angen i chi weithredoli eich newidynnau a phenderfynu ar gynllun ymchwil addas, dull samplu ac ati.) [6]

137

Dadansoddi cynnwys ac astudiaethau achos

Mae amryw o ddulliau a thechnegau ymchwil pellach y bydd seicolegwyr yn eu defnyddio. Byddwn yn astudio dau ohonyn nhw ar y ddwy dudalen hyn.

WEITHIAU DYDY ASTUDIAETH DDIM OND YN ASTUDIAETH

Ar ôl darllen y bennod hon, cewch chi faddeuant am feddwl bod rhaid i chi benderfynu a yw pob astudiaeth y dewch chi ar ei thraws yn arbrawf, yn arsylwad neu'n holiadur ac yn y blaen. Does dim rhaid gwneud hynny. Ar adegau, wnaiff astudiaeth ddim ffitio i unrhyw un o'r categorïau uchod. Enghraifft o hynny yw astudiaeth Watson a Rayner o Albert Bach (tudalen 56). Er bod rheolaeth lem ar yr astudiaeth honno, nid arbrawf nac astudiaeth achos mohoni. Fe ddarllenwch chi am astudiaeth Milgram yn ddiweddarach yn y bennod hon (tudalen 162). Ymchwiliad dan reolaeth gelfydd oedd honno hefyd.

Yr ymagwedd aml-ddull

Pwynt arall i'w ystyried yw mai ychydig iawn o astudiaethau sy'n defnyddio un dull yn unig. Mae llawer o'r astudiaethau a ddisgrifir yn y llyfr hwn yn defnyddio'r *ymagwedd aml-ddull*, sef cyfuniad o bob math o dechnegau a dulliau i ymchwilio i'r ymddygiad targed. Yn ei hanfod, er enghraifft, casgliad o astudiaethau achos oedd ymchwil Bowlby (1944) (gweler tudalen 36), ond fe gafodd ddata drwy ddefnyddio ffynonellau eilaidd fel adroddiadau ysgol yn ogystal â ffynonellau gwreiddiol fel arsylwadau, profion seicolegol ac ati.

TERMAU ALLWEDDOL

Astudiaeth achos Ymchwiliad sy'n golygu astudio unigolyn, sefydliad neu ddigwyddiad unigol yn fanwl. Mae astudiaethau achos yn cynnig cofnod cyfoethog o brofiad pobl ond mae'n anodd eu defnyddio i gyffredinoli.

Dadansoddi cynnwys Math o astudiaeth arsylwi lle'r arsylwir ymddygiad yn anuniongyrchol mewn deunydd ysgrifenedig neu lafar fel cyfweliadau, sgyrsiau, llyfrau, dyddiaduron neu raglenni teledu.

DADANSODDI CYNNWYS

Mae ystyr **dadansoddi cynnwys** yn ddigon clir. Gallai ymchwilydd astudio cynnwys hysbysebion mewn cylchgronau o ran rhywedd, er enghraifft, a cheisio'i ddisgrifio mewn rhyw ffordd systematig fel bod modd tynnu casgliadau.

Mae dadansoddi cynnwys hefyd yn ffurf ar arsylwi anuniongyrchol. Mae'n anuniongyrchol am nad ydych chi'n arsylwi pobl yn uniongyrchol ond yn eu harsylwi drwy'r arteffactau y maen nhw'n eu cynhyrchu. Gall y rheiny fod yn rhaglenni teledu, yn llyfrau, yn ganeuon, yn baentiadau ac ati. Gan fod y broses yn debyg i broses unrhyw astudiaeth arsylwi, rhaid i'r ymchwilydd benderfynu ynglŷn â'r cynllun o ran:

- **Y dull samplu** Pa ddeunydd i'w samplu a pha mor aml (e.e. pa sianeli teledu i'w cynnwys, faint o raglenni, am ba hyd).
- Pa **gategorïau o ymddygiad** i'w defnyddio? Yn yr enghraifft isod, y categorïau yw 'defnyddiwr y cynnyrch', 'awdurdod y cynnyrch' ac ati. Gan fod niferoedd y gwrywod a'r benywod yn cael eu cyfrif, mae'n ddadansoddiad **meintiol** o'r cynnws. Os caiff yr enghreifftiau ym mhob categori eu disgrifio yn hytrach na'u cyfrif, gall 'dadansoddi cynnwys' hefyd fod yn **ansoddol**. Wrth ddadansoddi ymddygiad pobl ifanc ar sail cynnwys llythyrau mewn cylchgrawn i'r arddegau, er enghraifft, byddai'r ymchwilydd yn darparu dyfyniadau o wahanol lythyrau i ddarlunio'r categori.

Enghraifft o ddadansoddi cynnwys

Dadansoddodd Manstead a McCulloch (1981) hysbysebion teledu ym Mhrydain o ran stereoteipiau'r ddau ryw ynddyn nhw. Mewn wythnos fe arsylwon nhw 170 o hysbysebion gan anwybyddu'r rhai a oedd yn cynnwys plant ac anifeiliaid yn unig. Fe ganolbwyntion nhw ar yr oedolyn canolog ym mhob hysbyseb a chofnodi'r amlderau mewn tabl fel yr un ar y dde. Yn achos pob hysbyseb unigol, gallan nhw roi dim tic, un tic neu sawl tic (gweler y tabl ar y dde).

Dadansoddodd Cumberbatch a Gauntlett (2005) gynnws y deg rhaglen a wyliwyd fwyaf gan rai 10–15 oed ym Mhrydain. Fe welon nhw mai 4% yn unig o'r rhaglenni a oedd heb unrhyw gyfeiriad neu bortread ynddyn nhw o ysmygu neu alcohol neu ddefnyddio cyffuriau. Roedd y mwyafrif llethol o'r golygfeydd a gynhwysai yfed alcohol neu ysmygu yn portreadu hynny â neges 'niwtral' (heb ddweud a oedd yn ymddygiad da neu ddrwg), ond neges negyddol oedd yn y mwyafrif o'r golygfeydd a ddarluniai defnyddio cyffuriau.

	Gwryw	Benyw
Hygrededd y cymeriad canolog		
Defnyddiwr y cynnyrch	☐	☐
Awdurdod y cynnyrch	☐	☐
Rôl y cymeriad canolog		
Rôl ddibynnol	☐	☐
Rôl annibynnol	☐	☐
Dadl y cymeriad canolog		
Ffeithiol	☐	☐
Barn	☐	☐
Y math o gynnyrch a ddefnyddiwyd gan y cymeriad canolog		
Bwyd/diod	☐	☐
Alcohol	☐	☐
Corff	☐	☐
Cartref	☐	☐

GWERTHUSO DADANSODDI CYNNWYS

Mae gan ddadansoddi cynnwys **ddilysrwydd ecolegol** uchel am ei fod wedi'i seilio ar arsylwi'r hyn y mae pobl yn ei wneud – cyfathrebu go-iawn sy'n gyfredol ac yn berthnasol, fel papurau newydd diweddar neu lyfrau plant sydd mewn print.

Pan fydd modd cadw ffynonellau neu pan fydd modd i eraill eu cyrchu (e.e. ôl-rifynnau o gylchgronau neu fideos o bobl yn areithio), gellir **dyblygu**'r darganfyddiadau.

Bydd **tuedd yr arsylwr** yn lleihau gwrthrychedd a dilysrwydd y darganfyddiadau am y gall arsylwyr gwahanol fod â dehongliadau gwahanol o ystyr y categorïau o ymddygiad.

ASTUDIAETHAU ACHOS

Mae **astudiaeth achos** yn golygu astudio unigolyn, sefydliad neu ddigwyddiad yn fanwl. Bydd yn defnyddio gwybodaeth o amrywiaeth o ffynonellau, fel gan y person ei hun a hefyd ei deulu a'i ffrindiau.

Mae'n bosibl defnyddio llu o dechnegau ymchwil – gellir **cyfweld** y bobl neu eu **harsylwi** wrth iddyn nhw fyw eu bywydau bob-dydd. Gallai seicolegwyr ddefnyddio **profion cyniferydd deallusrwydd** neu brofion personoliaeth neu ryw fath arall o **holiadur** i gynhyrchu data seicolegol am yr unigolyn neu'r grŵp o bobl sy'n darged. Gallan nhw ddefnyddio'r dull **arbrofol** i roi prawf ar yr hyn y gall yr unigolyn/grŵp targed ei wneud neu beidio â'i wneud.

Trefnir y darganfyddiadau i gynrychioli meddyliau, emosiynau, profiadau a galluoedd yr unigolyn. Fel rheol, astudiaethau **hydredol** yw astudiaethau achos; hynny yw, byddan nhw'n dilyn yr unigolyn neu'r grŵp dros gyfnod estynedig.

Ar dudalennau 36–37 fe ddisgrifion ni astudiaeth glasurol John Bowlby, *Forty-four Juvenile Thieves: Their Characters and Home-life*. Yn ei hanfod, cyfres o astudiaethau achos o blant dros flynyddoedd maith oedd hi.

GWERTHUSO ASTUDIAETH ACHOS

Gan fod y dull hwn yn cynnig cyfoeth o ddata manwl, mae'n debyg o amlygu gwybodaeth y gellir methu â sylwi arni wrth ddefnyddio dulliau eraill.

Mae'n arbennig o ddefnyddiol fel ffordd o ymchwilio i achosion o ymddygiad a phrofiadau dynol prin. Er enghraifft, wrth ymchwilio i achosion pobl sydd wedi cael niwed i'w hymennydd neu, mewn astudiaeth achos o ddigwyddiad, i ymateb pobl i'r terfysgoedd yn Llundain yn 2011. Fyddai hi ddim yn foesegol cynhyrchu amodau o'r fath mewn arbrawf.

Gellir astudio'r rhyngweithio cymhleth rhwng llu o ffactorau, yn wahanol i arbrofion lle caiff llu o newidynnau eu cadw'n gyson.

Ar y llaw arall, mae'n anodd cyffredinoli ar sail achosion unigol am fod i bob un ei nodweddion unigryw. Yn aml, bydd astudiaethau achos hefyd yn cynnwys adalw digwyddiadau o'r gorffennol fel rhan o hanes yr achos, a gall y dystiolaeth honno beidio â bod yn ddibynadwy. Am na chaiff astudiaethau achos eu henwi tan *ar ôl* digwyddiad allweddol (fel niwed i'r ymennydd, neu derfysg), allwn ni ddim bod yn siŵr nad oedd y newidiadau ymddangosiadol a arsylwyd mewn gwirionedd yn bresennol yn wreiddiol.

ENGHRAIFFT O ASTUDIAETH ACHOS: PHINEAS GAGE

Mae'n fwy na thebyg mai Phineas Gage yw'r claf enwocaf i fyw ar ôl cael niwed difrifol i'w ymennydd. Yn 1848, roedd wrthi'n adeiladu trac rheilffordd yn Vermont yn yr Unol Daleithiau. Defnyddiai bowdr gwn i chwalu'r graig. Byddai'n llenwi twll â dynameit, yn gorchuddio'r dynameit â thywod ac yn gwthio darn o haearn 109cm o hyd ato i wasgu'r powdr gwn. Un tro, anghofiodd gynnwys y tywod ac wrth iddo daro'r powdr gwn â'r darn haearn fe ffrwydrodd y powdr gwn gan yrru'r darn haearn drwy ei benglog.

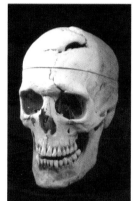

Nid yn unig y llwyddodd i oroesi ond fe ddaliai i allu siarad er iddo golli llawer o waed a cholli llawer o feinwe ei ymennydd. Ar ôl treulio cyfnod byr yn yr ysbyty, aeth ôl i weithio a bu fyw am 12 mlynedd arall. Rai blynyddoedd ar ôl iddo farw, datgladdwyd ei gorff (ynghyd â'r darn o haearn yr oedd wedi'i gadw) ac fe arddangoswyd ei benglog ym Mhrifysgol Harvard.

Mae'r ffaith i Phineas Gage allu gweithredu'n weddol normal yn dangos y gall pobl fyw er iddyn nhw golli llawer o'u hymennydd. Ond cafodd y ddamwain effaith ar bersonoliaeth Phineas. Cyn y ddamwain roedd yn weithiwr caled, cyfrifol a phoblogaidd, ond ar ei hôl roedd yn aflonydd, yn methu penderfynu, ac yn rhegwr mawr. Dywedodd ei gyfeillion nad yr un dyn oedd ef mwyach.

Bu'r achos hwnnw'n bwysig yn natblygiad llawfeddygaeth ar yr ymennydd am iddo ddangos bod modd tynnu rhannau o'r ymennydd heb ladd y claf. Aeth llawfeddygon ati, felly, i dynnu tyfiannau o'r ymennydd heb ofni'r gwaethaf. Awgrymodd y niwed i Phineas hefyd fod niweidio'r llabed flaen yn achosi newid yn y bersonoliaeth, ac fe ddylanwadodd hynny ar ddatblygiad lobotomïau blaen.

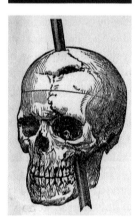

▲ Penglog Phineas yn cael ei arddangos, a llun arlunydd o'r ffordd y byddai'r rhoden haearn wedi mynd drwy ei ben.

CORNEL ARHOLIAD

Ymarfer ar gyfer senarios newydd

1. Hoffai ysbyty wybod pam y mae rhai cleifion ag anafiadau i'w pen yn gwella yn gynt na'i gilydd.
   a. Pam byddech chi'n argymell defnyddio astudiaeth achos i wneud yr ymchwil hwn? [2]
   b. Awgrymwch sut byddech chi'n cynnal astudiaeth achos yn y sefyllfa hon. [3]
2. Cafodd adran mewn prifysgol gyllid i astudio'r stereoteipiau (o ran oedran, rhywedd ac ati) a gyflwynir mewn llyfrau i blant. Bydden nhw'n cymharu'r llyfrau y mae plant yn eu darllen heddiw â'r rhai o gyfnod 20 mlynedd yn ôl i weld a oedd, a sut oedd, y stereoteipiau wedi newid.
   a. Awgrymwch **dair** eitem y gellid eu defnyddio'n gategorïau o ymddygiad yn yr astudiaeth hon. [3]
   b. Sut gallech chi sicrhau bod dau ymchwilydd yn defnyddio'r categorïau o ymddygiad yn yr un ffordd? [2]

CORNEL ARHOLIAD

1. Disgrifiwch **un** enghraifft o astudiaeth achos rydych chi wedi'i hastudio. [2]
2. Eglurwch **un** o anfanteision astudiaeth achos. [2]
3. Eglurwch yr hyn y mae astudiaeth achos yn ei gynnwys. [3]
4. Eglurwch beth yw dadansoddi cynnwys. [3]
5. Enwch **un** o fanteision dadansoddi cynnwys. [3]

Lefel A2 yn unig: Astudiaethau hydredol a thrawstoriadol, a sganiau o'r ymennydd

Ar y ddwy dudalen hyn, fe edrychwn ni ar rai technegau a dulliau pellach a ddefnyddir mewn ymchwil seicolegol.

▲ Mae cynnal astudiaeth hydredol (Cara, uchod) yn dileu newidynnau cyfranogwr (astudio'r un person dros gyfnod). Gellir gwneud astudiaeth drawstoriadol (isod) heb aros blynyddoedd i'r unigolion heneiddio. Gall astudiaethau trawstoriadol beidio â bod yn gysylltiedig ag oedran yn unig; fe allan nhw, er enghraifft, astudio pobl o wahanol broffesiynau.

ASTUDIAETHAU HYDREDOL A THRAWSTORIADOL

Longitudinal studies

Mae **astudiaeth hydredol** yn ymchwil dros gyfnod maith i arsylwi effeithiau tymor-hir. Er enghraifft, y gwahaniaeth rhwng pobl o wahanol oedrannau.

Yn aml (ond nid bob tro) bydd **astudiaethau achos** yn rhai hydredol. Er enghraifft, astudiaeth glasurol John Bowlby *Forty-four Juvenile Thieves: Their Characters and Home-life*. Yn ei hanfod, cyfres o astudiaethau achos o blant dros flynyddoedd maith oedd yr astudiaeth honno.

Bydd seicolegwyr datblygiad yn defnyddio ymchwil hydredol i astudio sut mae pobl yn newid wrth iddyn nhw heneiddio. Er enghraifft, mae astudiaeth o rieni a phlant yn Minnesota (Sroufe ac eraill, 2005) wedi dilyn plant o'r adeg roedden nhw'n fabanod tan eu harddegau hwyr ac wedi gweld bod parhad rhwng eu perthnasoedd cynnar a'u hymddygiad emosiynol/cymdeithasol diweddarach.

Astudiaethau trawstoriadol

Ffordd arall o astudio effeithiau oedran yw gwneud **astudiaeth drawstoriadol**. Cymharwyd grŵp o gyfranogwyr ifanc â grŵp hŷn o gyfranogwyr ar yr un adeg mewn amser (e.e. yn 2008) wrth ymchwilio i ddylanwad oedran ar yr ymddygiad dan sylw. Caiff y math hwn o astudiaeth drawstoriadol ei alw weithiau'n *astudiaeth giplun* am fod y ciplun yn cael ei dynnu ar adeg benodol.

Gall astudiaethau trawstoriadol astudio pethau heblaw effeithiau amser. Er enghraifft, gallai astudiaeth drawstoriadol astudio ymddygiadau gwahanol grwpiau proffesiynol (athrawon, meddygon, cyfreithwyr ac ati), h.y. gwahanol rannau o gymdeithas.

Astudiaeth drawstoriadol
Caiff grŵp o gyfranogwyr sy'n cynrychioli un rhan o gymdeithas (e.e. pobl ifanc neu bobl o'r dosbarth gweithiol) eu cymharu â chyfranogwyr o grŵp arall (e.e. hen bobl neu bobl o'r dosbarth canol).

Astudiaeth hydredol
Astudiaeth, dros gyfnod maith, a fydd yn aml yn ffurf ar gynllun ailadrodd mesurau lle caiff y cyfranogwyr eu hasesu ar ddau achlysur neu ragor wrth iddyn nhw heneiddio. Fodd bynnag, nid yw pob ymchwil hydredol yn arbrofol. Er enghraifft, gall pobl gael eu harsylwi am nifer o flynyddoedd, fel mewn astudiaeth achos.

Sganiau o'r ymennydd Techneg a ddefnyddir i ymchwilio i weithrediad yr ymennydd drwy dynnu lluniau o'r ymennydd byw.

GWERTHUSO

Manteision

Bydd astudiaethau hydredol yn rheoli o ran **newidynnau cyfranogwr**. Yn aml, byddan nhw'n defnyddio **cynllun ailadrodd mesurau**, sef rhoi prawf i'r un person sawl gwaith cyn cymharu'r canlyniadau fel bod pob newidyn arall dan reolaeth (fel y math o ofal plentyn roedd wedi'i gael neu nifer y plant yn ei deulu). Mewn cynllun trawstoriadol, tynnir cymhariaeth rhwng dau unigolyn gwahanol.

Mantais astudiaethau trawstoriadol yw eu bod yn gymharol gyflym. Gellir eu cyflawni mewn llai na blwyddyn ond gall astudiaethau hydredol gymryd blynyddoedd maith a hyd yn oed ddegawdau.

Anfanteision

Mewn astudiaeth hydredol mae **athreuliad** ('*attrition*') yn broblem. Mae'n anochel bod rhai o'r cyfranogwyr yn rhoi'r gorau iddi yn ystod astudiaeth. Yr anhawster yw bod y rheiny'n debycach o fod â nodweddion arbennig (e.e. y rhai sydd â llai o gymhelliant neu'n fwy anhapus neu heb wneud cystal) gan adael sampl â thuedd iddi neu sampl sy'n rhy fach.

Mewn astudiaeth hydredol mae'r cyfranogwyr yn debyg o ddod i wybod am nodau'r ymchwil a gall hynny effeithio ar eu hymddygiad (fel mewn cynllun ailadrodd mesurau).

Problem arall yw bod astudiaethau o'r fath yn cymryd amser maith i'w cwblhau ac felly'n anodd eu cyllido.

Mewn astudiaeth drawstoriadol, gall y grwpiau o gyfranogwyr fod yn wahanol mewn mwy o ffyrdd na'r ymddygiad sy'n destun yr ymchwil. Er enghraifft, os yw ymchwilydd yn cymharu athrawon, meddygon a chyfreithwyr, mae'r grwpiau hynny'n wahanol o ran eu proffesiwn ond gallan nhw hefyd fod yn wahanol am fod gan athrawon lai o arian. Hynny yw, mae'r gwahaniaethau rhwng y grwpiau yn deillio o newidynnau cyfranogwr yn hytrach na'r newidyn annibynnol (fel **cynllun grwpiau annibynnol**).

Ceir **effeithiau carfan** am fod grŵp (neu garfan) o bobl sydd i gyd o'r un oed yn rhannu profiadau penodol, fel y deietau gwael a gafodd y plant a aned ychydig cyn y Rhyfel Byd Cyntaf oherwydd y dogni.

Mewn astudiaeth hydredol, efallai nad oes modd cyffredinoli darganfyddiadau ynghylch un garfan yn unig oherwydd nodweddion unigryw'r garfan.

Mewn astudiaeth drawstoriadol, er enghraifft, gallai cymharu cyniferydd deallusrwydd pobl 20-29 oed â phobl 80-89 oed ddangos bod y ffigur yn is o lawer yn achos y grŵp olaf. Mae hynny'n awgrymu bod cyniferydd deallusrwydd yn dirywio wrth heneiddio. Ond fe all y rhai 80-89 oed fod wedi bod â chyniferydd deallusrwydd is pan oedden nhw'n 20-29 oed (oherwydd eu deiet gwael, er enghraifft). Dyna 'effaith y garfan'.

SGANIAU O'R YMENNYDD

Yr ymennydd yw'r prif ganolbwynt wrth ddeall ymddygiad pobl. Yr unig ffordd o astudio'r ymennydd gynt oedd cynnal archwiliad **post-mortem**. Yn y 19eg ganrif, er enghraifft, bu modd i Paul Broca nodi rhan benodol o'r ymennydd yn ganolfan i iaith/ieithoedd drwy archwilio ymennydd ei gleifion ar ôl iddyn nhw farw. Cawsai un grŵp o'i gleifion drafferth siarad ag fe welodd fod gan bob un ohonyn nhw niwed i ran benodol o'u hymennydd (gweler tudalen 10).

EEG

Yn y 1950au, yr unig ddull a oedd ar gael i astudio gweithgarwch yr ymennydd oedd yr electroenseffalogram (**EEG**). Gosodir electrodau ar groen y pen fel bod modd cofnodi gweithgarwch trydanol yn y gwahanol rannau o'r ymennydd. Defnyddiwyd EEG yn astudiaeth glasurol Dement a Kleitman (1957) i ganfod gwahanol gyfnodau cwsg. Wrth i bobl fynd i gysgu, bydd tonnau eu hymennydd yn arafu. Gall peiriant EEG ganfod hynny. Yn ystod noson o gwsg, bydd y patrwm yn newid o dro i dro ac yn cyflymu cryn dipyn, a'r llygaid, er eu bod ar gau, yn saethu fan hyn fan draw. Yr enw ar hyn yw cwsg **symudiad llygaid cyflym** (**REM**). Ar wahanol adegau, deffrodd Dement a Kleitman y cyfranogwyr o'u cwsg a chael eu bod nhw'n llawer tebycach o sôn am iddyn nhw freuddwydio os bydden nhw'n cael eu deffro yn ystod cwsg REM.

Datblygiad technegau sganio'r ymennydd

Dros y 30 mlynedd diwethaf, datblygwyd dulliau llawer mwy manwl-gywir o astudio'r ymennydd. Dyma ddisgrifiad o bob un:

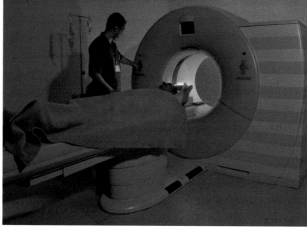

▲ Sganiwr MRI. Bydd y claf yn gorwedd ar dabl sy'n llithro drwy'r siambr grom. Ar waelod y siambr mae magnet. Mae'r siambr yn cynnwys derbynyddion sy'n codi'r signalau radio a ddaw o gelloedd y corff.

Sganiau CAT
Tomograffeg echelinol gyfrifiadurol
(*Computed Axial Tomography*)

Tynnir cyfres o luniau pelydr-x a'u cyfuno i roi darlun dau- neu dri-dimensiwn cyflawn o'r rhan sy'n cael ei sganio. Fel rheol, chwistrellir lliwur i'r claf i greu cyferbyniadau cyn ei roi yn y peiriant sganio CAT silindrog sy'n tynnu'r lluniau.

Defnyddiodd Johnstone ac eraill (1976) sganiau CAT i ddangos bod ymennydd pobl â **sgitsoffrenia** yn wahanol i ymennydd arferol. Roedd y gofodau-llawn-hylif yn yr ymennydd (fentriglau) yn llawer mwy o faint.

Sganiau MRI
Delweddu cyseiniant magnetig
(*Magnetic Resonance Imaging*)

Defnyddir maes magnetig sy'n peri i atomau'r ymennydd newid eu haliniad pan fydd y magnet ar waith, ac allyrru amrywiol signalau radio pan fydd y magnet wedi'i ddiffodd. Bydd canfodydd yn darllen y signalau ac yn eu defnyddio i fapio adeiledd yr ymennydd.

Defnyddiodd astudiaeth glasurol Maguire ac eraill (2000) sganiau MRI i ddangos bod gan yrwyr tacsis hipocampws mwy o faint na gyrwyr eraill. Ategodd hynny'r farn fod y rhan honno o'r ymennydd yn bwysig mewn cof gofodol.

Mae MRI ffwythiannol (fMRI) yn darparu gwybodaeth anatomegol a ffwythiannol drwy gymryd sawl delwedd olynol o'r ymennydd ar waith.

Sganiau PET
Tomograffeg gollwng positronau
(*Positron Emission Tomography*)

Mae'r math hwn o sgan yn golygu rhoi dos o glwcos (siwgr) sydd ychydig yn ymbelydrol i'r claf. Gan fod y rhannau mwyaf gweithgar o'r ymennydd yn defnyddio glwcos, gall canfodyddion ymbelydredd 'weld' y rhannau ymbelydrol ac felly ddatblygu llun o weithgarwch yr ymennydd. Bydd y sganiau'n ddi-boen ac yn cymryd rhwng 10 a 40 munud i'w cwblhau.

Defnyddiodd Raine ac eraill (1997: gweler tudalen 16) sganiau PET i gymharu gweithgarwch yr ymennydd mewn llofruddion ac unigolion normal. Gwelon nhw fod gwahaniaethau mewn rhannau o'r ymennydd fel y cortecs cyndalcennol a'r amygdala – rhannau a oedd wedi'u cysylltu cynt ag ymddygiad ymosodol. Ond fe wnaethon nhw'r pwynt nad yw gwahaniaethau o'r fath yn yr ymennydd yn dangos mai bioleg yn unig sy'n achosi trais.

Mantais: Mae sganiau CAT yn ddefnyddiol wrth amlygu adeileddau annormal yn yr ymennydd, fel tyfiannau, neu ddifrod i'r adeiledd. Mae ansawdd delweddau'r sgan CAT yn rhagori llawer ar ansawdd lluniau pelydr-x traddodiadol.

Anfantais: Mae sganiau CAT yn defnyddio mwy o ymbelydredd na lluniau pelydr-x traddodiadol, a pho fwyaf manwl a chymhleth yw'r sgan CAT, mwyaf yn y byd o ymbelydredd a gaiff y claf. Dim ond gwybodaeth am adeiledd y bydd sganiau CAT yn ei rhoi.

Mantais: Mae MRI yn rhoi delwedd fanylach na sganiau CAT o feinwe feddal yr ymennydd, ac mae'n golygu pasio maes magnetig eithriadol o gryf drwy'r claf yn hytrach na defnyddio pelydrau-x. Mae MRI yn fwyaf addas mewn achosion lle mae claf ar fin cael ei archwilio sawl tro'n olynol yn y tymor byr am nad yw MRI, yn wahanol i CAT, yn gorfodi'r claf i wynebu peryglon ymbelydredd.

Anfantais: Bydd sganiau MRI yn cymryd amser maith ac fe allan nhw fod yn anghysurus i'r claf.

Mantais: Bydd sganiau PET yn dadlennu gwybodaeth gemegol na cheir mohoni gan dechnegau delweddu eraill. Felly, gallan nhw wahaniaethu, er enghraifft, rhwng tyfiannau anfalaen a malaen. Gall sganiau PET hefyd ddangos yr ymennydd ar waith, ac mae hynny'n ddefnyddiol mewn ymchwil seicolegol.

Anfantais: Gan fod hon yn dechneg hynod gostus, dydy hi ddim ar gael yn hwylus ar gyfer ymchwil. Hefyd, rhaid chwistrellu sylwedd ymbelydrol i'r claf, a dim ond hyn-a-hyn o weithiau y mae modd defnyddio'r dechneg. Yn olaf, mae sganiau PET yn llai manwl-gywir na sganiau MRI.

Sgiliau mathemategol

Ar draws pob arholiad ar gyfer y naill lefel a'r llall, mae manyleb Seicoleg UG a Safon Uwch yn mynnu bod o leiaf 25% o'r marciau'n dod o gwestiynau sy'n ymwneud yn benodol â dulliau ymchwil, ac yn y 25% hwnnw rhaid i o leiaf 10% o'r marciau fod yn gysylltiedig â sgiliau mathemategol.

▲ Mae mathemateg yn rhif 1.

Mae'r canrannau uchod yn dangos mai dulliau ymchwil sy'n RHIF 1. Mae'n bwysicach o gryn dipyn nag unrhyw un arall o'r pynciau seicolegol a astudiwch chi.

Bydd cynnwys y bennod hon yn fodd i chi ateb cwestiynau yn rhannau B a C arholiad Uned 2 ac yn werth ychydig dros draean o'ch MARC CYFAN AR GYFER UG.

Felly, os ydych chi am wneud yn dda mewn seicoleg, mae angen i chi astudio dulliau ymchwil.

Cyngor arholiad…

Cewch ddefnyddio cyfrifiannell yn yr arholiad – gwnewch yn siŵr bod un gennych chi.

Fodd bynnag, ni fydd y mwyafrif o sgiliau mathemateg yn galw am unrhyw waith cyfrif.

Y GOFYNION MATHEMATEGOL YN Y FANYLEB

Cyn i chi ddechrau pryderu ynghylch sgiliau mathemateg, darllenwch y rhestr isod o sgiliau y bydd arnoch chi eu hangen i ateb y cwestiynau 10% Mathemateg yn UG. Mae eraill y bydd arnoch chi eu hanger ar gyfer A2.

	Sgiliau	Ble maen nhw'n cael sylw
Rhifyddeg a chyfrifiannau rhifyddol	Adnabod a defnyddio mynegiadau ar ffurf ddegol a safonol.	Gweler y dudalen gyferbyn.
	Defnyddio ffracsiynau, canrannau a chymarebau.	Gweler y dudalen gyferbyn.
	Amcangyfrif canlyniadau.	Gweler y dudalen gyferbyn.
Trin data	Defnyddio nifer priodol o ffigurau ystyrlon.	Gweler y dudalen gyferbyn.
	Dod o hyd i gymedrau rhifyddol.	Gweler tudalen 145.
	Llunio a dehongli tablau a diagramau amlder, siartiau bar a histogramau.	Gweler tudalen 146.
	Deall tebygolrwydd syml.	Gweler tudalen 150. Lefel A2 yn unig
	Deall egwyddorion samplu fel y'u cymhwysir at ddata gwyddonol.	Gweler tudalennau 124–125.
	Deall y termau 'cymedr', 'canolrif' a 'modd'.	Gweler tudalen 144.
	Defnyddio diagram gwasgariad i adnabod cydberthyniad rhwng dau newidyn.	Gweler tudalen 136.
	Defnyddio prawf ystadegol.	Gweler tudalennau 152–161. Lefel A2 yn unig
	Gwneud cyfrifiadau trefn maint.	Gweler y dudalen gyferbyn.
	Gwybod nodweddion dosraniadau normal a sgiw.	Gweler tudalen 147. Lefel A2 yn unig
	Deall mesurau o wasgariant, gan gynnwys gwyriad safonol ac amrediad.	Gweler tudalen 144.
	Deall y gwahaniaethau rhwng data ansoddol a meintiol.	Gweler tudalen 148.
	Deall y gwahaniaeth rhwng data cynradd ac eilaidd.	Gweler tudalen 149.
	Dewis prawf ystadegol priodol.	Gweler tudalen 151. Lefel A2 yn unig
	Defnyddio tablau ystadegol i benderfynu ynghylch arwyddocâd.	Gweler tudalennau 153–161. Lefel A2 yn unig
	Gwahaniaethu rhwng lefelau mesur.	Gweler tudalen 144.
Algebra	Deall a defnyddio'r symbolau: $=, <, \ll, \gg, >, \propto, \sim$.	Gweler y dudalen gyferbyn.
	Defnyddio'r unedau priodol ar gyfer meintiau ffisegol wrth amnewid gwerthoedd rhifiadol mewn hafaliadau algebraidd.	Gweler tudalen 145.
	Datrys hafaliadau algebraidd syml.	Gweler tudalen 145.
Graffiau	Trosi gwybodaeth rhwng ffurfiau graffigol, rhifiadol ac algebraidd.	Gweler tudalen 146.
	Plotio dau newidyn ar sail data arbrofol neu ddata eraill.	Gweler tudalennau 136 a 146.

RHAI CYSYNIADAU MATHEMATEGOL SYLFAENOL

Mae'n debyg eich bod chi, yn ystod eich cwrs Mathemateg, wedi dod ar draws o leiaf rai o'r cysyniadau a amlinellir isod. Esboniadau byr, felly, gewch chi yma:

Ffracsiynau

Rhan o rif cyfan, fel $\frac{1}{2}$ neu $\frac{3}{4}$, yw **ffracsiwn**. Efallai y byddwn ni eisiau cyflwyno canlyniadau astudiaeth fel ffracsiwn. Er enghraifft, os oedd 120 o gyfranogwyr mewn astudiaeth a 40 ohonyn nhw yng nghyflwr A, pa ffracsiwn o'r cyfranogwyr yw hynny?

I gyfrifo ffracsiwn, fe rannwn ni 40 â 120 = $\frac{40}{120}$.

I wneud ffracsiwn yn fwy dealladwy, byddwn ni'n ei leihau drwy rannu'r rhif uchaf (y rhifiadur) a'r rhif isaf (yr enwadur) â'r rhif isaf sy'n rhannu'n gyfartal i'r naill a'r llall (yr enwadur cyffredin isaf).

Yn yr achos hwn, 40 yw'r rhif hwnnw, ac felly cawn ffracsiwn o $\frac{1}{3}$.

Canrannau

Mae'r term 'y cant' yn golygu 'allan o 100'. Felly mae 5% yn golygu 5 allan o 100 neu $\frac{5}{100}$. Rydyn ni wedi troi'r **ganran** yn ffracsiwn.

Gallwn ni leihau'r ffracsiwn hwnnw i $\frac{1}{20}$.

Neu fe allwn ni ysgrifennu $\frac{5}{100}$ fel degolyn = 0.05 am fod y lle degol cyntaf allan o 10 a'r ail allan o 100.

Byddai'r degolyn 0.5 yn 5 allan o 10, nid 5 allan o 100.

I newid ffracsiwn yn ganran, rhannwch y rhifiadur a'r enwadur. Er enghraifft, yn achos y ffracsiwn $\frac{19}{36}$ fe rannwn ni 19 â 36 (gan ddefnyddio cyfrifiannell) a chael 0.52777778. Yna, fe luoswn ni hynny â 100 a chael 52.777778%.

Cymarebau

Mae **cymhareb** yn dweud faint sydd o un peth o'i gymharu â pheth arall.

Defnyddir cymarebau ym myd betio. Felly, os ydych chi'n un sy'n betio, byddwch chi'n teimlo'n gartrefol. Caiff ods eu rhoi fel 4 i 1 (4:1), sef bod disgwyl i chi golli pedair gwaith allan o 5 ac ennill unwaith.

Mae dwy ffordd o fynegi cymhareb. Naill ai'r ffordd uchod, sef cymhareb rhan-i-ran, neu gymhareb rhan-i'r-cyfan, a gâi ei fynegi fel 4:5, sef colli pedair gwaith allan o 5.

Mae'n hawdd troi cymhareb rhan-i'r-cyfan yn ffracsiwn: 4:5 yw $\frac{4}{5}$.

Gallwch chi leihau cymarebau i'r ffurf isaf yn yr un ffordd â ffracsiynau. Felly, ffurf symlach ar 10:15 fyddai 2:3 (mae'r naill ran a'r llall o'r ffracsiwn wedi'u rhannu â 5).

Amcangyfrif y canlyniadau

Wrth wneud unrhyw gyfrifiadau, mae'n help i chi amcangyfrif beth mae'r canlyniad yn debyg o fod. Wedyn, gallwch chi weld a ydych chi'n gwneud camgymeriad.

Ystyriwch y ffracsiwn $\frac{19}{36}$. Mae'n eithaf agos at $\frac{18}{36}$, sydd yr un peth â hanner (50%), ac felly dylai'r ateb fod ychydig yn fwy na hanner.

Gellid gwneud yr un peth wrth ddelio â rhifau mawr. Er enghraifft, i amcangyfrif lluoswm 185,363 gwaith 46,208, gallwn dalgrynnu 185,363 i fyny i 200,000 a thalgrynnu 46,208 i fyny i 50,000.

Yna, lluosi 5 x 2 ac yna ychwanegu naw sero = 10,000,000,000.

Gwn y bydd yr ateb cywir yn llai na hynny am i mi dalgrynnu'r ddau rif i fyny. Yr ateb cywir yw 8,565,253,504.

Ffigurau ystyrlon

Mae'r enghraifft uchod yn cynnwys llu o ddigidau a dydy llawer ohonyn nhw ddim yn bwysig iawn! Byddai'n llawer symlach petawn i'n dweud mai'r ateb oedd rhyw 8 biliwn (8,000,000,000). Yn yr achos hwn, rwyf wedi rhoi'r ateb i un **ffigur ystyrlon** ac mae'r gweddill i gyd yn sero rhag iddyn nhw dynnu sylw.

Ond dydy hynny ddim yn gwbl gywir. Allwn ni ddim dileu'r ffigurau heb ystyried a oes rhaid i ni dalgrynnu i fyny. Yn ein henghraifft ni, byddai 8,500,000,000 hanner ffordd rhwng 8 a 9 biliwn a dylid talgrynnu 8,565,253,504 i fyny i 9 biliwn (1 ffigur ystyrlon). Dau ffigur ystyrlon fyddai 8,600,000,000.

Gadewch i ni ystyried y ganran ar y chwith, 52.777778%, rhif lletchwith arall. Gallen ni ei roi i ddau ffigur ystyrlon, sef 53% (dileu pob ffigur ond dau a thalgrynnu i fyny am fod y trydydd ffigur yn fwy na phump). Os oedd arnon ni eisiau troi'r rhif hwnnw i dri ffigur ystyrlon, 52.8% fyddai hwnnw. Petai'r rhif gwreiddiol yn 52.034267%, y tri ffigur ystyrlon fyddai 52.0% – rhaid i ni ddynodi tri ffigur.

Trefn maint a ffurf safonol

Wrth ddelio â rhifau mawr iawn, mae hi weithiau'n gliriach rhoi dau ffigur ystyrlon yn unig ac yna ddweud sawl sero sydd yno gan ganolbwyntio, felly, ar **drefn maint**. Y confensiwn ar gyfer gwneud hynny yn achos 8,600,000,000 yw 8.6 x 109 lle mae 9 yn cynrychioli faint o leoedd rydyn ni wedi symud y pwynt degol. I drosi 0.0045 fe ysgrifennwn ni 4.5×10^{-3} (dyma'r **ffurf safonol**).

Symbolau mathemategol

Ac yn olaf, rydych chi'n haeddu gwobr am gyrraedd mor bell â hyn! Mae'r symbolau y mae angen i chi allu eu defnyddio i'w gweld yn y tabl isod.

= a ~	<	<< a >>	>	≤ ≥	∝
Hafal a hafal yn fras	Llai na	Llawer llai na a llawer mwy na	Mwy na	Llai na neu hafal i Mwy na neu hafal i	Mewn cyfranedd â

TERMAU ALLWEDDOL

Ffigur ystyrlon Mae'n cyfeirio at y nifer o ddigidau sengl pwysig a ddefnyddir i gynrychioli rhif. Mae'r digidau'n 'bwysig' am y byddai'r rhif, pe câi'r digidau hyn eu dileu, yn eithaf gwahanol o ran ei faint.

Ffracsiwn, canran, cymhareb Dulliau o fynegi rhannau o'r cyfan.

Ffurf safonol Ffordd o fynegi rhifau mawr iawn neu fach iawn drwy eu mynegi fel rhif rhwng 1 a 10 a'i luosi â 10 i bŵer N lle mae N yn dynodi nifer y lleoedd y mae'r pwynt degol wedi symud.

Trefn maint Ffordd o fynegi rhif drwy ganolbwyntio ar y maint cyffredinol. Gwneir hynny drwy fynegi'r rhif yn nhermau pwerau o 10.

CORNEL ARHOLIAD

1. Cynrychiolwch $\frac{3}{8}$ fel canran. Rhowch eich ateb i ddau ffigur ystyrlon. [2]
2. Mae ar ymchwilydd eisiau rhannu 4,526 â 42. Amcangyfrifwch beth fyddai'r canlyniad ac eglurwch sut cawsoch chi hyd i'ch ateb. [2]
3. Mynegwch 0.02 fel ffracsiwn. [1]
4. Eglurwch ystyr y datganiad hwn: 'Mae nifer y merched < nifer y bechgyn'. [1]

Mesurau o ganolduedd a gwasgariant

Caiff y wybodaeth a gesglir mewn unrhyw astudiaeth ei galw'n ddata neu, yn fwy manwl-gywir, yn set ddata (set o eitemau). Dydy data ddim o reidrwydd yn rhifau; gallan nhw fod yn eiriau a ddefnyddir i ddisgrifio teimladau. Am y tro, byddwn ni'n canolbwyntio ar ddata rhifiadol, sef **data meintiol**. Ar ôl i ymchwilydd gasglu data o'r fath, mae angen eu dadansoddi i ganfod y tueddiadau neu i weld y 'darlun ehangach'. Un o'r ffyrdd o wneud hynny yw *disgrifio'r* data – er enghraifft, drwy roi sgôr gyfartalog ar gyfer grŵp o gyfranogwyr. Dyna pam y caiff ystadegau o'r fath eu galw'n **ystadegau disgrifiadol** – maen nhw'n nodi patrymau cyffredin.

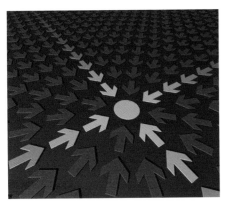

▲ Dod o hyd i bwynt canol eich data – mesur o'r canol neu'r 'ganolduedd'.

LEFELAU MESUR

Gwahaniaethir rhwng gwahanol fathau o ddata.

- **Enwol** Mae'r data mewn categorïau ar wahân, fel grwpio pobl yn ôl eu hoff dîm pêl-droed (e.e. Lerpwl, Inverness Caledonian Thistle, Abertawe ac ati).
- **Trefnol** Trefnir y data mewn rhyw ffordd – er enghraifft, drwy ofyn i bobl restru timau pêl-droed yn nhrefn eu hoffter ohonyn nhw. Gallai Lerpwl fod yn gyntaf ac yna Inverness ac ati. Nid yr un faint sydd i'r 'gwahaniaeth' rhwng pob eitem, h.y. gallai'r unigolyn hoffi'r eitem gyntaf lawer mwy na'r ail ond efallai mai gwahaniaeth bach yn unig sydd rhwng yr eitemau a roddwyd yn ail ac yn drydydd.
- **Cyfwng** Mesurir data gan ddefnyddio unedau ac iddyn nhw gyfyngau hafal, fel pan gyfrifir atebion cywir neu pan ddefnyddir unrhyw uned 'gyhoeddus' o fesur. Bydd llawer o astudiaethau seicolegol yn defnyddio 'graddfeydd cyfyngau plastig' lle penderfynir ar y cyfyngau'n fympwyol. Allwn ni ddim gwybod i sicrwydd, felly, fod cyfyngau hafal rhwng y rhifau. Ond at ddibenion dadansoddi, gall data o'r fath gael eu derbyn yn ddata cyfwng.
- **Cymhareb** Ceir gwir bwynt sero, fel yn y mwyafrif o fesurau o feintiau ffisegol.

MESURAU O GANOLDUEDD

Mae **mesurau o ganolduedd** yn dweud wrthym am werthoedd canol set ddata. Maen nhw'n 'gyfartaleddau' – yn ffyrdd o gyfrifo gwerth nodweddiadol set ddata. Gellir cyfrifo'r cyfartaledd mewn gwahanol ffyrdd, a phob un yn briodol ar gyfer sefyllfa wahanol.

Cymedr

Cyfrifir y **cymedr** drwy adio'r holl eitemau data a'u rhannu â'r nifer o eitemau data. Yr enw cywir arno yw cymedr rhifyddol am ei fod yn cynnwys cyfrifo rhifyddol. Allwch chi ond ei ddefnyddio gyda data ar lefel **cymhareb** a **chyfwng**.

Canolrif

Y **canolrif** yw'r gwerth canol mewn rhestr drefnus. Rhaid gosod yr holl eitemau data yn eu trefn ac yna'r gwerth canol yw'r canolrif. Os oes eilrif o eitemau data, bydd dau werth canol. I gyfrifo'r canolrif, adiwch y ddwy eitem ddata a rhannwch â dau. Gallwch chi ddefnyddio'r canolrif gyda data cymhareb, data cyfwng a data **trefnol**.

Modd

Y **modd** yw'r gwerth sy'n digwydd amlaf yn yr eitemau data. Yn achos data enwol, dyna'r categori sydd â'r cyfrif amlder uchaf. Yn achos data cyfwng a data enwol, dyna'r eitem ddata sy'n digwydd amlaf. I ddod o hyd iddo, mae angen gosod yr eitemau data mewn trefn. Y grŵp moddol yw'r grŵp sydd â'r amlder mwyaf.

Os oes gan ddau gategori yr un amlder, mae gan y data ddau fodd, hynny yw, maen nhw'n ddeufodd.

MESURAU O WASGARIANT

Gellir hefyd ddisgrifio set ddata yn nhermau pa mor wasgaredig yw'r eitemau data. Yr enw ar y disgrifiadau hynny yw **mesurau o wasgariant**.

Amrediad

Yr **amrediad** yw'r pellter rhifyddol rhwng y gwerthoedd uchaf ac isaf mewn set ddata. Gan mai'r arfer yw ychwanegu 1, yr amrediad yn achos y set ddata gyntaf isod, er enghraifft, fyddai 15 – 3 + 1. Ychwanegir 1 am y gallai'r rhif isaf, sef 3, gynrychioli gwerth mor isel â 2.5 a gallai'r rhif uchaf, sef 15, gynrychioli rhif mor fawr ag 15.5.

Ystyriwch y setiau data isod:

3, 5, 8, 8, 9, 10, 12, 12, 13, 15   cymedr = 9.5, amrediad = 13 (15 – 3+1)

1, 5, 8, 8, 9, 10, 12, 12, 13, 17   cymedr = 9.5, amrediad = 17 (17 – 1+1)

Mae'r un cymedr, ond amrediad gwahanol, i'r ddwy set o rifau. Mae'r amrediad, felly, yn ddefnyddiol fel dull pellach o *ddisgrifio'r* data. Petaen ni ddim ond yn defnyddio'r cymedr, byddai'r data'n ymddangos fel petaen nhw'r un peth.

Gwyriad safonol

Mae dull mwy manwl-gywir o fynegi gwasgariant, sef y **gwyriad safonol**. Mae hwnnw'n fesur o'r pellter cyfartalog rhwng pob eitem ddata uwchlaw ac islaw'r cymedr, gan anwybyddu gwerthoedd plws neu finws. Fel rheol, defnyddir cyfrifiannell i'w gyfrifo. Y gwyriadau safonol ar gyfer y ddwy set ddata uchod yw 3.69 a 4.45 yn y drefn honno (defnyddiwyd cyfrifiannell i'w cyfrifo).

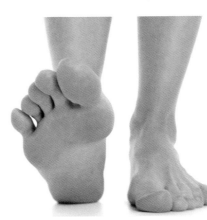

◄ Cymedr nifer y coesau sydd gan bobl yw 1.999. Byddai'n well defnyddio'r modd i ddisgrifio nifer cyfartalog y coesau.

GWERTHUSO MESURAU O GANOLDUEDD

Y cymedr

Am ei fod yn cymryd i ystyriaeth yr union bellter rhwng pob un o werthoedd yr holl ddata, cymedr yw'r mesur mwyaf sensitif o ganolduedd.

Oherwydd ei sensitifrwydd, mae modd i un (neu ambell) gwerth eithaf ei ystumio'n rhwydd a thrwy hynny orffen drwy gam-gynrychioli'r data fel cyfanwaith.

Ni allwch ei ddefnyddio gyda data enwol ac nid yw'n gwneud synnwyr ei ddefnyddio pan fydd gennych chi werthoedd arwahanol fel mewn nifer cyfartalog o goesau.

Y canolrif

Yn wahanol i'r cymedr, ni fydd sgorau eithaf yn effeithio ar y canolrif. Felly, mae'n ddefnyddiol o dan amgylchiadau o'r fath. Mae'n briodol ar gyfer data trefnol a gall fod yn haws ei gyfrifo.

O safbwynt negyddol, nid yw'r canolrif mor 'sensitif' â'r cymedr am na chaiff yr union werthoedd eu hadlewyrchu yn y canolrif.

Y modd

Ni fydd gwerthoedd eithaf yn effeithio ar y modd chwaith, ac mae'n llawer mwy defnyddiol wrth drin data arwahanol. Dyma'r unig ddull y gallwch chi ei ddefnyddio pan fydd y data mewn categorïau, h.y. data trefnol.

Nid yw'r modd yn ffordd ddefnyddiol o ddisgrifio data pan fydd sawl modd.

GWERTHUSO MESURAU O WASGARIANT

Amrediad

Mae'n hawdd cyfrifo'r amrediad ond bydd gwerthoedd eithaf yn effeithio arno.

Bydd hefyd yn methu â chymryd i ystyriaeth ddosbarthiad y rhifau. Er enghraifft, nid yw amrediad yn dynodi a yw'r mwyafrif o'r rhifau wedi'u grwpio'n agos o amgylch y cymedr neu wedi'u gwasgaru'n wastad.

Gwyriad safonol

Mae'r gwyriad safonol yn fesur manwl-gywir o wasgariad am ei fod yn cymryd pob gwerth union i ystyriaeth.

Nid yw'n anodd ei gyfrifo os oes gennych chi gyfrifiannell.

Gall guddio rhai o nodweddion y set ddata (e.e. gwerthoedd eithaf).

TERMAU ALLWEDDOL

Amrediad Y gwahaniaeth rhwng yr eitem uchaf ac isaf mewn set ddata. Fel rheol, ychwanegir 1 yn gywiriad.

Canolrif Gwerth canol set ddata pan osodir yr eitemau yn eu trefn.

Cymedr Cyfartaledd rhifyddol set ddata. Mae'n cymryd union werthoedd yr holl ddata i ystyriaeth.

Gwyriad safonol Mae'n dangos faint o amrywio sydd mewn set ddata. Mae'n asesu gwasgariad y data o amgylch y cymedr.

Meintiol Data wedi'u mesur mewn rhifau.

Mesur o ganolduedd Ystadegyn disgrifiadol sy'n rhoi gwybodaeth am werth 'nodweddiadol' ar gyfer set ddata.

Mesur o wasgariant Ystadegyn disgrifiadol sy'n rhoi gwybodaeth am wasgariad set ddata.

Modd Y gwerth neu'r eitem sy'n digwydd amlaf mewn set ddata.

CYFRIFIADAU

Gall fod gofyn i chi amcangyfrif neu gyfrifo'r cymedr neu'r canolrif mewn arholiad. Cewch ddisgrifiad o'r dulliau ar y dudalen gyferbyn.

Gellir rhoi'r fformiwla i gyfrifo'r cymedr fel: $\frac{\sum x}{n}$

Caiff '$\sum$' ei ynganu'n 'sigma' ac mae'n golygu 'swm'. Felly, mae'r fformiwla'n dweud 'adiwch yr holl werthoedd (x) a rhannwch y cyfanswm â nifer (n) yr eitemau data'.

Efallai bydd gofyn i chi hefyd amcangyfrif neu gyfrifo'r gwyriad safonol ar gyfer set ddata, a chewch ddefnyddio cyfrifiannell. Ond yn yr arholiad, efallai y cewch gais i amnewid gwerthoedd yn y fformiwla. Y fformiwla yw: $\sqrt{\frac{\sum(x-\bar{x})^2}{n-1}}$

Rhaid i chi dynnu pob eitem data (x) o'r cymedr, a ysgrifennir fel ($\bar{x}$) (gweler y tabl isod lle defnyddir y set ddata o'r dudalen gyferbyn.

Yna sgwariwch y canlyniad (colofn 3) ac adiwch nhw, rhannwch ag n ac, yn olaf, cyfrifwch yr ail isradd.

Eitemau data	Tynnwch bob rhif datwm o'r cymedr	Sgwario
3	9.5 − 3 = 6.5	42.25
5	9.5 − 5 = 4.5	20.25
8	9.5 − 8 = 1.5	2.25
8	9.5 − 8 = 1.5	2.25
9	9.5 − 9 = 0.5	0.25
10	9.5 − 10 = −0.5	0.25
12	9.5 − 12 = −2.5	6.25
12	9.5 − 12 = −2.5	6.25
13	9.5 − 13 = −3.5	12.25
15	9.5 − 15 = −5.5	30.25
$\sum x = 95$ $\frac{\sum x}{n} = 9.5$		$\sum(x-\bar{x})^2 = 122.50$ Rhannwch ag n (sef 10) a chyfrifwch yr ail isradd = 3.50 (i ddau le degol)

CORNEL ARHOLIAD

Ymarfer ar gyfer senarios newydd

1. Yn achos pob un o'r setiau data isod, ewch ati, os yw'n briodol, i amcangyfrif y cymedr, y canolrif a/neu'r modd yn gyntaf ac yna'u cyfrifo. [3 marc am bob ateb]
   a. 2, 3, 5, 6, 6, 8, 9, 12, 15, 21, 22
   b. 2, 3, 8, 10, 11, 13, 13, 14, 14, 29
   c. 2, 2, 4, 5, 5, 5, 7, 7, 8, 8, 8, 10
   ch. cath, cath, ci, byji, neidr, gerbil

2. Yn achos pob un o'r setiau data (a-ch) yng nghwestiwn 1, dywedwch p'un o'r tri mesur o ganolduedd fyddai'r un mwyaf addas i'w ddefnyddio, a pham. [2 farc yr un]

3. Amcangyfrifwch gymedr a gwyriad safonol y setiau data isod. [2 farc am bob ateb]
   a. 119, 131, 135, 142, 145, 147, 155, 156, 161, 163
   b. 0.15, 0.23, 0.28, 0.34, 0.34, 0.34, 0.36, 0.46

4. Edrychwch ar y ddwy set o ddata isod. P'un yn eich barn chi fyddai â'r gwyriad safonol lleiaf? [Marc am bob ateb]
   Set ddata A: 2 2 3 4 5 9 11 14 18 20 21 22 25
   Set ddata B: 2 5 8 9 9 10 11 12 14 15 16 20 25

5. Cyfrifwch y gwyriad safonol ar gyfer y setiau data uchod. Rhowch eich ateb i ddau ffigur ystyrlon. [2 farc am bob ateb]

CORNEL ARHOLIAD

1. Enwch **un** mesur o ganolduedd ac eglurwch sut mae ei gyfrifo ar gyfer set ddata. [1 + 2]

2. Eglurwch **un** o fanteision ac un o anfanteision defnyddio'r cymedr i weithio allan canolduedd set ddata. [2 + 2]

3. Enwch **un** mesur o wasgariad ac eglurwch sut mae ei gyfrifo ar gyfer set ddata. [1 + 2]

Arddangos data meintiol

Mae llun yn werth 1,000 o eiriau! Mae graffiau a thablau'n ffordd o ddarlunio'ch data a gweld y darganfyddiadau'n syth. Mae graffiau a thablau'n ffordd o ddisgrifio data ac felly hefyd yn **ystadegau disgrifiadol**, fel mesurau o ganolduedd a gwasgariad. Yn wir, byddwn ni'n aml yn arddangos mesurau o ganolduedd a gwasgariad mewn graff am ei bod hi'n haws deall arwyddocâd yr ystadegau ar ffurf weledol.

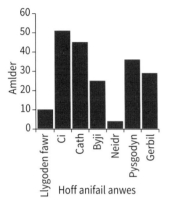
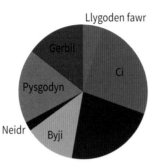

▲ Graff A - siart bar sy'n dangos y data yn y tabl ar y dde am hoff anifeiliaid anwes.

▲ Graff B – siart cylch sy'n dangos hoff anifeiliaid anwes.

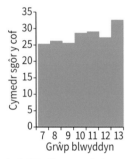
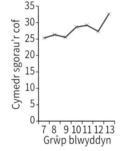

▲ Graff C – histogram sy'n dangos cymedr sgorau'r cof ar gyfer pob grŵp blwyddyn mewn ysgol (y sgôr uchaf bosibl yw 40).

▲ Graff Ch – graff llinell sy'n dangos yr un data â'r histogram.

TERMAU ALLWEDDOL

Dosraniad normal   Dosraniad amlder cymesur siâp cloch. Bydd y dosraniad hwn yn digwydd pan gaiff rhai newidynnau penodol, fel cyniferydd deallusrwydd neu hyd oes bwlb golau, eu mesur. Caiff digwyddiadau o'r fath eu gwasgaru mewn ffordd sy'n golygu bod y mwyafrif o'r sgorau wedi'u clystyru'n agos at y canolbwynt; mae'r cymedr, y canolrif a'r modd wrth y canolbwynt.

Dosraniad sgiw   Mae dosraniad yn un sgiw os yw un gynffon yn hirach nag un arall ac yn dynodi bod amryw o werthoedd eithaf y naill ochr neu'r llall i'r sgôr ganol.

Dosraniad sgiw positif   Mae'r mwyafrif o'r sgorau wedi crynhoi tua'r chwith. Mae'r modd i'r chwith o'r cymedr am fod y sgorau eithaf (sy'n prinhau ar y dde) yn effeithio ar y cymedr.

Dosraniad sgiw negatif   Mae'r mwyafrif o'r sgorau wedi crynhoi tua'r dde. Mae'r modd i'r dde o'r cymedr am fod y sgorau eithaf (sy'n prinhau ar y chwith) yn effeithio ar y cymedr.

Histogram   Math o ddosraniad amlder lle caiff nifer y sgorau, ym mhob categori o ddata di-dor, ei gynrychioli gan golofnau fertigol. Mae yma sero cywir ond dim bwlch rhwng y barrau.

Siart bar   Graff a ddefnyddir i gynrychioli amlder data; does dim trefn sefydlog i'r echelin x, a does dim sero cywir.

Siart cylch   Mae hwn wedi'i rannu'n adrannau neu'n 'dafellau' a phob un ohonyn nhw'n cynrychioli cyfran o'r cyfanswm.

ARDDANGOS DATA MEINTIOL

Dylai graffiau a thablau fod yn syml er mwyn iddyn nhw fod yn hawdd eu darllen.

- Dylen nhw ddangos darganfyddiadau astudiaeth yn glir.
- Dylai fod teitl byr ond llawn gwybodaeth.
- Mewn graff dylid labelu'r ddwy echelin yn glir. Fel rheol, mae'r echelin x yn mynd ar draws y dudalen. Yn achos siart bar neu histogram, y newidyn annibynnol fydd hwnnw fel arfer. Bydd yr echelin y fel rheol yn dynodi amlder.
- Os byddwch chi'n tynnu graffiau â llaw, defnyddiwch bapur sgwariau bob amser.

Tablau

Caiff y mesurau a gasglwch mewn astudiaeth ymchwil eu galw'n 'ddata crai', sef rhifau sydd heb eu trin mewn unrhyw ffordd. Gellir gosod y data hyn mewn tabl a/neu eu crynhoi gan ddefnyddio mesurau o ganolduedd a gwasgariad. Mae tablau crynhoi o'r fath o gymorth wrth ddehongli darganfyddiadau.

Tabl amlder

Bydd data amlder yn dangos pa mor aml y digwyddodd rhai eitemau penodol. Er enghraifft, gallai ymchwilydd ofyn i bobl enwi eu hoff anifail anwes ac arddangos y data hynny mewn tabl; gweler ar y dde.

Hoff anifail anwes	Amlder
Llygoden fawr	10
Ci	51
Cath	45
Byji	25
Neidr	4
Pysgodyn	36
Gerbil	29

Siart bar

Gellir cynrychioli data amlder mewn **siart bar** (gweler Graff A ar y chwith). Mae uchder pob bar yn cynrychioli amlder pob eitem unigol. Mae siartiau bar yn addas ar gyfer data sydd heb fod yn ddi-dor, h.y. nad oes iddyn nhw drefn benodol fel yng ngraff A ar y chwith sy'n ddata categorïol neu'n **ddata enwol**. Mewn siart bar, gadewir bwlch rhwng pob bar i ddangos y diffyg parhad.

Histogram

Mae **histogram** yn debyg i siart bar ond rhaid i'r arwynebedd o fewn y barrau fod mewn cyfranedd â'r amlderau a gynrychiolir (gweler Graff C). Ystyr ymarferol hyn yw bod yn rhaid i'r echelin fertigol (amlder) gychwyn ar sero. Yn ogystal, rhaid i'r echelin lorweddol fod yn ddi-dor (ac felly allwch chi ddim llunio histogram â data mewn categorïau). Yn olaf, ni ddylai fod bwlch rhwng y barrau.

Graff llinell

Mae gan **graff llinell**, fel histogram, ddata di-dor ar yr echelin x ac mae dot i farcio brig pob bar ac mae pob dot wedi'i gysylltu â llinell (gweler Graff Ch).

Siart cylch

Mae **siartiau cylch** yn ffordd arall o gynrychioli data amlder, neu fe ellir eu defnyddio i gynrychioli unrhyw gyfran (gweler Graff B). Mae pob 'tafell' o'r cylch yn cynrychioli'r gyfran (neu ffracsiwn) o'r cyfanswm. Cyfrifir maint pob tafell drwy weithio allan y gyfran briodol o 360 (am fod 360 o raddau mewn cylch).

Yn achos y data amlder uchod, fe weithion ni allan y cyfanswm (10 + 51 + 45 + 25 + 4 + 36 + 29 = 200). Yna, yn achos pob eitem gwneir y cyfrifiad hwn: llygoden fawr = 10/200 × 360 = 18.

Byddai tafell y 'llygoden fawr' felly'n 18 gradd o'r cylch.

Diagram gwasgariad

Mae **diagram gwasgariad** yn fath o graff a ddefnyddir wrth wneud dadansoddiad **cydberthynol** (gweler tudalen 136).

Lefel A2 yn unig: Dosraniadau data

DOSRANIADAU DATA

Pan fyddwn ni'n plotio amlder, mae'r echelin y yn cynrychioli amlder a'r echelin x yw'r eitem sydd o ddiddordeb, fel mewn histogram (gweler y dudalen gyferbyn). Wrth wneud hynny ar gyfer setiau data mawr, gallwn ni weld patrwm cyffredinol y data. Gelwir hynny'n ddosraniad.

Dosraniad normal

Mae i **ddosraniad normal** gromlin glasurol ar ffurf cloch. Dyma'r dosraniad a ragwelir wrth ystyried set o ganlyniadau sydd yr un mor debygol o ddigwydd. Er enghraifft, os **cymedr** hyd oes bwlb golau yw 100 o oriau, bydden ni'n disgwyl i rai bylbiau golau bara ychydig yn llai na hynny a rhai i bara ychydig yn fwy. Os plotiwn ni oes 1,000 o fylbiau golau, bydden ni'n cael dosraniad normal.

Dosraniad normal sydd i lawer o nodweddion pobl, fel meintiau eu hesgidiau neu eu deallusrwydd. Mae i ddosraniad normal rai nodweddion sy'n ei ddiffinio:

- Mae'r cymedr, y canolrif a'r modd i gyd yn yr union bwynt canol.
- Mae'r dosraniad yn gymesur o amgylch y pwynt canol hwnnw.
- Mae dosraniad y sgorau neu'r mesuriadau y naill ochr a'r llall i'r pwynt canol yn gyson a gellir ei fynegi mewn **gwyriadau safonol**.

Yn achos unrhyw set ddata â dosraniad normal, bydd 34.13% o'r bobl mewn un gwyriad safonol islaw'r cymedr a 34.13% o'r bobl mewn un gwyriad safonol uwchlaw'r cymedr. Mae cyfanswm o 68.26% mewn un gwyriad safonol uwchlaw neu islaw'r cymedr. Felly, mae cyfanswm o 95.44% o bobl mewn dau wyriad safonol uwchlaw neu islaw'r cymedr, ac mae hynny'n golygu nad oes ond 4.56% y tu hwnt i hynny; mae 2.28% lai na dau wyriad safonol islaw'r cymedr.

Dosraniad sgiw

Mewn rhai poblogaethau, dydy'r sgorau ddim wedi'u dosrannu'n gyfartal o amgylch y cymedr. Ystyriwch brawf ar iselder lle mae 0-50 yn cynrychioli ymddygiad normal a 50+ yn cynrychioli iselder **clinigol**. Os bydden ni'n plotio dosraniad sgorau 100 o bobl, bydden ni'n disgwyl i'r mwyafrif o'r sgorau fod tua pen isaf, yn hytrach na phen uchaf, yr amrediad hwnnw o sgorau. Mae hynny'n cynhyrchu **dosraniad sgiw positif** fel y darlunnir isod ar y dde. Caiff y ffaith fod ambell sgôr uchel eithaf effaith gref ar y cymedr, sydd bob amser yn uwch na'r canolrif a'r modd mewn sgiw positif.

Y dewis arall yw **dosraniad sgiw negyddol** (isod ar y chwith). Gallai hwnnw ddigwydd os câi marciau eu plotio ar gyfer arholiad hawdd iawn a bod y mwyafrif o bobl, felly, wedi cael sgôr uchel iawn.

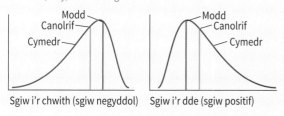

Sgiw i'r chwith (sgiw negyddol) — Modd, Canolrif, Cymedr
Sgiw i'r dde (sgiw positif) — Modd, Canolrif, Cymedr

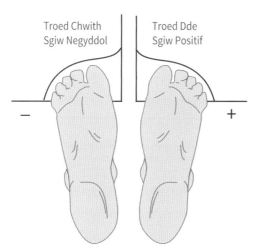

Troed Chwith — Sgiw Negyddol — −
Troed Dde — Sgiw Positif — +

▲ Ac i'ch helpu chi i gofio...

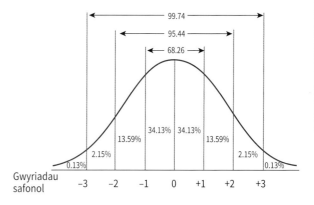

99.74
95.44
68.26
13.59% 34.13% 34.13% 13.59%
2.15% 2.15%
0.13% 0.13%

Gwyriadau safonol −3 −2 −1 0 +1 +2 +3

▲ Uchod, dangosir canran y bobl ym mhob rhan unigol o'r gromlin dosraniad normal.

Ystyriwch gyniferydd deallusrwydd. Y sgôr gymedrig ar ei gyfer yw 100 ac un gwyriad safonol yw 15 pwynt. Petaen ni'n rhoi prawf ar grŵp o 1,000 o bobl, dyma'r hyn y dylen ni ei weld:

- Sgôr rhwng 88 ac 115 (un gwyriad safonol bob ochr i'r cymedr) = 683 o bobl (68.26% o 1,000).
- Sgôr rhwng 70 a 130 = 954 o bobl (95.44% o 1,000).
- Sgôr o lai na 55 = 1 (0.13% o 1,000)

CORNEL ARHOLIAD
Ymarfer ar gyfer senarios newydd

1. Gwnaeth seicolegydd astudiaeth i weld a fyddai gwylio ffilmiau penodol yn gwneud i blant fod yn barotach i helpu (roedd y naill ffilm am fod yn barod i helpu, a'r llall yn niwtral). Defnyddiwyd holiadur i fesur parodrwydd i helpu. Sgôr gymedrig y plant ar ôl gwylio'r ffilm 'parod i helpu' oedd 30.25 ond y sgôr gymedrig ar gyfer y ffilm niwtral oedd 24.62.
   a. Rhowch bob sgôr gymedrig i ddau ffigur ystyrlon. [2]
   b. Brasluniwch siart bar sy'n dangos y canlyniadau hynny. Labelwch y siart bar yn ofalus. [3]
   c. Disgrifiwch y ffilm niwtral fel cyflwr rheoli. Eglurwch pam y defnyddir cyflwr rheoli. [2]
2. Mae pedwar graff ar y dudalen gyferbyn.
   a. Yn achos pob graff, dywedwch pa gasgliad y byddech chi'n ei dynnu. [1 marc yr un]
   b. Pa fath o ddata a ddangosir ym mhob graff unigol? [3]
3. Eglurwch pam y mae'r cymedr bob amser yn is na'r modd mewn sgiw negyddol. [2]
4. Pa fath o sgiw byddech chi'n ei gael petai gan brawf effaith nenfwd? [1] (Cewch chi effaith nenfwd pan fydd yr holl eitemau mewn prawf yn rhy hawdd ac felly bydd pawb yn gwneud yn dda ac yn cyrraedd y 'nenfwd'.)

CORNEL ARHOLIAD

1. Eglurwch **ddau** wahaniaeth allweddol rhwng siart bar a histogram. [2]
2. Disgrifiwch nodweddion dosraniad normal. [2]
3. Eglurwch y gwahaniaeth rhwng dosraniad normal a dosraniad sgiw. [3]

Ymchwilio i ymddygiad

Pennod 6

Mathau o ddata

Rydyn ni eisoes wedi trafod **data meintiol** ac **ansoddol** (gweler tudalen 132). Ar y ddwy dudalen hyn byddwn ni'n manylu ar y ddau fath o ddata a hefyd yn ystyried dau fath arall o ddata, sef data **cynradd** ac **eilaidd**.

Y gwrthwyneb i ddata meintiol yw data ansoddol. Mae'r cyntaf bob amser yn rhifau, ond nid felly'r ail. Gwneir gwahanol fath o wahaniaeth rhwng data cynradd ac eilaidd. Mae'r cyntaf yn ddata y mae ymchwilydd yn eu casglu'n benodol ar gyfer prosiect ymchwil cyfredol ond mae'r olaf yn ddata a gasglwyd gan rywun arall a/neu ar gyfer prosiect sy'n wahanol i'r un cyfredol.

▲ *Y Gusan* gan Gustav Klimt.

Bydd llawer o astudiaethau'n cynhyrchu cymysgedd o ddata meintiol ac ansoddol. Er enghraifft, gwelodd Stanley Milgram, yn ei ymchwil i ufudd-dod (gweler tudalen 162), fod 65% o gyfranogwyr yn gwbl ufudd (data meintiol) ond fe soniodd hefyd am sylwadau'r arsylwyr (data ansoddol) – sylwadau a gynigiodd fewnwelediadau ychwanegol i brofiad y cyfranogwyr:

'*Gwelais ŵr busnes aeddfed a hunanfeddiannol yn dod i mewn i'r labordy dan wenu'n hyderus. Cyn pen 20 munud roedd ei hyder wedi diflannu a'i nerfau bron i gyd ar chwâl. Tynnai'n gyson ar label ei glust a throi a throsi ei ddwylo. Ar un adeg, gwthiodd ei ddwrn i'w dalcen a dweud, "O Dduw, gad i ni roi diwedd ar hyn". Ond fe ddaliodd i ymateb i bob un o eiriau'r arbrofwr ac ufuddhau tan y diwedd.*'

DATA MEINTIOL AC ANSODDOL

Data meintiol

Mae data meintiol yn ddata sy'n cynrychioli sawl un neu ba mor hir, neu faint, ac ati, sydd o rywbeth, h.y. mesurir ymddygiad mewn rhifau neu feintiau.
- Mae'r **newidyn dibynnol** mewn **arbrawf** yn feintiol.
- Bydd **cwestiynau caeedig** mewn **holiaduron** yn casglu data meintiol, sef gwybodaeth mewn rhifau am eich oedran, sawl awr yr wythnos rydych chi'n gweithio, faint o farciau rydych chi'n eu rhoi i wahanol raglenni teledu.
- Mewn astudiaeth **arsylwadol**, mae'r nifer o **gategorïau o ymddygiad** yn feintiol.

Data ansoddol

Does dim modd cyfrif na mesur data ansoddol ond gellir eu troi'n ddata meintiol drwy osod y data mewn categorïau ac yna gyfrif yr amlder. Yn enghraifft Milgram ar y chwith ar y gwaelod, er enghraifft, gallen ni gyfrif sawl cyfranogwr a ddywedodd ei fod dan straen.

Weithiau, bydd pobl yn diffinio data ansoddol fel data am yr hyn y mae pobl yn ei feddwl a'i deimlo ond gall cwestiynau meintiol, hefyd, ymwneud â'r hyn y mae pobl yn ei feddwl a'i deimlo.

Gall **cwestiynau agored** mewn holiaduron gasglu data ansoddol – data sy'n mynegi 'ansawdd' pethau. Mae hynny'n cynnwys disgrifiadau, geiriau, ystyron, lluniau ac ati.

Mewn astudiaeth-drwy-arsylwi, gall ymchwilwyr ddisgrifio'r hyn y maen nhw'n ei weld, a byddai eu disgrifiadau'n rhai ansoddol.

Data meintiol	Data ansoddol
• Maint • Mae'n delio â rhifau • Data y mae modd eu mesur • Bydd seicolegwyr yn datblygu mesurau o newidynnau seicolegol • Mae'n astudio cyfartaleddau a gwahaniaethau rhwng grwpiau	• Ansawdd • Mae'n delio â disgrifiadau • Data sydd wedi'u harsylwi, nid wedi'u mesur • Arsylwi pobl drwy'r negeseuon y maen nhw'n eu cynhyrchu a'r ffordd y maen nhw'n gweithredu • Maen nhw'n ymwneud ag agweddau, credoau, ofnau ac emosiynau
Y Gusan gan Gustav Klimt	
• Fe'i peintiwyd rhwng 1907 a 1908 pan oedd yr artist yn 45 oed • Mae'r peintiad yn mesur 180 x 180 cm • Fe'i prynwyd am 25,000 coron pan beintiwyd ef gyntaf • Mae 33% o'i arwyneb wedi'i orchuddio â deilen aur • Fe'i rhestrwyd yn rhif 12 ar y rhestr o'r peintiadau mwyaf poblogaidd	• Mae'n cynrychioli arddull a elwir yn Art Nouveau • Mae'n dangos cwpl wedi ymgolli mewn cusan • Mae'n dangos pa mor ddisglair, hardd ac euraid yw popeth pan fyddwch chi'n cusanu rhywun am y tro cyntaf • Fe'i peintiwyd mewn olew a deilen aur ar gynfas • Ei waith enwocaf, mae'n debyg
Dosbarth seicoleg	
• 24 o fyfyrwyr • 18 merch, 6 bachgen • Cafodd 72% Radd A mewn ffug arholiad • Mae 10 yn bwriadu mynd ymlaen i astudio Seicoleg yn y brifysgol • Mae'r mwyafrif o athrawon seicoleg yn fenywaidd	• Brwd iawn ynghylch seicoleg • Cymysgedd o fechgyn a merched • Myfyrwyr sy'n gweithio'n galed • Ysgol yn ardal fewnol dinas • Enw'r athrawes yw Mrs Jones

GWERTHUSO DATA MEINTIOL AC ANSODDOL

Data meintiol

Mae'n hawdd defnyddio **ystadegau disgrifiadol** a **phrofion casgliadol** i ddadansoddi data meintiol. Mae hynny'n fodd i dynnu casgliadau'n rhwydd.

Ond gall data o'r fath orsymleiddio realiti. Er enghraifft, gall holiadur sy'n cynnwys cwestiynau caeedig orfodi pobl i roi tic wrth ateb nad yw'n cynrychioli eu teimladau mewn gwirionedd. Felly, gall y casgliadau fod yn ddiystyr.

Data ansoddol

Bydd data ansoddol yn cynnig gwybodaeth fanwl a all gynnig mewnwelediadau annisgwyl i feddyliau ac ymddygiad am nad yw disgwyliadau blaenorol yn cyfyngu ar yr atebion.

Wrth gwrs, mae'r cymhlethdod yn ei gwneud hi'n anoddach dadansoddi'r data hynny a thynnu casgliadau.

DATA CYNRADD AC EILAIDD

Gall data cynradd ac eilaidd fod yn feintiol a/neu'n ansoddol.

Data cynradd

Data cynradd yw gwybodaeth a gaiff ei harsylwi neu ei chasglu o brofiad uniongyrchol. Yn achos ymchwil seicolegol, mae'n ddata y mae'r ymchwilydd yn eu casglu ar gyfer astudiaeth sy'n cael ei gwneud ar y pryd. Byddai casglu data cynradd yn golygu cynllunio'r astudiaeth, sicrhau cymeradwyaeth foesegol iddi, ei rhagbrofi, recriwtio a phrofi cyfranogwyr ac, yn olaf, ddadansoddi'r data a gasglwyd a thynnu casgliadau.

Gallai'r astudiaeth fod yn arbrawf ac fe allai gynnwys holiadur a/neu elfen arsylwi i fesur y newidyn dibynnol. Neu fe allai gynnwys holiadur yn unig neu arsylwi'n unig. Byddai'r data a gasglwyd wedi'u perthnasu'n benodol â nodau a/neu ragdybiaeth yr astudiaeth.

Data eilaidd

Data eilaidd yw gwybodaeth a gasglwyd at ddiben heblaw'r un cyfredol. Gallai'r ymchwilydd ddefnyddio data a gasglwyd ganddo ar gyfer astudiaeth wahanol neu ddata a gasglwyd gan ymchwilydd arall. Gallai'r ymchwilydd ddefnyddio ystadegau'r llywodraeth, fel gwybodaeth am drin iechyd meddwl, neu ddefnyddio data a ddelir gan ysbyty neu sefydliad arall.

Yn aml, bydd astudiaeth o **gydberthyniad** yn defnyddio data eilaidd a bydd astudiaethau **adolygu** yn defnyddio data eilaidd ac yn gwneud **metaddadansoddiad** o'r data hynny.

GWERTHUSIAD O DDATA CYNRADD AC EILAIDD

Data cynradd

Mantais fawr cynhyrchu data cynradd yw'r rheolaeth sydd gan yr ymchwilydd dros y data. Mae modd cynllunio'r broses o gasglu'r data er mwyn iddi gyd-fynd â nodau a rhagdybiaeth yr astudiaeth.

Yr anfantais yw ei bod hi'n broses faith iawn ac felly'n ddrud. Mae'n cymryd amser maith i gynllunio astudiaeth ac yna recriwtio cyfranogwyr, gwneud yr astudiaeth a dadansoddi'r data.

Data eilaidd

Mae'n symlach troi at ddata rhywun arall, ac mae'n rhatach am fod angen llawer iawn llai o amser ac offer.

Gall y data hynny fod wedi bod yn destun profion ystadegol ac felly mae'n hysbys a ydyn nhw'n arwyddocaol.

Yr anfantais yw y gall y data beidio â chyd-fynd yn union ag anghenion rhai astudiaethau.

▲ Beth mae dynion yn chwilio amdano mewn cymar benywaidd? Beth mae menywod yn chwilio amdano? Daeth Robin Dunbar o hyd i'r ateb drwy ddadansoddi cynnwys hysbysebion am gymar.

Lefel A2 yn unig: Cyflwyniad i ystadegau casgliadol

Rydyn ni ar fin parhau â'n taith i faes **ystadegau casgliadol** ac edrych yn fanylach ar y cysyniadau a gyflwynwyd ar y ddwy dudalen flaenorol – ynghyd ag un newydd, sef y **rhagdybiaeth nwl**. Mewn gwirionedd, dydy hwnnw ddim yn gysyniad newydd am i ni ei ddiffinio ar dudalen 114. Ar y ddwy dudalen hyn, byddwn ni'n egluro pam y caiff ei ddefnyddio.

Efallai eich bod wedi clywed yr ymadrodd 'prawf ystadegol' – er enghraifft, gall papur newydd ddweud bod 'profion ystadegol yn dangos bod menywod yn well na dynion am ddarllen mapiau'. Os hoffen ni wybod a yw menywod yn well na dynion am ddarllen mapiau, allwn ni byth â rhoi prawf ar yr holl fenywod a dynion yn y byd. Felly, bydden ni'n rhoi prawf ar grŵp bach o fenywod a grŵp bach o ddynion. Petaen ni'n gweld bod y sampl o fenywod yn well am ddarllen mapiau na'r sampl o ddynion, gallen ni gasglu bod yr un peth yn wir am bob menyw a dyn. Dim ond drwy ddefnyddio profion ystadegol (profion casgliadol) y gallwn ni dynnu casgliadau o'r fath. Mae'r profion ystadegol hynny wedi'u seilio ar debygolrwyddau.

Y RHAGDYBIAETH NWL

Tan y 1930au, credai gwyddonwyr mai eu tasg nhw oedd dod o hyd i enghreifftiau a fyddai'n cadarnhau eu damcaniaethau. Achosodd Karl Popper, un o athronwyr gwyddoniaeth, chwyldro yn y ffordd y meddyliai gwyddonwyr am brawf (i gadarnhau eu damcaniaethau). Meddai, *'Faint bynnag o elyrch gwyn y gallwn ni fod wedi'u gweld, dydy hynny ddim yn cyfiawnhau'r casgliad bod pob alarch yn wyn'* (Popper, 1934).

Efallai y bydd hynny'n swnio'n gyfarwydd i chi am i ni roi'r enghraifft honno ym Mhennod 2 (tudalen 43) wrth egluro **ffugio**.

Ni all unrhyw nifer o elyrch gwyn y byddwn yn eu gweld brofi'r ddamcaniaeth bod pob alarch yn wyn, ond fe wnaiff gweld un alarch du ei gwrthbrofi. Arweiniodd hynny at sylweddoli mai'r unig ffordd o brofi bod damcaniaeth yn gywir oedd mynd ati i geisio'i *gwrthbrofi* (ffugio), h.y. chwilio am yr elyrch du. Man cychwyn ein hymchwil, felly, yw'r rhagdybiaeth nwl: 'Dydy pob alarch yn y byd ddim yn wyn, h.y. mae elyrch du i'w cael.' Yna, fe awn ni i chwilio am elyrch a gweld llawer ohonyn nhw ond, os na welwn ni'r un alarch du, mae hynny'n peri i ni fod yn rhesymol o sicr (allwn ni byth â bod yn gwbl sicr) fod y rhagdybiaeth nwl yn ffug.

Gallwn ni felly wrthod (yn rhesymol o sicr) y rhagdybiaeth nwl. Os nad yw'r rhagdybiaeth nwl yn wir, rhaid i'r dewis arall fod yn wir. Y dewis arall yn lle'r rhagdybiaeth nwl yw 'Mae pob alarch yn wyn' – dyna'r **rhagdybiaeth amgen**. Gallwn ni dderbyn y rhagdybiaeth amgen yn rhesymol o sicr!

Dyna, yng nghyfwlr presennol gwybodaeth, sydd agosaf at y gwir.

▲ Mae'r rhagdybiaeth nwl yn dweud nad oes dim gwahaniaeth na chydberthyniad. Mae'n osodiad 'nad oes dim byd yn digwydd'. Dydy'r rhagdybiaeth nwl ddim mor rhyfedd ag y mae'n swnio. Ystyriwch yr enghraifft hon:

Wrth i chi fynd adref yn hwyr yn y nos rydych chi'n digwydd gweld cariad eich ffrind gorau gyda merch arall ac mae ef yn gwneud mwy na siarad â hi. Byddwch chi'n meddwl i chi'ch hun, 'Pa mor debyg yw hi y byddai'n ei chusanu hi os nad oes dim yn digwydd rhyngddyn nhw?'

- Y rhagdybiaeth nwl: 'Does dim yn digwydd, does dim perthynas rhyngddyn nhw.'
- Y rhagdybiaeth amgen: 'Mae rhywbeth yn digwydd rhyngddyn nhw.'

Am nad yw hi'n debygol iawn y byddai ef yn ei chusanu hi os nad oedd dim yn digwydd, byddwch chi'n gwrthod y rhagdybiaeth nwl ac yn dewis y rhagdybiaeth amgen – ac yn dweud wrth eich ffrind eich bod chi'n eithaf sicr ei fod ef yn ei thwyllo hi.

TEBYGOLRWYDD

Yn yr enghraifft uchod ynghylch cariadon a thwyllo, efallai i chi weithio allan fod y *tebygolrwydd* bod y twyllo'n un real (e.e. gallech chi fod wedi teimlo'n 'eithaf sicr'). Mewn ymchwil, mae angen i ni fod ychydig yn fwy manwl-gywir na hynny. I weithio allan a yw gwahaniaeth yn **arwyddocaol**, fe ddefnyddiwn ni brofion casgliadol. Mae'r profion hynny'n fodd i chi weithio allan, yn ôl **tebygolrwydd** a roddir, a allai'r patrwm yn y data o astudiaeth fod wedi codi drwy hap a damwain (neu 'siawns') neu a ddigwyddodd yr effaith am fod gwahaniaeth/ **cydberthyniad** go-iawn yn y **poblogaethau** y tynnwyd y samplau ohonyn nhw.

Ond beth a olygwn ni gan 'siawns'? Mae siawns yn cyfeirio at rywbeth nad oes achos iddo. Mae'n digwydd, a dyna ni. Fe benderfynwn ni ar debygolrwydd y byddwn ni'n cymryd 'risg'. Allwch chi ddim â bod 100% yn sicr nad siawns oedd yn gyfrifol am yr effaith ar arsylwyd ond fe allwch chi ddweud pa mor sicr ydych chi. Yn yr enghraifft o gusanu, gallech chi ddweud wrth eich ffrind eich bod chi 95% yn sicr bod ei chariad yn ei thwyllo. Mae hynny'n golygu'ch bod chi'n eithaf ffyddiog eich bod chi'n iawn ond bod gennych chi, er hynny, ronyn o amheuaeth.

Gan amlaf, bydd seicolegwyr yn defnyddio tebygolrwydd o 95%. Mae hynny'n mynegi'r radd o ansicrwydd. Mae'n golygu bod 5% o siawns (o debygolrwydd) y bydd y canlyniadau'n digwydd os yw'r rhagdybiaeth nwl yn wir (h.y. nad oes dim byd yn digwydd). Mewn geiriau eraill, byddai 5% o debygolrwydd y byddai'r canlyniadau'n digwydd hyd yn oed os nad oedd unrhyw wahaniaeth/ cysylltiad go-iawn rhwng y poblogaethau y tynnwyd y **samplau** ohonyn nhw. Caiff y tebygolrwydd hwnnw o 5% ei gofnodi'n $p = 0.05$ (lle mae p – '*probability*' – yn golygu 'tebygolrwydd').

Mewn rhai astudiaethau mae ar seicolegwyr angen bod yn sicrach – fel pan fyddan nhw'n dyblygu astudiaeth flaenorol neu'n ystyried effeithiau cyffur newydd ar iechyd. Bryd hynny, bydd ymchwilwyr yn defnyddio tebygolrwydd llymach, fel $p < 0.01$ neu hyd yn oed $p < 0.001$. Gelwir y gwerth hwnnw o 'p' y lefel **arwyddocâd**, ac fe'i trafodwn ar y dudalen gyferbyn.

ARWYDDOCÂD

Ystyriwch yr enghraifft isod gan y seicolegydd a'r ystadegydd Hugh Coolican (2004).

Yn fy siop sglodion leol, rwy'n argyhoeddedig eu bod nhw'n arbed arian drwy roi sglodion braidd yn denau i rai pobl (am eu bod nhw'n felly'n gallu cael mwy o sglodion o bob taten). O dan y cownter mae dau lestr sglodion ac mae perchennog y siop yn honni bod y ddau lestr yn cynnwys yr un math o sglodion ond rwy'n rhyw amau eu bod nhw'n wahanol. Felly, (yn drist iawn) gwnes arbrawf. Gofynnais am fag o sglodion o'r naill a'r llall o'r llestri a mesurais led y sglodion yn y naill fag a'r llall.

- Cred 1 yw bod 'Y ddau lestr yn cynnwys sglodion o'r un lled cyfartalog'.
- Cred 2 yw bod 'Y sglodion yn y naill lestr yn deneuach, ar gyfartaledd, na'r rhai yn y llall.'

Ond bach iawn o wahaniaeth a welais rhwng lled cyfartalog y sglodion yn y naill fag a'r llall (fel y gwelwch chi yn y siart bar isod).

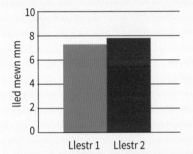

Bydden ni'n disgwyl gweld gwahaniaethau bach rhwng samplau (bagiau o sglodion) dim ond am fod pethau'n amrywio ychydig fel rheol – hap-amrywiad neu 'siawns' yw hynny. Yr hyn rydyn ni'n chwilio amdano yw gwahaniaeth digon mawr rhwng y samplau i fod yn sicr bod y llestri (cyfanswm y boblogaeth) yn wahanol mewn gwirionedd. Fel arall, fe gymerwn ni fod y llestri yr un fath, h.y. tynnir y samplau o un boblogaeth yn hytrach nag o ddwy boblogaeth wahanol.

- Mae'r llestri'n cynnwys y poblogaethau – yn yr enghraifft gynharach ynghylch gwahaniaethau rhwng y ddau ryw o ran darllen mapiau, y boblogaeth yw holl alluoedd-darllen-mapiau yr holl ddynion a menywod yn y byd.
- Mae'r bagiau o sglodion yn samplau – yn ein henghraifft arall, yr 20 menyw a'r 20 dyn yw'n samplau ni.
- Caiff y gred bod y ddau lestr yn cynnwys sglodion o'r un lled, neu'r gred nad oes unrhyw wahaniaeth rhwng y ddau ryw o ran darllen mapiau, ei galw'n rhagdybiaeth nwl (H_0). Mae hynny'n ddatganiad nad oes effaith – dydy'r samplau ddim yn wahanol.
- Y gred arall yw bod sglodion teneuach yn y naill lestr neu fod menywod yn well na dynion – dyna i chi'r rhagdybiaeth amgen (H_1). Mae hynny'n ddatganiad bod effaith – mae'r samplau'n wahanol.

Yn y pen draw, mae gennym ni ddiddordeb mewn gwneud datganiad am y boblogaeth/poblogaethau y tynnir y samplau ohoni/ohonyn nhw yn hytrach na dim ond dweud rhywbeth am y samplau eu hunain.

DEFNYDDIO PROFION CASGLIADOL

Bydd profion casgliadol yn ein helpu ni i lunio casgliadau am boblogaethau ar sail y samplau y rhoddwyd prawf arnyn nhw. Mae'r profion hynny'n fodd i ni gasglu bod patrwm yn y data yn debygol (neu beidio) oherwydd siawns.

Gwerthoedd wedi'u harsylwi a gwerthoedd critigol

Mae pob prawf casgliadol yn golygu cymryd y data a gasglwyd mewn astudiaeth ac yn gwneud rhai cyfrifiadau i gynhyrchu un rhif a elwir yn ystadegyn prawf. Yn achos *Cyfernod Cydberthyniad Rhestrol Spearman*, yr enw ar yr **ystadegyn prawf** hwnnw yw *rho* ond ym mhrawf *Mann-Whitney* mae'n *U*. Caiff y gwerth *rho* neu *U* a gyfrifir ar gyfer unrhyw set o ddata ei alw'n **werth wedi'i arsylwi** (am ei fod wedi'i seilio ar yr arsylwadau a wnaed). Dewis arall, weithiau, yw ei alw'n **werth a gyfrifwyd** am mai'r gwerth y byddwch chi'n ei gyfrifo.

I benderfynu a yw'r gwerth sydd wedi'i arsylwi yn arwyddocaol, caiff y ffigur hwnnw ei gymharu â rhif arall (y **gwerth critigol**) sydd i'w gael mewn **tabl o werthoedd critigol**. Ceir gwahanol dablau o werthoedd critigol ar gyfer pob prawf ystadegol gwahanol, fel y gwelwch chi ar y tudalennau nesaf. Y gwerth critigol yw'r rhif y mae'n rhaid i ystadegyn prawf ei gyrraedd i wrthod rhagdybiaeth nwl.

I ddod o hyd i'r gwerth critigol priodol mewn tabl, bydd angen i chi wybod pedwar darn o wybodaeth:

- Y graddau o ryddid (*df*): Gan amlaf, fe gewch chi'r gwerth hwnnw drwy edrych ar y nifer o gyfranogwyr yn yr astudiaeth (*N*).
- Prawf **ungynffon** neu **ddwygynffon**: Os oedd y rhagdybiaeth yn **rhagdybiaeth gyfeiriadol**, fe ddefnyddiwch chi brawf ungynffon; os oedd hi'n **anghyfeiriadol** fe ddefnyddiwch chi brawf dwygynffon.
- Y lefel o arwyddocâd a ddewiswyd sef, fel rheol, $p = 0.05$ (lefel 5%).
- A oes angen i'r gwerth sydd wedi'i arsylwi fod yn fwy neu'n llai na'r gwerth critigol i arwyddocâd gael ei ddangos? Fe welwch chi'r wybodaeth honno'n cael ei datgan o dan bob tabl o werthoedd critigol.

Dewis pa brawf ystadegol i'w ddefnyddio

Defnyddir profion casgliadol gwahanol ar sail (1) cynllun yr ymchwil a (2) y lefel mesur. Wrth benderfynu pa brawf sy'n briodol mewn sefyllfa benodol, gallwch chi ofyn i chi'ch hun y cwestiynau sydd yn y diagram isod:

Cyfiawnhau eich dewis o brawf

Ar y tudalennau sy'n dilyn, rydyn ni wedi rhoi gwybodaeth i'ch helpu chi i gyfiawnhau eich dewis o brofion, ond sylwch fod angen addasu'r cyfiawnhad

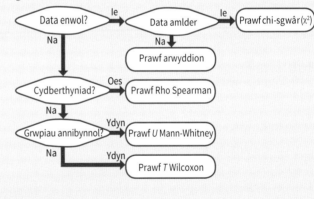

hwnnw i gyd-fynd ag amgylchiadau penodol. Yn ei hanfod, dylech chi:

- Nodi'r **lefel mesur** gan gyfeirio at y data go-iawn.
- Dweud a oes gofyn cael prawf cydberthyniad neu wahaniaeth, a chyfiawnhau hynny.
- Os oes gofyn cael prawf gwahaniaeth, dweud a yw'n brawf **grwpiau annibynnol** neu'n brawf **ailadrodd mesurau**, a chyfiawnhau'r datganiad hwnnw.

CORNEL ARHOLIAD

Ymarfer ar gyfer senarios newydd

1. Eglurwch beth yw ystyr 'yn arwyddocaol yn $p \leq 0.05$'. [2]
2. Awgrymwch pam dylai ymchwilydd ddewis defnyddio $p \leq 0.01$ yn hytrach na $p \leq 0.05$. (Ceisiwch roi dau reswm.) [4]
3. Pa derm arall a ddefnyddir ar gyfer y gwerth sydd wedi'i arsylwi? [1]
4. Nodwch y **pedwar** darn o wybodaeth a ddefnyddir i ddod o hyd i'r gwerth critigol. [4]
5. Nodwch y lefel mesur a gâi ei ddefnyddio yn yr enghreifftiau hyn:
   a. Barnu faint o straen yw rhai profiadau penodol. [1]
   b. Cyfrif y dyddiau y mae person wedi bod yn absennol o'r ysgol. [1]
   c. Gofyn i bobl roi'r rhesymau dros gymryd diwrnod i ffwrdd o'r ysgol. [1]

Lefel A2 yn unig: Profion casgliadol: Cyfernod Cydberthyniad Rhestrol Spearman

Prawf ar **gydberthyniad**, sef *Cyfernod Cydberthyniad Rhestrol Spearman*, yw'r **prawf casgliadol** cyntaf a astudiwn ni. Fe'i defnyddir i benderfynu a yw'r cydberthyniad rhwng dau **gyd-newidyn** yn arwyddocaol.

Er enghraifft, ar dudalen 96 fe ddisgrifion ni astudiaeth Diener ac eraill (1993) o hapusrwydd. Fe welson nhw mai +.12 oedd y cydberthyniad rhwng incwm a hapusrwydd.

Byddai'r ffigur sero'n golygu nad oes cydberthyniad; **cydberthyniad positif** perffaith fyddai ffigur o + 1.0. Gall cydberthyniad o +.12 swnio fel cydberthyniad braidd yn ddiarwyddocâd ond mewn gwirionedd mae'n **ystyrlon**.

Defnyddiwyd prawf ystadegol, fel Cyfernod Cydberthyniad Rhestrol Spearman, i gyfrifo'r **gwerth wedi'i arsylwi** o +.12. Yna caiff y gwerth hwnnw ei gymharu â'r **gwerth critigol** a geir mewn tabl o werthoedd critigol (fel y tabl ar y dudalen gyferbyn) i weld a yw'r gwerth sydd wedi'i arsylwi yn un arwyddocaol. Os oedd nifer y cyfranogwyr yn yr astudiaeth honno'n eithaf mawr (dros 100), byddai .12 yn arwyddocaol (wrth i nifer y cyfranogwyr gynyddu, gostwng wna'r nifer y mae ei angen i ddynodi arwyddocâd). Gyda llaw, petai'r gwerth sydd wedi'i arsylwi wedi bod yn –.12, byddai hwnnw'n dal i fod yn arwyddocaol; byddai'n **gydberthyniad negyddol** arwyddocaol.

RHYBUDD YNGHYLCH MOESEG

Os gwnewch chi'ch astudiaethau ymchwil eich hun, gwnewch yn siŵr nad oes yr un cyfranogwr o dan 16 oed a'ch bod chi'n gofyn am **gydsyniad dilys**. Os ydych chi'n defnyddio gwybodaeth sensitif, fel profion ar allu mathemategol, rhaid i chi ddiogelu **cyfrinachedd** y cyfranogwyr.

CORNEL ARHOLIAD

1. Nodwch **ddwy** broblem foesegol a allai godi wrth wneud astudiaeth o hyd bysedd a rhifedd, a dywedwch sut gellid delio â nhw. [2 + 2]
2. Awgrymwch broblemau a allai ddigwydd wrth ymdrin â'r problemau moesegol yn y ffordd a awgrymoch chi. [4]
3. Nodwch y cyd-newidynnau yn astudiaeth Brosnan (uchod ar y dde). [2]
4. Nodwch **newidyn cysylltiol** yn yr astudiaeth hon (y newidyn sy'n cysylltu hyd bysedd â rhifedd, er enghraifft). [1]
5. Os oeddech chi'n mynd i astudio'r berthynas rhwng cymhareb y digidau a llythrennedd, nodwch ragdybiaeth amgen bosibl a rhagdybiaeth nwl ar gyfer yr astudiaeth hon. [2]
6. Brasluniwch **ddiagram gwasgariad** o'r canlyniadau ar y dudalen gyferbyn i wirio canlyniad y prawf ystadegol – ydy'ch graff chi'n dangos yr un berthynas ag a gafwyd ar gyfer y prawf ystadegol? [3]

HYD BYSEDD A PHERFFORMIAD MEWN ARHOLIADAU

Bys modrwy   Bys blaen

▲ Llaw llythrennedd
Mae pobl sydd â bys modrwy byr a bys blaen hir yn well mewn llythrennedd.

▲ Llaw rhifedd
Mae pobl sydd â bys modrwy hir a bys blaen byr yn debycach o ragori mewn rhifedd.

Mae nifer o astudiaethau wedi edrych ar y berthynas rhwng hyd bysedd ac amrywiol alluoedd fel rhifedd neu lythrennedd. Er enghraifft, edrychodd astudiaeth gan Brosnan (2008) o hyd bysedd 75 o blant rhwng 6 a 7 oed (bechgyn a merched) ym Mhrydain a gweld bod plant â chymhareb uwch rhwng hyd eu bys blaen a'u bys modrwy yn debycach o fod â'r ddawn i wneud mathemateg a bod y rhai â chymhareb fyrrach yn debycach o fod â dawn mewn llythrennedd.

Credir mai ffactorau biolegol ac – yn benodol – gynhyrchu **testosteron** ac **oestrogen** yn yr ymennydd, sy'n gyfrifol am y berthynas hon. Caiff babanod gwryw fwy o destosteron (**hormon** gwrywaidd) yn ystod eu datblygiad cyn-geni, a bydd hynny'n effeithio ar hyd eu bysedd. Yr un pryd, mae testosteron yn hybu datblygu meysydd yn yr ymennydd sydd, yn aml, yn gysylltiedig â sgiliau gofodol a mathemategol. Credir bod oestrogen (hormon benywaidd) yn gwneud yr un peth mewn rhannau o'r ymennydd sydd, yn aml, yn gysylltiedig â gallu geiriol.

I astudio'r cydberthyniad rhwng hyd bysedd a rhifedd/llythrennedd, gwnaeth yr ymchwilwyr lungopïau o law dde a llaw chwith pob plentyn a mesur hyd y bys blaen a'r bys modrwy. Fe rannon nhw hyd y bys blaen â hyd y bys modrwy i gyfrifo 'cymhareb y digidau' yn achos pob plentyn.

Yna, fe gydberthynwyd cymarebau'r digidau â chanlyniadau eu *Tasgau Asesu Safonol* (TASau) ar gyfer rhifedd a llythrennedd.

GWAITH I CHI

Gallwch chi ddefnyddio sgorau TGAU yn lle rhai'r TASau i ail-wneud (**dyblygu**) yr astudiaeth uchod, neu ddefnyddio profion ar-lein ar lythrennedd a/neu rifedd. I benderfynu a yw'ch canlyniadau chi'n arwyddocaol, dilynwch yr enghraifft ar y dudalen gyferbyn.

GWAITH I CHI

Syniadau ar gyfer astudiaeth lle defnyddir dadansoddi cydberthynol

- **Amser ymateb a'r nifer o oriau o gwsg** Ydy diffyg cwsg yn cael unrhyw effaith? Er enghraifft, gallai fod perthynas rhyngddo ac amser ymateb gwael. Gallwch chi ddefnyddio prawf ar-lein i fesur amser ymateb.
- **Amser ymateb a'r amser a dreulir yn chwarae gemau cyfrifiadur** Efallai fod perthynas rhwng chwarae gemau cyfrifiadur ac amser ymateb.
- **Cof gweithio a chyniferydd deallusrwydd** Rhagwelir bod cydberthyniad positif rhyngddyn nhw. Cewch chi brofion ar y naill a'r llall yn *www.bbc.co.uk*

PRYD MAE DEFNYDDIO PRAWF SPEARMAN

- Mae'r rhagdybiaeth yn rhagfynegi bod *cydberthyniad* rhwng dau gyd-newidyn.
- Mae'r ddwy set o ddata'n barau o sgorau gan un person neu beth, h.y. maen nhw'n *perthyn*.
- Mae'r data o leiaf yn **drefnol** (h.y. ddim yn **enwol**). Cewch eglurhad ar dudalen 144.

◄ Charles Edward Spearman (1863–1945)

Er na chewch chi byth gais i wneud unrhyw gyfrifiad mewn arholiad, mae'n syniad da cyfrifo ystadegyn am ei fod yn rhoi gwell syniad i chi ar gyfer y prawf. Bydd hefyd yn eich helpu chi i ddeall sut mae delio â gwerthoedd sydd wedi'u harsylwi a gwerthoedd critigol, a dod i gasgliad.

RHAGDYBIAETH AMGEN A NWL

Defnyddir y term **rhagdybiaeth amgen** (H_1) am ei fod yn ddewis yn lle'r **rhagdybiaeth nwl** (H_0). Mae gofyn bod â'r rhagdybiaeth nwl am fod profion ystadegol yn astudio a yw'n samplau ni'n dod o boblogaeth lle nad oes unrhyw effaith na pherthynas (os felly, mae'r rhagdybiaeth nwl yn wir, h.y. mater o siawns yw unrhyw berthynas), neu a yw'n samplau ni'n dod o boblogaeth lle mae perthynas (os felly, gallwn ni wrthod y rhagdybiaeth nwl a derbyn y rhagdybiaeth amgen).

Mae rhagdybiaeth nwl yn ddatganiad nad oes perthynas (mewn dadansoddiad cydberthynol) na gwahaniaeth. Felly, dylai hi bob amser ddechrau drwy ddatgan 'Does dim cydberthyniad rhwng…' neu 'Does dim gwahaniaeth rhwng…'.

CYFERNOD CYDBERTHYNIAD RHESTROL SPEARMAN – ENGHRAIFFT A WEITHIWYD

CAM 1. Rhowch y **rhagdybiaeth amgen** a'r **rhagdybiaeth nwl**

Y rhagdybiaeth amgen: Mae cydberthyniad positif rhwng cymhareb digid y bys blaen a'r bys modrwy â sgiliau rhifedd. (Gan mai **rhagdybiaeth gyfeiriadol** yw hon, bydd angen **prawf ungynffon**).

Rhagdybiaeth nwl: Does dim cydberthyniad rhwng cymhareb digid a sgiliau rhifedd.

CAM 2. Cofnodwch y data, barnwch werth pob cyd-newidyn a chyfrifwch y gwahaniaeth

Barnwch werth A a B ar wahân, o isel i uchel (h.y. caiff y rhif isaf 1 yn y drefn hon). Os oes dau neu ragor â'r un rhif, cyfrifwch y drefn drwy weithio allan gymedr a fyddai wedi'i roi.

Rhif y cyfranogwr	Cymhareb y digidau	Sgôr rhifedd	Trefn A	Trefn B	Y gwahaniaeth rhwng trefn A a threfn B (d)	d^2
1	1.026	8	10	2.5	7.5	56.25
2	1.000	16	5.5	9	−3.5	12.25
3	1.021	10	9	5	4.0	16.0
4	0.991	9	4	4	0	0
5	0.984	15	3	8	−5.0	25.0
6	0.975	14	1	7	−6.0	36.0
7	1.013	12	7	6	1	1.0
8	1.018	8	8	2.5	5.5	30.25
9	0.982	17	2	10	−8.0	64.0
10	1.000	5	5.5	1	4.5	20.25
$N = 10$					$\sum d^2$ (swm y gwahaniaethau wedi'i sgwario) = 261.0	

CAM 3. Dewch o hyd i **werth a arsylwyd** rho (y cyfernod cydberthyniad)

$$rho = 1 - \frac{6\sum d^2}{N(N^2-1)} = 1 - \frac{6\times261.0}{10\times(100-1)} = 1 - \frac{1566}{990} = 1 - 1.58 = -0.58$$

CAM 4. Dewch o hyd i **werth critigol** rho

$N = 10$; gan fod y rhagdybiaeth yn gyfeiriadol, defnyddir prawf ungynffon.
Chwiliwch am y gwerth critigol yn y tabl o werthoedd critigol (ar y dde).
Yn achos prawf ungynffon lle mae $N = 10$, gwerth critigol rho ($p \leq 0.05$) = 0.564
Sylwch fod y gwerth a arsylwyd yn negyddol. Wrth gymharu'r ffigur hwn â'r gwerth critigol, dim ond y gwerth, ac nid yr arwydd, sy'n bwysig. Ond mae'r arwydd yn dweud wrthych a yw'r cydberthyniad yn un positif neu negyddol. Os oedd y rhagfynegiad yn un ungynffon a'r arwydd (ac felly'r cydberthyniad) heb fod fel y rhagfynegwyd, rhaid cadw'r rhagdybiaeth nwl.

CAM 5. Nodwch y casgliad

Gan fod y gwerth a arsylwyd (0.58) yn fwy na'r gwerth critigol (0.564), fe allai ymddangos y dylen ni wrthod y rhagdybiaeth nwl (yn $p \leq 0.05$); **ond yn yr achos hwn mae'r arwydd i'r cyfeiriad anghywir – rhagwelwyd cydberthyniad positif ond cydberthyniad negyddol a gafwyd**. Rhaid i ni, felly, dderbyn y rhagdybiaeth nwl a dod i'r casgliad nad oes unrhyw gydberthyniad rhwng cymhareb y digidau a sgiliau rhifedd.

Petaen ni wedi rhagfynegi cydberthyniad negyddol, gallen ni fod wedi gwrthod y rhagdybiaeth nwl.

Tabl o werthoedd critigol *rho* ar lefel 5% ($p \leq 0.05$)

$N =$	Prawf ungynffon	Prawf dwygynffon
4	1.000	
5	0.900	1.000
6	0.829	0.886
7	0.714	0.786
8	0.643	0.738
9	0.600	0.700
10	0.564	0.648
11	0.536	0.618
12	0.503	0.587
13	0.484	0.560
14	0.464	0.538
15	0.443	0.521
16	0.429	0.503
17	0.414	0.485
18	0.401	0.472
19	0.391	0.460
20	0.380	0.447
21	0.370	0.435
22	0.361	0.425
23	0.353	0.415
24	0.344	0.406
25	0.337	0.398
26	0.331	0.390
27	0.324	0.382
28	0.317	0.375
29	0.312	0.368
30	0.306	0.362

I ddangos arwyddocâd, rhaid i werth a arsylwyd *rho* fod yn HAFAL i'r gwerth critigol yn y tabl hwn neu'n FWY NAG EF.

Ffynhonnell: J.H. Zhar (1972) Significance testing of the Spearman's Rank Correlation Coefficient. *Journal of the American Statistical Association*, 67, 578–580. Gyda chaniatâd caredig y cyhoeddwr.

Cyngor arholiad…

Er na fydd gofyn cyfrifo profion casgliadol yn yr arholiad, bydd disgwyl i fyfyrwyr ddelio â gwerthoedd sydd wedi'u harsylwi a gwerthoedd critigol drwy ddefnyddio tabl o werthoedd critigol i ddarganfod a yw gwerth penodol a arsylwyd yn arwyddocaol. Gwnewch yn siŵr eich bod chi'n gwybod sut mae gwneud hynny.

Lefel A2 yn unig: Profion casgliadol: Prawf Chi-sgwâr (χ^2)

Mae'r ail **brawf casgliadol** a astudiwn yn delio â **data enwol**, h.y. data sydd mewn categorïau. Fe ddefnyddiwn ni'r prawf hwn ar ôl i ni gyfrif faint o ddigwyddiadau sydd ym mhob categori, sef 'data amlder'. Efallai yr hoffen ni ddarganfod, er enghraifft, a yw dynion a menywod yn wahanol o ran hyd eu bysedd (fel y trafodwyd ar y ddwy dudalen flaenorol). Mae ymchwil wedi dangos bod menywod fel rheol â chymarebau o un, h.y. mae eu bys blaen a'u bys modrwy yr un hyd. Mae'r cyfartaledd ar gyfer dynion yn is, sef 0.98, am fod tueddiad iddyn nhw fod â bysedd modrwy sy'n hirach na'u bysedd blaen. Mae hynny'n awgrymu iddyn nhw gael mwy o destosteron yn y groth. Wrth gwrs, dydy'r prawf Chi-sgwâr (gweler isod) ddim yn profi hynny, ond gall ategu'r gwahaniaeth hwn rhwng y ddau ryw.

'Un o lythrennau'r iaith Groeg yw'r symbol χ ('chi') a dyna pam y caiff ei ddefnyddio'n symbol ystadegyn ar gyfer y Prawf Chi-sgwâr.

* Bydd llawer o fyfyrwyr yn drysu ynglŷn â'r amlderau disgwyliedig. Nid y rheiny yw'r hyn y mae ymchwilydd yn ei ddisgwyl – nhw yw'r amlderau a fyddai'n digwydd petai'r data wedi'u gwasgaru'n gyfartal ar draws y tabl mewn cyfrannedd â chyfansymiau'r rhesi a'r colofnau.

Mae modd defnyddio'r Prawf Chi-sgwâr i ymchwilio i wahaniaeth (fel yn yr enghraifft a weithiwyd ar y dudalen hon) neu i gysylltiad (fel ar y dudalen gyferbyn).

Cewch chi raglenni ar-lein a wnaiff gyfrifo Chi-sgwâr i chi. Gweler, er enghraifft, http://math.hws.edu./javamath/ryan/ChiSquare.html (sgroliwch tua hanner ffordd i lawr y dudalen). Gallech chi hefyd ddefnyddio'r ffwythiannau ystadegau yn Excel i gyfrifo'r ystadegyn ar sail y data yn eich tabl.

PRAWF CHI-SGWÂR – ENGHRAIFFT A WEITHIWYD AR GYFER TABL 2 × 2

CAM 1. Rhowch y rhagdybiaeth amgen a'r rhagdybiaeth nwl
Y rhagdybiaeth amgen: Mae gwahaniaeth rhwng cymhareb digidau dynion a menywod (y gymhareb rhwng y bys blaen a'r bys modrwy). (Gan mai **rhagdybiaeth anghyfeiriadol** yw hon, bydd angen **prawf dwygynffon**).
Rhagdybiaeth nwl: Does dim gwahaniaeth rhwng cymhareb digidau dynion a menywod.

CAM 2. Lluniwch dabl newidynnau

	Gwryw	Benyw	Cyfansymiau
Cymhareb y digidau ≥ 1.00	5 (cell **A**)	12 (cell **B**)	17
Cymhareb y digidau < 1.00	10 (cell **C**)	9 (cell **D**)	19
Cyfansymiau	15	21	36

Tabl amodoldeb 2 × 2 yw hwn am fod dwy res a dau dabl ynddo. Ar y dudalen gyferbyn cewch chi dabl amodoldeb 3 × 2 am fod tair rhes a dwy golofn ynddo. Y rhesi yw'r rhif cyntaf bob amser a'r ail rif yw'r colofnau.

CAM 3. Cymharwch yr amlderau a arsylwyd a'r amlderau disgwyliedig* ar gyfer pob cell
Caiff yr amlderau disgwyliedig eu cyfrifo drwy weithio allan sut y câi'r data eu gwasgaru ar draws yr holl gelloedd yn y tabl pe na bai unrhyw wahaniaeth, h.y. eu bod **ar hap**.

	rhes × colofn / cyfanswm = amlder disgwyliedig (E)	Tynnwch y gwerth disgwyliedig o'r gwerth a arsylwyd gan anwybyddu arwyddion (O − E)	Sgwariwch y gwerth blaenorol (O − E)²	Rhannwch y gwerth blaenorol â'r gwerth disgwyliedig (O − E)² / E
Cell **A**	17×15 / 36 = 7.08	5 − 7.08 = 2.08	4.3264	0.6110
Cell **B**	17×21 / 36 = 9.92	12 − 9.92 = 2.08	4.3264	0.4361
Cell **C**	19×15 / 36 = 7.92	10 − 7.92 = 2.08	4.3264	0.5463
Cell **Ch**	19×21 / 36 = 11.08	9 − 11.08 = 2.08	4.3264	0.3905

Mewn rhai llyfrau, fe argymhellir cywiriad Yates ond dywed Coolican (1996) nad dyna'r arfer erbyn heddiw.

CAM 4. Dewch o hyd i werth a arsylwyd Chi-sgwâr (χ^2)
Adiwch yr holl werthoedd sydd yng ngholofn olaf y tabl uchod.
Cewch chi werth a arsylwyd Chi-sgwâr, sef 1.984

CAM 5. Chwiliwch am werth critigol Chi-sgwâr (χ^2)
Cyfrifwch y graddau o ryddid (df) drwy luosi (rhesi − 1) × (colofnau − 1) = 1
Chwiliwch am y gwerth yn y tabl o'r gwerthoedd critigol (ar y dde).
Yn achos prawf dwygynffon, df = 1, gwerth critigol χ^2 ($p \leq 0.5$) = 3.84

CAM 6. Nodwch y casgliad
Gan fod y gwerth a arsylwyd (2.984) yn llai na'r gwerth critigol (3.84), rhaid i ni dderbyn y rhagdybiaeth nwl (sef $p \leq 0.05$) a dod i'r casgliad nad oes dim gwahaniaeth rhwng cymhareb digidau dynion a menywod.

Tabl o werthoedd critigol Chi-sgwâr (χ^2) ($p \leq 0.05$)

df	Prawf ungynffon	Prawf dwygynffon
1	2.71	3.84
2	4.60	5.99
3	6.25	7.82
4	7.78	9.49
5	9.24	11.07

I ddangos arwyddocâd, rhaid i werth a arsylwyd χ^2 fod yn HAFAL i'r gwerth critigol yn y tabl hwn neu'n FWY NAG EF.

Ffynhonnell: talfyrrwyd o R.A. Fisher ac F. Yates (1974) *Statistical Tables for Biological, Agricultural and Medical Research* (6ed argraffiad). Llundain: Longman.

DULLIAU RHIANTA A HUNAN-BARCH

Mae ymchwil seicolegol wedi canfod tri dull gwahanol o rianta: y dulliau *awdurdodol* (y rhieni'n dweud sut dylai'r plant ymddwyn), *democrataidd* (y rhieni'n trafod safonau gyda'u plant) a *laissez-faire* (y rhieni'n annog y plant i sefydlu eu rheolau eu hunain). Gwelodd Buri (1991) fod plant a gafodd brofiad o rianta awdurdodol yn debycach o feithrin **hunan-barch** uchel.

GWAITH I CHI

I wneud astudiaeth fel yr un uchod, gallwch chi gyrchu'r *Parental Authority Questionnaire* (PAQ) yn *https:// dtreboux.files.wordpress.com/2013/06/ parental-authority-questionnaire-2.docx*

Cewch chi amrywiol holiaduron ynghylch hunan-barch ar y we.

GWAITH I CHI

Syniadau ar gyfer astudiaethau sy'n defnyddio Prawf Chi-sgwâr

- **Rhywedd a chydymffurfio** Ydy menywod yn barotach i gydymffurfio na dynion? Er bod rhai astudiaethau wedi gweld bod hynny'n wir, awgrym Eagly a Carli (1981) yw nad ydy hynny ond yn wir yn achos tasgau sy'n wrywaidd-eu-gogwydd. Rhowch gynnig ar wahanol fathau o dasgau cydymffurfio i weld a oes gan rai ohonyn nhw lefelau uwch neu is o gydymffurfio gan fenywod. Mewn prawf ar wybodaeth gyffredinol, er enghraifft, gofynnwch gwestiynau sy'n perthnasu â diddordebau dynion neu fenywod. Dylid dangos yr atebion a roddwyd gan 'gyfranogwyr' blaenorol er mwyn i chi allu gweld a yw'ch cyfranogwr go-iawn yn cydymffurfio ag ateb y mwyafrif.
- **Cwsg ac oedran** Mae ymchwil yn awgrymu bod pobl yn cysgu llai wrth iddyn nhw heneiddio. Cymharwch y cyfranogwyr hŷn ac iau o ran cyfartaledd y nifer o oriau o gwsg maen nhw'n eu cael.

PRYD MAE DEFNYDDIO'R PRAWF CHI-SGWÂR (χ^2)

- Mae'r rhagdybiaeth yn rhagfynegi bod *gwahaniaeth* rhwng dau gyflwr neu *gysylltiad* rhwng newidynnau.
- Rhaid i'r setiau o ddata fod yn *annibynnol* (ni ddylai'r un unigolyn fod â sgôr mewn mwy nag un 'gell').
- Mae'r data mewn *amlderau* (h.y. yn **enwol**). Cewch chi eglurhad ar dudalen 144. Rhaid i'r amlderau beidio â bod yn ganrannau.

Sylwch Dydy'r prawf hwn ddim yn ddibynadwy os yw'r amlderau *disgwyliedig* (h.y. y rhai a gyfrifwch) yn llai na 5 mewn unrhyw gell, h.y. mae arnoch chi angen o leiaf 20 o gyfranogwyr ar gyfer tabl amodoldeb 2 x 2.

PRAWF CHI-SGWÂR – ENGHRAIFFT A WEITHIWYD AR GYFER TABL 3 x 2

CAM 1. Rhowch y **rhagdybiaeth amgen** *a'r* **rhagdybiaeth nwl**

Y rhagdybiaeth amgen: Mae rhai dulliau rhianta'n gysylltiedig â hunan-barch uwch mewn pobl ifanc. (Gan mai **rhagdybiaeth anghyfeiriadol** yw hon, bydd angen **prawf dwygynffon**).
Rhagdybiaeth nwl: Does dim cysylltiad rhwng dull rhianta a hunan-barch mewn pobl ifanc.

CAM 2. Lluniwch dabl amodoldeb

Yn yr achos hwn, bydd yn 3 wrth 2 (rhesi'n gyntaf ac yna'r colofnau).

Arddull rhianta	Hunan-barch		Cyfansymiau
	Uchel	Isel	
Awdurdodol	10 (cell **A**)	4 (cell **B**)	14
Democrataidd	5 (cell **C**)	7 (cell **Ch**)	12
Laissez-faire	8 (cell **D**)	2 (cell **Dd**)	10
Cyfansymiau	23	13	36

CAM 3. Cymharwch yr amlderau a arsylwyd a'r amlderau disgwyliedig

	rhes x colofn / cyfanswm = amlder disgwyliedig (E)	Tynnwch y gwerth disgwyliedig o'r gwerth a arsylwyd ac anwybyddwch yr arwyddion (O – E)	Sgwariwch y gwerth blaenorol $(O-E)^2$	Rhannwch y gwerth blaenorol â'r gwerth disgwyliedig $(O-E)^2 / E$
Cell **A**	$14 \times 23 / 36 = 8.94$	$10 - 8.94 = 1.06$	1.1236	0.1257
Cell **B**	$14 \times 13 / 36 = 5.06$	$4 - 5.06 = 1.06$	1.1236	0.2221
Cell **C**	$12 \times 23 / 36 = 7.67$	$5 - 7.67 = 2.67$	7.1289	0.9294
Cell **Ch**	$12 \times 13 / 36 = 4.33$	$7 - 4.33 = 2.67$	7.1289	1.6464
Cell **D**	$10 \times 23 / 36 = 6.39$	$8 - 6.39 = 1.61$	2.5921	0.4056
Cell **Dd**	$10 \times 13 / 36 = 3.61$	$2 - 3.61 = 1.61$	2.5921	0.7180

CAM 4. Dewch o hyd i **werth a arsylwyd** Chi-sgwâr (χ^2)

Adiwch yr holl werthoedd sydd yng ngholofn olaf y tabl uchod.
Cewch chi werth a arsylwyd Chi-sgwâr (χ^2), sef 4.0472

CAM 5. Dewch o hyd i **werth critigol** Chi-sgwâr (χ^2)

Cyfrifwch y graddau o ryddid (*df*) drwy luosi (rhesi – 1) × (colofnau – 1) = 2
Chwiliwch am y gwerth critigol yn y tabl o'r gwerthoedd critigol (ar y dudalen gyferbyn).
Yn achos prawf dwygynffon, *df* = 2, gwerth critigol χ^2 ($p \le 0.05$) = 5.99

CAM 6. Nodwch y casgliad

CORNEL ARHOLIAD

Ymarfer ar gyfer senarios newydd

1. Rhowch y casgliad ar gyfer y prawf uchod. [2]
2. Lluniwch dabl amodoldeb i ddangos y data canlynol – gofynnir i gyfranogwyr hen ac ifanc a ydyn nhw'n cysgu mwy neu lai nag wyth awr y nos ar gyfartaledd. Dywedodd 11 o'r hen bobl eu bod yn cysgu mwy a 25 eu bod yn cysgu llai na hynny. Dywedodd 31 o'r cyfranogwyr ifanc eu bod yn cysgu mwy nag wyth awr a dywedodd 33 eu bod yn cysgu llai na hynny. [4]
3. Rhowch ragdybiaeth amgen briodol (gyfeiriadol) a rhagdybiaeth nwl ar gyfer yr ymchwiliad hwn. [2 + 2]
4. Gwerth a arsylwyd (cyfrifwyd) Chi-sgwâr ar gyfer y data o gwestiwn 1 yw 3.02 (prawf ungynffon). Ydy'r gwerth hwnnw'n arwyddocaol? Eglurwch eich penderfyniad a dywedwch a yw hynny'n golygu y gallwch chi wrthod y rhagdybiaeth nwl. [2 + 2]

'**Profion gwahaniaeth**' yw'r tri phrawf casgliadol olaf (ar y ddwy dudalen hyn a'r pedair tudalen nesaf). Beth yw ystyr hynny? Mae prawf gwahaniaeth yn fodd i ni ystyried a yw dwy sampl o ddata yn wahanol i'w gilydd. Er enghraifft, efallai yr hoffen ni wybod a yw pobl yn cynhyrchu gwaith cywirach mewn lle swnllyd neu le tawel - bydden ni'n chwilio am wahaniaeth ym mherfformiad y cyfranogwyr yn y ddau gyflwr. Mae'r Prawf Chi-sgwâr (ar y ddwy dudalen flaenorol) yn brawf gwahaniaeth ac yn **brawf cysylltiad**. Mae profion cysylltiad yn astudio a yw dau newidyn yn cynyddu'r un pryd (cysylltiad/cydberthyniad positif) neu a yw'r naill yn cynyddu wrth i'r llall leihau (cysylltiad/cydberthyniad negyddol).

Fel rheol, defnyddir profion gwahaniaeth wrth wneud arbrofion. Er enghraifft, gallen ni wneud arbrawf i weld a yw amodau swnllyd yn amharu ar effeithiolrwydd adolygu.

Achos A – gallen ni fod â dau grŵp o gyfranogwyr:
- Grŵp 1: bydd y cyfranogwyr yn adolygu mewn ystafell gwbl dawel ac maen nhw'n cael prawf.
- Grŵp 2: grŵp gwahanol o gyfranogwyr sy'n adolygu mewn ystafell swnllyd ac yn cael prawf.

Achos B – gallen ni fod â dau gyflwr:
- Cyflwr 1: bydd y cyfranogwyr yn adolygu mewn ystafell gwbl dawel ac yn cael prawf.
- Cyflwr 2: mae'r un cyfranogwyr yn adolygu mewn ystafell swnllyd ac yn cael prawf.

Cynllun grwpiau annibynnol yw Achos A (mae gennym ni ddau grŵp gwahanol o gyfranogwyr). **Cynllun ailadrodd mesurau** – am fod yr un cyfranogwyr yn cael prawf ddwywaith – yw Achos B (mae gennym ni ddau gyflwr ond un grŵp yn unig o gyfranogwyr).

Defnyddir y Prawf Arwyddion (ar y ddwy dudalen hyn) a Phrawf *T* Wilcoxon (ar y ddwy dudalen nesaf) ar gyfer cynlluniau ailadrodd mesurau. Defnyddir Prawf *U* Mann-Whitney (ar dudalennau 160-161) ar gyfer cynlluniau grwpiau annibynnol.

Mewn rhai arbrofion cewch chi fwy na dau gyflwr neu ddau grŵp – yn ymchwil clasurol Loftus a Palmer (1974) i gwestiynau arweiniol, er enghraifft, roedd pum grŵp gwahanol yn ôl pa ferf oedd yn y frawddeg ('smashed', 'hit', ac ati). Caiff profion ystadegol penodol eu defnyddio ar gyfer cynlluniau sy'n cynnwys mwy na dau gyflwr/grŵp – ond does dim angen i chi boeni am y rheiny.

Sylwch Mae **tri** math o gynllun arbrofol – ailadrodd mesurau, grwpiau annibynnol ac, yn olaf, **barau cyffredin**. Mewn astudiaethau o barau cyffredin mae dau grŵp o gyfranogwyr (fel mewn cynllun grwpiau annibynnol) ond dydy'r grwpiau ddim yn annibynnol – maen nhw'n debyg (e.e. o ran nodweddion fel cyniferydd deallusrwydd, oedran, ac ati). Bydd arbrofion parau cyffredin, felly, yn defnyddio profion ailadrodd mesurau.

Y RHAGDYBIAETH GYDWEDDU

Pwy sy'n ddeniadol i chi? Petai pawb yn dewis y bobl fwyaf deniadol yn ddarpar bartneriaid, gallen ni i gyd fod yn ymladd dros grŵp bach o ddynion a menywod hardd, ond mae'r **rhagdybiaeth gydweddu** (Walster ac eraill, 1966) yn awgrymu y caiff pobl eu denu mewn gwirionedd at yr unigolion sy'n cyd-fynd agosaf â'u canfyddiadau o ba mor ddeniadol ydyn nhw'u hunain. Felly, er y gallen ni gael ein denu at unigolion sy'n gorfforol ddeniadol fel darpar bartneriaid, mae angen cyfaddawdu i osgoi cael ein gwrthod gan ein dewisiadau mwy deniadol.

Mae amryw o astudiaethau wedi rhoi prawf ar y rhagdybiaeth hon. Trefnodd Murstein (1972), er enghraifft, i luniau o gyplau sy'n dêtio, neu gyplau sydd wedi dywedïo, gael eu barnu o ran pa mor ddeniadol ydyn nhw. Dangosodd barn pobl fod tuedd bendant i gyplau sy'n dêtio, neu gyplau sydd wedi dywedïo, fod â lefelau tebyg o atyniad.

▶ Allwn ni egluro atyniad rhyngbersonol yn nhermau cydweddu? Hynny yw, bydd pobl yn chwilio am bartneriaid sy'n debyg iddyn nhw'u hunain o ran pa mor ddeniadol ydyn nhw yn hytrach nag yn chwilio am yr unigolion mwyaf deniadol.

Mewn termau ystadegol, mae prawf gwahaniaeth yn chwilio i weld a yw dwy set o sgorau wedi'u tynnu o'r un boblogaeth (dyna'r rhagdybiaeth nwl) neu o ddwy boblogaeth wahanol (dyna'r rhagdybiaeth amgen). Er enghraifft, os ydyn ni'n astudio ai sŵn neu dawelwch sydd orau, fe gredwn ni'r naill neu'r llall o'r rhain:
- does dim gwahaniaeth (y rhagdybiaeth nwl) – mae'n anochel y bydd y sgorau o'r ddau gyflwr ychydig yn wahanol ond mae'r gwahaniaeth yn digwydd oherwydd ffactorau siawns.
- bod gwahaniaeth (y rhagdybiaeth amgen) – y rheswm dros i'r sgorau o'r ddau gyflwr fod yn wahanol yw bod y naill sampl a'r llall wedi'i thynnu o boblogaeth wahanol.

Y PRAWF ARWYDDION – ENGHRAIFFT A WEITHIWYD

CAM 1. Rhowch y **rhagdybiaeth amgen** a'r **rhagdybiaeth nwl**

Y rhagdybiaeth amgen: Mae partneriaid sy'n dêtio, neu wedi dyweddïo, tua'r un mor ddeniadol (h.y. maen nhw'n cydweddu o ran atyniad). (Gan mai **rhagdybiaeth anghyfeiriadol** yw hon, bydd angen **prawf dwygynffon**).

Rhagdybiaeth nwl: Does dim perthynas rhwng atyniad cyplau sy'n dêtio na chyplau sydd wedi dyweddïo.

CAM 2. Cofnodwch y data a gweithiwch allan yr arwydd

Yn achos pob cwpl, cofnodwch gyfartaledd y sgôr a roddwyd i'r partneriaid gwryw a benyw. Yna, sgoriwch '+' os yr un sgôr, ar gyfartaledd, a gawson nhw a '–' os oedd cyfartaledd y sgorau a gawson nhw yn wahanol. Yn yr enghraifft isod, defnyddiwyd graddfa o 1–5 o atyniad ac roedd disgwyl i'r sgorau fod yr un fath yn union i gyfrif fel rhai tebyg.

Cwpl	Cyfartaledd y farn am y partner gwryw	Cyfartaledd y farn am y partner benyw	Tebyg neu wahanol?
1	3	4	–
2	4	3	–
3	5	5	+
4	1	2	–
5	1	1	+
6	3	3	+
7	5	5	+
8	4	4	+
9	3	1	–
10	4	4	+
11	5	2	–
12	4	4	+

CAM 3. Dewch o hyd i **werth a arsylwyd** S

S = nifer y troeon y mae'r gwerth llai aml yn digwydd.
Yn yr achos hwn, mae'r arwydd llai aml yn finws, ac felly S = 5

CAM 4. Dewch o hyd i **werth critigol** S

N = Cyfanswm y sgorau (llai unrhyw werthoedd sero).
Yn yr achos hwn N = 12 (dim sgôr wedi'i hepgor). Gan fod y rhagdybiaeth yn anghyfeiriadol, defnyddir prawf ungynffon.
Chwiliwch am y gwerth critigol yn y tabl o'r gwerthoedd critigol (gweler uchod ar y dde).
Yn achos prawf dwygynffon, N = 12, gwerth critigol S ($p \leq 0.05$) = 2

CAM 5. Nodwch y casgliad

Gan fod y gwerth a arsylwyd (5) yn fwy na'r gwerth critigol (2), rhaid i ni dderbyn y rhagdybiaeth nwl (yn ôl $p \leq 0.05$) a dod i'r casgliad nad oes perthynas rhwng lefel atyniad cyplau sy'n dêtio na chyplau sydd wedi dyweddïo (h.y. dydyn nhw ddim yn cydweddu).

Tabl o werthoedd critigol S ($p \leq 0.05$)

N =	Prawf ungynffon	Prawf dwygynffon
5	0	
6	0	0
7	0	0
8	1	0
9	1	1
10	1	1
11	2	1
12	2	2
13	3	2
14	3	2
15	3	3
16	4	3
17	4	4
18	5	4
19	5	4
20	5	5
25	7	7
30	10	9
35	12	11

I ddangos arwyddocâd, rhaid i werth a arsylwyd S fod yn HAFAL i'r gwerth critigol yn y tabl hwn neu'n FWY NAG EF.

Ffynhonnell: o R.F. Clegg (1982) *Simple Statistics*. Caergrawnt: Gwasg Prifysgol Caergrawnt.

PRYD MAE DEFNYDDIO'R PRAWF ARWYDDION

- Mae'r rhagdybiaeth yn rhagfynegi *gwahaniaeth* rhwng dwy set o ddata.
- Mae'r ddwy set o ddata yn barau o sgorau gan un person (neu bâr cyffredin) = *mae perthynas*.
- Mae'r data'n **enwol** (h.y. nid yn ddata **trefnol** nac yn ddata **cyfwng**). Cewch chi eglurhad ar dudalen 144.

CORNEL ARHOLIAD

Ymarfer ar gyfer senarios newydd

1. Nodwch **un neu ragor** o broblemau moesegol a allai godi wrth wneud astudiaeth ar y rhagdybiaeth gydweddu. [1 marc yr un]
2. Awgrymwch sut gallech chi ddelio â'r problemau moesegol. [2 farc yr un]
3. Os oeddech chi'n mynd i ddefnyddio cardiau Zener i astudio ESP, nodwch y rhagdybiaeth amgen a'r rhagdybiaeth nwl ar gyfer yr astudiaeth honno. [2 + 2]
4. Ydy'ch rhagdybiaeth amgen chi'n gyfeiriadol neu'n anghyfeiriadol? [1]
5. Disgrifiwch sut gallech chi gael sampl o wirfoddolwyr ar gyfer yr astudiaeth honno. [2]
6. Awgrymwch ddull arall o samplu ac eglurwch ym mha ffordd y byddai'n well dull na defnyddio sampl o wirfoddolwyr. [3]
7. Gan ddefnyddio data dychmygol neu ddata rydych chi wedi'u casglu, cyfrifwch werth S ar gyfer eich set ddata. Penderfynwch a ddylech chi dderbyn neu wrthod y rhagdybiaeth nwl. [2 + 2]
8. Eglurwch pam mai'r Prawf Arwyddion fyddai'r prawf priodol i'w ddefnyddio gyda'r data hyn. [2]

Lefel A2 yn unig: Profion casgliadol:
Prawf Arwyddion Graddedig Parau Cyffredin Wilcoxon

Mae Prawf Arwyddion Graddedig Parau Cyffredin Wilcoxon, fel y mae'r Prawf Arwyddion, yn **brawf gwahaniaeth** ar gyfer **ailadrodd mesurau** neu **barau cyffredin**. Mae'r Prawf Arwyddion yn addas ar gyfer **data enwol** yn unig, ond mae Prawf T Wilcoxon yn addas ar gyfer **data trefnol** neu **ddata cyfwng**. Mae'r rhain yn brofion mwy 'grymus' y gellir eu defnyddio gyda data cyfwng – fel profion-t – ond gan eu bod nhw'r tu hwnt i'r fanyleb, does dim rhaid i chi boeni amdanyn nhw. Mae'r cysyniad o 'rym' yn cyfeirio at y ffaith fod gan brofion-t well gallu i ganfod **arwyddocâd** – ac os defnyddiwch chi Brawf T Wilcoxon, felly, fe allwch chi beidio â gweld bod eich canlyniadau'n arwyddocaol. Ond petaech chi'n defnyddio prawf-t, fe allech chi weld gwahaniaeth arwyddocaol. Mae hynny ychydig fel defnyddio microsgop sy'n gallu chwyddhau mwy.

Prawf Arwyddion Graddedig Parau Cyffredin Wilcoxon – dyna lond ceg! Y rheswm dros yr enw yw i Frank Wilcoxon lunio prawf ystadegol cyfarwydd arall o'r enw *Prawf Symiau Graddedig Wilcoxon*. Allwn ni ddim, felly, â galw'r naill brawf na'r llall yn Brawf Wilcoxon. Er hwylustod, rydyn ni wedi'i alw'n Brawf *T* Wilcoxon am mai'r enw ar yr ystadegyn a gyfrifir ar gyfer Prawf Arwyddion Graddedig Parau Cyffredin Wilcoxon yw *T*.

Sylwch Cynllun cysylltiedig hefyd yw **parau cyffredin** – mae dau grŵp o gyfranogwyr ond mae pob cyfranogwr yn y naill grŵp wedi'i gydweddu â chyfranogwr yn y grŵp arall o ran y newidynnau allweddol. Mae hynny, felly, yn debyg – ar ryw ystyr – i roi prawf ar yr un person ddwywaith.

▲ Pa wyneb yw'r un mwyaf hoffus? Yn ôl yr effaith dangos-yn-unig, dylech chi hoffi'r un a welwch chi amlaf.

YR EFFAITH DANGOS-YN-UNIG

Serch y dywediad bod cynefindra'n magu dirmyg, mae ymchwil seicolegol wedi gweld mai fel arall y mae hi fel rheol, sef y byddwn ni'n hoffi mwy a mwy ar bethau am eu bod nhw'n gyfarwydd. Er enghraifft, bydd pobl fel rheol yn hoffi cân yn fwy ar ôl iddyn nhw ei chlywed hi sawl gwaith ac, yn aml, bydd hysbysebion yn ceisio cynyddu'n hoffter o gynnyrch drwy ei ddangos dro ar ôl tro. Am fod pethau cyfarwydd yn llai bygythiol, mae'n haws eu hoffi.

Gwnaeth Robert Zajonc ('zi-ynts') amrywiol arbrofion i arddangos yr *effaith dangos-yn-unig*. Mewn un astudiaeth (1968), er enghraifft, dywedodd Zajonc wrth y cyfranogwyr ei fod yn gwneud astudiaeth o'r cof gweledol. Dangosodd set o ffotograffau o 12 o wahanol ddynion (eu hwynebau'n unig) iddyn nhw. Dangosodd bob llun am ddwy eiliad yn unig. Ar y diwedd, gofynnwyd i'r cyfranogwyr ddweud faint roedden nhw'n hoffi'r 12 o ddynion gwahanol ar raddfa o 0-6. Elfen allweddol yn yr astudiaeth oedd i rai lluniau gael eu dangos yn amlach na'i gilydd. Dangoswyd un llun, er enghraifft, 25 o weithiau ond unwaith yn unig y dangoswyd un arall.

Ar y cyfan, yr amlderau oedd 0, 1, 2, 5, 10 a 25. Gwnaed yr un arbrawf drachefn gyda symbolau Tsieineaidd ffug a hefyd gyda geiriau nonsens o'r iaith Dyrceg. Dangosir yr holl ganlyniadau yn y graff ar y chwith.

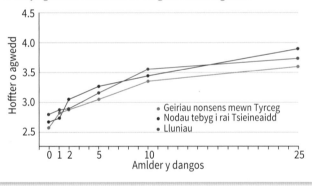

Hoffter o agwedd (echelin fertigol: 2.5, 3.0, 3.5, 4.0, 4.5)

● Geiriau nonsens mewn Tyrceg
● Nodau tebyg i rai Tsieineaidd
● Lluniau

Amlder y dangos (0 1 2 5 10 25)

GWAITH I CHI

Gallwch chi ddyblygu'r astudiaeth uchod ond does dim angen i chi gynnwys pob un o'r chwe chyflwr. Gall y dadansoddiad terfynol gynnwys cymharu dim ond dau o'r ysgogiadau – un mynych ac un anfynych – fel y dangosir yn yr enghraifft a weithiwyd ar y dudalen gyferbyn.

GWAITH I CHI

Syniadau ar gyfer astudiaethau sy'n defnyddio Prawf T Wilcoxon

- **Dangos-yn-unig unwaith eto** Gellir hefyd ddefnyddio'r *effaith dangos-yn-unig* i egluro'r ffaith ei bod yn well gan bobl weld lluniau ohonyn nhw'u hunain o chwith fel mewn drych. Am mai dyna'r ffordd y byddwch chi'n eich gweld eich hun fel arfer, mae'n fwy cyfarwydd (Mita ac eraill, 1977). Gallech chi dynnu ambell lun o bob cyfranogwr â chamera digidol a chreu drychddelwedd o bob un. Dangoswch y lluniau iddyn nhw a chofnodwch eu barn am bob llun (ar raddfa 1-5). Cymharwch y ffigurau.

- **Ochr dde ac ochr chwith yr ymennydd** Os cyflawnwch chi ddwy dasg sy'n golygu defnyddio'r un hemisffer o'r ymennydd, dylech chi fod yn arafach wrth gyflawni'r ddwy dasg nag wrth gyflawni dwy dasg sy'n golygu defnyddio'r hemisfferau de a chwith ar wahân. Er enghraifft, tapiwch eich bys de wrth ddarllen tudalen o lyfr (y ddau'n waith i'r hemisffer chwith). Yna tapiwch eich bys eto heb wneud unrhyw waith darllen. Y naill dro a'r llall, cyfrifwch sawl gwaith y tapiwch chi'ch bys mewn 30 eiliad a chymharwch y sgorau.

- **Mae gwenu'n eich gwneud chi'n hapus** Gallech chi feddwl eich bod chi'n gwenu am eich bod chi'n teimlo'n hapus ond mae ymchwil seicolegol yn dangos ei bod hi'n gweithio fel arall hefyd, h.y. byddwch chi'n hapusach am eich bod chi'n gwenu. Dywedodd Laird (1974) wrth gyfranogwyr am dynhau rhai o gyhyrau eu hwyneb er mwyn iddo ddefnyddio electrodau i fesur gweithgarwch cyhyrau'r wyneb. Drwy ddilyn y cyfarwyddiadau cafwyd rhywbeth tebyg i wên neu i wg. Barn y cyfranogwyr a wnaed i 'wenu' wrth ystyried pa mor ddoniol oedd cartwnau oedd bod y cartwnau'n fwy doniol nag yr oedden nhw ym marn y rhai a wnaed i wgu. Gallech chi ddyblygu hynny drwy ofyn i bobl wenu wrth edrych ar rai cartwnau a gwgu wrth edrych ar eraill, a rhoi eu barn ynghylch doniolwch pob cartŵn unigol.

PRAWF *T* WILCOXON – ENGHRAIFFT A WEITHIWYD

CAM 1. Rhowch y rhagdybiaeth amgen *a'r* rhagdybiaeth nwl

Y rhagdybiaeth amgen: Barn y cyfranogwyr yw bod yr wyneb a welir yn amlach yn fwy hoffus na'r wyneb a welir yn llai aml. (Gan mai **rhagdybiaeth gyfeiriadol** yw hon, bydd angen **prawf ungynffon**).

Rhagdybiaeth nwl: Does dim gwahaniaeth yn y sgôr hoffusrwydd am wynebau a welir yn fwy neu'n llai aml.

CAM 2. Cofnodwch y data a chyfrifwch y gwahaniaeth rhwng y sgorau a'r farn

Ar ôl i chi weithio allan y gwahaniaeth, gosodwch y farn o isel i uchel gan anwybyddu'r arwyddion (h.y. rhowch 1 i'r rhif isaf).

Os oes dau neu ragor o'r un nifer (niferoedd tebyg), cyfrifwch y farn drwy weithio allan gymedr y barnau a fyddai wedi'u rhoi.

Os yw'r gwahaniaeth yn sero, hepgorwch hwn o'r rhestr o farnau a gostyngwch *N* yn unol â hynny.

Cyfranogwr	Hoffusrwydd wyneb a welir yn amlach	Hoffusrwydd wyneb a welir yn llai aml	Gwahaniaeth	Trefn
1	5	2	3	9.5
2	4	3	1	3
3	3	3	hepgor	
4	6	4	2	6.5
5	2	3	−1	3
6	4	5	−1	3
7	5	2	3	9.5
8	3	4	−1	3
9	6	3	3	9.5
10	4	6	−2	6.5
11	5	2	3	9.5
12	3	4	−1	3

CAM 3. Dewch o hyd i werth a arsylwyd *T*

T = swm trefn yr arwydd llai mynych.

Yn yr achos hwn, mae'r arwydd llai aml yn finws, ac felly *T* = 3 + 3 + 3 + 6.5 + 3 = 18.5

CAM 4. Dewch o hyd i werth critigol *T*

N = 11 (hepgorwyd un sgôr). Gan fod y rhagdybiaeth yn gyfeiriadol, prawf ungynffon a ddefnyddir. Chwiliwch am y gwerth critigol yn y tabl o'r gwerthoedd critigol (gweler ar y dde). Yn achos prawf ungynffon, *N* = 11, gwerth critigol *T* ($p < 0.05$) = 13

CAM 5. Nodwch y casgliad

Gan fod y gwerth a arsylwyd (18.5) yn fwy na'r gwerth critigol (13), rhaid i ni dderbyn y rhagdybiaeth nwl (yn ôl $p \leq 0.05$) a dod i'r casgliad nad oes dim gwahaniaeth yn y sgôr hoffusrwydd am wynebau a welir yn fwy neu'n llai aml.

CORNEL ARHOLIAD

Ymarfer ar gyfer senarios newydd

1. Nodwch uchafswm gwerth a arsylwyd (cyfrifwyd) *T* y byddai gofyn ei gael i sicrhau arwyddocâd mewn prawf dwygynffon â 25 o gyfranogwyr. [1]

2. Mewn arbrawf seicoleg, cafodd 15 myfyriwr brawf yn y bore a phrawf tebyg yn y prynhawn i weld a wnawn nhw'n well o gael prawf yn y bore neu yn y prynhawn. Disgwyliai'r ymchwilydd iddyn nhw wneud yn well yn y bore.
   a. Lluniwch ragdybiaeth amgen a rhagdybiaeth nwl priodol ar gyfer yr astudiaeth hon. [2 + 2]
   b. Dyfeisiwch ddata ar gyfer yr astudiaeth – bydd angen 15 pâr o sgorau arnoch chi. Eglurwch pam mai Prawf *T* Wilcoxon fyddai'r prawf priodol i'w ddefnyddio gyda'r data hyn. [3]
   c. Dilynwch y camau a amlinellwyd uchod i gyfrifo *T* ar gyfer eich data ac yna dywedwch pa gasgliad y byddech chi'n dod iddo ynghylch arwyddocâd y canlyniadau. [2 + 2]
   ch. Problem gyda'r astudiaeth hon yw y gallai'r myfyrwyr wneud yn well yn y prynhawn am iddyn nhw wneud prawf tebyg yn y bore. Felly, fe wnaed yr astudiaeth unwaith eto gan ddefnyddio cynllun parau cyffredin. Eglurwch sut gellid gwneud hynny (gan gynnwys y newidynnau y byddech chi'n eu defnyddio ar gyfer cydweddu). [4]
   d. Eglurwch sut gellid defnyddio **gwrthbwyso** i ddelio â'r **effeithiau trefn** os defnyddiwyd cynllun ailadrodd mesurau. [3]

PRYD MAE DEFNYDDIO PRAWF *T* WILCOXON

- Mae'r rhagdybiaeth yn rhagfynegi *gwahaniaeth* rhwng dwy set o ddata.
- Mae'r ddwy set o ddata yn barau o sgorau gan un person (neu bâr cyffredin) = *mae perthynas*.
- Mae'r data o leiaf yn **drefnol** (h.y. nid yn **enwol**). Cewch chi eglurhad ar dudalen 144.

◄ Frank Wilcoxon (1892–1965), cemegydd ac ystadegydd o America.

Tabl o werthoedd critigol *T* ($p \leq 0.05$)

N =	Prawf ungynffon	Prawf dwygynffon
5	0	
6	2	0
7	3	2
8	5	3
9	8	5
10	11	8
11	13	10
12	17	13
13	21	17
14	25	21
15	30	25
16	35	29
17	41	34
18	47	40
19	53	46
20	60	52
21	67	58
22	75	65
23	83	73
24	91	81
25	100	89
26	110	98
27	119	107
28	130	116
29	141	125
30	151	137
31	163	147
32	175	159
33	187	170

I ddangos arwyddocâd, rhaid i werth a arsylwyd *T* fod yn HAFAL i'r gwerth critigol yn y tabl hwn neu'n LLAI NAG EF.

Ffynhonnell: R. Meddis (1975) *Statistical Handbook for Non-statisticians*. Llundain: McGraw-Hill.

Y **prawf casgliadol** olaf y mae angen i chi ei astudio yw un sy'n briodol ar gyfer **profion gwahaniaeth** lle mae **grwpiau annibynnol**, h.y. lle cynhwysodd yr astudiaeth ddau grŵp o gyfranogwyr. Rhoddwyd lefel wahanol o'r **newidyn annibynnol** i'r naill a'r llall. Gallai'r naill grŵp weithio mewn cyflwr swnllyd tra oedd y llall yn gweithio mewn tawelwch llwyr. Neu fe ellid rhoi prawf ar y naill grŵp yn y bore a rhoi prawf i'r llall yn y prynhawn i weld a yw'r adeg o'r dydd yn effeithio ar eu perfformiad.

▲ Defnyddiwyd Pont Grog Capilano yn astudiaeth Dutton ac Aron (gweler ar y dde). Mae llu o nodweddion y bont hirgul honno'n peri cynnwrf: ei thueedd i ogwyddo a siglo a chreu'r argraff eich bod chi ar fin syrthio dros yr ochr; canllawiau isel iawn o gebl gwifrau, ac, o dani, gwympo o 230 o droedfeddi i'r creigiau a'r dyfroedd gwyllt a bas islaw.

SYRTHIO MEWN CARIAD

Mae seicolegwyr wedi ceisio egluro'r broses o syrthio mewn cariad. Un awgrym yw bod cariad yn ei hanfod yn gynnwrf ffisiolegol – yn gynnwrf sy'n digwydd yn eich **system nerfol sympathetig** pan fyddwch chi'n teimlo'n ofnus neu dan straen neu'n teimlo bod rhywun yn gorfforol ddeniadol. Awgrym Hatfield a Walster (1981) oedd nad yw cariad ond yn label a roddwn ar gynnwrf ffisiolegol pan fydd yn digwydd ym mhresenoldeb rhywun priodol. Mae dyn neu fenyw sy'n cyfarfod â darpar bartner ar ôl gêm bêl-droed gyffrous yn debycach o syrthio mewn cariad nag y byddai ar ddiwrnod arferol. Yn yr un modd, mae dyn neu fenyw'n debycach o syrthio mewn cariad ar ôl wynebu siom chwerw. Mae'r rheswm, yn y naill achos a'r llall, yn ymwneud â dwy gydran cariad, sef cynnwrf a label.

Mae amrywiol arbrofion, fel astudiaeth gofiadwy Dutton ac Aron (1974) wedi ategu hynny. Bu cynorthwyydd ymchwil benyw (na wyddai am nodau'r astudiaeth) yn cyfweld gwrywod. Eglurodd ei bod hi wrthi'n gwneud prosiect ar gyfer ei dosbarth seicoleg ar effeithiau golygfeydd deniadol ar fynegiant creadigol. Cynhaliwyd y cyfweliadau ar bont grog uchel (grŵp cynnwrf uchel; gweler ar y chwith) neu ar bont isel dros nant fach (cynnwrf isel).

Ar ddiwedd y cyfweliad, rhoddodd y cynorthwyydd ymchwil ei rhif ffôn i'r dynion a gofyn iddyn nhw ei ffonio os byddai ganddyn nhw unrhyw gwestiwn am yr arolwg. Ffoniwyd hi gan dros 60% o'r dynion yn y cyflwr cynnwrf uchel o'i gymharu â 30% o'r grŵp cynnwrf isel. Mae hynny'n awgrymu bod y dynion wedi cam-labelu eu cynnwrf cysylltiedig-ag-ofn yn gynnwrf rhywiol.

GWAITH I CHI

Cynhaliodd White ac eraill astudiaeth arall a ymchwiliodd i'r ddamcaniaeth dau-ffactor ynghylch cariad (1981). Yn yr arbrawf hwnnw, crëwyd lefelau uchel ac isel o gynnwrf drwy ofyn i ddynion redeg am 2 funud neu am 15 eiliad. Yna dangoswyd fideo byr iddyn nhw o fenyw ifanc. Roedd y fenyw'n fwy deniadol i'r dynion uchel eu cynnwrf.

GWAITH I CHI

Syniadau ar gyfer astudiaethau sy'n defnyddio Prawf *U* Mann-Whitney

- **Cymhareb y digidau a rhywedd** (gweler tudalen 152). Gallwch chi gasglu data am gymarebau digidau dynion a menywod a defnyddio prawf Mann-Whitney i'w dadansoddi drwy gymharu'r sgorau ar gyfer dynion a menywod.
- **Yr adeg o'r dydd** Mae amryw o astudiaethau wedi ceisio gweld sut mae'r adeg o'r dydd yn effeithio ar ein perfformiad. Gwelodd Gupta (1991), er enghraifft, mai am 7pm y ceir y perfformiad gorau mewn **profion cyniferydd deallusrwydd**, o'i gymharu â 9am neu 2pm, a gallai'r ffactor hwnnw fod yn ystyriaeth bwysig wrth gymryd arholiadau.
- **Tystiolaeth llygad-dyston** Gallech chi ail-wneud arbrawf clasurol Loftus a Palmer (1974) (gweler tudalen 76) a defnyddio dau gyflwr yn unig (e.e. mae'r cwestiwn arweiniol yn cynnwys y gair 'hit' neu 'smashed') a chymharu'r amcangyfrifon o gyflymdra a roddwyd gan y naill grŵp o gyfranogwyr a'r llall.

CORNEL ARHOLIAD

Ymarfer ar gyfer senarios newydd

1. Mewn astudiaeth i gymharu effeithiau sŵn ar berfformiad, defnyddiwyd **cynllun parau cyffredin**. Eglurwch sut y câi hynny ei wneud, a chynhwyswch ddisgrifiad o **ddau** newidyn – o leiaf – a gâi eu defnyddio ar gyfer cydweddu. Eglurwch pam y dewisoch chi'r newidynnau hynny ar gyfer cydweddu. [4]
2. Pa brawf ystadegol fyddai'n addas i'w ddefnyddio gyda'r astudiaeth honno? Cyfiawnhewch eich dewis. [3]
3. Defnyddiwch **ystadegau disgrifiadol** i grynhoi'r canlyniadau a roddwyd yn yr enghraifft a weithiwyd ar y dudalen gyferbyn, h.y. cyfrifwch fesur o ganolduedd a gwasgariad, a brasluniwch graff priodol hefyd. [2 + 2 + 3]
4. Mae dosbarth seicoleg yn penderfynu dyblygu astudiaeth White ac eraill – sydd ar y dde. Nodwch ddamcaniaeth amgen a damcaniaeth nwl priodol ar gyfer yr astudiaeth hon. [2 + 2]
5. Ydy'ch rhagdybiaeth amgen chi'n un gyfeiriadol neu'n anghyfeiriadol? [1]
6. Mae'r myfyrwyr yn defnyddio prawf Mann-Whitney i wirio arwyddocâd eu canlyniadau ac yn gweld bod $U = 40$ (roedd 9 o gyfranogwyr yn y naill grŵp a 13 yn y llall). Dywedwch pa gasgliad y gallen nhw ei dynnu o'u canlyniadau. [2]
7. Ail-wnewch gwestiynau 2-5 gydag unrhyw un o'r astudiaethau eraill ar y dudalen hon. [marciau fel yr uchod]

Pennod 6 Ymchwilio i ymddygiad

LEFEL A2 YN UNIG

PRYD MAE DEFNYDDIO PRAWF *U* MANN-WHITNEY

- Mae'r rhagdybiaeth yn rhagfynegi *gwahaniaeth* rhwng dwy set o ddata.
- Daw'r ddwy set o ddata o wahanol grwpiau o gyfranogwyr = *grwpiau annibynnol*.
- Mae'r data o leiaf yn **drefnol** (h.y. ddim yn **enwol**). Cewch chi eglurhad ar dudalen 144.

Mae Prawf U Mann-Whitney wedi'i enwi ar ôl Henry Berthold Mann, y mathemategydd o America a aned yn Awstria, a'r Americanwr o ystadegydd, Donald Ransom Whitney, a gyhoeddodd y prawf yn 1947. Fe addason nhw brawf a luniwyd gan Frank Wilcoxon a oedd ar gyfer samplau o'r un maint (a alwyd yn Brawf Symiau Graddedig Wilcoxon – nid yr un ar dudalen 158).

PRAWF *U* MANN-WHITNEY – ENGHRAIFFT A WEITHIWYD

CAM 1. Rhowch y **rhagdybiaeth amgen** a'r **rhagdybiaeth nwl**

Y rhagdybiaeth amgen: Roedd gan gyfranogwyr gwryw a gyfwelwyd ar bont uchel farn uwch na'r rhai a gyfwelwyd ar bont isel am atyniad cyfwelydd benyw. (Gan mai **rhagdybiaeth gyfeiriadol** yw hon, bydd angen **prawf ungynffon**).

Rhagdybiaeth nwl: Does dim gwahaniaeth rhwng barn y rhai a gyfwelwyd ar bont uchel neu isel am atyniad y cyfwelydd.

CAM 2. Cofnodwch y data mewn tabl a dyrannwch bwyntiau (gweler ar y dde)

I ddyrannu pwyntiau, ystyriwch bob sgôr yn unigol.

Cymharwch y sgôr honno (y targed) â'r holl sgorau yn y grŵp arall.

Rhowch bwynt am bob sgôr sy'n uwch na'r sgôr darged a ½ pwynt am bob sgôr hafal. Adiwch y rheiny i gyfrifo'r sgôr ar gyfer y sgôr darged.

Gwnewch hynny yn achos pob sgôr.

CAM 3. Dewch o hyd i **werth a arsylwyd** *U*

U yw cyfanswm isaf y pwyntiau, sef 16.5 yn yr achos hwn.

CAM 4. Dewch o hyd i **werth critigol** *U*

N_1 = nifer y cyfranogwyr yng ngrŵp 1

N_2 = nifer y cyfranogwyr yng ngrŵp 2

Chwiliwch am y gwerth critigol yn y tabl o'r gwerthoedd critigol (isod).

Yn achos prawf ungynffon, $N_1 = 10$ ac $N_2 = 14$, gwerth critigol U ($p < 0.05$) = 41

Sylwch Os bydd gennych chi ragdybiaeth gyfeiriadol, cofiwch wirio a yw'r gwahaniaeth i'r cyfeiriad y gwnaethoch chi ei ragfynegi. Os nad yw, allwch chi ddim gwrthod y rhagdybiaeth nwl.

CAM 5. Nodwch y casgliad

Gan fod y gwerth a arsylwyd (16.5) yn llai na'r gwerth critigol (41), a gan fod y canlyniadau yn mynd i'r cyfeiriad a ragfynegwyd, gallwn ni wrthod y rhagdybiaeth nwl (yn ôl $p \leq 0.05$) Gallwn ni ddod i'r casgliad, felly, fod gan y cyfranogwyr a gyfwelwyd ar y bont uchel farn uwch na'r rhai a gyfwelwyd ar y bont isel am atyniad y cyfwelydd benyw.

Barn grŵp y bont uchel am ei hatyniad	Pwyntiau	Barn grŵp y bont isel am ei hatyniad	Pwyntiau
7	1.5	4	10.0
10	0	6	8.5
8	1.0	2	10.0
6	3.5	5	9.5
5	7.0	3	10.0
8	1.0	5	9.5
9	0.5	6	8.5
7	1.5	4	10.0
10	0	5	9.5
9	0.5	7	7.0
		9	3.0
		3	10.0
		5	9.5
		6	8.5
N1 = 10	16.5	*N2* = 14	123.5

Dydy'r ddwy sampl yn y tabl uchod ddim yn hafal. Gall hynny ddigwydd wrth ddefnyddio cynllun grwpiau annibynnol.

Tabl o werthoedd critigol *U* ($p \leq 0.05$)

GWERTHOEDD CRITIGOL AR GYFER PRAWF UNGYNFFON														
N_2 \ N_1	2	3	4	5	6	7	8	9	10	11	12	13	14	15
2			0	0	0	1	1	1	1	2	2	2	3	
3		0	0	1	2	2	3	3	4	5	5	6	7	7
4		0	1	2	3	4	5	6	7	8	9	10	11	12
5	0	1	2	4	5	6	8	9	11	12	13	15	16	18
6	0	2	3	5	7	8	10	12	14	16	17	19	21	23
7	0	2	4	6	8	11	13	15	17	19	21	24	26	28
8	1	3	5	8	10	13	15	18	20	23	26	28	31	33
9	1	3	6	9	12	15	18	21	24	27	30	33	36	39
10	1	4	7	11	14	17	20	24	27	31	34	37	41	44
11	1	5	8	12	16	19	23	27	31	34	38	42	46	50
12	2	5	9	13	17	21	26	30	34	38	42	47	51	55
13	2	6	10	15	19	24	28	33	37	42	47	51	56	61
14	2	7	11	16	21	26	31	36	41	46	51	56	61	66
15	3	7	12	18	23	28	33	39	44	50	55	61	66	72

GWERTHOEDD CRITIGOL AR GYFER PRAWF DWYGYNFFON														
N_2 \ N_1	2	3	4	5	6	7	8	9	10	11	12	13	14	15
2				0	0	0	0	1	1	1	1			
3			0	1	1	2	2	3	3	4	4	5	5	
4		0	1	2	3	4	4	5	6	7	8	9	10	
5	0	1	2	3	5	6	7	8	9	11	12	13	14	
6	1	2	3	5	6	8	10	11	13	14	16	17	19	
7	1	3	5	6	8	10	12	14	16	18	20	22	24	
8	0	2	4	6	8	10	13	15	17	19	22	24	26	29
9	0	2	4	7	10	12	15	17	20	23	26	28	31	34
10	0	3	5	8	11	14	17	20	23	26	29	33	36	39
11	0	3	6	9	13	16	19	23	26	30	33	37	40	44
12	1	4	7	11	14	18	22	26	29	33	37	41	45	49
13	1	4	8	12	16	20	24	28	33	37	41	45	50	54
14	1	5	9	13	17	22	26	31	36	40	45	50	55	59
15	1	5	10	14	19	24	29	34	39	44	49	54	59	64

Yn achos unrhyw N_1 ac N_2 i ddangos arwyddocâd, rhaid i werth a arsylwyd U fod yn HAFAL i'r gwerth critigol yn y tablau hyn neu'n LLAI nag ef.

Ffynhonnell: R. Runyon ac A. Haber (1976) *Fundamentals of Behavioural Statistics* (3ydd argraffiad). Reading, MA: McGraw-Hill.

Seicoleg gymdeithasol: Milgram (1963) Astudiaeth ymddygiadol o ufudd-dod

Fe orffennwn ni'r bennod hon drwy drafod dwy astudiaeth glasurol mewn seicoleg. Mae'r gyntaf yn enghraifft o seicoleg gymdeithasol, sef ymchwil i'r ffordd y mae ymddygiad pobl eraill yn effeithio arnon ni.

Edrychodd astudiaeth Stanley Milgram yn benodol ar ufudd-dod i awdurdod anghyfiawn. Roedd Milgram yn chwilio am ateb i'r cwestiwn pam yr oedd Natsïaid fel petaen nhw mor barod i ufuddhau i orchmynion a llofruddio miliynau o Iddewon a grwpiau eraill o bobl yn ystod yr Ail Ryfel Byd. Oedd y fath greulondeb yn ddim ond mater o ufuddhau i orchmynion fel yr oedd Adolf Eichmann – a oedd wedi bod â gofal y gwersylloedd crynhoi – wedi honni?

Cydnabyddai Milgram fod ufudd-dod yn rhan annatod o fywyd cymdeithasol. I fyw mewn cymunedau, rhaid cael rhyw system o awdurdod. Ond yn nwylo awdurdodau anghyfiawn, ydy pobl yn ufuddhau? Nod Milgram oedd creu sefyllfa a oedd yn fodd iddo fesur y broses o ufuddhau, hyd yn oed pan fydd y gorchymyn yn mynnu ymddygiad dinistriol.

▲ Eichmann adeg ei dreial yn Jerwsalem, Israel, yn 1961. Fe'i cafwyd yn euog a'i grogi am ei droseddau. Meddai'r barnwr: *'Hyd yn oed petaen ni wedi cael bod y Cyhuddedig wedi gweithredu oherwydd iddo ufuddhau'n ddifeddwl, fel y dadleuodd ef, byddem ni wedi dal i ddweud bod rhaid i ddyn a fu am flynyddoedd yn cymryd rhan mewn troseddau mor erchyll â'r rhain dalu'r gosb eithaf yn ôl y gyfraith, ac na all ddibynnu ar unrhyw orchymyn, hyd yn oed, i leihau ei gosb.'*

DYMA'R YMCHWILYDD

Magwyd **Stanley Milgram** (1933–1984) mewn teulu o Iddewon dosbarth gweithiol yn Efrog Newydd. Fe ymchwiliodd i lawer o ffenomenau cymdeithasol ond bydd ei enw bob amser yn gysylltiedig â'i astudiaeth o ufudd-dod. Er enghraifft, fe astudiodd 'problem y byd bach' drwy anfon llythyrau at bobl mewn rhannau anghysbell o UDA a gofyn iddyn nhw drosglwyddo neges i berson targed. Dangosodd mai cyfartaledd nifer y 'neidiau' oedd 5 neu 6 o bobl. Fe astudiodd ef hefyd ddieithriaid cyfarwydd – y bobl a welwch chi ar eich ffordd i'r gwaith neu mewn siopau lleol; dydych chi ddim yn eu hadnabod ond maen nhw'n gyfarwydd.

METHODOLEG

Cynhaliwyd yr astudiaeth mewn amgylchedd **labordy** er mwyn rheoli'r amodau'n dda. Nid **arbrawf** mohoni (gweler y blwch ar y brig ar y dde ar y dudalen gyferbyn).

Cyfranogwyr

Rhoddodd Milgram hysbyseb (tebyg i'r un ar y dde) mewn papur yn New Haven. O blith y bobl a ymatebodd, dewisodd 40 o wrywod 20-50 oed. Parodd yr hysbyseb i'r cyfranogwyr gredu y bydden nhw'n cymryd rhan mewn ymchwil i'r cof a dysgu. Roedd amrywiaeth o swyddi gan y dynion yn y **sampl** – o glercod y post i beirianwyr – ac amrywiai lefel eu haddysg o ŵr a oedd heb orffen ei addysg gynradd i ddyn â doethuriaeth. Talwyd $4.50 i bob un am gymryd rhan yn yr astudiaeth. Dywedwyd wrthyn nhw y bydden nhw'n cael yr arian am ddod i'r labordy – doedd y tâl ddim yn dibynnu ar aros yn yr astudiaeth.

DULLIAU GWEITHREDU

Cynhaliwyd yr astudiaeth mewn labordy ym Mhrifysgol Yale. Pan gyrhaeddodd y cyfranogwyr, cawson nhw'u cyfarch gan yr 'arbrofwr', dyn 31 oed a edrychai fel technegydd yn ei got lwyd. Roedd 'cyfranogwr' arall yn y labordy, cyfrifydd addfwyn a hoffus, Mr Wallace, 47 oed. Cynorthwywyr (**cynghreirwyr**) i Milgram oedd y ddau ohonyn nhw mewn gwirionedd.

Tynnodd y cyfranogwyr slipiau o bapur i benderfynu p'un ohonyn nhw fyddai'n chwarae rôl yr athro neu'r dysgwr. Cawsai'r dewis ei drefnu ymlaen llaw – cafodd rôl yr athro ei roi i'r cyfranogwr naïf bob tro a chafodd rôl y dysgwr ei roi i'r cynorthwyydd bob tro.

Yna, cymerwyd y dysgwr a'r athro i ystafell yr arbrawf lle strapiwyd y dysgwr i gyfarpar 'cadair drydan' i'w rwystro rhag symud gormod. Gosodwyd electrod ar arddwrn y dysgwr a'i gysylltu â generadur siociau yn yr ystafell nesaf.

Y peiriant siocio

Cymerwyd yr athro i'r ystafell nesaf a'i roi i eistedd o flaen generadur siociau. Ar y peiriant mawr hwnnw roedd 30 o switsys a phob un yn dangos cynnydd graddol yn y foltedd, gan godi o 15 folt i 450 folt. Ar gyfer pob pedwar switsh, roedd labeli 'sioc', o 'ychydig o sioc' ar 15 folt i 'sioc ddwys' ar 255 folt ac, yn olaf 'XXX' ar 450 folt – sioc a allai ladd. Rhoddodd yr arbrofwr sioc 'enghreifftiol' i'r athro i ddangos bod y peiriant yn un go-iawn.

Y dasg ddysgu

Ar ôl i'r astudiaeth gychwyn, dywedwyd wrth yr athro am roi sioc pan roddai'r dysgwr ateb anghywir, a chynyddu lefel y sioc bob tro gan gyhoeddi lefel y sioc bob tro. Dywedwyd wrth y dysgwr am beidio â gwneud unrhyw sylw na phrotest tan i lefel y sioc gyrraedd 300 folt. Bryd hynny, dylai bwnio'r wal ond peidio â gwneud unrhyw sŵn ar ôl hynny.

Adborth yr arbrofwr

Cafodd yr arbrofwr ei hyfforddi i roi dilyniant o bedwar 'ysgogiad' safonol os byddai'r athro'n petruso ynghylch rhoi'r sioc neu'n gofyn am arweiniad: 'Ewch yn eich blaen'; 'Mae'r arbrawf yn mynnu'ch bod chi'n mynd ymlaen'; 'Mae'n gwbl hanfodol i chi fynd ymlaen'; 'Does gennych chi ddim dewis arall: rhaid i chi fynd ymlaen'; Cafwyd ysgogiadau arbennig hefyd fel: 'Efallai fod y siociau'n boenus, ond fydd 'na ddim difrod parhaol i'r corff. Felly ewch yn eich blaen.'

Datgelu'r twyll

Ar ôl cwblhau'r ymchwil, fe eglurwyd y 'twyll' wrth yr athro (drwy **adrodd yn ôl** iddo) a daeth yr arbrofwr â'r athro a'r dysgwr yn ôl at ei gilydd. Yna, cawson nhw'u cyfweld am eu profiad yn yr astudiaeth hon.

Arbrofwr

Athro

Dysgwr

▲ Caiff y 'dysgwr' ei strapio i gadair mewn ystafell ar wahân. Bydd yr 'athro' yn eistedd drws nesaf a roi sioc pryd bynnag y gwnaiff y dysgwr gamgymeriad. Bydd yr arbrofwr yn 'ysgogi' yr 'athro' i'w annog i barhau.

CANFYDDIADAU

Data meintiol

Cyn cynnal yr astudiaeth, gwnaeth Milgram arolwg o 14 o fyfyrwyr seicoleg yn Yale. Eu hamcangyfrif nhw oedd mai 0–3% o'r cyfranogwyr fyddai'n rhoi sioc o 450 folt.

Dangosodd darganfyddiadau'r astudiaeth iddyn nhw danamcangyfrif yn ddifrifol. Daliodd y mwyafrif mawr ymlaen tan y lefel uchaf. Ar ôl cyrraedd 300 folt, gwrthododd pump (12.5%) o'r cyfranogwyr barhau. Dyna pryd y gwnaeth y dysgwr yr unig brotest. Roedd pob un o'r cyfranogwyr wedi parhau tan hynny.

Rhoddodd cyfanswm o 26 (65%) o'r 40 o gyfranogwyr sioc o'r cyfan o'r 450 folt. Mae hynny hefyd yn golygu bod 35% o'r cyfranogwyr wedi herio awdurdod yr arbrofwr.

Data ansoddol

Dangosodd llawer o'r cyfranogwyr nerfusrwydd, a nifer fawr ohonyn nhw densiwn eithafol: *'fe'u gwelwyd nhw'n chwysu, yn crynu, yn cnoi eu gwefusau, yn griddfan ac yn gwthio'u hewinedd i'w croen'.*

'Chwerthin a gwenu'n nerfus' wnaeth 14 o'r cyfranogwyr. Dangosodd eu sylwadau a'u hymddygiad allanol ei bod hi'n mynd yn groes i'r graen iddyn nhw gosbi'r dysgwr. Yn y cyfweliad (i ddatgelu'r twyll) wedi'r arbrawf, eglurodd y cyfranogwyr nad oedden nhw'n sadistaidd ac nad oedd eu chwerthin wedi golygu eu bod nhw'n mwynhau rhoi sioc i'r dysgwr.

Cafodd tri o'r cyfranogwyr *'drawiadau llawn ac afreolus'.* Cafodd un cyfranogwr bwl mor ddychrynllyd nes y bu'n rhaid atal y sesiwn.

CASGLIADAU

Daeth Milgram i'r casgliad i'r amgylchiadau y cafodd y cyfranogwyr eu hunain ynddyn nhw ddod ynghyd i greu sefyllfa lle bu'n anodd anufuddhau. Awgrymodd fod 13 o elfennau yn y sefyllfa wedi cyfrannu at y lefelau o ufuddhau; er enghraifft:

- Roedd cynnal yr astudiaeth mewn prifysgol o fri yn rhoi awdurdod iddi.
- Cymerodd y cyfranogwyr yn ganiataol bod yr arbrofwr yn gwybod beth roedd yn ei wneud a bod ganddo nod teilwng ac y dylid, felly, ei ddilyn.
- Doedd ar y cyfranogwr ddim eisiau tarfu ar yr arbrawf am ei fod yn teimlo o dan rwymedigaeth i'r arbrofwr am iddo gydsynio'n wirfoddol i gymryd rhan.
- Gan ei bod hi'n sefyllfa newydd i'r cyfranogwr, ni wyddai sut oedd ymddwyn. Petai hi wedi bod yn bosibl trafod y sefyllfa gyda phobl eraill, efallai y byddai'r cyfranogwr wedi ymddwyn yn wahanol.
- Chafodd y cyfranogwr fawr o amser i ddatrys y gwrthdaro pan gyrhaeddwyd 300 folt, ac ni wyddai a byddai'r dioddefwr yn dal ei dafod am weddill yr arbrawf.
- Cymerodd y cyfranogwr yn ganiataol bod yr anghysur a achoswyd yn fach iawn a thros dro, a bod ffrwyth gwyddonol yr arbrawf yn bwysig.
- Roedd y gwrthdaro rhwng dwy duedd sydd wedi gwreiddio'n ddwfn, sef peidio â niweidio neb, ac ufuddhau i'r rhai sydd, yn ein barn ni, yn awdurdodau dilys.

Y DULLIAU YMCHWIL A DDEFNYDDIR GAN SEICOLEGWYR CYMDEITHASOL

Bydd pob seicolegydd yn defnyddio'r holl amrywiaeth o ddulliau: **arbrofi**, **arsylwi** ac ati. O fewn seicoleg gymdeithasol, mae ymchwil arbrofol wedi bod yn eithaf poblogaidd – ond mewn gwirionedd mae llawer o astudiaethau'n ymchwiliadau dan reolaeth gelfydd yn hytrach nag yn arbrofion. I gynnal arbrawf, bydd angen **newidyn annibynnol** a **newidyn dibynnol**. Er i lefelau'r siociau yn astudiaeth Milgram amrywio, doedden nhw ddim yn newidynnau annibynnol – ffordd oedden nhw o fesur pa mor ufudd oedd pob cyfranogwr. Felly, nid arbrawf mo'i astudiaeth ond sesiwn arsylwi dan reolaeth a gynhaliwyd mewn **labordy**.

Solomon Asch wnaeth un arall o'r astudiaethau enwog (1956) mewn seicoleg gymdeithasol. Dangosodd fod pobl yn barod i gydymffurfio â barn pobl eraill hyd yn oed pan oedd hi'n amlwg bod yr ateb yn anghywir. Dangoswyd tair llinell i grŵp o bobl a gofynnwyd iddyn nhw nodi pa rai oedd o'r un hyd â llinell safonol. Weithiau, rhoddai grŵp o **gynghreiriaid** yr ateb anghywir, ond draean o'r amser fe gytunodd y gwir gyfranogwr â nhw. Nid arbrawf mo hynny ychwaith, ond arsylwi dan reolaeth gelfydd mewn labordy.

GWERTHUSO

Dilysrwydd mewnol

Honnodd Orne a Holland (1968) fod yr ymchwil yn brin o **ddilysrwydd mewnol** am na chredai'r cyfranogwyr fod y siociau trydan yn rhai real. Fyddai hi ddim wedi gwneud synnwyr fod rhywun mewn arbrawf dysgu yn cael siociau angheuol. Felly, fe wnaeth y cyfranogwyr ymddwyn fel y disgwyliwyd iddyn nhw ymddwyn oherwydd **nodweddion awgrymu ymateb** yr astudiaeth.

Ategwyd hynny ymhellach gan ymchwiliad Gina Perry (2012). Wrth ddarllen drwy archif manwl Milgram o'r hyn a ddigwyddodd yn yr astudiaeth, fe welodd hi fod y cyfranogwyr yn gwybod nad oedden nhw'n anafu neb. Yn yr holiadur dilynol, dywedodd llawer o'r cyfranogwyr eu bod nhw'n amheus am fod yr arbrofwr, er enghraifft, heb gynhyrfu o gwbl.

Ar y llaw arall, dywedodd Milgram (1974) bod 75% o'r cyfranogwyr yn credu'n gryf eu bod nhw'n rhoi siociau trydan.

Materion moesegol

Honnodd Baumrind (1964) i Milgram achosi niwed seicolegol i'w gyfranogwyr ac na ellid cyfiawnhau hynny. Amddiffynnodd Milgram ei hun mewn sawl ffordd. Yn gyntaf, wyddai ef ddim, cyn gwneud yr astudiaeth, y byddai'n achosi cymaint o ofid. Yn ail, fe ystyriodd roi'r gorau i'r astudiaeth pan welodd ymddygiad y cyfranogwyr, ond penderfynodd nad oedd unrhyw arwydd o effeithiau niweidiol (Milgram, 1974). Yn drydydd, dywedodd 84% o'r cyfranogwyr wedyn eu bod yn falch iddyn nhw gymryd rhan. Yn olaf, dylai'r niwed posibl i'r cyfranogwyr gael ei bwyso yn erbyn pwysigrwydd y darganfyddiadau.

Ar y llaw arall, mae Perry (2012) wedi dadlau'n ddiweddar i Milgram fethu â chyflawni ei ddyletswydd i ofalu am y cyfranogwyr am i rai ohonyn nhw aros am hyd at flwyddyn cyn i neb adrodd yn ôl iddyn nhw, er iddyn nhw adael y labordy gan gredu eu bod nhw wedi lladd rhywun.

CORNEL ARHOLIAD

1. Amlinellwch ddulliau gweithredu ymchwil Milgram (1963) 'Behavioural study of obedience'. [8]
2. *'Mae ymchwil Milgram yn enghraifft o ymchwil sy'n anfoesegol iawn, ond mae hefyd yn ymchwil craff.'* Trafodwch i ba raddau y cytunwch chi â'r gosodiad hwn. [12]

Seicoleg ddatblygiadol: Kohlberg (1968)
Y plentyn fel athronydd moesol

Mae'n hail astudiaeth glasurol ni'n enghraifft o seicoleg ddatblygiadol. Mae'r maes hwn mewn seicoleg yn canolbwyntio ar y ffordd y bydd pobl yn newid wrth heneiddio. Bydd ymchwilwyr yn ystyried pynciau fel sut mae'n hymwybyddiaeth ohonon ni'n hunain yn newid a sut mae'n meddyliau a'n hatgofion ni'n newid rhwng ein genedigaeth a'n marwolaeth. Mae'r astudiaeth glasurol rydyn ni'n mynd i edrych arni yn ymchwilio i'r ffordd y bydd synnwyr plant o'r hyn sy'n iawn a ddim yn iawn yn newid wrth iddyn nhw heneiddio.

Gellid hefyd ystyried bod Lawrence Kohlberg yn seicolegydd **gwybyddol** am ei fod yn credu bod ymddygiad moesol yn cael ei reoli gan y ffordd y meddyliwn ni am sefyllfaoedd 'iawn' a 'heb fod yn iawn' a bod ein meddyliau ni'n aeddfedu wrth i ni heneiddio – mae'n fwyfwy haniaethol. Ar y llaw arall, fe awgrymai **ymddygiadwyr** fod ymddygiad moesol yn cael ei *ddysgu* drwy wobr a chosb ac nad yw meddwl yn ei reoli mewn unrhyw ffordd – byddwn ni'n ymddwyn yn 'foesol' i osgoi cosb. Cynigiodd Freud fod ein hymwybyddiaeth o'r hyn sy'n iawn a heb fod yn iawn yn cael ei dysgu drwy i ni ymuniaethu â'n rhieni.

DYMA'R YMCHWILYDD

Wrth wneud yr ymchwil hwnnw, gwelodd **Lawrence Kohlberg** (1927–1987) fod sgyrsiau moesol yn annog pobl i symud i fyny i lefelau uchel o feddwl. Aeth ati gyda Carol Gilligan i sefydlu amryw o Ysgolion Clwstwr (a elwid hefyd yn gymunedau 'cyfiawn') mewn amryw o ysgolion, a hyd yn oed un mewn carchar. Roedd gan yr aelodau y grym i ddiffinio a datrys anghydfodau o fewn y grŵp gan hybu eu datblygiad moesol.

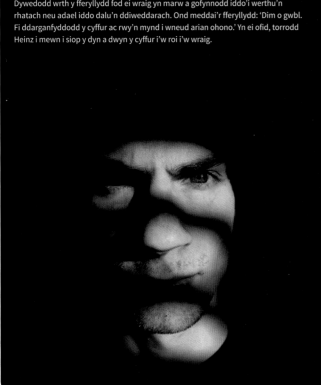

▼ Dilema moesol

Yn Ewrop, roedd menyw ar fin marw o fath prin iawn o ganser. Ym marn y meddygon, gallai un cyffur ei harbed, sef ffurf ar radiwm roedd fferyllydd yn yr un dref wedi'i ddarganfod yn ddiweddar. Roedd y cyffur yn ddrud i'w wneud, ond roedd y fferyllydd yn codi 10 gwaith cost gwneud y cyffur. Talai $400 am y radiwm a chodi $4,000 am ddos bach ohono. Aeth Heinz, gŵr i wraig sâl, at bawb o'i gydnabod i geisio cael benthyg yr arian, ond allai ef ddim casglu mwy na rhyw $2,000, sef hanner y swm. Dywedodd wrth y fferyllydd fod ei wraig yn marw a gofynnodd iddo'i werthu'n rhatach neu adael iddo dalu'n ddiweddarach. Ond meddai'r fferyllydd: 'Dim o gwbl. Fi ddarganfyddodd y cyffur ac rwy'n mynd i wneud arian ohono.' Yn ei ofid, torrodd Heinz i mewn i siop y dyn a dwyn y cyffur i'w roi i'w wraig.

METHODOLEG

Wrth wneud amryw o astudiaethau ynghylch datblygiad moesol, defnyddiodd Kohlberg **gyfweliadau** i gasglu **data ansoddol**. Cynhwysodd yr astudiaeth gymariaethau trawsddiwylliannol ac elfen **hydredol**.

Cyfranogwyr

Astudiodd Kohlberg a chydweithwyr iddo grŵp o 75 o fechgyn 10–16 oed yn America, a'u hastudio drachefn rhwng 22 a 28 oed.

Astudiodd bobl ym Mhrydain, Canada, Taiwan, México a Thwrci hefyd.

DULLIAU GWEITHREDU

I asesu meddwl moesol, creodd Kohlberg naw dilema moesol rhagdybiaethol (fel yr un ar y chwith am y fferyllydd). Cyflwynai pob dilema wrthdaro rhwng dau fater moesol. Gofynnwyd i bob cyfranogwr drafod tri o'r dilemâu hynny ar sail set o ddeg neu ragor o gwestiynau penagored fel:

- Ddylai Heinz ddwyn y cyffur? Pam – neu pam lai?
- Os yw'r cyfwelai o blaid ei ddwyn, holwch: 'Os nad yw Heinz yn caru ei wraig, ddylai ef ddwyn y cyffur er ei mwyn hi?' Pam – neu pam lai?
- Os yw'r cyfwelai o blaid peidio â'i ddwyn, holwch: 'Ydy hi'n gwneud gwahaniaeth ei fod yn caru ei wraig neu beidio?' Pam – neu pam lai?
- Os dieithryn, ac nid ei wraig, yw'r sawl sy'n marw, a ddylai Heinz ddwyn y cyffur er mwyn y dieithryn? Pam – neu pam lai?

Dadansoddwyd atebion y bechgyn a chanfuwyd themâu cyffredin er mwyn llunio'r ddamcaniaeth 'fesul cam'. Ailgyfwelwyd pob bachgen bob tair blynedd.

Defnyddiwyd yr un math o gyfweliad gyda phlant ac oedolion mewn gwledydd eraill.

CANFYDDIADAU

Dadansoddwyd atebion y bechgyn a chanfuwyd themâu cyffredin er mwyn llunio'r ddamcaniaeth 'fesul cam'. Mae damcaniaeth 'fesul cam' yn ddisgrifiad o'r ffordd y mae ymddygiad yn newid ar adegau (camau) gwahanol mewn bywyd. Gwelodd Kohlberg fod y plant ifancaf yn meddwl ar lefel gyn-gonfensiynol ac, wrth iddyn nhw heneiddio, fod eu rhesymau wrth wneud penderfyniadau moesol yn canolbwyntio llai arnyn nhw'u hunain ac yn fwy ar wneud daioni am fod eu perthnasoedd â phobl eraill yn bwysig. Mae lefel olaf eu datblygiad yn perthnasu ag egwyddorion moesol.

Gwelwyd yr un canlyniadau yn México a Taiwan ond roedd y datblygiad yno ychydig yn arafach.

CASGLIADAU

Casgliad Kohlberg oedd mai nodweddion allweddol datblygiad moesol yw:

- Camau sy'n *sefydlog* a *chyffredinol* – bydd pawb ymhobman yn mynd trwy'r un camau yn yr un drefn.
- Mae pob cam newydd yn cynrychioli ffurf fwy *ecwilibreiddiedig* ar ddealltwriaeth foesol ac yn arwain at ffurf ar ddealltwriaeth sy'n fwy rhesymegol-gyson a moesol-aeddfed.

Mae modd defnyddio dosbarthiadau trafod moesol i helpu plant i feithrin eu meddyliau moesol. Bydd trafodaethau rhwng plant yng nghamau 3 a 4 yn peri i'r plentyn yng ngham 3 symud ymlaen.

DULLIAU YMCHWIL A DDEFNYDDIR GAN SEICOLEGWYR DATBLYGIADOL

Gan fod seicolegwyr datblygiadol yn canolbwyntio ar y ffyrdd y bydd plant ac oedolion yn newid wrth heneiddio, byddan nhw'n aml yn gwneud ymchwil hydredol, h.y. astudiaeth dros gyfnod o flynyddoedd. Dechreuodd Kohlberg ei ymchwil drwy astudio 75 o fechgyn ond fe ddaliodd i gyfweld yr un bechgyn unwaith bob tair neu bedair blynedd dros 20 mlynedd (Colby ac eraill, 1983). Yn ystod yr amser hwnnw, gostyngodd meddwl camau 1 a 2 bron i sero ond roedd meddwl cam 4 wedi tyfu o bron i sero yn 10 oed i 70% yn 36 oed, a 10% yn unig o'r sampl a ddangosodd feddwl cam 5 yn 36 oed.

Dewis arall yn lle ymchwil hydredol yw astudiaeth **drawstoriadol**. Ymchwiliodd Walker ac eraill (1987) hefyd i ddatblygiad moesol ond fe ddefnyddion nhw gynllun trawstoriadol i wneud hynny. Cyfwelwyd 80 o bobl o wahanol oedrannau a chymharwyd datblygiad moesol pobl a berthynai i wahanol grwpiau oedran.

Mae'n cymryd amser maith i gwblhau astudiaeth hydredol ond mae modd gwneud ymchwil trawstoriadol yn eithaf cyflym. Mantais astudiaeth hydredol, ar y llaw arall, yw bod modd rheoli gwahaniaethau rhwng unigolion.

▼ Camau datblygiad moesol, yn ôl Kohlberg.

Y LEFEL GYN-GONFENSIYNOL	Cam 1 Gogwydd cosb ac ufudd-dod	Mae'r agwedd hon ar foesoldeb yn anwybyddu'r bwriadau y tu ôl i ymddygiad ac yn canolbwyntio ar ufuddhau i reolau a orfodir drwy gosbi (e.e. pan ofynnir i fachgen 10 oed o'r enw Tommy 'ydy hi'n well achub bywyd rhywun pwysig na bywydau llawer o bobl ddibwys?', mae'n meddwl am werth bywyd yn nhermau'r dodrefn sydd ganddyn nhw.)
Bydd plant yn derbyn rheolau ffigurau awdurdodol ac yn barnu gweithredoedd yn ôl eu canlyniadau. Mae gweithredoedd sy'n arwain at gosb yn rhai gwael ac mae'r rhai sy'n dod â gwobrau yn rhai da.	Cam 2 Gogwydd y diben cyfryngol	Bydd plant yn barnu bod gweithredoedd yn 'iawn' os ydyn nhw'n bodloni eu hanghenion eu hunain (e.e. dadl Tommy, 13 oed, yw y byddai'n well i wraig sydd mewn poen farw ond na fyddai ei gŵr yn hoffi hynny – mae'n meddwl am werth y wraig yn nhermau ei gwerth cyfryngol i'w gŵr).
Y LEFEL GONFENSIYNOL	Cam 3 Cydweithredu rhyngbersonol	Gogwydd 'bachgen da – merch dda' yw hwn. Caiff yr hyn sy'n iawn ei ddiffinio gan yr hyn a ddisgwylir gan eraill (e.e. mae Tommy, 16 oed, yn llunio'i ateb yn fwy yn nhermau pwysigrwydd y wraig i berthnasoedd a theulu).
Bydd unigolion yn dal i gredu bod cydymffurfio â rheolau cymdeithasol yn ddymunol, ond nid mater o hunan-fudd mohono. Mae cynnal y system gymdeithasol gyfredol yn sicrhau perthnasoedd dynol cadarnhaol a threfn gymdeithasol gadarnhaol.	Cam 4 Gogwydd cynnal-y-drefn-gymdeithasol	Mae hwn yn nodi'r shifft o ddiffinio'r hyn sy'n iawn yn nhermau disgwyliadau rôl i ddiffinio'r hyn sy'n iawn yn nhermau normau a sefydlwyd gan y system gymdeithasol ehangach (e.e. mae bachgen arall, Richard, 13 oed, yn mynegi ei farn am ladd trugarog yn nhermau'r hawl i ddinistrio rhywbeth mae Duw wedi'i greu).
Y LEFEL ÔL-GONFENSIYNOL (EGWYDDOROL)	Cam 5 Gogwydd y contract cymdeithasol	Bernir bod cyfreithiau'n eithaf hyblyg. Os ydyn nhw'n gyson â hawliau'r unigolyn ac yn llesol i fudd y mwyafrif (i ddiogelu'r drefn gymdeithasol), popeth yn iawn. Fel arall, mae modd eu newid (e.e. mae Richard, 20 oed, yn ystyried yr hawl sydd gennym ni i gyd i wneud y dewis ynglŷn â'n bywyd ein hunain).
Mae'r unigolyn ôl-gonfensiynol yn symud y tu hwnt i gydymffurfio'n ddi-gwestiwn â normau ei system gymdeithasol ei hun. Bellach, mae'n diffinio moesoldeb yn nhermau egwyddorion moesol haniaethol sy'n gymwys i bob cymdeithas a sefyllfa.	Cam 6 Gogwydd egwyddorion moesegol cyffredinol	Diffinnir moesoldeb yn nhermau egwyddorion moesol haniaethol hunan-ddetholedig. Bydd cyfreithiau'n cydymffurfio â'r egwyddorion hynny fel rheol ond, os nad felly y mae hi, bydd yr unigolion yn gweithredu'n unol â'u hegwyddorion moesol.

GWERTHUSO

Samplu

Problem o ran yr astudiaeth hon yw bod damcaniaeth Kohlberg wedi'i seilio ar gyfweliadau â bechgyn. Awgrymodd Carol Gilligan (1982) y gallai moesoldeb gwrywod fod yn eithaf gwahanol i foesoldeb benywod – ac yn seiliedig ar gyfiawnder yn hytrach na'r awydd i ofalu. Yn wir, mae dilemâu moesol Kohlberg yn ymwneud mwy â chamweithredu ac, felly, yn ymwneud mwy â chyfiawnder.

Gwelodd Gilligan dystiolaeth a ddangosai fod tuedd i fenywod wneud penderfyniadau moesol gan ganolbwyntio mwy ar berthnasoedd ('gofalu') nag ar gyfiawnder. Mae hynny'n awgrymu bod tuedd ryweddol i ddamcaniaeth Kohlberg a'i bod yn gyfyngedig i un math yn unig o foesoldeb.

Ond mae llawer seicolegydd wedi dechrau sylweddoli bod beirniadaeth Gilligan yn fwy o fater o ymhelaethu ar ddamcaniaeth Kohlberg nag yn ddamcaniaeth amgen (Jorgensen, 2006). Does dim herio, o hyd, ar y cysyniadau creiddiol a gyflwynwyd gan Kohlberg, e.e. y dilyniant sefydlog o ddatblygiad a phwysigrwydd rhyngweithiadau cymdeithasol.

Dilysrwydd allanol

Beirniadodd Gilligan (1982) ymchwil Kohlberg hefyd am nad oedd y dystiolaeth ynddo wedi'i seilio ar benderfyniadau mewn bywyd go-iawn. Gan mai sefyllfaoedd 'ffug' oedd y dilemâu moesol, efallai na wnaethon nhw fawr o synnwyr, yn enwedig i blant ifanc. Cynhwysodd ymchwil Gilligan ei hun gyfweld pobl am eu dilemâu moesol, fel penderfynu ynghylch cael erthyliad.

Tuedd dymunolrwydd cymdeithasol

Un o broblemau dulliau **hunanadrodd** yw ei bod hi'n well gan gyfranogwyr wneud argraff dda. Felly, gallan nhw ddisgrifio'u hymddygiad moesol mewn ffordd braidd yn ddelfrydol yn hytrach na dweud beth y bydden nhw mewn gwirionedd yn ei wneud. Ar ben hynny, roedd Kohlberg yn gofyn sut mae pobl yn *meddwl* yn hytrach na'r hyn y bydden nhw'n ei wneud. Felly, mae'r ddamcaniaeth honno'n ymwneud â meddwl yn ddelfrydol-foesol yn hytrach na meddwl am ymddygiad.

Ond a bod yn deg, honnai Kohlberg mai damcaniaeth resymu oedd hi. Rhagfynegodd y dylai'r rhai sy'n rhesymu'n fwy aeddfed fod â thuedd i ymddwyn yn fwy moesol-aeddfed, a chafodd beth cefnogaeth i hynny (Kohlberg, 1975). Pan gafodd myfyrwyr gyfle i dwyllo mewn prawf, gwelodd mai 15% yn unig o fyfyrwyr coleg yn y cam ôl-gonfensiynol a dwyllodd, ond bod 70% o'r rhai yn y cam cyn-gonfensiynol wedi twyllo. Er hynny, gwelodd Burton (1976) nad yw pobl ond yn ymddwyn yn gyson â'u hegwyddorion moesol mewn rhai *mathau* o ymddygiad moesol, fel twyllo neu rannu teganau, a daeth i'r casgliad mai'r sefyllfa gyffredinol yw ei bod hi'n debygol bod ffactorau heblaw egwyddorion moesol, fel y tebygrwydd o gael cosb, yn effeithio ar ymddygiad moesol.

CORNEL ARHOLIAD

1. Disgrifiwch ganfyddiadau a chasgliadau ymchwil Kohlberg (1968) 'The child as moral philosopher'. [10]
2. *'Mae defnyddioldeb ymchwil Kohlberg wedi'i gyfyngu oherwydd ei sampl anaddas.'* Gwerthuswch fethodoleg a dulliau gweithredu yn gweithdrefnau ymchwil Kohlberg (1968) 'The child as moral philosopher'. [10]

Gweithgareddau i chi

Cardiau fflach

Crëwch set o gardiau fflach am ddulliau ymchwil. Gallwch eu creu drwy ddefnyddio cardiau mynegai 'hen-ffasiwn' neu wefan fel *www.cram.com* i greu set o gardiau y gallwch chi eu rhannu gyda'ch cyfeillion. Gallwch ddefnyddio'r rhaglen hon ar y we i greu ac argraffu cardiau fflach, neu fe allwch eu defnyddio i roi prawf arnoch chi'ch hun gan ddefnyddio'r wefan neu gysylltu â hi drwy ddefnyddio dyfais glyfar.

Wedyn, gallwch chi ddefnyddio cardiau fflach mewn amrywiaeth o ffyrdd i wneud hyn:

1. Rhoi prawf i chi'ch hun.
2. Rhoi prawf ar eich cyfeillion.
3. Chwarae 'cadwyn' o ddulliau ymchwil gyda grwpiau bach o fyfyrwyr. Mae un myfyriwr yn codi cerdyn ac yn gorfod egluro'r diffiniad o'r term hwnnw ym maes dulliau ymchwil (heb ddefnyddio unrhyw ymadrodd sy'n ymddangos yn y term sy'n cael ei ddiffinio) wrth y person nesaf yn y gadwyn. Wedi i'r person hwnnw ddyfalu'r term, rhaid iddo ddiffinio term arall, a ddewiswyd ar hap, i'r person nesaf ac felly ymlaen... Y tîm sy'n egluro ac yn enwi pob un o dermau'r dulliau ymchwil yn gywir sy'n ennill!

Hunanadrodd

Dewiswch fater sy'n destun trafod mewn cymdeithas ar hyn o bryd, fel 'Ddylen ni fod yn rhoi arian i elusennau dramor er bod gennym ni bobl mewn angen ym Mhrydain?'

Lluniwch holiadur byr o gwestiynau penagored a chaeedig a fydd yn casglu data meintiol ac ansoddol am y mater rydych chi wedi'i ddewis. Dosbarthwch yr holiadur i ryw 10 o bobl.

Defnyddiwch yr un cwestiynau i gyfweld 10 o bobl. Trawsgrifiwch y cyfweliadau.

Cymharwch y canlyniadau a gawsoch o'r cyfweliad ac o'r holiadur. Cyflwynwch y data mewn ystadegau disgrifiadol priodol neu codwch yr ymadroddion neu'r gosodiadau allweddol o'r data ansoddol.

Cymharwch y ddwy fethodoleg a ddefnyddioch chi. Welsoch chi rai o'r manteision/ anfanteision a nodwyd ynghynt yn y bennod hon?

Cynlluniau arbrofol

Copïwch a llenwch y tabl isod. Nodwch yn gyntaf pa gynllun arbrofol y mae'r gosodiad yn ymwneud ag ef ac yna dywedwch a ydych chi o'r farn fod y gosodiad yn disgrifio un o fanteision neu anfanteision y cynllun arbrofol hwnnw. Sylwch fod dwy fantais a dwy anfantais i bob un o'r tri chynllun arbrofol.

	Gosodiad	Cynllun	Mantais neu anfantais?
1	Mae angen llai o gyfranogwyr na chynllun grwpiau annibynnol neu gynllun cyfranogwyr tebyg.		
2	Mae angen dwywaith cymaint o gyfranogwyr â chynllun ailadrodd mesurau.		
3	Dim effeithiau trefn am nad yw'r cyfranogwyr ond yn cymryd rhan mewn un cyflwr.		
4	Dim effeithiau trefn am nad yw'r cyfranogwyr ond yn cymryd rhan mewn un cyflwr.		
5	Does dim siawns o wahaniaethau rhwng y grwpiau am fod pob cyfranogwr yn cymryd rhan ym mhob cyflwr.		
6	Gall fod gwahaniaeth di-reolaeth rhwng y grwpiau, a hwnnw'n gyfrifol am unrhyw wahaniaeth a geir yn y DV.		
7	Mae'n cymryd amser ac ymchwil i gydweddu cyfranogwyr.		
8	Gall effeithiau trefn ddigwydd ac mae nodweddion awgrymu ymateb yn fwy tebygol.		
9	Llai o siawns o nodweddion awgrymu ymateb am nad yw'r cyfranogwyr ond yn cymryd rhan mewn un cyflwr.		
10	Llai o siawns o nodweddion awgrymu ymateb am nad yw'r cyfranogwyr ond yn cymryd rhan mewn un cyflwr.		
11	Hyd yn oed o gael cydweddu gwirioneddol dda, gellid cael gwahaniaeth di-reolaeth rhwng y grwpiau, a hwnnw'n gyfrifol am unrhyw wahaniaeth yn y DV.		
12	Gall y cyfranogwyr ddyfalu nod yr astudiaeth.		

ATEBION AR DUDALEN 172

Kohlberg – allwch chi feddwl am ddilema modern?

Beirniadaeth a anelir yn fynych at ddilemâu Kohlberg yw eu bod yn rhai 'ffug' a heb fod yn berthnasol i blant iau (gweler yr enghraifft ynghylch salwch gwraig Heinz).

Felly, lluniwch ddilema y gallai plentyn 10 oed cyffredin ei ddeall. Gwnewch yn siŵr eich bod chi'n defnyddio sefyllfa y byddai'n hawdd iddo ymuniaethu â hi.

Milgram – allwch chi wir wneud damaid yn well?

Bydd llawer o bobl yn beirniadu ymchwil Milgram oherwydd y materion moesegol ynddo, fel twyllo neu'r risg o niwed (straen, gorbryder, bychanu neu boen). Ond ydy hi'n wirioneddol deg gwneud hynny?

Ar ôl darllen y canllawiau moesegol y mae'n rhaid i seicolegwyr gydymffurfio â nhw heddiw, ceisiwch feddwl sut gallech chi ymchwilio i nod Milgram (gweler isod) mewn ffordd foesegol.

Nod Milgram oedd ceisio creu sefyllfa a fyddai'n fodd iddo feintioli'n union pa mor ufudd y byddai unigolion mewn sefyllfa a oedd dan reolaeth.

Glasbrennau penderfynu!

Mae coed diagnostig yn fath o ddiagramau y bydd meddygon a seiciatryddion yn eu defnyddio wrth ganfod anhwylderau. Byddan nhw'n cychwyn drwy ofyn cwestiwn ac yna'n defnyddio'r atebion 'Ie/Na' i ddod i gasgliad ynghylch pa anhwylder a all fod ar y person. Modelau tebyg yw coed penderfynu a gallan nhw gynnwys canlyniadau a deilliannau digwyddiadau.

Wrth ddelio â materion fel dulliau, dibynadwyedd, dilysrwydd ac ati, bydd seicolegwyr yn aml yn gwneud llu o benderfyniadau. Bydd eu dewisiadau'n dibynnu ar y canlyniadau posibl y gallan nhw'u cynnig. Ffordd bosibl o ddechrau meddwl fel seicolegydd 'go-iawn' fyddai creu 'glasbrennau penderfynu' (pan fyddan nhw'n ddigon manwl, gallan nhw dyfu'n goed cyflawn). Cymerwch fater fel 'dilysrwydd mewnol'; fe welwch chi isod y math o faterion a dulliau rheoli y byddai'n rhaid i ymchwilydd feddwl amdanyn nhw.

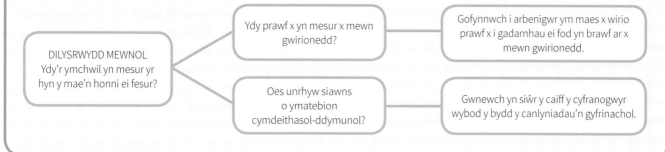

DILYSRWYDD MEWNOL
Ydy'r ymchwil yn mesur yr hyn y mae'n honni ei fesur?

Ydy prawf x yn mesur x mewn gwirionedd? → Gofynnwch i arbenigwr ym maes x wirio prawf x i gadarnhau ei fod yn brawf ar x mewn gwirionedd.

Oes unrhyw siawns o ymatebion cymdeithasol-ddymunol? → Gwnewch yn siŵr y caiff y cyfranogwyr wybod y bydd y canlyniadau'n gyfrinachol.

Pwyllgor moeseg

Casglwch adrannau methodoleg a/neu weithdrefnau rhyw 10 o erthyglau mewn cyfnodolion. Gallech chi hefyd ddefnyddio'r crynodeb o ymchwil yn Research Digest pythefnosol y BPS (tanysgrifiad gwych – archebwch ef ar unwaith i gael e-byst am ddim!).

Mae un person yn y grŵp yn cymryd arno mai ef yw'r ymchwilydd a rhaid iddo amddiffyn ei ddewis o fethodoleg/gweithdrefnau yn nhermau'r foeseg. Gall ddisgrifio'r dulliau a ddefnyddiodd ac egluro pam y mae'n credu bod y camau diogelwch a roddodd ar waith yn ddigon i sicrhau diogelwch y cyfranogwyr.

Bydd aelodau'r pwyllgor (sy'n gweithio orau os oes rhyw bump o fyfyrwyr eraill) yn ei holi, a gallan nhw herio priodoldeb camau diogelwch moesegol yr ymchwilydd.

Ar ddiwedd y cyfarfod, bydd y pwyllgor yn pleidleisio i ddangos a ydyn nhw'n credu bod yr ymchwil yn foesegol.

Lleoliad ymchwil

Nodwch luniad – er enghraifft, hapusrwydd – yr hoffai seicolegydd ei fesur.

Meddyliwch am dri ymddygiad y gallech chi chwilio amdanyn nhw os oeddech chi'n bwriadu 'arsylwi' y lluniad hwnnw. Er enghraifft:
1. Gwenu
2. Chwerthin
3. Gwneud gosodiadau cadarnhaol

Gofynnwch i bum cyfaill dreulio pum munud yn sgwrsio â'i gilydd mewn ystafell ddosbarth ac arsylwch pa mor fynych y byddan nhw'n dangos yr ymddygiadau hynny. Yna, am bum munud arall, arsylwch yr un pum cyfaill yn siarad â'i gilydd mewn sefyllfa lai ffurfiol fel ystafell gyffredin y myfyrwyr neu mewn ffreutur.

Oes unrhyw wahaniaeth yn amlder yr ymddygiadau a arsylwyd yn y sefyllfaoedd llai ffurfiol?

Pa brawf casgliadol y dylech chi ei ddefnyddio?

Gan ddefnyddio'r wybodaeth yn y senarios isod, nodwch pa brawf casgliadol yw'r un priodol i'w ddefnyddio.

1. Mae seicolegydd wrthi'n ymchwilio i hoff ffilmiau gwahanol fathau o bersonoliaeth. Ar ôl siarad â'i chyfranogwyr a phenderfynu a ydyn nhw'n allblyg neu'n fewnblyg, mae hi'n eu holi am y math diweddaraf o ffilm – arswyd, comedi, antur – a welson nhw yn y sinema.
2. Mae seicolegydd yn cymharu'r amser (mewn eiliadau) a gymerodd dynion a menywod i redeg unwaith o amgylch trac rasio.
3. Mae seicolegydd yn cynnal prawf Stroop ac yn cymharu nifer y gwallau a wneir pan fydd pobl yn cwblhau'r cyflwr cyfath â phan fydd yr un bobl yn cwblhau'r cyflwr anghyfath.
4. Hoffai ymchwilydd ymchwilio i weld a oes perthynas rhwng llwyddiant rhywun mewn arholiad (marciau UMS) a'i hapusrwydd o fesur hynny mewn prawf hapusrwydd.

ATEBION AR DUDALEN 172

Gwella pethau...

Ffordd o roi prawf ar eich dealltwriaeth o gysyniadau fel dibynadwyedd a dilysrwydd yw astudio ymchwil a sylwi ar unrhyw broblem a all berthyn i'r ymchwil hwnnw. Darllenwch drwy'r senarios isod: pa broblemau welwch chi a pha gyngor fyddech chi'n eu cynnig i wella'r ymchwil?

ATEBION AR DUDALEN 172

1. Hoffai seicolegydd wybod a yw'r tywydd yn effeithio ar lefelau hapusrwydd pobl. Mae'n dewis stryd leol ac yn gofyn i'r holl breswylwyr nodi ar raddfa o 0 (dim hapusrwydd) i 10 (yr hapusaf y gallen nhw fod erioed) pa mor hapus ydyn nhw. Mae'n gwneud hynny ddwywaith, unwaith ar ddydd Sadwrn cynnes a heulog ym mis Ebrill ac unwaith ar ddydd Llun oer a chymylog ym mis Tachwedd.
2. Mae prifathrawes yn sylwi bod ei myfyrwyr yn fwy drygionus pan gân nhw ddiwrnodau ar ddiwedd y tymor i godi arian i elusennau. Mae'n credu bod hynny'n digwydd am fod y myfyrwyr yn gwisgo'u dillad eu hunain yn hytrach na gwisg arferol yr ysgol. I asesu hynny, mae'n cyfrif faint o gwynion am ymddygiad y mae athrawon yn eu cofnodi ar feddalwedd gweinyddol yr ysgol. Mae'n cymharu nifer y cwynion am ymddygiad a gofnodwyd ar ddiwrnod yng nghanol y tymor (pryd mae'r myfyrwyr i gyd yn gwisgo'u gwisg ysgol) â nifer y cwynion am ymddygiad a gofnodir ar ddiwrnod olaf y tymor (pryd mae'r myfyrwyr i gyd yn gwisgo'u dillad eu hunain).
3. Barn gwerthwr ceir ail-law yw ei bod hi'n haws gwerthu ceir coch nag unrhyw geir eraill. Un dydd Sadwrn, mae ganddo 15 o geir coch a 70 o geir o liwiau eraill. Erbyn diwedd y dydd, mae ef wedi gwerthu 20% o'r ceir coch ond 10% yn unig o'r ceir o liwiau eraill. O weld hynny, mae'n penderfynu mai ceir coch, yn unig, y bydd yn eu gwerthu.

Cwestiynau arholiad ac atebion

Gall cwestiynau ynghylch ymchwilio i ymddygiad fynnu disgrifiadau (AA1), cymhwyso at sefyllfa newydd (AA2) neu werthuso (AA3).

CWESTIYNAU ATEBION BYR

1. Eglurwch beth yw ystyr rhagdybiaeth nwl. [2]
2. Eglurwch y gwahaniaeth rhwng newidyn allanol a newidyn dryslyd. [2]
3. Eglurwch beth yw ystyr hapsamplu. [2]
4. Nodwch yr hyn sy'n cael ei ddisgrifio yn y gosodiadau hyn:
   a. Newidyn heblaw'r newidyn annibynnol (IV) a astudir, ond mae'n amrywio'n systematig gyda'r IV. [1]
   b. Cynllun arbrofol lle mae pob cyfranogwr yn cymryd rhan ym mhob cyflwr sy'n destun prawf. [1]
   c. Gwybodaeth a gesglir drwy brofiad uniongyrchol yn hytrach na thrwy ddefnyddio data a gasglwyd gan rywun arall. [1]
5. Eglurwch yr hyn y mae lefel 0.05 o arwyddocâd yn ei olygu. [2]

Atebion Bob ynghyd â sylwadau'r arholwr

1. Gan fod nwl yn golygu 'dim', mae rhagdybiaeth nwl yn golygu y byddwch chi'n rhagfynegi na chaiff yr IV unrhyw effaith ar y DV.
   Eglurhad cywir a chlir, a digon o fanylion i gael y cyfan o 2 farc allan o 2; mae'n egluro 'nwl' a 'rhagdybiaeth'.

2. Mae newidyn dryslyd yn unrhyw beth mewn astudiaeth a allai effeithio ar y canlyniadau ac y mae'n rhaid i'r ymchwilydd geisio'i reoli, ond mae newidyn allanol fwy neu lai'r un peth ond does dim rhaid i'r ymchwilydd drafferthu ceisio'i reoli.
   Ateb dryslyd ac anghywir, ac felly 0 marc, ond mae'n gamgymeriad y mae llawer o fyfyrwyr yn ei wneud. Nid newidyn dryslyd mo'r IV dan sylw ac mae'n amrywio'n systematig gyda'r IV. Dydy hi ddim yn glir, felly, a yw'r newidiadau yn y DV yn deillio o'r IV neu o'r newidyn dryslyd, h.y. rhyw achos arall. I'r gwrthwyneb, dydy newidynnau allanol ddim yn amrywio'n systematig gyda'r IV ond fe allen nhw gael effaith ar y DV ac felly ei gwneud hi'n anoddach canfod effaith arwyddocaol.

3. Bydd hapsamplu'n digwydd pan fydd yr ymchwilydd dim ond yn dewis pwy y mae arno ei eisiau ar hap. Er enghraifft, gallai stopio unrhyw un yn y stryd.
   Anghywir – samplu cyfle y mae Bob wedi'i ddisgrifio, ac felly 0 marc. Byddai angen i Bob egluro bod 'hap' yn golygu bod gan bawb yn y boblogaeth darged siawns gyfartal o gael ei ddewis – gan ddefnyddio hap-dechneg yn union fel dull y loteri.

4. a = newidyn dryslyd; b = cynllun ailadrodd mesurau, c = data cynradd.
   Pob un yn gywir ac felly 3 marc.

5. 0.05 yw'r lefel o debygolrwydd bod eich canlyniadau wedi digwydd fel mater o siawns, ac mae 0.05 yn golygu bod tebygolrwydd o 95% bod eich canlyniadau'n cynrychioli'r hyn sy'n wir a dim ond 5% o debygolrwydd mai mater o siawns yw hi eu bod wedi digwydd.
   Eglurhad cywir a chlir sy'n cael 2 farc allan o 2.

Ateb Megan

1. Mae rhagdybiaeth nwl yn rhywbeth sy'n rhagfynegi dim.
2. Gwahaniaeth allweddol rhwng y ddau yw bod newidynnau dryslyd yn amrywio'n systematig gyda'r IV, ac felly gallai unrhyw newid yn y DV ddigwydd oherwydd yr IV neu'r newidyn dryslyd, ond dydy newidynnau allanol ddim yn amrywio'n systematig ac maen nhw'n fwy o newidynnau niwsans a allai gymylu effaith arwyddocaol go-iawn.
3. Bydd hapsamplu'n digwydd pan gaiff enwau eu rhoi mewn het a'u tynnu allan; mae gan bawb sydd â'i enw yn yr het siawns gyfartal o gael ei ddewis. Ni all yr ymchwilydd ddewis pwy y mae arno ei eisiau'n arbennig; mater o siawns yw'r cyfan.
4. (a) newidyn allanol, (b) cynllun ailadrodd mesurau, (c) data cynradd.
5. Ystyr 0.05 yw bod eich canlyniadau'n arwyddocaol.

Sylwadau ar atebion Megan ar dudalen 175.

Cynlluniau marcio ar gyfer y cwestiynau ynghylch ymchwilio i ymddygiad

Y duedd yw i'r cwestiynau ynghylch ymchwilio i ymddygiad fod yn werth 1, 2, 3 neu 4 o farciau. Mae'r cwestiynau hynny'n mynnu eich bod chi'n manylu ynghylch pa sgiliau rydych chi'n eu harddangos. Isod, cewch chi rai cynlluniau marcio enghreifftiol.

Cwestiwn sy'n gofyn i chi *nodi* neu *enwi* elfen o'r astudiaeth, e.e. 'Nodwch y cynllun arbrofol a ddefnyddiwyd yn yr astudiaeth hon'. [1]

Marc	Disgrifiad
1	Enwch yr elfen/mater, e.e. parau cyffredin.
0	Ateb amhriodol / ni roddwyd ymateb.

Cwestiwn sy'n gofyn i chi *egluro* neu *ddiffinio'*r hyn y mae term allweddol yn ei olygu, e.e. 'Eglurwch yr hyn y mae cynllun parau cyffredin yn ei olygu'. [2]

Marc	Disgrifiad
2	Eglurhad/diffiniad trylwyr a manwl iawn.
1	Eglurhad/diffiniad sylfaenol a llai manwl.
0	Ateb amhriodol / ni roddwyd ymateb.

Cwestiwn sy'n gofyn i chi *gymhwyso'ch gwybodaeth* at y sefyllfa newydd, e.e. 'Enwch **un** o fanteision y cynllun arbrofol a ddefnyddiwyd *yn yr astudiaeth hon*'. [3]

Pan fydd cwestiwn yn gofyn yn benodol am ateb i 'yn yr astudiaeth hon' cewch eich cosbi os na fyddwch chi'n cyd-destunoli eich ymateb.

Marc	Disgrifiad
3	Eglurir mantais briodol ac fe'i cymhwysir yn gelfydd at yr astudiaeth.
2	Eglurir mantais briodol. Peth cysylltu â'r astudiaeth.
1	Eglurir mantais briodol. Dim cysylltiad â'r astudiaeth.
0	Ateb amhriodol / ni roddwyd ymateb.

CWESTIWN YNGHYLCH SEFYLLFA NEWYDD

Mae ymchwil fel yr un a wnaed gan y Sefydliad Cenedlaethol Iechyd Plant a Datblygiad Dynol (yr NICHD) wedi awgrymu mai po fwyaf o amser y mae plentyn yn ei dreulio mewn gofal dydd, mwyaf ymosodol ac anufudd y mae'n debyg o fod.

Hoffai tîm o ymchwilwyr ymchwilio i'r berthynas rhwng yr amser a dreulir mewn gofal dydd a lefelau o ymosodedd. Maen nhw'n cynnig rhagdybiaeth gyfeiriadol amgen: 'Mae cydberthyniad positif rhwng nifer yr oriau a dreulir mewn gofal dydd a nifer y gweithredoedd ymosodol a welir'.

Mae'r ymchwilwyr yn astudio 12 o blant mewn ysgol feithrin. Maen nhw'n casglu data am nifer yr oriau y bydd pob plentyn yn ei dreulio mewn gofal dydd mewn wythnos ac yna'n arsylwi'r plant mewn gofal dydd am ddiwrnod. Maen nhw'n mesur pa mor ymosodol yw'r plant drwy gyfrif faint o 'weithredoedd ymosodol' y mae'r plant yn eu cyflawni. Dyma ganlyniadau'r astudiaeth:

Rhif y cyfranogwr	Nifer y gweithredoedd ymosodol a gofnodwyd yn ystod y dydd	Nifer yr oriau a dreuliwyd mewn gofal dydd mewn wythnos
Plentyn 1	3	12
Plentyn 2	6	37
Plentyn 3	2	40
Plentyn 4	4	20
Plentyn 5	1	10
Plentyn 6	3	18
Plentyn 7	2	40
Plentyn 8	9	40
Plentyn 9	0	37
Plentyn 10	5	25
Plentyn 11	2	37
Plentyn 12	1	12

Cafwyd bod cyfernod cydberthyniad o +.26.

a. Eglurwch **un** mater o ddibynadwyedd yn yr astudiaeth hon ac eglurwch sut gellid delio ag ef yn yr astudiaeth hon. [4]

b. Eglurwch beth yw ystyr cyfernod cydberthyniad. [2]

c. Cynigiodd y seicolegydd ragdybiaeth gyfeiriadol amgen yn yr astudiaeth hon; eglurwch pam roedd hynny'n briodol yn yr astudiaeth hon. [2]

ch. Nodwch lefel y mesur o 'nifer yr oriau a dreulir mewn gofal dydd' mewn wythnos ac eglurwch eich ateb. [3]

d. Mae'r ymchwilydd wedi defnyddio samplu digwyddiad yn yr astudiaeth hon. Eglurwch yr hyn y mae samplu digwyddiad yn ei olygu yn yr astudiaeth hon. [3]

dd. **Lefel A2 yn unig:** Enwch brawf ystadegol casgliadol priodol y gellid ei ddefnyddio i ddadansoddi'r data yn yr ymchwil hwn. Cyfiawnhewch eich dewis. [3]

Ateb Bob

a. Un mater o ddibynadwyedd yw bod tîm o ymchwilwyr yn barnu pa mor ymosodol yw pob plentyn ac efallai fod ganddyn nhw syniadau gwahanol ynghylch union ystyr 'ymosodedd'. Gall un ymchwilydd gofnodi sgrechian yn weithred ymosodol ond byddai un arall yn cofnodi dim ond gweithredoedd corfforol fel taro ac yn anwybyddu pethau fel sgrechian. Fyddai'r arsylwyr ddim, felly, yn gyson eu hymagwedd a byddai'r astudiaeth yn brin o ddibynadwyedd.

b. Mae cyfernod cydberthyniad yn rhif rhwng −1 a +1 sy'n dangos cyfeiriad a chryfder y berthynas rhwng dau gyd-newidyn.

c. Fe ddefnyddion nhw ragdybiaeth gyfeiriadol am fod llawer o ymchwil wedi'i wneud i'r pwnc o'r blaen, e.e. roedd yr NICHD eisoes wedi gweld bod cydberthyniad positif rhwng yr amser mewn gofal dydd ac ymosodedd o ati. Gallai'r ymchwilwyr osod ffrâm i'w hymchwil, felly, a bod yn eithaf ffyddiog o ran yr hyn roedden nhw'n disgwyl ei weld.

ch. Mae nifer yr oriau yn ddata cyfwng am fod cyfyngau hafal i nifer yr oriau, e.e. bydd plentyn sy'n treulio 24 awr mewn gofal dydd yn treulio dwywaith cymaint o amser yno â phlentyn sy'n treulio 12 awr mewn gofal dydd.

d. Defnyddir samplu digwyddiad wrth arsylwi ymddygiad. Bydd yr ymchwilydd yn cofnodi bob tro y bydd yn gweld y digwyddiad yn digwydd. Yn yr astudiaeth hon, gweithred ymosodol yw'r digwyddiad ac felly bydd yr arsylwr yn cofnodi bob tro y bydd yn gweld plentyn yn gweithredu'n ymosodol.

dd. Prawf ystadegol Rho Spearman yw'r unig un priodol am mai hwnnw yw'r unig un a ddefnyddir ar gyfer cydberthyniad.

> Mae Bob wedi rhoi disgrifiad manwl a chywir o ddibynadwyedd ac wedi'i gyd-destunoli, ond wedi methu ag ystyried sut gellid ymdrin â'r mater. Mae'n bwysig darllen pob cwestiwn yn ofalus am y gall llawer ohonyn nhw ofyn i chi roi sylw i ddwy elfen.
> **2 farc allan o 4.**

> Cywir a manwl am fod Bob wedi rhoi sylw i ystyr y rhif yn ogystal â chyfeiriad y berthynas. **2 farc allan o 2.**

> Ateb cywir a chelfydd sy'n cyfeirio'n glir at y sefyllfa newydd. **2 farc allan o 2.**

> Nodwyd lefel gywir o fesur a cheir eglurhad clir ynghyd â chyd-destun. **3 marc allan o 3.**

> Diffiniad cywir a chyd-destun llawn. **3 marc allan o 3.**

> Mae Bob wedi nodi prawf ystadegol priodol yn gywir ond wedi methu â chyfiawnhau'n llawn pam y mae'n briodol. I gael y marciau llawn, byddai angen i Bob roi dau reswm sy'n egluro pam y mae'r prawf yn briodol. **2 farc allan o 3.**

GWAITH I CHI

Rhowch gynnig ar fod yn arholwr

Mae ateb Bob wedi'i farcio a dangosir sylwadau'r arholwr.

Rhowch gynnig ar farcio atebion Megan a defnyddiwch y sylwadau ar ateb Bob i lunio sylwadau arholwr.

Sylwadau ar atebion Megan ar dudalen 176

Ateb Megan

a. Mae dibynadwyedd yn golygu cysondeb mewn ymchwil, ac yn yr astudiaeth hon un mater o ddibynadwyedd, efallai, yw nad yw 'gweithred ymosodol' wedi'i gweithredoli'n glir. Byddai gan wahanol arsylwyr, felly, ddehongliadau gwahanol o ymddygiad pob plentyn. I ddatrys hynny, byddai'n rhaid i'r tîm weithredoli gweithredoedd ymosodol yn llawn cyn yr astudiaeth. Yna, ar ôl casglu'r data, gallan nhw ddefnyddio dibynadwyedd rhyng-gyfraddwyr i gynnal prawf i weld pa mor effeithiol oedd hynny, e.e. cymharu'r data a gasglwyd ac, os oes cytundeb o 80% neu ragor, rydych chi wedi datrys mater dibynadwyedd.

b. Dyma'r rhif o gydberthyniad.

c. Dyma ragdybiaeth sy'n rhagfynegi'n union yr hyn fydd yn digwydd, e.e. fe fydd cydberthyniad positif.

ch. Trefnol.

d. Mae samplu digwyddiad yn cymryd y bobl sydd ar gael.

dd. Byddwn i'n defnyddio Cyfernod Cydberthyniad Rhestrol Spearman am fod y prawf casgliadol hwnnw'n briodol ar gyfer cydberthyniadau ac mae angen i'r data fod o leiaf ar lefel drefnol. Mae'r astudiaeth hon yn gydberthynol, e.e. gofal dydd a gweithredoedd ymosodol, ac mae'r data o leiaf yn drefnol am fod amser a nifer y gweithredoedd yn cael eu mesur.

Cwestiynau arholiad ac atebion (parhad)

Gall cwestiynau ynghylch ymchwilio i ymddygiad fynnu disgrifiadau (AA1), cymhwyso at sefyllfaoedd newydd (AA2) neu werthuso (AA3).

CWESTIWN SY'N CYNNWYS SEFYLLFA NEWYDD

Mae prifathro ysgol gyfun leol wedi cyflogi seicolegydd i gyflwyno cwricwlwm seicoleg gadarnhaol (PPC) newydd sy'n cynnwys gwersi am awr yr wythnos. Mae'r gwersi wedi'u cynllunio i hyrwyddo sgiliau a chryfderau'r myfyrwyr i'w helpu i gyrraedd eu cyrchnodau. Gobaith y prifathro yw y bydd y rhaglen yn cynyddu hapusrwydd a hunan-barch y myfyrwyr.

I weld a yw'r cwricwlwm newydd yn cyrraedd ei nod, fe ddewiswyd, drwy hapsamplu, 10 myfyriwr o blith y grŵp i gael y rhaglen newydd, a gofynnwyd iddyn nhw lenwi holiadur cyn i'r PPC gael ei weithredu. Gofynnwyd iddyn nhw lenwi'r holiadur am yr eildro ymhen blwyddyn ar ôl iddyn nhw gwblhau gwersi'r PPC.

Un o'r cwestiynau yn y ddau holiadur oedd 'Pa mor hapus ydych chi ar hyn o bryd?' Defnyddiodd y myfyrwyr y raddfa hon wrth ymateb:

0	1	2	3	4
Anhapus iawn	Anhapus	Heb fod yn hapus nac yn anhapus	Hapus	Hapus iawn

Dyma'r ymatebion:

Rhif adnabod y myfyriwr	Ei sgôr hapusrwydd cyn y PPC	Ei sgôr hapusrwydd ar ôl blwyddyn o ddilyn y PPC
1	1	3
2	4	4
3	3	4
4	3	3
5	2	3
6	2	2
7	3	4
8	4	4
9	1	3
10	2	2

a. Enwch y newidyn annibynnol yn yr ymchwil hwn. [1]

b. Eglurwch sut mae'r newidyn dibynnol wedi'i weithredoli yn yr ymchwil hwn. [2]

c. Amlinellwch **un** o anfanteision hapsamplu yn yr astudiaeth hon ac eglurwch ddull samplu arall y gallai'r seicolegydd fod wedi'i ddefnyddio. [4]

ch. Nodwch **un** mater o ddilysrwydd yn yr ymchwil hwn ac eglurwch **un** ffordd o ddelio â'r mater hwnnw o ddilysrwydd. [4]

d. Cyfrifwch gymedr sgôr hapusrwydd y cyfranogwyr cyn y PPC. [2]

dd. Eglurwch **un** o fanteision ac **un** o anfanteision defnyddio'r sgôr gymedrig yn fesur o ganolduedd. [4]

e. Awgrymwch ragdybiaeth gyfeiriadol addas ar gyfer yr ymchwil hwn. [2]

f. Nodwch **un** mater moesegol yn yr ymchwil hwn ac eglurwch sut byddech chi'n delio â'r mater hwnnw yn yr ymchwil hwn. [4]

ff. Nodwch ac eglurwch y lefel mesur a ddefnyddiwyd yn yr astudiaeth hon. [2]

g. Pan welodd y seicolegydd nad oedd y data meintiol a gasglwyd i gynrychioli'r sgorau hapusrwydd yn rhyw fanwl iawn, penderfynodd ail-wneud ei hymchwil a chasglu data ansoddol y tro hwn. Eglurwch sut gallai'r seicolegydd wneud hynny. Dylech chi nodi a chyfiawnhau methodoleg briodol yn eich ateb. [4]

ng. **Lefel A2 yn unig:** Defnyddiodd y seicolegydd brawf arwyddion graddedig parau cyffredin Wilcoxon i ddadansoddi'r data. Dywedwch pam y mae'r prawf hwnnw'n briodol ar gyfer dadansoddi'r data a gasglwyd yn yr ymchwil hwn. [2]

Atebion Bob a sylwadau'r arholwr

a. Yr IV yw'r hyn y mae'r ymchwilydd yn ei fanipwleiddio a'r IV yn yr astudiaeth hon yw a ydy'r myfyrwyr wedi cael y cwricwlwm seicoleg gadarnhaol.
Does dim angen diffinio'r hyn yw IV ar y dechrau. Yn wir, dydy'r cwestiwn ond yn gofyn iddo enw'r IV (y PPC). Mae Bob wedi nodi'r IV yn gywir ac wedi'i gyd-destunoli yn yr astudiaeth. 1 marc allan o 1.

b. Caiff graddfa 0–4 ei defnyddio i ddiffinio'r DV yn rhifiadol. Mae hynny'n dangos pa mor hapus yw pob person unigol.
Eglurhad cywir a chlir. 2 farc allan o 2.

c. Un anfantais yw y gall hapsamplu gymryd amser maith am fod angen i chi fod ag enw pawb yn y boblogaeth darged. Dewis posibl arall fyddai samplu'n systematig.
Rhaid cyd-destunoli ateb cywir i'r cwestiwn hwn am fod y cwestiwn yn dweud yn glir 'yn yr astudiaeth hon'. Mae Bob wedi methu â gwneud hynny ac wedi enwi un o anfanteision generig hapsamplu (mewn gwirionedd, dydy'r ateb ddim yn gwbl gywir am fod tueddiad i ymchwilwyr ddefnyddio fframm samplu lai o faint). Mae ef hefyd wedi gwneud dim mwy nag enwi dull samplu arall yn hytrach na'i egluro. Mae sawl dull samplu arall y gellid bod wedi'i egluro, e.e. haenedig, gwirfoddolwyr, ac ati. 2 farc allan o 4 (marc am yr ateb generig a marc am enwi dull arall).

ch. Mater posibl o ran dilysrwydd fyddai bod y myfyrwyr wedi dweud celwydd yn yr holiadur ynghylch pa mor hapus ydyn nhw. Gallan nhw deimlo gormod o embaras i gyfaddef eu bod nhw'n anhapus iawn ac fe ddewison nhw 'hapus' i osgoi hynny. Byddai hynny'n effeithio ar gywirdeb y data a gasglwyd. Un ffordd o ddelio â hynny fyddai i'r seicolegydd egluro wrth y myfyrwyr y byddai eu hatebion yn anhysbys ac yn cael eu cadw'n gyfrinachol. Gall hynny beri i'r myfyrwyr fod yn fwy geirwir.
Mae Bob wedi cyd-destunoli ei ateb ac wedi rhoi sylw i'r ddwy elfen, e.e. wedi disgrifio mater ac wedi egluro sut mae ymdrin â'r mater penodol hwnnw. 4 marc allan o 4. Mae sawl mater posibl arall, gan gynnwys nad yw'r myfyrwyr yn deall y raddfa, materion samplu ac ati.

d. Y cymedr yw 2.5.
Mae Bob wedi cyfrifo'r cymedr yn gywir ond wedi methu â dangos ei gyfrifiadau. 1 marc allan o 2.

dd. Un o fanteision y cymedr yw mai hwnnw yw'r mwyaf gwyddonol o'r holl fesurau o ganolduedd am ei fod yn defnyddio'r holl sgorau yn ei gyfrifiadau, e.e. cymerwyd sgorau hapusrwydd pawb i ystyriaeth wrth gyfrifo'r cymedr. Anfantais fyddai ei bod hi'n hawdd i sgorau eithaf ystumio'r cymedr, e.e. petai un myfyriwr wedi rhoi sgôr o 0 ac yna 4, byddai hynny wedi gostwng y cymedr yng nghyflwr 1 ac wedi'i ffug-chwyddo yng nghyflwr 2.
Mae'r fantais a'r anfantais wedi'u hegluro'n gelfydd ac wedi'u cyd-destunoli er nad yw'r cwestiwn yn gofyn am hynny. Eto i gyd, mae hyn yn ffordd dda o nodi manylion ac, felly, o gael marciau. 4 marc allan o 4.

Ateb Bob, parhad

e. Dydy'r PPC ddim yn gwneud myfyrwyr yn hapusach.
Mae Bob wedi cynhyrchu damcaniaeth gyfeiriadol amgen – mae ef wedi nodi'r cyfeiriad ond heb nodi dau gyflwr yr IV, sef cyn y PPC ac ar ôl y PPC. Dylai fod wedi dweud 'Mae'r cyfranogwyr yn hapusach ar ôl blwyddyn o gael PPC nag yr oedden nhw cynt'. Mae'r rhagdybiaeth hefyd yn brin o weithredoli (sôn am flwyddyn), ac felly 0 marc.

f. Un mater moesegol yw cydsyniad dilys. Mae'r sampl o fyfyrwyr a ddefnyddiwyd o dan 16 oed ac efallai na fyddan nhw'n gallu deall goblygiadau cymryd rhan yn y math hwn o astudiaeth. Allan nhw ddim, felly, â phenderfynu cydsynio i wneud hynny.
Dydy Bob ddim wedi rhoi sylw i ddwy elfen y cwestiwn. Mae ef wedi nodi mater moesegol, wedi'i egluro ac wedi'i gyd-destunoli ond wedi methu ag egluro sut byddai'n delio ag ef. Mae sawl mater posibl, gan gynnwys diffyg cyfrinachedd a diffyg diogelu rhag y risg o niwed. 2 farc allan o 4.

ff. Mae'r data'n feintiol am ei fod wedi casglu data rhifiadol ar ffurf graddfa hapusrwydd.
Gan fod yr ateb hwn yn anghywir, 0 marc allan o 2. Mae angen i Bob ddisgrifio'r math o ddata meintiol a gasglwyd, e.e. trefnol, ac yna egluro yng nghyd-destun yr astudiaeth pam y mae'r data'n drefnol.

g. Gallai'r seicolegydd fod wedi defnyddio cyfweliad lled-strwythuredig. Gallai hi fod wedi sefydlu amser cyfweliad i bob un o'r 10 myfyriwr a gofyn iddyn nhw i gyd yr un cwestiwn sylfaenol, fel: Pa mor hapus ydych chi'n teimlo fel rheol? Pa fathau o bethau sy'n gwneud i chi deimlo'n hapus? ac ati. Yna, gallai hi ofyn rhagor o gwestiynau mwy unigolyddol ar sail atebion y myfyrwyr. Rwy'n credu bod hynny'n well dull am y byddech chi'n magu gwell dealltwriaeth o ba mor hapus ydyn nhw fel rheol yn hytrach na dim ond ar y diwrnod yr atebon nhw'r holiadur – am a wyddon ni, gallai'r sawl a roddodd radd 1 fod wedi cael ffrae enfawr â'i ffrind y diwrnod hwnnw a phetai hi wedi'i holi ar ddiwrnod gwahanol efallai y byddai hi wedi dweud 4! Drwy ddefnyddio'r cyfweliad, byddech chi wedi magu dealltwriaeth go-iawn ac nid wedi cael ciplun yn unig. Mewn cyfweliad, gallwch chi holi pobl am eu profiadau a gofyn iddyn nhw ymhelaethu.
Mae Bob wedi nodi dull priodol yn glir ac wedi cyd-destunoli ei ymateb. Mae ei gyfiawnhad yn dda ac wedi'i gysylltu â'r ymchwil, ond wedi canolbwyntio mwy ar fater ynglŷn â'r cwestiwn gwreiddiol (gofyn sut rydych chi'n teimlo ar hyn o bryd) yn hytrach na gwir fantais cyfweliad, sef gallu trafod materion eraill sy'n gysylltiedig â'r cwestiwn canolog. 3 marc allan o 4.

ng. Defnyddiwyd y prawf hwn am fod yr ymchwilwyr yn chwilio am wahaniaeth ac am fod y data'n drefnol.
Dydy'r ateb hwn ddim yn glir nac wedi'i gyd-destunoli. Mae angen i Bob egluro, drwy gyfeirio at y raddfa hapusrwydd, pam y mae'n brawf gwahaniaeth a pham y mae'r data'n drefnol yn yr astudiaeth hon. Dewis arall yw y gallai Bob fod wedi cyfeirio at y ffaith mai cynllun ailadrodd mesurau yw hwn. 1 marc allan o 2.

GWAITH I CHI

Rhowch gynnig ar fod yn arholwr
Mae ateb Bob wedi'i farcio a dangosir sylwadau'r arholwr.

Rhowch gynnig ar farcio atebion Megan a defnyddiwch y sylwadau ar ateb Bob i lunio sylwadau arholwr.

Ateb Megan

a. Y sgôr hapusrwydd yw'r IV.

b. Mae'r DV wedi'i weithredoli drwy iddyn nhw gael awr yr wythnos, neu beidio, o'r PPC.

c. Yn aml, canlyniad hapsamplu yw eich bod chi'n cael sampl anghynrychioliadol os yw maint y sampl yn eithaf bach o'i gymharu â'r boblogaeth darged; yn yr astudiaeth hon, 10 yn unig o'r myfyrwyr a ddewiswyd o blith y grŵp blwyddyn cyfan ac fe allan nhw i gyd fod yn ferched a bod â'r un gallu yn yr ysgol. Gallen nhw ddefnyddio samplu cwotâu lle maen nhw'n cymryd y bachgen parod cyntaf a merch o bob lefel unigol o allu.

ch. Un mater posibl o ran dilysrwydd fyddai tueddu'r ymchwilydd am y gall y seicolegydd ryw led-awgrymu wrth y myfyrwyr eu bod nhw'n rhoi sgôr isel cyn y PPC a sgôr uwch ar ôl hynny am fod arni eisiau i'r prifathro feddwl bod ei PPC yn wych. Un ffordd o ddatrys hynny fyddai cael rhywun niwtral nad yw'n gwybod nod yr astudiaeth i weinyddu'r ddau holiadur.

d. $1 + 4 + 3 + 3 + 2 + 2 + 3 + 4 + 1 + 2 = 25$ $25 \div 10 = 2.5$
Y cymedr yw 2.5.

dd. Mae'r cymedr yn dda am mai hwnnw a ddefnyddir amlaf, ond anfantais y cymedr yw bod sgorau eithaf yn dylanwadu'n rhwydd arno. Os oes unrhyw sgorau gwirioneddol uchel neu wirioneddol isel, gall hynny roi cymedr anghynrychioliadol i chi.

e. Mae'r sgorau hapusrwydd yn uwch ar ôl i'r myfyrwyr gwblhau blwyddyn o'r PPC o'i gymharu â'u sgôr flwyddyn ynghynt.

f. Mater moesegol yn yr astudiaeth hon yw diffyg cyfrinachedd. Mae'r myfyrwyr yn rhoi gwybodaeth gyfrinachol am eu teimladau i'r seicolegydd ac fe allan nhw fod yn bryderus a gofidus os bydd pobl eraill yn yr ysgol yn cael gwybod. I ddelio â hynny, rhaid i'r seicolegydd beidio â defnyddio enwau'r myfyrwyr, a rhoi rhif i bob un. Dylai hi hefyd gadw eu data dan glo mewn lle diogel i ffwrdd o'r ysgol. Bydd hynny'n sicrhau bod y sgorau hapusrwydd yn dal yn gyfrinachol.

ff. Mae'r lefel mesur a ddefnyddir yn drefnol am fod y data a gasglwyd yn dod o raddfa hapusrwydd lle'r oedd rhaid i'r cyfranwyr ddewis rhif o 0–4 i ddangos pa mor hapus ydyn nhw.

g. Byddwn i wedi defnyddio arsylwi er mwyn i mi allu gweld yn uniongyrchol pa mor hapus yw'r myfyrwyr. Petaech chi'n gwneud hynny heb yn wybod iddyn nhw, byddech chi'n cael data mwy realistig na'r raddfa am na fyddech chi'n poeni am duedd dymunolrwydd cymdeithasol.

ng. Defnyddiwyd y prawf hwn am fod y data a gasglwyd yn drefnol, e.e. defnyddiodd y myfyrwyr raddfa i asesu eu hapusrwydd. Mae'r astudiaeth hefyd yn defnyddio cynllun ailadrodd mesurau am i'r un myfyrwyr lenwi'r holiadur cyn y PPC ac ar ei ôl.

Sylwadau ar atebion Megan ar dudalen 176.

Pennod 1 (tudalen 24)

Tybiaethau, cywir neu anghywir?: A, C, C, A, A, C, C, C, C

Tystiolaeth glasurol, cywir neu anghywir?: A, C, A, A, C, C, A

Beth sy'n actif? 1. llabed yr ocsipwt a'r llabed barwydol, 2. llabedau'r arlais, 3. y llabedau blaen, 4. llabedau'r ocsipwt, 5. llabedau'r arlais

Pennod 2 (tudalen 44)

Llenwi'r bylchau: cyfnod seicorywiol, trefn, geneuol, anws, ffalig, cudd, organau cenhedlu, libido, obsesiynau, gormodedd, rhwystredigaeth, personoliaeth, obsesiwn geneuol, pesimistaidd, coeglyd, eiddigeddus, obsesiwn â'r anws, ystyfnig, meddiannol, taclus

Yr id, yr ego a'r uwch-ego: yr id, yr uwch-ego, yr ego, yr id, yr uwch-ego, yr ego, yr ego

Amddiffynfeydd yr ego: dadleoli, atchweliad, alldaflu, atalnwyd

Croesair:

Ar draws: 3. rheolydd, 5. gwahaniadau hir, 8. chwech, 9. Rutter

I lawr: 1. pedwar deg pedwar, 2. cyfrinachedd, 4. dideimlad, 5. graddfa Binet, 6. ansoddol (er i nifer y plant ym mhob grŵp gael ei gyfrif, ac mae hynny'n feintiol), 7. un deg pedwar

Pennod 3 (tudalennau 64 a 65)

Sioned: Cyflyru clasurol - mae Sioned yn cysylltu ei chŵn â theimladau cadarnhaol fel cwmnïaeth. Mae'n meddwl bod cŵn yn gwmni gwell na phobl. Cyflyru gweithredol - caiff Sioned ei gwobrwyo â theimladau o hapusrwydd a bod rhywun ei hangen (atgyfnerthiad cadarnhaol). Efallai fod Sioned yn cerdded y cŵn i osgoi bywyd anhapus gartref (atgyfnerthiad negyddol). Mae Sioned yn treulio amser gyda'i chŵn i osgoi teimlo'n unig (atgyfnerthiad negyddol).

Ffurfio perthynas: clasurol, gweithredol, ailadrodd, atgyfnerthiad, boddhaus, cadarnhaol, atgyfnerthu, cyflyru, cysylltu, hwyliau da, cysylltiad, cariad

Methodoleg a chanfyddiadau: 1Ch, 2Dd, 3B, 4A, 5Ng, 6Ff, 7C, 8D, 9E, 10F, 11G

Cyfateb: 1C, 2Dd, 3A, 4B, 5Ch, 6D

Pennod 4 (tudalen 84)

Tystiolaeth glasurol, cywir neu anghywir?: C, A, C, A, C, C, C, A, C, C

Pennod 5 (tudalen 104)

Tybiaethau, cywir neu anghywir?: A, C, C, A, C, A, A

Pennod 6 (tudalennau 166 a 167)

Cynlluniau arbrofol: 1. ailadrodd mesurau, mantais; 2. grwpiau annibynnol, anfantais; 3. grwpiau annibynnol, mantais; 4. parau cyffredin, mantais; 5. ailadrodd mesurau, mantais; 6. grwpiau annibynnol, anfantais; 7. parau cyffredin, anfantais; 8. ailadrodd mesurau, anfantais; 9. grwpiau annibynnol, mantais; 10. parau cyffredin, mantais; 11. parau cyffredin, anfantais; 12. ailadrodd mesurau, anfantais

Gwella pethau... **1.** Ni ddylai'r seicolegydd fod wedi dewis stryd 'leol'; gallai fod wedi dewis stryd yn y DU ar hap i osgoi tuedd. Gall y raddfa Hapusrwydd beidio â bod yn mesur hapusrwydd mewn gwirionedd – gallai fod yn mesur eu hwyliau ar y diwrnod hwnnw'n unig, a gall ffactorau heblaw'r tywydd effeithio ar y rheiny. Gofyn, efallai, i'r preswylwyr gadw dyddiadur o'u hwyliau am fis ac yna berthnasu eu sgorau ag adroddiadau ynghylch tywydd y mis hwnnw. Gall pobl fod yn hapusach ym mis Ebrill, nid oherwydd y tywydd, ond am eu bod yn cael eu profi ar ddydd Sadwrn. Dylai'r ymchwilydd geisio defnyddio'r un diwrnod o'r wythnos ym mis Ebrill a mis Tachwedd.

2. Gall cwynion am ymddygiad a gofnodir gan athrawon beidio â bod yn ddangosydd da o 'ddrygioni'. Gall yr athrawon gofnodi dim ond y camweddau mwyaf difrifol yn hytrach na PHOB drygioni. Efallai nad yw rhai athrawon yn hoffi defnyddio meddalwedd gweinyddol yr ysgol i gofnodi cwynion am ymddygiad. Byddai angen i'r brifathrawes sicrhau bod pob aelod o'r staff yn cofnodi cwynion am ymddygiad mewn ffordd safonol. Gall fod mwy o 'ddrygioni' ar ddiwedd y tymor, nid am fod y myfyrwyr yn gwisgo'u dillad eu hunain ond am ei bod hi'n ddiwedd tymor. Dylai'r brifathrawes gynnal diwrnod 'gwisgo'ch dillad eich hun' ar ganol y tymor hefyd i wirio a yw'r darganfyddiadau'n debyg i'r diwrnod 'gwisgo'ch dillad eich hun' a gynhelir ar ddiwedd y tymor.

3. Dydy'r gwerthwr ceir ond yn ystyried lliw'r car; efallai iddo werthu mwy o geir coch oherwydd brand y car neu am fod prisiau'r ceir coch yn fwy cystadleuol. Dylai geisio mynd ati o ddifrif i gydweddu (ar sail pris, ategolion a milltiroedd) y ceir coch â cheir o 'liwiau eraill' ac yna gweld a yw'n gwerthu mwy o geir. Cyn iddo ddechrau gwerthu ceir y dydd Sadwrn hwnnw, roedd eisoes yn credu ei bod hi'n haws gwerthu ceir coch. Gall ei ddisgwyliadau, felly, fod wedi effeithio ar ei berfformiad wrth eu gwerthu; gall fod wedi cyfeirio cleientiaid at y ceir coch yn amlach neu fod wedi cynnig gwell disgownt os oedd y cleientiaid yn dangos diddordeb mewn car coch. Mewn gwirionedd, dylai fod wedi cael gwerthwr arall nad yw'n gwybod am ei ddamcaniaeth ynghylch 'ceir coch' i werthu ceir ar ddydd Sadwrn arall a chymharu'r canlyniadau.

Pa brawf casgliadol y dylech chi ei ddefnyddio? 1. Prawf Chi-sgwâr, 2. Prawf *U* Mann-Whitney, 3. Prawf Arwyddion Graddedig Parau Cyffredin Wilcoxon, 4. Prawf Cydberthyniad Rhestrol Spearman

Pennod 1

Cwestiwn ynghylch egluro ymddygiadau (tudalen 26)

Mae ateb Bob yn fanwl iawn. Mae ef wedi ystyried sawl tybiaeth fiolegol yn drwyadl ac wedi'u cymhwyso'n gywir at berthnasoedd rhamantus. Mae ef wedi canolbwyntio'n fanwl ar un math o berthynas. **5 marc allan o 5.**

Mae ateb Megan yn cynnwys camgymeriad clasurol digon cyffredin. Mae hi wedi treulio'i hamser yn disgrifio tybiaethau'r ymagwedd fiolegol yn unig heb wneud fawr i gymhwyso honno at berthnasoedd. O ganlyniad, mae ei hesboniadau'n gyfyngedig ac arwynebol, ac aneglur yw'r cysylltiadau â pherthnasoedd. **2 farc allan o 5.**

Cwestiwn ynghylch tybiaethau a therapïau (tudalen 26)

Mae Bob wedi ymagweddu'n dda at y cwestiwn. Mae ef wedi rhoi eglurhad clir a manwl o'r rhesymau dros i'r ymagwedd fiolegol ddefnyddio therapi cyffuriau. Mae ef wedi cysylltu'n glir un o dybiaethau egwyddorion gwaelodol â therapi cyffuriau yn fanwl-gywir. I gael y marciau llawn, dylai fod wedi trafod tybiaeth arall a/neu fod wedi cynyddu ei ddefnydd o dermau biolegol wrth ddisgrifio nod therapi cyffuriau. **4 marc allan o 6.**

Mae Megan wedi gwneud camgymeriad cyffredin drwy ganolbwyntio mwy ar ddisgrifio tybiaethau'r ymagwedd fiolegol nag ar gysylltiad y tybiaethau â'r therapi. O ganlyniad, all hi ddim cyrraedd band y marciau uchaf, ond mae hi wedi trafod dwy dybiaeth ac felly dydy hi ddim yn bell ar ôl Bob. **3 marc allan o 6.**

Cwestiwn ynghylch tystiolaeth glasurol (tudalen 27)

Er bod ateb Bob yn briodol, mae ei sylwebaeth werthusol yn eithaf generig am ei fod ef wedi trafod methodoleg ymchwil yn gyffredinol yn hytrach na'i chymhwyso'n effeithiol at yr astudiaeth allweddol. Mewn rhai achosion, gellid defnyddio paragraffau cyfan o'i ateb wrth drafod darn arall o dystiolaeth ymchwil heb newid dim arno, a dyna sy'n ei wneud yn ateb generig. Mae ef wedi ystyried amrywiaeth o faterion, e.e. achosiaeth, materion moesegol, samplu ac ati, ac mae rhai ohonyn nhw wedi'u cyd-destunoli a heb fod yn generig. Mae'r darn yn drylwyr, felly, ond does iddo mo'r dyfnder na'r cymhwyso at yr astudiaeth glasurol i gyrraedd band y marciau uchaf. **10 marc allan o 16.**

Ateb soffistigedig a hynod effeithiol sydd gan Megan am ei bod hi wedi datblygu'r mwyafrif o'i phwyntiau gwerthuso yn gelfydd ac wedi cyflwyno dadleuon cytbwys. Ar adegau, mae hi wedi mynd â hynny ymhellach drwy ystyried y goblygiadau, e.e. sensitifrwydd cymdeithasol – mae'r rheiny i gyd yn nodweddu dadl soffistigedig. Mae'n defnyddio termau'n gelfydd ac mae hi wedi ymdrin ag amrywiaeth o faterion ac wedi gwneud hynny'n briodol o fanwl gan amlaf. I gael marciau llawn, gallai hi ddatblygu rhagor ar rai o'r pwyntiau gwerthuso, e.e. materion samplu neu dystiolaeth arall. **15 marc allan o 16.**

Pennod 2

Cwestiwn ynghylch tystiolaeth glasurol (tudalen 46)

Ateb elfennol a chyfyngedig sydd gan Bob. Dydy ef ond wedi rhoi manylion arwynebol am yr asesiadau seicolegol a ddefnyddiwyd. Mae ef wedi gwastraffu amser gwerthfawr yn trafod y fethodoleg a'r sampl yn ogystal â'r effaith y mae'r astudiaeth wedi'i chael – does dim o hynny'n haeddu marc. I symud i fyny bandiau'r marciau, byddai angen iddo fanylu mwy. **2 farc allan o 6.**

Mae ateb Megan yn canolbwyntio mwy ar weithdrefnau nag a wna ateb Bob. Mae hi wedi rhoi peth gwybodaeth am y sampl ond mae'r rhan fwyaf o'i hail baragraff yn sôn am yr hyn a wnaeth Bowlby. Gan fod yr ateb yn rhesymol o fanwl, **5 marc allan o 6.**

Cwestiwn ynghylch gwerthuso ymagweddau (tudalen 47)

Mae Bob wedi mynd i'r afael â'r cwestiwn hwn o ddifrif ac wedi ystyried yr hyn sy'n debyg ac yn wahanol rhwng yr ymagweddau seicodynamig ac ymddygiadol ac wedi'i gyd-destunoli mewn therapi. Mae ei ddefnydd o dermau cymharol, e.e. 'ar y llaw arall', 'tra bo', ac ati, wedi golygu ei fod yn gallu dangos ei fod yn dadansoddi'n drylwyr a'i fod wedi cymhwyso'i wybodaeth am bob ymagwedd a'i therapïau at y cwestiwn (sgil AA2). Mae ef wedi ymdrin yn fanwl ag amrywiaeth o faterion, e.e. effeithiolrwydd, priodoldeb, moeseg, methodoleg ymchwil, penderfyniaeth ac effeithiau tymor-hir. Mae ef wedi llunio casgliad ystyrlon ond elfennol sy'n fwy o grynodeb nag o gasgliad. Gan fod casgliad canolbwyntiedig yn bwysig, **14 marc allan o 16.**

Mae Megan wedi dechrau'r ateb hwn yn eithaf cyffredinol drwy ddatgan pwyntiau AA3, e.e. 'gwyddonol' ar gyfer yr ymagwedd ymddygiadol ac 'anwyddonol' ar gyfer yr un seicodynamig, ond heb wneud rhyw lawer i gymharu a chyferbynnu'r ddwy ymagwedd. Rhaid iddi gofio mai cwestiwn AA2 yw hwn a bod gofyn iddi gymhwyso'i gwybodaeth drwy gymharu a chyferbynnu yn hytrach na gwneud dim byd mwy na chyflwyno sylwadau gwerthusol (AA3). Ar ben hynny, mae hi wedi methu, ar y cychwyn, â chyd-destunoli'r ateb mewn therapi ac wedi dewis ystyried yr ymagweddau'n gyffredinol tan baragraff tri. Er ei bod hi wedi ystyried amrywiaeth o faterion, go elfennol yw ei dadansoddiad ohonyn nhw. Er iddi geisio llunio casgliad ar y diwedd, dydy hwnnw ddim wedi'i seilio mewn gwirionedd ar unrhyw un o'r dadleuon y mae hi wedi'u cyflwyno. I adeiladu ar y marc hwn, byddai angen iddi ganolbwyntio o ddifrif ar ei sgil AA2 a dangos ei bod hi'n cymharu ac yn cyferbynnu'n glir, yn hytrach na dim ond 'rhestru', yr elfennau tebyg a gwahanol. Ar ben hynny, mae gofyn iddi gyflwyno casgliad gwybodus ac ystyrlon. **8 marc allan o 16.**

Pennod 3

Cwestiwn ynghylch tybiaethau (tudalen 66)

Yn sicr, mae ymateb Bob yn perthyn i'r band uchaf am ei fod yn manylu'n dda ar y ddwy dybiaeth ac yn eu cysylltu'n glir ag ymddygiad pobl. Mae'n defnyddio'r termau'n gelfydd ac wedi defnyddio'r ymchwil yn effeithiol. I adeiladu ymhellach ar hynny, gallai geisio disgrifio tri cham cyflyru clasurol yn fwy cryno ac, efallai, ychwanegu rhywfaint yn rhagor o fanylion at yr elfen gosbi mewn cyflyru gweithredol. **4 + 3 marc allan o 8.**

Mae ateb Megan yn eithaf nodweddiadol o ateb yn y band canol. Er bod y ddwy dybiaeth yn gywir, maen nhw'n brin o'r manylion angenrheidiol a'r termau priodol a ddefnyddir gan Bob. Yn sicr, gallai hi wella hyn drwy fanylu rhagor ynghylch elfen feithrin (empirig) tybiaeth 1 yn ogystal ag ychwanegu'r termau sy'n gysylltiedig â chamau cyflyru clasurol/ cyflyru gweithredol. **2 + 2 farc allan o 8.**

Cwestiwn ynghylch therapi (tudalen 67)

Er bod ateb Megan yn effeithiol ac yn rhesymol o fanwl ar y cyfan, mae hi wedi gwastraffu cryn amser yn disgrifio SD1. Chaiff hi ddim marc am hynny. Mae strwythur da a chydlynol i baragraff dau ac mae hi'n defnyddio ymchwil yn effeithiol i werthuso effeithiolrwydd SD. Mae'n tynnu casgliadau clir drwy gydol yr ateb ac mae hynny'n ymarfer rhagorol. Ceir hefyd dystiolaeth glir o amrywiaeth, e.e. llwyddiant triniaeth, defnydd ac amnewid symptomau, ond mae'n brin o ddyfnder mewn rhannau. I adeiladau ar hynny, mae angen i Megan ddefnyddio amser a dreuliodd ar baragraff un yn manylu rhagor ym mharagraffau tri a phedwar. **9 marc allan o 12.**

Mae ateb Bob yn effeithiol ac yn rhesymol o fanwl ond mae ef wedi gwastraffu tipyn o amser yn disgrifio AT ym mharagraff un. Chaiff ef ddim marc am hynny. Mae paragraff dau wedi'i strwythuro'n gelfydd a chydlynol ac yn defnyddio ymchwil yn effeithiol wrth werthuso effeithiolrwydd AT. Drwy gydol yr ateb mae Bob yn llunio casgliadau clir ac mae hynny'n ymarfer rhagorol. Er bod yma dystiolaeth o ymdrin ag amrywiaeth o faterion, e.e. cyfraddau llwyddo, colli, ac amnewid symptomau, mae'r pwyntiau olaf yn brin o rywfaint o ddyfnder a manylion. I adeiladu ar hyn, mae angen i Bob ddefnyddio'r amser y mae wedi'i dreulio ar baragraff un yn manylu rhagor ym mharagraffau tri a phedwar. Chaiff ymgeiswyr mo'u cosbi am gynnwys defnydd nad yw'n haeddu marc, ond gallai Bob fod wedi defnyddio'i amser yn well. **8 marc allan o 12.**

Pennod 4

Cwestiwn ynghylch tystiolaeth glasurol (tudalen 86)

Mae ateb Bob wedi'i strwythuro'n gelfydd iawn; mae'n unol â'r cynllun marcio ac yn ymdrin yn briodol â darganfyddiadau'r ddau arbrawf. Mae defnyddio tabl crynhoi yn briodol yn achos ffeithiau'r astudiaeth hon a'r dull hwn o ofyn cwestiwn. Gwaetha'r modd, mae un gwall mawr: doedd y ferf 'bashed' ddim wedi'i chynnwys yn yr astudiaeth. Ceir rhai mân wallau: mae rhai o'r amcangyfrifon o gyflymder o chwith. All Bob, felly, ddim cyrraedd band y marciau uchaf. I adeiladu ar hyn a chael marciau llawn, mae angen i Bob sicrhau bod pob berf/amcangyfrif yn gywir. Doedd dim angen iddo gynnwys casgliad ar y diwedd. **4 marc allan o 6.**

Mae Megan wedi defnyddio fformat traethawd traddodiadol wrth ateb y cwestiwn hwn. Er bod hynny'n dderbyniol, wrth gwrs, gallai hi fod wedi defnyddio'i hamser yn fwy effeithiol petai hi wedi llunio tabl o'r canlyniadau. Ceir peth gwybodaeth amherthnasol nad yw'n cael marc, e.e. manylion ynghylch elfennau'r weithdrefn. Ceir ambell wall mawr, e.e. darganfyddiadau arbrawf dau, yn ogystal â rhai mân wallau o ran yr amcangyfrifon o gyflymder. Er i'r darganfyddiadau gael sylw, mae hi wedi manylu llai arnyn nhw nag a wnaeth Bob ac, yn wir, mae rhai o'r amcangyfrifon o gyflymder yn eithaf niwlog. Chaiff hi ddim marc am arbrawf dau am fod y data'n anghywir. All Megan, felly, ddim cael marc o fwy na 3. I adeiladu ar hyn, mae angen i Megan gynnwys yr union amcangyfrifon o gyflymder yn hytrach na'u talgrynnu, a sicrhau ei bod hi'n rhoi darganfyddiadau cywir arbrawf dau. **2 farc allan o 6.**

Cwestiwn ynglŷn â'r ddadl (tudalen 87)
Ateb Bob i chi ei farcio

Gwelwyd bod tystiolaeth llygad-dystion yn un o'r mathau cryfaf ac argyhoeddiadol o dystiolaeth mewn llys barn. Yn y traethawd hwn rwy'n bwriadu ceisio gweld a oes modd ymddiried yn y dystiolaeth honno neu a ellir profi nad yw'n ddibynadwy.

Gall cwestiynau arweiniol neu wybodaeth-wedi'r-digwyddiad effeithio ar ein cof. I ategu hynny, dangosodd Loftus a Zanni (1975) ffilm o ddamwain car i gyfranogwyr. Gofynnwyd i un grŵp 'Did yw see a broken headlight?' a dywedodd 7% iddyn nhw weld un. Gofynnwyd i grŵp arall 'Did you see the broken headlight?' a chofiai 17% ei weld. Mae hynny'n awgrymu bod cwestiynau arweiniol yn peri i berson gofio rhywbeth nad oedd yno, ac mae i hynny oblygiadau mawr o ran y ffordd y caiff llygad-dystion eu holi gan yr heddlu, gan gyfeillion ac mewn llys. Ond rhaid i ni gofio i 83% o'r cyfranogwyr gofio'r digwyddiad yn gywir, ac mae hynny'n dangos bod y 'rhan fwyaf' o dystiolaeth llygad-dystion yn gywir mewn gwirionedd ac mai rhai pobl yn unig sy'n agored i ddylanwad gwybodaeth-wedi'r-digwyddiad. Mae Loftus (1979a) yn atgyfnerthu'r safbwynt hwnnw; pan ddangoswyd i gyfranogwyr gadwyn o luniau o ddyn yn dwyn waled goch o fag menyw, cofiai 98% fod y waled yn goch. Yna, defnyddiwyd cwestiynau arweiniol i geisio newid eu hatgof, ond dal i ddweud mai un goch oedd hi wnaethon nhw. Mae hynny, felly, yn gwrthbrofi effaith cwestiynau arweiniol ar y cof ac yn awgrymu y dylen ni ymddiried yn nhystiolaeth llygad-dystion.

O ganlyniad i'r math hwnnw o ymchwil, mae cyfweliadau gwybyddol wedi'u datblygu ar sail ymchwil tebyg i hwn, ac wedi'u mabwysiadu gan yr heddlu. Mae hi wedi'i phrofi'n wyddonol bod y dechneg gyfweld honno'n lleihau'r effaith y gall cwestiynau arweiniol ei gael ac yn esgor ar lefelau uwch o gywirdeb yn nhystiolaeth llygad-dystion; byddai hynny'n awgrymu y dylen ni, os defnyddir eu tystiolaeth, ymddiried yn ei dibynadwyedd.

Gall sgemâu effeithio ar y cof am y gall gwybodaeth sydd eisoes wedi'i storio ystumio'n hatgof ni o ddigwyddiad. Mae sgemâu'n 'llenwi'r bylchau'

yn ein hatgofion pan fyddan nhw'n anghyflawn. Caiff atgofion, felly, eu hystumio a gall tystiolaeth llygad-dystion fod yn anghywir, e.e. os ydych chi'n meddwl am leidr sy'n dwyn o fanc, fe allwch chi, yn awtomatig, gymryd yn ganiataol mai dyn yw ef, bod ganddo arf a'i fod yn gwisgo mwgwd, ond gall hynny beidio â bod yn wir. Gofynnodd Yarmey (1993) i 240 o fyfyrwyr edrych ar fideos o 30 o wrywod anhysbys a phenderfynu a oedden nhw'n 'fois da' neu'n 'fois drwg'. Cafwyd lefel uchel o gytundeb ymhlith y cyfranogwyr ac mae hynny'n awgrymu bod tebygrwydd yn y wybodaeth sydd wedi'i storio yn y sgemâu o 'fois drwg' a 'bois da'. Mae hynny'n awgrymu y gall llygad-dystion beidio â dewis y troseddwr go-iawn ond, yn hytrach, yr unigolyn sy'n edrych debycaf i'r sgema o'r troseddwr. Gan fod yr astudiaeth honno'n brin o ddilysrwydd ecolegol am iddi gael ei gwneud mewn amgylchedd artiffisial, roedd hi'n brin o'r emosiwn y byddai pobl yn ei deimlo yng nghanol trosedd go-iawn. Mae hynny'n codi'r cwestiwn 'Oes modd ei chyffredinoli?' Mae i'r ymchwil hefyd oblygiadau pwysig i'r troseddwr am ei fod yn dangos y gall llygad-dyst ei 'adnabod' yn anghywir oherwydd sgemâu. Gwelwyd y math hwn o gamgymeriad yn achos Ronald Cotton a Jennifer Thompson.

Gall llygad-dystion beidio â bod yn ddibynadwy am fod y troseddau y maen nhw'n dystion iddyn nhw'n annisgwyl ac yn drawmatig o emosiynol. Dadleuodd Freud fod atgofion eithriadol o boenus neu fygythiol yn cael eu gorfodi i fynd i'r meddwl anymwybodol. Mae'r broses honno, sef ataliad, yn fecanwaith sy'n amddiffyn yr ego. Erbyn heddiw, gallai seicolegwyr alw hynny'n 'gymhelliant i anghofio', ond y naill ffordd neu'r llall fe all nad yw'r llygad-dystion yn ddibynadwy am fod yr atgof o'r drosedd yn rhy drawmatig. Ond mae'r cysyniad o ataliad yn anodd ei ffugio gan beri, felly, fod ymchwil gwyddonol bron â bod yn amhosibl. Yn wir, awgrym ymchwilwyr eraill yw bod emosiwn yn gwella'r atgof ac yn peri iddo fod yn fwy dibynadwy, e.e. atgofion fflachfwlb. Mae hynny'n dangos yn glir pa mor gymhleth yw rôl emosiwn.

Er mor werthfawr yw'r ymchwil a wneir gan seicolegwyr, caiff ei wneud yn aml mewn labordy lle mae'r cyfranogwyr yn gweithredu mewn ffordd sy'n plesio'r ymchwilydd, ac am nad oes unrhyw ganlyniadau'n deillio o hynny, gall y cyfranogwyr beidio ag ymdrechu rhyw lawer, o'u cymharu â dioddefwyr trosedd go-iawn, i gofio'r manylion. Ar y llaw arall, wrth ymchwilio i fanwl-gywirdeb tystiolaeth llygad-dystion mewn achosion go iawn, does dim ffordd o wybod a oedd yr atgof yn wir am nad oedd yr ymchwilwyr ddim yno ar y pryd. Hefyd, gan fod pob trosedd yn wahanol, mae'n anodd tynnu casgliadau dilys am nad oes mewn gwirionedd ryw lawer i'w gymharu ag ef.

Mae'n amlwg bod cof ailadeiladol yn fygythiad i gywirdeb tystiolaeth llygad-dystion, ond mae effaith emosiwn, yn ogystal â chwestiynau arweiniol, yn llai sicr. Mae peth o'r ymchwil yn awgrymu bod y ffactorau hynny'n lleihau cywirdeb ac ymchwil arall yn awgrymu fel arall. Dim ond un neges glir sydd: gall y mwyafrif o lygad-dystion adalw manylion troseddau go-iawn yn eithaf manwl-gywir ac, yn aml, nhw yw'r unig bobl heblaw'r troseddwr a oedd yn bresennol i ddweud wrthym ni beth ddigwyddodd mewn gwirionedd. Dylen nhw felly gael cyflwyno'u tystiolaeth i reithgor, ond rhaid ystyried y dystiolaeth yn bwyllog.   *886 o eiriau*

Sylwadau'r arholwr

Mae traethawd Megan yn dechrau drwy wneud defnydd diddorol o astudiaeth achos, ac er nad yw hynny'n ychwanegu rhyw lawer at AA1 neu AA3, mae'n disgrifio'r sefyllfa. Gellir canmol Megan am ei disgrifiadau rhagorol o ymchwil ym mharagraff dau (AA1) ond mae hi wedi methu ag ystyried unrhyw werthuso (AA3) o ran yr ymchwil neu'r posibilrwydd, efallai, y gall fod tystiolaeth i'r gwrthwyneb. Mae'r trydydd paragraff yn eithaf niwlog ac yn llai manwl heb ychwanegu fawr o ddim at ei marc am AA1 nac AA3. Mae'r pedwerydd a'r pumed paragraff yn ymwneud ag AA1 yn unig ac mae ei disgrifiad o ataliad/cof ailadeiladol yn briodol a manwl. Mae Megan wedi tynnu casgliad ystyrlon ond anghytbwys. Mae ystod a dyfnder i'r ateb hwn o ran AA1 ac fe ystyrir amryw o faterion sydd wedi'u dewis yn gelfydd, e.e. cwestiynau arweiniol, cof ailadeiladol, emosiwn ac ati, ac ategir pob un ag ymchwil priodol. Ond mae'r paragraff ar blant yn llai manwl ac yn sicr fe ellid ei wella; all Megan felly ddim cyrraedd y band uchaf. Mae'n defnyddio termau'n gelfydd (AA1), ond o ran AA3 mae hi wedi methu ag ymgysylltu â'r ddadl, wedi ystyried un ochr yn unig ohoni ac wedi cyflwyno dadl anghytbwys iawn. Ar ben hynny, dydy hi ddim chwaith wedi ystyried o ddifrif werth yr ymchwil a gyflwynir yn nhermau ei gryfderau a'i gwendidau. Ond mae hi wedi tynnu casgliad ar sail y dystiolaeth a gyflwynwyd. **Marc AA1: 9 allan o 10, marc AA3: 4 allan o 10, cyfanswm: 13 marc allan o 20.**

Mae ateb Bob wedi'i strwythuro'n gelfydd ac mae'n defnyddio tystiolaeth yn effeithiol i drafod a yw tystiolaeth llygad-dystion yn ddibynadwy. Yn y paragraff cyntaf, mae Bob yn cynnig cyflwyniad byr sy'n nodi ei fwriad clir i astudio dwy ochr y ddadl – ac er nad yw'n ychwanegu rhyw lawer at AA1 nac AA3, yn sicr mae'n disgrifio'r sefyllfa. Yn yr ail a'r trydydd paragraff, mae Bob wedi cynnig dadansoddiad manwl o rôl cwestiynau arweiniol ac wedi defnyddio ymchwil a gaiff ei ddisgrifio'n gywir (AA1) i ddangos y gall cwestiynau arweiniol effeithio neu beidio ar dystiolaeth llygad-dystion (AA3). Mae Bob wedi llunio casgliadau ystyrlon ar ddiwedd pob astudiaeth – arfer da. Ar ben hynny, mae Bob wedi cymryd cam pellach drwy drafod canlyniadau a goblygiadau cadarnhaol yr ymchwil, e.e. y cyfweliad gwybyddol, sy'n ychwanegu ymhellach at ei farc AA3. Drwy gydol y traethawd, mae Bob wedi gwerthuso'r ymchwil ac mae hynny'n nodwedd ar atebion sydd yn y band uchaf. Ym mharagraffau pedwar a phump mae Bob wedi defnyddio ymchwil a theori'n effeithiol i gyfleu dwy ochr y ddadl. Mae casgliadau cyffredinol Bob yn werthusol a gwybodus. Mae ystod a dyfnder i'r ateb hwn ac ategir yr ystyriaeth a roddir i amryw o faterion sydd wedi'u dewis yn gelfydd, e.e. cwestiynau arweiniol, cof ailadeiladol, emosiwn ac ati. Defnyddir termau'n gelfydd (AA1). O ystyried yr amser a oedd ar gael, mae Bob wedi cyflwyno dadansoddiad soffistigedig gyda dadleuon cytbwys a sylwebaeth werthusol drwyddo draw (AA3). **Marc AA1: 10 allan o 10, marc AA3: 10 allan o 10, cyfanswm: 20 marc allan o 20.**

Pennod 5

Cwestiwn ynghylch therapïau (tudalen 106)

Mae ateb Bob yn dangos bod ganddo ddealltwriaeth dda o ymwybyddiaeth ofalgar ond mae ef wedi gwneud camgymeriad mawr drwy beidio ag enwi'r egwyddor a drafodir. All Bob ddim, felly, â chyrraedd band uchaf y marciau ac mae ei ateb yn perthyn i'r categori 'heb enwi'r egwyddor' *ond* mae'r disgrifiad yn 'gywir a manwl'. Petai ef wedi enwi'r egwyddor, e.e. sicrhau rheolaeth dros feddyliau, byddai Bob wedi cael marciau llawn. O dan yr amgylchiadau, caiff **3 marc allan o 4.**

Mae ateb Megan yn dechrau'n addawol am ei bod hi wedi enwi'r egwyddor y mae hi'n mynd i'w ddisgrifio – arfer da yw hynny. Ond mae ei disgrifiad o ffactorau CASIO yn arwynebol am nad yw hi'n defnyddio'r termau. I gael band y marciau uchaf, byddai angen iddi egluro ystyr CASIO. Ar ben hynny, gellid gwella mynegiant a gramadeg Megan. **1 marc allan o 4.**

Cwestiwn ynghylch gwerthuso'r ymagwedd (tudalen 107)

Mae Bob wedi rhoi ateb sy'n ymgysylltu â'r dyfyniad ac yn cynnwys tipyn o ystod a dyfnder. Mae ef wedi enwi dau gryfder allweddol ac wedi defnyddio'r dyfyniad i helpu i amlygu cryfderau'r ymagwedd bositif o'i chymharu â'r ymagweddau eraill a astudiwyd. Mae ef wedi manylu'n rhesymol o dda ar y cryfderau ac yn cynnig canolbwynt clir ynghylch pam y maen nhw'n gryfderau. I gael y marciau llawn, gallai Bob fod wedi crybwyll peth ymchwil i ddarlunio'r cryfderau a ddisgrifiwyd yn ogystal â manylu mwy yn y ddau bwynt gwerthuso y mae ef wedi'u gwneud. I gynyddu'r ystod a'r dyfnder, gallai Bob gynnwys pwynt gwerthuso ychwanegol. Roedd yr ateb hwn yn brin o rai o'r meini prawf allweddol ar gyfer y band uchaf. **7 marc allan o 8.**

Mae Megan wedi ymdrin â'r tri chryfder yn fanwl ac felly â dyfnder ac ystod, ond heb fynd ati o ddifrif i ateb y cwestiwn am nad oes ganddi fawr o gyfeiriadau penodol at y dyfyniad a ddarparwyd. I adeiladu ar ei marc presennol, byddai angen i Megan gyfeirio'n fwy penodol at y dyfyniad. **4 marc allan o 8.**

Cwestiwn ynglŷn â'r ddadl (tudalen 107)
Ateb Megan i chi ei farcio

Mae'r ymagwedd bositif wedi bod yn boblogaidd iawn ac, am mai hi yw'r fwyaf modern o'r holl ymagweddau, hi ym marn llawer yw'r un fwyaf perthnasol a chymwys i gymdeithas heddiw. Ond dadl pobl eraill yw nad ydy hi'n ymagwedd newydd o gwbl am fod ei gwreiddiau'n gadarn mewn seicoleg ddyneiddiol.

Mae'r egwyddorion a ddatblygwyd gan yr ymagwedd bositif wedi'u cymhwyso ym myd addysg. Dywed Seligman y gall cynnwys seicoleg bositif yn y cwricwlwm gynyddu hapusrwydd a hunanwerth y myfyrwyr ac esgor ar well ymddygiad. Gwnaeth Gilman astudiaeth debyg a dangos bod manteision dilyn cwricwlwm positif yn dal yno ddwy flynedd yn ddiweddarach. Ond gan fod yr ymchwil hwnnw'n gydberthynol, allwn ni ddim dweud mai seicoleg bositif a achosodd y canlyniadau positif.

Mae seicoleg bositif hefyd wedi'i mabwysiadu yn y gweithle. Mae ymchwilydd wedi gweld y gall gwaith fod yn un o'n ffynonellau mwyaf ni o hapusrwydd. I hybu a hyrwyddo rhagor ar hapusrwydd, mae cyflogwyr wrthi'n ceisio cynyddu'r hwyl yn y gweithle a chynnig heriau a chyrchnodau sy'n meithrin hunan-barch. O safbwynt economaidd, all hynny ond bod yn fanteisiol; mae gweithlu hapus yn weithlu cynhyrchiol. Mae Mynegai Lles Gallup a Healthways yn dangos bod gan y gwledydd sydd yn y safleoedd uchaf, e.e. Denmarc, gyfraddau uwch o lythrennedd, economïau sy'n tyfu, cysylltiadau teuluol agos a chyfraddau mudo isel, gan brofi y gall unrhyw fenter sy'n datblygu ac yn hybu lles a hapusrwydd yn y gwaith gael effaith raeadrol ar bob agwedd ar fywyd.

Er ei bod hi'n amlwg y gall seicoleg bositif gyfoethogi bywydau pawb, rhaid i ni ddal i bwyllo am nad yw'r ymchwil yn gwbl derfynol. Mae Spence a Shortt (2007) yn cwestiynu effeithiau tymor-hir defnyddio cwricwlwm positif ym myd addysg ac yn awgrymu na ddylai pob ysgol ei chynnwys hi'n awtomatig yn ei chwricwlwm tan ar ôl i ragor o ymchwil mwy tymor-hir gael ei wneud. Yn wir, byddai addysgwyr yn gorfod penderfynu pa bynciau y bydden nhw'n gorfod eu tynnu o'r cwricwlwm pe câi seicoleg bositif ei chyflwyno a pha benderfyniadau y byddai'n rhaid eu gwneud, e.e. ydy hi'n well dileu daearyddiaeth a chadw seicoleg bositif? Penderfyniad anodd dros ben.

O ran gwaith, gellir hyd yn oed gwestiynu hynny am i Diener weld nad oedd ond cydberthyniad gwan o 0.12 rhwng incwm a hapusrwydd. Mae hynny'n lleihau'r pwysigrwydd a all fod i egwyddorion positif yn y gweithle.

Ar y cyfan, mae'n deg dweud bod modd defnyddio seicoleg bositif i gyfoethogi bywydau pawb, ond rhaid i ni fod yn bwyllog wrth arddel y dybiaeth honno. Wedi'r cyfan, cysyniadau goddrychol, sy'n wirioneddol anodd eu mesur, yw llawer o'r rhai a hybir gan yr ymagwedd bositif, e.e. hapusrwydd, parch a lles. Rhaid i ni gofio bod yr ymagwedd bositif yn gymharol newydd a bod angen gwneud rhagor o ymchwil i weld pa fanteision tymor-hir a all fod iddi. Tan hynny, chawn ni ddim darlun manwl-gywir o'r effaith bositif y gall yr ymagwedd ei chael yn y gymdeithas sydd ohoni. *491 o eiriau*

Sylwadau'r arholwr

Mae'r cwestiwn hwn yn asesu sgil AA1 (y gallu i ddisgrifio sut mae seicoleg bositif wedi'i chymhwyso er lles cymdeithas) ac AA3 (y gallu i werthuso'r cymwysiadau a barnu pa mor fanteisiol ydyn nhw).

Mae Bob wedi rhoi disgrifiadau manwl iawn o'r ffyrdd y mae'r ymagwedd bositif wedi'i chymhwyso at gymdeithas, e.e. drwy addysg, y lluoedd arfog ac amser hamdden. O ganlyniad, mae ganddo ddyfnder ac ystod a chaiff farc rhagorol, sef **marc AA1 o 10 allan o 10.** Ond sylwebaeth werthusol elfennol iawn sydd gan Bob am ei fod heb fwrw ati i bwyso a mesur cryfderau a gwendidau'r ymchwil, nac ychwaith wedi cwestiynu a yw'r ymagwedd bositif wedi bod yn ddefnyddiol. Yn wir, yr unig ddeunydd y gellid ei ystyried yn ddeunydd AA3 yw ei ddefnydd o ymchwil, e.e. Seligman a Csikszentmihalyi, sy'n dangos y gallai seicoleg bositif fod yn effeithiol – ond ni ddywed hynny'n benodol. Dydy ei gasgliad yn ddim ond crynodeb o'r hyn y mae ef wedi'i ysgrifennu, ac mae'n gyfyngedig. Felly caiff Bob **farc AO3 o 1 marc allan o 10; cyfanswm o 11 o farciau allan o 20.** I gael marc yn y bandiau uchaf, mae angen i ymgeiswyr dreulio amser cyfartal ar sgiliau AA1 ac AA3 ac mae'n amlwg bod hynny wedi bod yn broblem i Bob.

Mae ymateb Megan yn cychwyn yn athronyddol drwy awgrymu mai seicoleg bositif, i rai pobl, yw 'yr' ymagwedd at ddeall y gymdeithas sydd ohoni yn unol â'r cwestiwn arholiad. Mae hi hefyd yn credu nad yw'r ymagwedd yn apelio llawn cymaint at bawb. Er bod hwnnw'n ddatganiad cychwynnol digon diddorol, dydy ef ddim yn cyfrannu rhyw lawer at y marc AA1/AA3 a roddir. Er bod Megan wedi ystyried ystod o gymwysiadau (e.e. byd addysg a chyflogaeth), dydy hi ddim yn trafod pob cymhwysiad yn ddigon manwl i gael y marciau llawn, e.e. mae hi wedi trafod seicoleg bositif ym myd addysg ond heb egluro sut yn union y mae'r egwyddorion wedi'u defnyddio yn y PPC. Mae hi wedi ymroi o ddifrif i ateb y cwestiwn ac yn cyflwyno dadansoddiad soffistigedig a chelfydd o fanteision yr ymagwedd bositif mewn cymdeithas. Mae ei dadleuon hi'n fwy cytbwys na rhai Bob am iddi hefyd ystyried y syniad y gall yr ymagwedd fod wedi peidio â bod o les i gymdeithas. Mae hynny'n cyfrannu ymhellach at ddatblygu dadansoddiad soffistigedig a chelfydd o'r ddadl. Mae hi wedi ystyried gwerth tystiolaeth ategol/groes ac wedi ymagweddu'n werthusol. Mae hi wedi dod i gasgliad priodol a gwybodus ond gallai hi fod wedi manylu mwy. **Marc AA1: 8 allan o 10, marc AO3: 8 allan o 10, cyfanswm: 16 marc allan o 20.**

Pennod 6

Cwestiynau ag atebion byr (tudalen 168)
Atebion Megan:

1. Mae'n brin o'r manylion sy'n ofynnol i gael marciau llawn. **1 marc allan o 2.** Rheol ddefnyddiol: os oes 2 farc i'r cwestiwn, bydd angen i chi ysgrifennu 2 bwynt.
2. Cywir a manwl iawn. **2 farc allan o 2.**
3. Cywir a digon o fanylion – o drwch blewyn. **2 farc allan o 2.**
4. **a.** anghywir; **b ac c.** cywir. **2 marc allan o 3.**
5. Does dim byd wedi'i egluro. **0 marc allan o 2.**

Cwestiwn ynghylch sefyllfa newydd (tudalen 169)
Atebion Megan:

a. Mae Megan wedi rhoi sylw i'r ddwy elfen – y mater a sut mae ei ddatrys. Gan fod yma ddigon o fanylion a chyd-destun, caiff Megan **4 marc allan o 4.**

b. Mae ateb Megan yn niwlog iawn a does dim eglurhad o ystyr 'cyfernod cydberthyniad'. I gael y marciau, byddai angen i Megan gyfeirio at amrediad y rhifau (– 1 i +1), yr arwydd (– neu +) neu mai dyna'r gwerth a gyfrifir o brawf casgliadol. **0 marc allan o 2.**

c. Mae'n amlwg bod Megan wedi camddeall yr hyn roedd ei angen i ateb y cwestiwn, sef diffinio rhagdybiaeth gyfeiriadol arall yn hytrach nag egluro pam y mae'n briodol yn yr astudiaeth hon. **0 marc allan o 2.**

ch. Mae Megan wedi enwi'r lefel mesur anghywir. **0 marc allan o 3.**

d. Amhriodol. **0 marc allan o 3.**

dd. Enwyd y prawf casgliadol yn gywir a'i gyfiawnhau'n llawn. **3 marc allan o 3.**

Cwestiwn ynghylch sefyllfa newydd (tudalen 171)
Atebion Megan:

a. Anghywir; mae Megan wedi drysu rhwng yr IV a'r DV. **0 marc allan o 2.**

b. Anghywir a dryslyd. **0 marc allan o 2.**

c. Mae'r anfantais yn gywir ac yn ddigon manwl. Mae'r dull samplu arall yn briodol ac wedi'i egluro. Enwir cyd-destun dwy elfen y cwestiwn. **4 marc allan o 4.**

ch. Caiff mater dilysrwydd ei egluro'n drylwyr a'i gyd-destunoli'n dda dros ben. Mae'r ffordd o ddelio â'r mater hwn yn llai manwl a does dim digon o gyd-destunoli ar y mater. **3 marc allan o 4.**

d. Cymedr a chyfrifiadau cywir. **2 farc allan o 2.**

dd. Dydy'r fantais a nodir ar gyfer y cymedr ddim yn gywir; mae'r anfantais yn drylwyr. Does dim angen cyd-destunoli yn y cwestiwn hwn. **2 marc allan o 4.**

e. Gan i Megan enwi'r IV a'r DV yn ogystal â dweud na chaiff yr IV unrhyw effaith ar y DV, mae hi wedi gwneud yn ddigon da i gael **2 farc allan o 2.**

f. Mae'r eglurhad o'r mater yn fanwl ac a thrylwyr ac mae'r ffordd o ddelio â'r mater hwn yn briodol. Cyd-destunolwyd dwy elfen y cwestiwn. **4 marc allan o 4.**

ff. Mae Megan wedi dweud yn gywir bod y lefel mesur yn drefnol ac wedi egluro'r rheswm yng nghyd-destun yr astudiaeth. **2 farc allan o 2.**

g. Mae Megan wedi enwi dull priodol, e.e. arsylwi, ond cyfyngedig a phrin o fanylion yw ei heglurhad ynghylch sut y gellid ei gyflawni. Does dim gwybodaeth ynghylch sut y byddai'n mynd ati i arsylwi hapusrwydd. Mae hi wedi cyfiawnhau ei defnydd o'r dewis arall ac wedi nodi ei gyd-destun. **3 marc allan o 4.**

ng. Mae Megan wedi cyfeirio'n glir at ddata trefnol a'r cynllun ailadrodd mesurau ac wedi egluro pam y maen nhw'n digwydd yn yr astudiaeth hon. **2 farc allan o 2.**

Cyfeiriadau

Aghayousefi, A. a Yasin Seifi, M. (2013) Group quality of life therapy in patients with multiple sclerosis. *Practice in Clinical Psychology, 1(2),* 10–14.

Alloy, L.B. a Abrahamson, L.Y. (1979) Judgment of contingency in depressed and non-depressed students: Sadder but wiser? *Journal of Experimental Psychology, 108,* 441–485.

Anastasi, J.S. a Rhodes, M.G. (2006) An own-age bias in face recognition for children and older adults. *Psychonomic Bulletin and Review, 12,* 1043–2047.

Anderson, S., Avery, D., DiPietro, E., Edwards, G. a Christian, W. (1987) Intensive home-based early intervention with autistic children. *Educational Treatment of Children, 10,* 352–366.

Argyle, M. (1986) *The psychology of happiness.* London: Methuen.

Asch, S.E. (1956) Studies of independence and conformity: I. A minority of one against a unanimous majority. *Psychological Monographs: General and Applied, 70(9),* 1–70.

Astin, A.W., Green, K.C. a Korn, W.S. (1987) *The American freshman: Twenty year trends.* Los Angeles: University of California at Los Angeles Graduate School of Education, Higher Education Research Institute.

Atkinson, R.C. a Shiffrin, R.M. (1968) Human memory: A proposed system and its control processes. In K.W. Spence and J.T. Spence (eds) *The Psychology of Learning and Motivation,* vol. 2. London: Academic Press.

Azar, B. (2011) Positive psychology advances, with growing pains, American Psychology Association website, *www.apa.org/monitor/2011/04/positive-psychology.aspx.*

Badawy, A.A. (1999) Tryptophan metabolism in alcoholism. *Advances in Experimental Medicine and Biology, 467,* 265–274.

Baddeley, A.D. a Longman, D.J.A. (1978) The influence of length and frequency on training sessions on the rate of learning type. *Ergonomics, 21,* 627–635.

Bancroft, J. (1992) *Deviant Sexual Behavior.* Oxford: Oxford University Press.

Baumrind, D. (1964) Some thoughts on ethics of research: After reading Milgram's 'Behavioral study of obedience'. *American Psychologist, 19,* 421–423.

BBC (2009) Gay injustice 'was widespread'. Ar-lein yn *http://news.bbc.co.uk/1/hi/uk/8251033.stm* (accessed January 2015).

Berkowitz, L. (1970) The contagion of violence: An S-R mediational analysis of some effects of observed aggression. *Nebraska Symposium on Motivation, 18,* 95–135.

Blackmore, C., Beercroft, C., Parry, G., Booth, A., Chambers, E., Saxon, D. a Tantam, D. (2009) *A Systematic Review of the Efficacy and Clinical Effectiveness of Group Analysis and Analytic/Dynamic Group Psychotherapy.* Centre for Psychological Services Research, School of Health and Related Research, University of Sheffield, UK.

Boorman, S. (2009) NHS Health and Well-being Review: Final Report, November 2009. London: Department of Health, Central Office of Information (COI).

Bowlby, J. (1944) Forty-four juvenile thieves: Their characters and home-life. *International Journal of Psychoanalysis, 25(19–52),* 107–127.

Bowlby, J. (1953) *Child Care and the Growth of Love.* Harmondsworth: Penguin.

Bowlby, J. (1969) *Attachment and Love. Vol. 1: Attachment.* London: Hogarth.

Bowlby, J., Ainsworth, M., Boston, M. a Rosenbluth, D. (1956) The effects of mother–child separation: A follow-up study. *British Journal of Medical Psychology, 29,* 211.

BPS (2009) *Code of Ethics and Conduct.* Ar-lein yn *www.bps.org.uk/system/files/documents/code_of_ethics_and_conduct.pdf* (accessed January 2015).

Braun, K.A., Ellis, R. a Loftus, E.F. (2002) Make my memory: How advertising can change our memories of the past. *Psychology and Marketing, 19(1),* 1–23.

Bregman, E.O. (1934) An attempt to modify the emotional attitudes of infants by the conditioned response technique. *Journal of Genetic Psychology, 45,* 169–198.

Bricker, J.B., Peterson, A.V. Jr., Sarason, I.G., Andersen, M.R. a Rajan, K.B. (2006) Changes in the influence of parents' and close friends' smoking on adolescent smoking transitions. *Addiction, 101(1),* 128–136.

Bridges, P.K., Bartlett, J.R., Hale, A.S., Poynton, A.M., Malizia, A.L. a Hodgkiss, A.D. (1994) Psychosurgery: Stereotactic subcaudate tractomy. An indispensable treatment. *British Journal of Psychiatry, 165(5),* 612–613.

Brosnan, M. (2008) Digit ratio as an indicator of numeracy relative to literacy in 7-year- old British school children. *British Journal of Psychology, 99,* 75–85.

Buckout, R. (1980) Nearly 2,000 witnesses can be wrong. *Bulletin of the Psychonomic Society, 16,* 307–310.

Buri, J.R. (1991) Parental authority questionnaire. *Journal of Personality Assessment, 57(1),* 110–119.

Burlingame, G.M., Fuhriman, A., Mosier, J. (2003) The differential effectiveness of group psychoanalysis: A meta-analytic perspective. *Group Dynamics: Theory Research and Practice, 17(1),* 3–12.

Burt, R.S. (1986) *Strangers, Friends and Happiness* (GSS Technical Report No. 72). Chicago: University of Chicago, National Opinion Research Center.

Burton, R.V. (1976) Honesty and dishonesty. Yn T. Lickona (gol.) *Moral Development and Behaviour.* New York: Holt, Rinehart and Winston.

Buzan, T. (1993) *The Mind Map Book.* London: BBC.

Cahill, L. a McGaugh, J.L. (1995) A novel demonstration of enhanced memory associated with emotional arousal. *Consciousness and Cognition, 4,* 410–421.

Capafóns, J.I., Sosa, C.D. a Avero, P. (1998) Systematic desensitisation in the treatment of fear of flying. *Psychology in Spain, 2(1),* 11–16.

Carmichael, L.C., Hogan, H.P. a Walters, A.A. (1932) An experimental study of the effect of language on the reproduction of visually perceived form. *Journal of Experimental Psychology, 15,* 73–86.

Chaney, G., Clements, B., Landau, L., Bulsara, M. a Watt, P. (2004) A new asthma spacer device to improve compliance in children: A pilot study. *Respirology, 9(4),* 499–506.

Charlton, T., Gunter, B. a Hannan, A. (gol.) (2000) *Broadcast Television Effects in a Remote Community.* Hillsdale, NJ: Lawrence Erlbaum.

Cherek, D.R., Lane, S.D., Pietras, C.J. a Steinberg, J.L. (2002) Effects of chronic paroxetine administration on measures of aggressive and impulsive responses of adult males with a history of conduct disorder. *Psychopharmacology, 159(3),* 266–274.

Christopher, J.C. a Hickinbottom, S. (2008) Positive psychology, ethnocentrism and the ideology of individualism. *Theory and Psychology, 18(5),* 563–589.

Cohen Kadosh, R., Levy, N., O'Shea, N. a Salvulescu, J. (2012) The neuroethics of non-invasive brain stimulation. *Current Biology, 22,* 108–111.

Colby, A., Kohlberg, L., Gibbs, J. a Lieberman, M. (1983) A longitudinal study of moral judgement. *Monographs of the Society for Research in Child Development, 48(1–2),* Serial No. 200.

Comer, R.J. (2002) *Fundamentals of Abnormal Psychology,* 3rd edn. New York: Worth.

Coolican, H. (1996) *Introduction to Research Methods and Statistics in Psychology.* London: Hodder and Stoughton.

Coolican, H. (2004) Personal communication.

Cosgrove, G.R. a Rauch, S.L. (2001) Psychosurgery. Ar-lein yn *http://neurosurgery.mgh.harvard.edu/functional/Psychosurgery2001.htm* (accessed May 2015).

Costa, P.T., Jr., McCrae, R.R. a Zonderman, A.B. (1987) Environmental and dispositional influences on well-being: Longitudinal follow-up of an American national sample. *British Journal of Psychology, 78,* 299–306.

Crick, F. a Koch, C. (1998) Consciousness and neuroscience. *Cerebral Cortex, 8,* 97–107.

Csikszentmihalyi, M. a LeFevre, J. (1989) Optimal experience in work and leisure. *Journal of Personality and Social Psychology, 56,* 815–822.

Cumberbatch, G. a Gauntlett, S. (2005) Smoking, alcohol and drugs on television. A content analysis. Ofcom. Ar-lein yn *http://stakeholders.ofcom.org.uk/binaries/research/radio-research/smoking.pdf* (accessed June 2015).

Darley, J.M. a Latané, B. (1968) Bystander intervention in emergencies: Diffusion of responsibility. *Journal of Personality and Social Psychology, 8,* 377–383.

Davies, G., Tarrant, A. a Flin, R. (1989) Close encounters of the witness kind: Children's memory for a simulated health inspection. *British Journal of Psychology, 80(4),* 415–429.

Dement, W.C. a Kleitman, N. (1957) The relation of eye movements during sleep to dream activity: An objective method for the study of dreaming. *Journal of Experimental Psychology, 53,* 339–346.

Devlin, Lord P. (1976) *Report to the Secretary of State for the Home Department on the Departmental Committee on Evidence of Identification in Criminal Cases.* London: HMSO.

Di Nardo, P.A., Guzy, L.T. a Bak, R.M. (1988) Anxiety response patterns and etiological factors in dog-fearful and non-fearful subjects. *Behaviour Research and Therapy, 26(3),* 245–251.

Diener, E. a Seligman, M.E. (2002) Very happy people. *Psychology of Science, 13(1),* 81–84.

Diener, E., Horwitz, J. a Emmons, R.A. (1985) Happiness of the very wealthy. *Social Indicators, 16,* 263–274.

Diener, E., Sandvik, E., Seidlitz, L. a Diener, M. (1993) The relationship between income and subjective well-being: Relative or absolute? *Social Indicators Research, 28,* 195–223.

Dion, K., Bersheid, E. a Walster, E. (1972) What is beautiful is good. *Journal of Personality and Social Psychology, 24,* 285–290.

Dutton, D.G. a Aron, A.P. (1974) Some evidence for heightened sexual attraction under conditions of high anxiety. *Journal of Personality and Social Psychology, 30,* 510–517.

Dweck, C.S. (1975) The role of expectations and attributions in the alleviation of learned helplessness. *Journal of Personality and Social Psychology, 31,* 674–685.

Eagly, A.H. (1978) Sex differences in influenceability. *Psychological Bulletin, 85,* 86–116.

Eagly, A.H. a Carli, L.L. (1981) Sex of researchers and sex-typed communications as determinants of sex differences in influenceability: A meta-analysis of social influence studies. *Psychological Bulletin, 90,* 1–20.

Ellis, A. (1994) *Reason and Emotion in Psychotherapy, Revised and Updated.* Secaucus, NJ: Carol Publishing Group.

Ellis, A. (1957) *How to Live with a 'Neurotic'.* Hollywood, CA: Wilshire Books.

Ellis, A. (2001) *Overcoming Destructive Beliefs, Feelings, and Behaviours: New Directions for Rational Emotive Behaviour Therapy.* New York: Prometheus Books.

Emmons, R.A. a McCullogh, M.E. (2003) Counting blessings versus burdens: An experimental investigation of gratitude and subjective well-being in daily life. *Journal of Personality and Social Psychology, 84(2),* 377–389.

Engels, G.I., Garnefski, N. a Diekstra, R.F.W. (1993) Efficacy of rational emotive therapy: A quantitative analysis. *Journal of Consulting and Clinical Psychology, 61(6),* 1083–1090.

Epstein, L.C. a Lasagna, L. (1969) Obtaining informed consent: Form or substance. *Archives of Internal Medicine, 123,* 682–688.

Farah, M.J. (2004) Emerging ethical issues in neuroscience. *Nature Neuroscience, 5(11),* 1123–1130.

Festinger, L., Riecken, H.W. a Schachter, S. (1956) *When Prophecy Fails.* Minneapolis: University of Minnesota Press.

Financial Times (2007) Happiness lessons: This is not a subject to add to the national curriculum [Editorial], 14 June. Ar-lein yn *www.ft.com/cms/s/0/dede57d0-1a13-11dc-99c5-000b5df10621.html?nclick_check=1* (accessed January 2009).

Foresight – UK Government Foresight Mental Capital and Wellbeing Project (2008) Final Project report. London: The Government Office for Science.

Foster, R.A., Libkuman, T.M., Schooler, J.W. a Loftus, E.F. (1994) Consequentiality and eyewitness person identification. *Applied Cognitive Psychology, 8,* 107–121.

Freud, S. (1900) *The Interpretation of Dreams.* New York: Macmillan.

Freud, S. (1909) Analysis of phobia in a five-year- old boy. In J. Strachey (gol. a cyf.) (1976) *The Complete Psychological Works of Sigmund Freud: The Standard Edition, Volume 10.* New York: W.W. Norton and Co.

Freud, S. (1930) dyfynnwyd yn Strachey, J. (1961) *The Standard Edition of the Complete Works of Sigmund Freud* (Vol. 21, pp. 57–145). London: Hogarth Press.

Freud, S. (1938) *An Outline of Psychoanalysis.* London: Hogarth Press.

Frisch, M.B. (2006) *Quality of Life Therapy: Applying a Life Satisfaction Approach to Positive Psychology and Cognitive Therapy.* Hoboken, NJ: Wiley and Sons.

Frodi, A.M., Lamb, M., Leavitt, L. a Donovan, W. (1978) Fathers' and mothers' responses to infant smiles and cries. *Infant Behavior and Development, 1,* 187–198.

Gallup and Healthways (2014) State of global well-being: Results of the Gallup-Healthways global well-being index. Available online at *http://info.healthways.com/wellbeingindex* (accessed May 2015).

Gallup, G., Jr. (1984, March) *Religion in America.* Gallup Report. Report No. 222. Princeton, NJ: Princeton Religion Research Center.

Geiger, B. (1996) *Fathers as Primary Caregivers.* Westport, CT: Greenwood.

Gettler, L.T., McDade, T.W., Feranil, A.B. a Kuzawa, C.W. (2011) Longitudinal evidence that fatherhood decreases testosterone in human males. *Proceedings of the National Academy of Sciences in the United States of America, 108(39),* 16135–16482.

Gill, G.K. (1998) The strategic involvement of children in housework: An Australian case of two-income families. *International Journal of Comparative Sociology, 39(3),* 301–314.

Gillham, J.E., Reivich, K.J., Jaycox, L.H. a Seligman, M.E.P. (1995) Prevention of depressive symptoms in schoolchildren: Two-year follow-up. *Psychological Science, 6,* 343–351.

Gilligan, C. (1982) *In a Different Voice: Psychological Theory and Women's Development.* Cambridge, MA: Harvard University Press.

Gneezy, U., Meier, S. a Rey-Biel, P. (2011) When and why incentives (don't) work to modify behaviour. *Journal of Economic Perspectives, 25(4),* 191–210.

Grant, G.M., Salcedo, V., Hynan, L.S., Frisch, M.B. a Puster, K. (1995) Effectiveness of quality of life therapy for depression. *Psychological Reports, 76,* 1203–1208.

Griffiths, M.D. (1994) The role of cognitive bias and skill in fruit machine gambling. *British Journal of Psychology, 85,* 351–369.

Greene, E. (1990) Media effects on jurors. *Law and Human Behavior, 14,* 439–450.

Guidelines for Psychologists Working with Animals (2012) Ar-lein yn *www.bps.org.uk/system/files/images/guideline_for_psychologists_working_with_animals_2012_rep55_2012_web.pdf* (accessed April 2015).

Gupta, S. (1991) Effects of time of day and personality on intelligence test scores. *Personality and Individual Differences, 12(11),* 1227–1231.

Haring, M.I., Stock, W.A. a Okun, M.A. (1984) A research synthesis of gender and social class as correlates of subjective well-being. *Human Relations, 37,* 645–657.

Harlow, H.F. (1959) Love in infant monkeys. *Scientific American, 200(6),* 68–74.

Hatfield, E. a Walster, G.W. (1981) *A New Look at Love.* Reading, MA: Addison-Wesley.

Heermann, J.A., Jones, L.C. a Wikoff, R.L. (1994) Measurement of parent behavior during interactions with their infants. *Infant Behavior and Development, 17,* 311–321.

Herzog, A.R., Rogers, W.L. a Woodworth, J. (1982) *Subjective Well-being among Different Age Groups.* Ann Arbor: University of Michigan, Survey Research Center.

Hollon, S.D., DeRubeis, R.J., Evans, M.D., Wiemer, M.J. a Garvey, M.J. (1992) Cognitive therapy and pharmacotherapy for depression. *Archive of General Psychiatry, 49(10),* 774–781.

Hopfield, J.J., Feinstein, D.I. a Palmer, R.G. (1983) 'Unlearning' has a stabilising effect in collective memories. *Nature, 304,* 158–159.

Howell, R.T., Chenot, D., Hill, G. a Howell, C. (2009) Momentary happiness: The role of need satisfaction. *Journal of Happiness Studies, 1,* 1–15.

Huff, C.R., Ratner, A. a Sagarin, E. (1986) Guilty until proven innocent: Wrongful conviction and public policy. *Crime and Delinquency, 32,* 518–544.

Humphrey, J.H. (1973) *Stress Education for College Students.* Hauppauge, NY: Nova.

Inglehart, R. (1990) *Culture Shift in Advanced Industrial Society.* Princeton, NJ: Princeton University Press.

Institute for Economics and Peace (2013) UK Peace Index: Exploring the fabric of peace in the UK from 2003 to 2012. Cyhoeddwyd Ebrill 2013, Ar-lein yn *www.visionofhumanity.org/sites/default/files/UK_Peace_Index_report_2013.pdf* (accessed June 2015).

Jarrett, R.B., Basco, M.R., Risser, R., Ramanan, J., Marwill, M., Kraft, D. a Rush, A.J. (1998) Is there a role for continuation phase cognitive therapy for depressed outpatients? *Journal of Consulting and Clinical Psychology, 66,* 1036–1040.

Jarrett, R.B., Schaffer, M., McIntire, D., Witt-Browder, A. *et al.* (1999) Treatment of atypical depression with cognitive therapy or phenelzine: A double blind placebo controlled trial. *Archives of General Psychiatry, 56,* 431–437.

Johnstone, E.C., Crow, T.J., Frith, C.D., Husband, J. a Kreel, L. (1976) Cerebral ventricular size and cognitive impairment in chronic schizophrenia. *Lancet, 2,* 924–926.

Jorgensen, G. (2006) Kohlberg and Gilligan: Duet or duel? *Journal of Moral Education, 35(2),* 179–196.

Jost, A. (1897) Die Assoziationsfestigkeit in iher Abhängigkeit von der Verteilung der Wiederholungen. *Zeitschrift für Psychologie, 14,* 436–472.

Kabat-Zinn, J. (1990) *Full Catastrophe Living: Using the Wisdom of your Body and Mind to Face Stress, Pain and Illness.* New York: Delacarte.

Kahn, R.J., McNair, D.M., Lipman, R.S., Covi, L., Rickels, K., Downing, R., Fisher, S. a Frankenthaler, L.M. (1986) Imipramine and chlordiazepoxide in depressive and anxiety disorders. II. Efficacy in anxious outpatients. *Archives of General Psychiatry, 43,* 79–85.

Kohlberg, L. (1968) The child as a moral philosopher. *Psychology Today, 2,* 25–30.

Kohlberg, L. (1975) The cognitive developmental approach to moral education. *Phi Delta Kappan,* 670–677.

Koran, L.M., Hanna, G.L., Hollander, E., Nestadt, G. a Simpson, H.B. (2007) Practice guideline for the treatment of patients with obsessive compulsive disorder. *American Journal of Psychiatry, 164(7),* 5–53.

Koubeissi, M.Z., Bartolomei, F. a Picard, F. (2014) Electrical stimulation of a small brain area reversibly disrupts consciousness. *Epilepsy and Behavior, 37,* 32–35.

Kubzansky, L.D. a Thurston, R.C. (2007) Emotional vitality and incident coronary heart disease: Benefits of healthy psychological functioning. *Archives of General Psychiatry, 64(12),* 1393–1401.

Kuyken, W. a Tsivrikos, D. (2009) Therapist competence, co-morbidity and cognitive-behavioral therapy for depression. *Psychotherapy and Psychosomatics, 78,* 42–48.

Laing, R.D. (1965) *The Divided Self.* Harmondsworth: Penguin.

Laird, J.D. (1974) Self-attribution of emotion: The effects of facial expression on the quality of emotional experience. *Journal of Personality and Social Psychology, 29,* 475–486.

Lee, G.R., Seccombe, K. a Shehan, C.L. (1991) Marital status and personal happiness: An analysis of trend data. *Journal of Marriage and the Family, 53,* 839–844.

LeFrançois, G.R. (2000) *Psychology for Teaching*, 10th edn. Belmont, CA: Wadsworth Publishing Co.

Lepper, M.R., Greene, D. a Nisbett, R.E. (1973) Undermining children's intrinsic interest with extrinsic reward: A test of the overjustification hypothesis. *Journal of Personality and Social Psychology, 28,* 129–137.

Levitt, S.D., List, J.A. a Sadoff, S. (2010) The effect of performance-based incentives on educational achievement: Evidence from a randomised experiment. *Working Paper.* Dyfynnwyd yn Levitt, S.D., List, J.A., Neckermann, S. a Sadoff, S. (2012) The behavioralist goes to school: Leveraging behavioral economics to improve educational performance. Zentrum für Europäische Wirtschaftsforschung GmbH: Centre for European Economic Research. Discussion Paper No. 12–038. Available online at *http://ftp.zew.de/pub/zew-docs/dp/dp12038.pdf* (accessed June 2015).

Lewis, C.C. (1995) *Educating Hearts and Minds: Reflections on Japanese Preschool and Elementary Education.* Cambridge: Cambridge University Press.

Linley, P.A., Joseph, S., Harrington, S. a Wood, A.M. (2006) Positive psychology: Past, present, and (possible) future. *The Journal of Positive Psychology, 1(1),* 3–16.

Loftus, E. (1975) Leading questions and eyewitness report. *Cognitive Psychology, 7,* 560–572.

Loftus, E. (1979a) *Eyewitness Testimony.* Cambridge, MA: Harvard University Press.

Loftus, E. (1979b) Reactions to blatantly contradictory information. *Memory and Cognition, 7,* 368–374.

Loftus, E. a Ketcham, K. (1992) *Witness for the Defense: The Accused, the Eyewitness and the Expert Who Puts Memory on Trial*, 2nd edn. New York: St Martin's Press.

Loftus, E. a Ketcham, K. (1996) *The Myth of Repressed Memory: False Memories and Allegations of Sexual Abuse*, 2nd edn. New York: St Martin's Press.

Loftus, E.F. a Palmer, J.C. (1974) Reconstruction of automobile destruction: An example of the interaction between language and memory. *Journal of Verbal Learning and Verbal Behaviour, 13,* 585–589.

Loftus, E.F. a Zanni, G. (1975) Eyewitness testimony: The influence of the wording of a question. *Bulletin of the Psychonomic Society, 5(1),* 86–88.

Lombroso, C. (1876) *L'Uomo Delinquente.* Milan: Hoepli.

Lovaas, O.I. (1987) Behavioural treatment and abnormal education and educational functioning in young autistic children. *Journal of Consulting and Clinical Psychology, 55,* 3–9.

Lyubomirsky, S. (2013) *What Should Make you Happy, but Doesn't, What Shouldn't Make you Happy, but Does.* London: Penguin.

MacKinnon, D. (1938) Violations of prohibitions. In H.A. Murray (ed.) *Explorations in Personality.* New York: Oxford University Press.

Maguire, E.A., Gadian, N.G., Johnsrude, I.S., Good, C.D., Ashburner, J., Frackowiak, R.S.J. a Frith, C.D. (2000) Navigation-related structural changes in the hippocampi of taxi drivers. *Proceedings of the National Academy of Science, 97(8),* 4398–4403.

Manstead, A.R. a McCulloch, C. (1981) Sex-role stereotyping in British television advertisements. *British Journal of Social Psychology, 20,* 171–180.

Mantzios, M. a Giannou, K. (2014) Group vs. single mindfulness meditation: Exploring avoidance, impulsivity, and weight management in two separate mindfulness meditation settings. *APHW, 6(2),* 174–191.

Mastekaasa, A. (1992) Marriage and psychological well-being: Some evidence on selection into marriage. *Journal of Marriage and the Family, 54,* 901–911.

Mayberg, H.S., Lozano, A.M., Voon, V., McNeely, H.E., Seminowicz, D., Hamani, C., Schwalb, J.M. a Kennedy, S.H. (2005) Deep brain stimulation for treatment-resistant depression. *Neuron, 45(5),* 651–660.

McAllister, L.W., Stachowiak, J.G., Baer, D.M. a Conderman, L. (1969) The application of operant conditioning techniques in a secondary school classroom. *Journal of Applied Behavior Analysis, 2(4),* 277–285.

McCrae, R.R. a Costa, P.T., Jr. (1990) *Personality in Adulthood.* New York: Guilford Press.

McDermut, W., Miller, I.W. a Brown, R.A. (2001) The efficacy of group psychotherapy for depression: An meta-analysis and review of empirical research. *Evidence-based Mental Health, 4(3),* 82.

Menzies, R.G. a Clarke, J.C. (1993) A comparison of in vivo and vicarious exposure in the treatment of childhood water phobia. *Behaviour Research and Therapy, 31(1),* 9–15.

Middlemist, D.R., Knowles, E.S. a Matter, C.F. (1976) Personal space invasions in the lavatory: Suggestive evidence for arousal. *Journal of Personality and Social Psychology, 33,* 541–546.

Milgram, S. (1963) Behavioral study of obedience. *Journal of Abnormal and Social Psychology, 67,* 371–378.

Milgram, S. (1974) *Obedience to Authority: An Experimental View.* New York: Harper and Row.

Miller, N.E. (1978) Biofeedback and visceral learning. *Annual Review of Psychology, 29,* 421–452.

Mita, T.H., Dermer, M. a Knight, J. (1977) Reversed facial images and the mere-exposure hypothesis. *Journal of Personality and Social Psychology, 35,* 597–601.

Moore, H.T. (1922) Further data concerning sex differences. *Journal of Abnormal and Social Psychology, 17,* 210–214.

Morris, K. (2014) Love step not naughty step: A New Year's resolution for parents? PurpleHouse Psychology Services. Available online at *www.mypurplehouse.co.uk/parenting-techniques/love-step-naughty-step-new-years-resolution-parents* (accessed February 2015).

Mowrer, O.H. (1947) On the dual nature of learning: A re-interpretation of 'conditioning' and 'problem-solving'. *Harvard Educational Review, 17,* 102–148.

Murstein, B.I. (1972) Physical attractiveness and marital choice. *Journal of Personality and Social Psychology, 22,* 8–12.

Myers, D.G. a Diener, E. (1995) Who is happy? *Psychological Science, 6(1),* 10–17.

Nelson, C.A. (2008) Incidental findings in magnetic resonance imaging (MRI) brain research. *Journal of Law, Medicine and Ethics (Summer), 36(2),* 315–319.

Norem, J. (2001) *The Positive Power of Negative Thinking.* Cambridge, MA: Basic Books.

Nosek, B.A., Banaji, M.R. a Greenwald, A.G. (2002) Harvesting implicit group attitudes and beliefs from a demonstration website. *Group Dynamics, 6,* 101–115.

Nuffield Trust (2014) paratowyd gan Spence, R., Roberts, A., Ariti, C. a Bardsley, M. (2014) *Focus on: Antidepressant prescribing. Trends in the prescribing of antidepressants in primary care.* London: The Health Foundation and the Nuffield Trust.

Orne, M.T. (1962) On the social psychology of the psychological experiment: With particular reference to demand characteristics and their implications. *American Psychologist, 17,* 776–783.

Orne, M.T. a Holland, C.H. (1968) On the ecological validity of laboratory deceptions. *International Journal of Psychiatry, 6,* 282–293.

Orne, M.T. a Scheibe, K.E. (1964) The contribution of nondeprivation factors in the production of sensory deprivation effects: The psychology of the 'panic button'. *Journal of Abnormal and Social Psychology, 68,* 3–12.

Öst, L.G. (1987) Age of onset in different phobias. *Journal of Abnormal Psychology, 96,* 223–229.

Oswald, A.J., Proto, E. a Sgroi, D. (2009) Happiness and productivity. IZA Discussion Paper No. 4645. Ar-lein yn *http://ftp.iza.org/dp4645.pdf* (accessed May 2015).

Pavlov, I.P. (1902) *The Work of the Digestive Glands.* London: Charles Griffin.

Perry, G. (2012) *Behind the Shock Machine: The Untold Story of the Notorious Milgram Psychology Experiments.* Brunswick, VT: Scribe Publications.

Piaget, J. (1970) Piaget's theory. Yn P.H. Mussen (gol.) *Carmichael's Manual of Child Psychology, vol. 1.* New York: Wiley.

Pines, M. (1998) *Group-Analytic Psychotherapy and the Borderline Patient: Circular Reflections.* London: Jessica Kingsley Publications.

Piliavin, I.M., Rodin, J. a Piliavin, J.A. (1969) Good Samaritanism: An underground phenomenon. *Journal of Personality and Social Psychology, 13,* 1200–1213.

Poloma, M.M. a Pendleton, B.F. (1990) Religious domains and general well-being. *Social Indicators Research, 22,* 255–276.

Popper, K.R. (1934) *The Logic of Scientific Discovery.* English translation, 1959, London: Hutchinson.

Pozzulo, J.D. a Lindsay, R.C.L. (1998) Identification accuracy of children versus adults: A meta-analysis. *Law and Human Behavior, 22(5),* 549–570.

Raine, A., Buchsbaum, M. a LaCasse, L. (1997) Brain abnormalities in murderers indicated by positron emission tomography. *Biological Psychiatry, 42(6),* 495–508.

Raine, A., Mellingen, K., Liu, J., Venables, P. a Mednick, S.A. (2003) Effects of environmental enrichment at ages 3–5 years on schizotypal personality and anti-social behavior at ages 17 and 23 years. *American Journal of Psychiatry, 160,* 1627–1635.

Reibel, D.K., Gresson, J.M., Brainard, G.C. a Rosenzweig, S. (2001) Mindfulness based stress reduction and health related quality of life in a heterogeneous patient population. *General Hospital Psychiatry, 23(4),* 183–192.

Robins, L. a Regier, D. (gol.) (1991) *Psychiatric Disorders in America.* New York: Free Press.

Robinson, P.W., Newby, T.J. a Ganzell, S.L. (1981) A token system for a class of underachieving hyperactive children. *Journal of Applied Behaviour Analysis, 14(3),* 307–315.

Rosenbluth, R., Grossman, E.S. a Kaitz, M. (2000) Performance of early-blind and sighted children on olfactory tasks. *Perception, 29(1),* 101–110.

Rosenthal, R. (1966) *Experimenter Effects in Behaviour Research*. New York: Appleton.

Rosenthal, R. a Fode, K.L. (1963) The effect of experimenter bias on the performance of the albino rat. *Behavioural Science, 8(3)*, 183–189.

Ruedy, N.E. a Schweitzer, M.E. (2010) In the moment: The effect of mindfulness on ethical decision making. Available online at *http://opim.wharton.upenn.edu/risk/library/WPAF2010-07-02_NR,MS.pdf* (cyrchwyd Ebrill 2015).

Rutter, M. a Sonuga-Barke, E.J. (2010) X. Conclusions: Overview of findings from the era study, inferences, and research implications. *Monographs of the Society for Research in Child Development, 75(1), 212–229.*

Sartre, J.-P. (1973) *No Exit*. New York: Vintage Books. (Gwaith gwreiddiol cyhoeddwyd 1944.)

Schacter, D.L., Kaszniak, A.W., Kihlstrom, J.F. a Valdiserri, M. (1991) The relation between source memory and aging. *Psychology and Aging, 6(4)*, 559–568.

Schaffer, H.R. a Emerson, P.E. (1964) The development of social attachments in infancy. *Monographs of the Society for Research in Child Development, 29(3, Serial No. 94)*, 1–77.

Schinka, J.A., Musch, R.M. a Robichaux-Keene, N. (2004) A meta-analysis of the association between the serotonin transporter gene poly-morphism (5-HTTLPR) and trait anxiety. *Molecular Psychiatry, 9*, 197–202.

Seligman, M.E.P. (1970) On the generality of the laws of learning. *Psychological Review, 77*, 406–418.

Seligman, M.E.P. (2002) *Authentic Happiness: Using the New Positive Psychology to Realise your Potential for Lasting Fulfillment*. New York: Free Press.

Seligman, M.E.P. (2003) Foreword: The past and future of positive psychology. In C.L.M. Keyes and J. Haidt (eds) *Flourishing Positive Psychology and the Life Well Lived*. Washington DC: American Psychology Association.

Seligman, M.E.P. a Csikszentmihalyi, M. (2000) Positive psychology: An introduction. *American Psychologist, 55(1)*, 5–14.

Seligman, M.E.P., Ernst, R.M., Gillham, J., Reivich, K. a Linkins, M. (2009) Positive education: Positive psychology and classroom interventions. *Oxford Review of Education, 35(3)*, 293–311.

Sheldon, K.M. a King, L.K. (2001) Why positive psychology is necessary. *American Psychologist, 56*, 216–217.

Sheridan, C.L. a King, K.G. (1972) Obedience to authority with an authentic victim. *Proceedings of the 80th Annual Convention of the American Psychological Association, 7*, 165–166.

Silverman, M.S., McCarthy, M. a McGoren, T.E. (1992) A review of outcome studies of rational emotive therapy from 1982–1989. *Journal of Rational Emotive and Cognitive Behaviour Therapy, 10*, 111–186.

Simons, A.D., Gordon, J.S., Monroe, S.M. a Thase, M.E. (1995) Toward an integration of psychologic, social, and biologic factors in depression: Effects on outcome and course of cognitive therapy. *Journal of Consulting and Clinical Psychology, 63*, 369–377.

Skeels, H. a Dye, H.B. (1939) A study of the effects of differential stimulation on mentally retarded children. *Proceedings and Addresses of the American Association on Mental Deficiency, 44*, 114–136.

Skinner, B.F. (1938) *Science and Human Behavior*. New York: Macmillan.

Skinner, B.F. (1954) The science of learning and the art of teaching. *Harvard Educational Review, 24(2)*, 86–97.

Skodak, M. a Skeels, H. (1949) A final follow-up study of 100 adopted children. *Journal of Genetic Psychology, 75*, 85–125.

Slater, L. (2004) *Opening Skinner's Box: Great Psychological Experiments of the Twentieth Century*. New York: Norton.

Smirle, C. (2013) Profile of Rosalie Rayner. In A. Rutherford (gol.) *Psychology's Feminist Voices Multimedia Internet Archive*. Available online at *www.feministvoices.com/bonnie-strickland* (cyrchwyd Chwefror 2015).

Smith, J.W. (1988) Long term outcome of clients treated in a commercial stop smoking program. *Journal of Substance Abuse Treatment, 5*, 33–36.

Smith, J.W., Frawley, P.J. a Polissar, L. (1997) Six- and twelve-month abstinence rates in inpatient alcoholics treated with either faradic aversion or chemical aversion compared with matched inpatients from a treatment registry. *Journal of Addictive Diseases, 16(1)*, 5–24.

Solms, M. (2000) Dreaming and REM sleep are controlled by different brain mechanisms. *Behavioral and Brain Sciences, 23*, 843–850.

Soomro, G.M., Altman, D.G., Rajagopal, S. a Oakley-Browne, M. (2008) Selective serotonin re-uptake inhibitors (SSRIs) versus placebo for obsessive compulsive disorder (OCD). *Cochrane Database of Systematic Reviews, 1*. Available online at *http://summaries.cochrane.org/CD001765/selective-serotonin-re-uptake-inhibitors-ssris-versus-placebo-for-obsessive-compulsive-disorder-ocd* (accessed June 2012).

Spence, S. a Shortt, A.L. (2007) Research review: Can we justify the widespread dissemination of universal, school-based interventions for the prevention of depression among children and adolescents? *Journal of Child Psychology and Psychiatry, 48*, 526–542.

Spitz, R.A. a Wolf, K.M. (1946) Anaclitic depression. *Psychoanalytic Study of the Child, 2*, 313–342.

Sroufe, L.A., Egeland, B., Carlson, E. a Collins, W.A. (2005) *The Development of the Person: The Minnesota Study of Risk and Adaptation from Birth to Adulthood*. New York: Guilford.

Szasz, T. (1978) *The Myth of Psychotherapy*. Oxford: Oxford University Press.

Taylor, S.E., Klein, L.C., Lewis, B.P., Grunewald, T.L., Gurung, R.A.R. a Updegraff, J.A. (2000) Biobehavioral responses to stress in females: Tend-and-befriend, not fight-or-flight. *Psychological Review, 107(3)*, 411–429.

Teasdale, J.D., Williams, J.M.G., Soulsby, J.M., Segal, Z.V., Ridgeway, V.A. a Lau, M.A. (2000) Prevention of relapse/recurrence in major depression by mindfulness based cognitive therapy. *Journal of Consulting and Clinical Psychology, 68(4)*, 615–623.

Thomas, C.M. a Morris, S. (2003) Cost of depression among adults in England in 2000. *British Journal of Psychiatry, 183*, 514–519.

Tiihonen, J., Kuikka, J., Bergstrom, K., Lepola, U., Koponen, H. a Leinonen, E. (1997) Dopamine re-uptake site densities in patients with social phobia. *American Journal of Psychiatry, 154*, 239–242.

Tiihonen, J., Rautiainen, M.R., Ollila, H.M., Repo-Tiihonen, E., Virkkunen, M., Palotie, A., Pietiläinen, O., Kristiansson, K., Joukamaa, M., Lauerma, H., Saarela, J., Tyni, S., Vartiainen, H., Paananen, J., Goldman, D. a Paunio, T. (2015) Genetic background of extreme violent behaviour. *Molecular Psychiatry, 20(6)*, 786–792.

Toghyani, M., Kalantari, M., Amiri, S. a Molavi, H. (2011) The effectiveness of quality of life therapy on subjective well-being of male adolescents. *Social and Behavioural Sciences, 30*, 1752–1757.

Toon, K., Fraise, J., McFetridge, M. a Alwin, N. (1996) Memory or mirage? The False Memory Syndrome debate. *The Psychologist, 9(2)*, 73–77.

Trivers, R.L. (1972) Parental investment and sexual selection. In B. Campbell (ed.) *Sexual Selection and the Descent of Man*. Chicago: Aldine.

Tulving, E. a Psotka, J. (1971) Retroactive inhibition in free recall: Inaccessibility of information available in the memory store. *Journal of Experimental Psychology, 87*, 1–8.

Viguera, A.C., Nonacs, R., Cohen, L.S., Tondo, L. a Murray, A. (2000) Risk of recurrence of bipolar disorder in pregnant and non-pregnant women after discontinuing lithium maintenance. *American Journal of Psychiatry, 157(2)*, 179–184.

Wager, T.D., Phan, K.L., Liberzon, I. a Taylor, S.F. (2003) Valence, gender, and lateralisation of functional brain anatomy in emotion: A meta-analysis of findings from neuroimaging. *NeuroImage, 19(3)*, 513–531.

Walker, L.J., deVries, B. a Trevethan, S.D. (1987) Moral stages and moral orientations in real-life and hypothetical dilemmas. *Child Development, 58*, 842–858.

Walster, E., Aronson, V., Abrahams, D. a Rottman, L. (1966) The importance of physical attractiveness in dating behaviour. *Journal of Personality and Social Psychology, 4*, 508–516.

Watson, J.B. (1930) *Behaviorism*, revised edition. Chicago: University of Chicago Press.

Watson, J.B. a Rayner, R. (1920) Conditioned emotional reactions. *Journal of Experimental Psychology, 3*, 1–14.

White, G.L., Fishbein, S. a Rutstein, J. (1981) Passionate love and the misattribution of arousal. *Journal of Personality and Social Psychology, 41*, 56–62.

Wilson, R.M., Gaines, J. a Hill, R.P. (2008) Neuromarketing and consumer free will. *The Journal of Consumer Affairs, 42(3)*, 389–410.

Witter, R.A., Stock, W.A., Okun, M.A. a Haring, M.J. (1985) Religion and subjective well-being in adulthood: A quantitative synthesis. *Review of Religious Research, 26*, 332–342.

Wolpe, J. (1958) *Psychotherapy by Reciprocal Inhibition*. Stanford, CA: Stanford University Press.

Wolpe, J. (1973) *The Practice of Behavior Therapy*. New York: Pergamon Press.

Wood, W., Rhodes, N. a Whelan, M. (1989) Sex differences in positive well-being: A consideration of emotional style and marital status. *Psychological Bulletin, 106*, 249–264.

Yang, Y. a Raine, A. (2009) Prefrontal structural and functional brain imaging findings in antisocial, violent, and psychopathic individuals: A meta-analysis. *Psychiatry Research, 174(2)*, 81–88.

Yarmey, A.D. (1993) Stereotypes and recognition memory for faces and voices of good guys and bad guys. *Applied Cognitive Psychology, 7(5)*, 419–431.

Yuille, J.C. a Cutshall, J.L. (1986) A case study of eyewitness memory or crime. *Journal of Applied Psychology, 71(2)*, 291–301.

Zajonc, R.B. (1968) Attitudinal effects of mere exposure. *Journal of Personality and Social Psychology (Monograph), 9*, 1–29.

Geirfa/Mynegai

Atebion y gweithgareddau